CONTES CHOISIS

CONTES CHOISIS

GUY DE MAUPASSANT

COLLECTION INTERNATIONALE
Doubleday & Company, Inc.
Garden City, New York
1961

Collection Internationale
publiée sous la direction de
Bert M-P. Leefmans
Columbia University

Couverture réalisée par Leonard Baskin

Imprimé aux Etats-Unis
Printed in the United States of America

TABLE DES MATIÈRES

J'écoutais, attendant, et je l'entendis encore, ce bruit qui semblait sorti de moi-même, arraché à mes nerfs, ou plutôt qui résonnait en moi comme un appel intime, profond et désolé. Oui, c'était une voix cruelle, une voix connue, attendue, et qui me désespérait. Il passait sur moi ce son faible et bizarre, comme un semeur d'épouvante et de délire, car il eut aussitôt la puissance d'éveiller l'affreuse détresse sommeillant toujours au fond du cœur de tous les vivants. Qu'était-ce? C'était la voix qui crie sans fin dans notre âme et qui nous reproche d'une façon continue, obscurément et douloureusement, torturante, harcelante, inconnue, inapaisable, inoubliable, féroce, qui nous reproche tout ce que nous avons fait et en même temps tout ce que nous n'avons pas fait, la voix des vagues remords, des regrets sans retours, des jours finis, des femmes rencontrées qui nous auraient aimé peut-être, des choses disparues, des joies vaines, des espérances mortes; la voix de ce qui passe, de ce qui fuit, de ce qui trompe, de ce qui disparaît, de ce que nous n'avons pas atteint, de ce que nous n'atteindrons jamais, la maigre petite voix qui crie l'avortement de la vie, l'inutilité de l'effort, l'impuissance de l'esprit et la faiblesse de la chair.

Maupassant, *Sur l'eau*.

BOULE DE SUIF

BOULE DE SUIF.

Pendant plusieurs jours de suite des lambeaux d'armée en déroute avaient traversé la ville. Ce n'était point de la troupe, mais des hordes débandées. Les hommes avaient la barbe longue et sale, des uniformes en guenilles, et ils avançaient d'une allure molle, sans drapeau, sans régiment. Tous semblaient accablés, éreintés, incapables d'une pensée ou d'une résolution, marchant seulement par habitude, et tombant de fatigue sitôt qu'ils s'arrêtaient. On voyait surtout des mobilisés, gens pacifiques, rentiers tranquilles, pliant sous le poids du fusil; des petits moblots alertes, faciles à l'épouvante et prompts à l'enthousiasme, prêts à l'attaque comme à la fuite; puis, au milieu d'eux, quelques culottes rouges, débris d'une division moulue dans une grande bataille; des artilleurs sombres alignés avec ces fantassins divers; et, parfois, le casque brillant d'un dragon au pied pesant qui suivait avec peine la marche plus légère des lignards.

Des légions de francs-tireurs aux appellations héroïques: «les Vengeurs de la Défaite — les Citoyens de la Tombe — les Partageurs de la Mort» — passaient à leur tour, avec des airs de bandits.

Leurs chefs, anciens commerçants en draps ou en graines, ex-marchands de suif ou de savon, guerriers de circonstance, nommés officiers pour leurs écus ou la longueur de leurs moustaches, couverts d'armes, de flanelle et de galons, parlaient d'une voix retentissante, discutaient plans de campagne, et prétendaient soutenir seuls la France agonisante sur leurs épaules de fanfarons; mais ils redoutaient parfois leurs propres soldats, gens de sac et de corde, souvent braves à outrance, pillards et débauchés.

Les Prussiens allaient entrer dans Rouen, disait-on.

La Garde nationale qui, depuis deux mois, faisait des reconnaissances très prudentes dans les bois voisins, fusillant parfois ses propres sentinelles, et se préparant au combat quand un petit lapin remuait sous des broussailles, était rentrée dans ses foyers. Ses armes, ses uniformes, tout son attirail meurtrier, dont elle épouvantait naguère les bornes des routes nationales à trois lieues à la ronde, avaient subitement disparu.

Les derniers soldats français venaient enfin de traverser la Seine pour gagner Pont-Audemer par Saint-Sever et Bourg-Achard; et, marchant après tous, le général, désespéré, ne pouvant rien tenter avec ces loques disparates, éperdu lui-même dans la grande débâcle d'un peuple habitué à vaincre et désastreusement battu malgré sa bravoure légendaire, s'en allait à pied, entre deux officiers d'ordonnance.

Puis un calme profond, une attente épouvantée et silencieuse avaient plané sur la cité. Beaucoup de bourgeois bedonnants, émasculés par le commerce, attendaient anxieusement les vainqueurs, tremblant qu'on ne considérât comme une arme leurs broches à rôtir ou leurs grands couteaux de cuisine.

La vie semblait arrêtée; les boutiques étaient closes, la rue muette. Quelquefois un habitant, intimidé par ce silence, filait rapidement le long des murs.

L'angoisse de l'attente fait désirer la venue de l'ennemi.

Dans l'après-midi du jour qui suivit le départ des troupes françaises, quelques uhlans, sortis on ne sait d'où, traversèrent la ville avec célérité. Puis, un peu plus tard, une masse noire descendit de la côte Sainte-Catherine, tandis que deux autres flots envahisseurs apparaissaient par les routes de Darnetal et de Boisguillaume. Les avant-gardes des trois corps, juste au même moment, se joignirent sur la place de l'Hôtel-de-Ville; et, par toutes les rues voisines, l'armée allemande arrivait, déroulant ses bataillons qui faisaient sonner les pavés sous leur pas dur et rythmé.

Des commandements criés d'une voix inconnue et gutturale montaient le long des maisons qui semblaient mortes et désertes, tandis que, derrière les volets fermés, des yeux

guettaient ces hommes victorieux, maîtres de la cité, des fortunes et des vies, de par le «droit de guerre». Les habitants, dans leurs chambres assombries, avaient l'affolement que donnent les cataclysmes, les grands bouleversements meurtriers de la terre, contre lesquels toute sagesse et toute force sont inutiles. Car la même sensation reparaît chaque fois que l'ordre établi des choses est renversé, que la sécurité n'existe plus, que tout ce que protégeaient les lois des hommes ou celles de la nature se trouve à la merci d'une brutalité inconsciente et féroce. Le tremblement de terre écrasant sous les maisons croulantes un peuple entier; le fleuve débordé qui roule les paysans noyés avec les cadavres des bœufs et les poutres arrachées aux toits, ou l'armée glorieuse massacrant ceux qui se défendent, emmenant les autres prisonniers, pillant au nom du Sabre et remerciant un Dieu au son du canon, sont autant de fléaux effrayants qui déconcertent toute croyance à la Justice Éternelle, toute la confiance qu'on nous enseigne en la protection du Ciel et en la raison de l'Homme.

Mais à chaque porte des petits détachements frappaient, puis disparaissaient dans les maisons. C'était l'occupation après l'invasion. Le devoir commençait pour les vaincus de se montrer gracieux envers les vainqueurs.

Au bout de quelque temps, une fois la première terreur disparue, un calme nouveau s'établit. Dans beaucoup de familles, l'officier prussien mangeait à table. Il était parfois bien élevé, et, par politesse, plaignait la France, disait sa répugnance en prenant part à cette guerre. On lui était reconnaissant de ce sentiment; puis on pouvait, un jour ou l'autre, avoir besoin de sa protection. En le ménageant on obtiendrait peut-être quelques hommes de moins à nourrir. Et pourquoi blesser quelqu'un dont on dépendait tout à fait? Agir ainsi serait moins de la bravoure que de la témérité. — Et la témérité n'est plus un défaut des bourgeois de Rouen, comme au temps des défenses héroïques où s'illustra leur cité. — On se disait enfin, raison suprême tirée de l'urbanité française, qu'il demeurait bien permis d'être poli dans son intérieur pourvu qu'on ne se montrât pas familier, en public, avec le soldat étranger. Au dehors on ne se con-

naissait plus, mais dans la maison on causait volontiers, et l'Allemand demeurait plus longtemps, chaque soir, à se chauffer au foyer commun.

La ville même reprenait peu à peu de son aspect ordinaire. Les Français ne sortaient guère encore, mais les soldats prussiens grouillaient dans les rues. Du reste, les officiers de hussards bleus, qui traînaient avec arrogance leurs grands outils de mort sur le pavé, ne semblaient pas avoir pour les simples citoyens énormément plus de mépris que les officiers de chasseurs, qui, l'année d'avant, buvaient aux mêmes cafés.

Il y avait cependant quelque chose dans l'air, quelque chose de subtil et d'inconnu, une atmosphère étrangère intolérable, comme une odeur répandue, l'odeur de l'invasion. Elle emplissait les demeures et les places publiques, changeait le goût des aliments, donnait l'impression d'être en voyage, très loin, chez des tribus barbares et dangereuses.

Les vainqueurs exigeaient de l'argent, beaucoup d'argent. Les habitants payaient toujours; ils étaient riches d'ailleurs. Mais plus un négociant normand devient opulent et plus il souffre de tout sacrifice, de toute parcelle de sa fortune qu'il voit passer aux mains d'un autre.

Cependant, à deux ou trois lieues sous la ville, en suivant le cours de la rivière, vers Croisset, Dieppedalle ou Biessart, les mariniers et les pêcheurs ramenaient souvent du fond de l'eau quelque cadavre d'Allemand gonflé dans son uniforme, tué d'un coup de couteau ou de savate, la tête écrasée par une pierre, ou jeté à l'eau d'une poussée du haut d'un pont. Les vases du fleuve ensevelissaient ces vengeances obscures, sauvages et légitimes, héroïsmes inconnus, attaques muettes, plus périlleuses que les batailles au grand jour et sans le retentissement de la gloire.

Car la haine de l'Étranger arme toujours quelques Intrépides prêts à mourir pour une Idée.

Enfin, comme les envahisseurs, bien qu'assujétissant la ville à leur inflexible discipline, n'avaient accompli aucune des horreurs que la renommée leur faisait commettre tout le long de leur marche triomphale, on s'enhardit, et le besoin du négoce travailla de nouveau le cœur des commerçants

du pays. Quelques-uns avaient de gros intérêts engagés au Havre, que l'armée française occupait, et ils voulurent tenter de gagner ce port en allant par terre à Dieppe, où ils s'embarqueraient.

On employa l'influence des officiers allemands dont on avait fait la connaissance, et une autorisation de départ fut obtenue du général en chef.

Donc, une grande diligence à quatre chevaux ayant été retenue pour ce voyage, et dix personnes s'étant fait inscrire chez le voiturier, on résolut de partir un mardi matin, avant le jour, pour éviter tout rassemblement.

Depuis quelque temps déjà la gelée avait durci la terre, et le lundi, vers trois heures, de gros nuages noirs venant du nord apportèrent la neige qui tomba sans interruption pendant toute la soirée et toute la nuit.

A quatre heures et demie du matin, les voyageurs se réunirent dans la cour de l'Hôtel de Normandie, où l'on devait monter en voiture.

Ils étaient encore pleins de sommeil, et grelottaient de froid sous leurs couvertures. On se voyait mal dans l'obscurité; et l'entassement des lourds vêtements d'hiver faisait ressembler tous ces corps à des curés obèses avec leurs longues soutanes. Mais deux hommes se reconnurent, un troisième les aborda, ils causèrent: — «J'emmène ma femme», — dit l'un. — «J'en fais autant.» — «Et moi aussi.» — Le premier ajouta: — «Nous ne reviendrons pas à Rouen, et si les Prussiens approchent du Havre nous gagnerons l'Angleterre.» — Tous avaient les mêmes projets, étant de complexion semblable.

Cependant on n'attelait pas la voiture. Une petite lanterne, que portait un valet d'écurie, sortait de temps à autre d'une porte obscure pour disparaître immédiatement dans une autre. Des pieds de chevaux frappaient la terre, amortis par le fumier des litières, et une voix d'homme parlant aux bêtes et jurant s'entendait au fond du bâtiment. Un léger murmure de grelots annonça qu'on maniait les harnais; ce murmure devint bientôt un frémissement clair et continu, rythmé par le mouvement de l'animal, s'arrêtant parfois,

puis reprenant dans une brusque secousse qu'accompagnait le bruit mat d'un sabot ferré battant le sol.

La porte subitement se ferma. Tout bruit cessa. Les bourgeois gelés s'étaient tus; ils demeuraient immobiles et roidis.

Un rideau de flocons blancs ininterrompu miroitait sans cesse en descendant vers la terre; il effaçait les formes, poudrait les choses d'une mousse de glace; et l'on n'entendait plus, dans le grand silence de la ville calme et ensevelie sous l'hiver, que ce froissement vague, innommable et flottant, de la neige qui tombe, plutôt sensation que bruit, entremêlement d'atomes légers qui semblaient emplir l'espace, couvrir le monde.

L'homme reparut, avec sa lanterne, tirant au bout d'une corde un cheval triste qui ne venait pas volontiers. Il le plaça contre le timon, attacha les traits, tourna longtemps autour pour assurer les harnais, car il ne pouvait se servir que d'une main, l'autre portant sa lumière. Comme il allait chercher la seconde bête, il remarqua tous ces voyageurs immobiles, déjà blancs de neige, et leur dit: — «Pourquoi ne montez-vous pas dans la voiture, vous serez à l'abri, au moins.?»

Ils n'y avaient pas songé, sans doute, et ils se précipitèrent. Les trois hommes installèrent leurs femmes dans le fond, montèrent ensuite; puis les autres formes indécises et voilées prirent à leur tour les dernières places sans échanger une parole.

Le plancher était couvert de paille où les pieds s'enfoncèrent. Les dames du fond, ayant apporté des petites chaufferettes en cuivre avec un charbon chimique, allumèrent ces appareils, et, pendant quelque temps, à voix basse, elles en énumérèrent les avantages, se répétant des choses qu'elles savaient déjà depuis longtemps.

Enfin, la diligence étant attelée, avec six chevaux au lieu de quatre à cause du tirage plus pénible, une voix du dehors demanda: — «Tout le monde est-il monté?» — Une voix du dedans répondit: — «Oui.» — On partit.

La voiture avançait lentement, lentement, à tout petits pas. Les roues s'enfonçaient dans la neige; le coffre entier

geignait avec des craquements sourds; les bêtes glissaient, soufflaient, fumaient; et le fouet gigantesque du cocher claquait sans repos, voltigeait de tous les côtés, se nouant et se déroulant comme un serpent mince, et cinglant brusquement quelque croupe rebondie quie se tendait alors sous un effort plus violent.

Mais le jour imperceptiblement grandissait. Ces flocons légers qu'un voyageur, Rouennais pur sang, avait comparés à une pluie de coton, ne tombaient plus. Une lueur sale filtrait à travers de gros nuages obscurs et lourds qui rendaient plus éclatante la blancheur de la campagne où apparaissaient tantôt un ligne de grands arbres vêtus de givre, tantôt une chaumière avec un capuchon de neige.

Dans la voiture, on se regardait curieusement, à la triste clarté de cette aurore.

Tout au fond, aux meilleures places, sommeillaient, en face l'un de l'autre, M. et Mme Loiseau, des marchands de vins en gros de la rue Grand-Pont.

Ancien commis d'un patron ruiné dans les affaires, Loiseau avait acheté le fonds et fait fortune. Il vendait à très bon marché de très mauvais vin aux petits débitants des campagnes et passait parmi ses connaissances et ses amis pour un fripon madré, un vrai Normand plein de ruses et de jovialité.

Sa réputation de filou était si bien établie, qu'un soir, à la préfecture, M. Tournel, auteur de fables et de chansons, esprit mordant et fin, une gloire locale, ayant proposé aux dames qu'il voyait un peu somnolentes de faire une partie de «Loiseau vole», le mot lui-même vola à travers les salons du préfet, puis, gagnant ceux de la ville, avait fait rire pendant un mois toutes les mâchoires de la province.

Loiseau était en outre célèbre par ses farces de toute nature, ses plaisanteries bonnes ou mauvaises; et personne ne pouvait parler de lui sans ajouter immédiatement: — «Il est impayable, ce Loiseau.»

De taille exiguë, il présentait un ventre en ballon surmonté d'une face rougeaude entre deux favoris grisonnants.

Sa femme, grande, forte, résolue, avec la voix haute et

la décision rapide, était l'ordre et l'arithmétique de la maison
de commerce, qu'il animait par son activité joyeuse.

A côté d'eux se tenait, plus digne, appartenant à une
caste supérieure, M. Carré-Lamadon, homme considérable,
posé dans les cotons, propriétaire de trois filatures, officier
de la Légion d'honneur et membre du Conseil général. Il
était resté, tout le temps de l'Empire, chef de l'opposition
bienveillante, uniquement pour se faire payer plus cher son
ralliement à la cause qu'il combattait avec des armes
courtoises, selon sa propre expression. Mme Carré-Lamadon,
beaucoup plus jeune que son mari, demeurait la consola-
tion des officiers de bonne famille envoyés à Rouen en
garnison.

Elle faisait vis-à-vis à son époux, toute mignonne, toute
jolie, pelotonnée dans ses fourrures, et regardait d'un air
navré l'intérieur lamentable de la voiture.

Ses voisins, le comte et la comtesse Hubert de Bréville,
portaient un des noms les plus anciens et les plus nobles de
Normandie. Le comte, vieux gentilhomme de grande
tournure, s'efforçait d'accentuer, par les artifices de sa
toilette, sa ressemblance naturelle avec le roy Henri IV qui,
suivant une légende glorieuse pour la famille, avait rendu
grosse une dame de Bréville dont le mari, pour ce fait, était
devenu comte et gouverneur de province.

Collègue de M. Carré-Lamadon au Conseil général, le
comte Hubert représentait le parti orléaniste dans le dé-
partement. L'histoire de son mariage avec la fille d'un petit
armateur de Nantes était toujours demeurée mystérieuse.
Mais comme la comtesse avait grand air, recevait mieux
que personne, passait même pour avoir été aimée par un
des fils de Louis-Philippe, toute la noblesse lui faisait fête,
et son salon demeurait le premier du pays, le seul où se
conservât la vieille galanterie, et dont l'entrée fût difficile.

La fortune des Bréville, toute en biensfonds, atteignait,
disait-on, cinq cent mille livres de revenu.

Ces six personnes formaient le fond de la voiture, le côté
de la société rentée, sereine et forte, des honnêtes gens
autorisés qui ont de la Religion et des Principes.

Par un hasard étrange, toutes les femmes se trouvaient

sur le même banc; et la comtesse avait encore pour voisines
deux bonnes sœurs qui égrenaient de longs chapelets en
marmottant des *Pater* et des *Ave.* L'une était vieille avec
une face défoncée par la petite vérole comme si elle eût
reçu à bout portant une bordée de mitraille en pleine figure.
L'autre, très chétive, avait une tête jolie et maladive sur
une poitrine de phtisique rongée par cette foi dévorante
qui fait les martyrs et les illuminés.

En face des deux religieuses, un homme et une femme
attiraient les regards de tous.

L'homme, bien connu, était Cornudet le démoc, la terreur
des gens respectables. Depuis vingt ans, il trempait sa
grande barbe rousse dans les bocks de tous les cafés démo-
cratiques. Il avait mangé avec les frères et amis une assez
belle fortune qu'il tenait de son père, ancien confiseur, et il
attendait impatiemment la République pour obtenir enfin
la place méritée par tant de consommations révolution-
naires. Au quatre septembre, par suite d'une farce peut-être,
il s'était cru nommé préfet, mais quand il voulut entrer en
fonctions, les garçons de bureau, demeurés seuls maîtres
de la place, refusèrent de le reconnaître, ce qui le con-
traignit à la retraite. Fort bon garçon, du reste, inoffensif
et serviable, il s'était occupé avec une ardeur incomparable
d'organiser la défense. Il avait fait creuser des trous dans
les plaines, coucher tous les jeunes arbres des forêts voisines,
semé des pièges sur toutes les routes, et, à l'approche de
l'ennemi, satisfait de ses préparatifs, il s'était vivement
replié vers la ville. Il pensait maintenant se rendre plus utile
au Havre, où de nouveaux retranchements allaient être
nécessaires.

La femme, une de celles appelées galantes, était célèbre
par son embonpoint précoce qui lui avait valu le surnom
de Boule de Suif. Petite, ronde de partout, grasse à lard,
avec des doigts bouffis, étranglés aux phalanges, pareils à
des chapelets de courtes saucisses; avec une peau luisante
et tendue, une gorge énorme qui saillait sous sa robe, elle
restait cependant appétissante et courue, tant sa fraîcheur
faisait plaisir à voir. Sa figure était une pomme rouge, un
bouton de pivoine prêt à fleurir; et là dedans s'ouvraient,

en haut, deux yeux noirs magnifiques, ombragés de grands cils épais qui mettaient une ombre dedans; en bas, une bouche charmante, étroite, humide pour le baiser, meublée de quenottes luisantes et microscopiques.

Elle était de plus, disait-on, pleine de qualités inappréciables.

Aussitôt qu'elle fut reconnue, des chuchotements coururent parmi les femmes honnêtes, et les mots de «prostituée», de «honte publique» furent chuchotés si haut qu'elle leva la tête. Alors elle promena sur ses voisins un regard tellement provocant et hardi qu'un grand silence aussitôt régna, et tout le monde baissa les yeux à l'exception de Loiseau, qui la guettait d'un air émoustillé.

Mais bientôt la conversation reprit entre les trois dames, que la présence de cette fille avait rendues subitement amies, presque intimes. Elles devaient faire, leur semblait-il, comme un faisceau de leurs dignités d'épouses en face de cette vendue sans vergogne; car l'amour légal le prend toujours de haut avec son libre confrère.

Les trois hommes aussi, rapprochés par un instinct de conservateurs à l'aspect de Cornudet, parlaient argent d'un certain ton dédaigneux pour les pauvres. Le comte Hubert disait les dégâts que lui avaient fait subir les Prussiens, les pertes qui résulteraient du bétail volé et des récoltes perdues, avec une assurance de grand seigneur dix fois millionnaire que ces ravages gêneraient à peine une année. M. Carré-Lamadon, fort éprouvé dans l'industrie cotonnière, avait eu soin d'envoyer six cent mille francs en Angleterre, une poire pour la soif qu'il se ménageait à toute occasion. Quant à Loiseau, il s'était arrangé pour vendre à l'Intendance française tous les vins communs qui lui restaient en cave, de sorte que l'Etat lui devait une somme formidable qu'il comptait bien toucher au Havre.

Et tous les trois se jetaient des coups d'œil rapides et amicaux. Bien que de conditions différentes, ils se sentaient frères par l'argent, de la grande franc-maçonnerie de ceux qui possèdent, qui font sonner de l'or en mettant la main dans la poche de leur culotte.

La voiture allait si lentement qu'à dix heures du matin

on n'avait pas fait quatre lieues. Les hommes descendirent trois fois pour monter des côtes à pied. On commençait à s'inquiéter, car on devait déjeuner à Tôtes et l'on désespérait maintenant d'y parvenir avant la nuit. Chacun guettait pour apercevoir un cabaret sur la route, quand la diligence sombra dans un amoncellement de neige et il fallut deux heures pour la dégager.

L'appétit grandissait, troublait les esprits; et aucune gargote, aucun marchand de vin ne se montraient, l'approche des Prussiens et le passage des troupes françaises affamées ayant effrayé toutes les industries.

Les messieurs coururent aux provisions dans les fermes au bord du chemin, mais ils n'y trouvèrent pas même du pain, car le paysan défiant cachait ses réserves dans la crainte d'être pillé par les soldats qui, n'ayant rien à se mettre sous la dent, prenaient par force ce qu'ils découvraient.

Vers une heure de l'après-midi, Loiseau annonça que décidément il se sentait un rude creux dans l'estomac. Tout le monde souffrait comme lui depuis longtemps; et le violent besoin de manger, augmentant toujours, avait tué les conversations.

De temps en temps, quelqu'un bâillait; un autre presque aussitôt l'imitait; et chacun, à tour de rôle, suivant son caractère, son savoir-vivre et sa position sociale, ouvrait la bouche avec fracas ou modestement en portant vite sa main devant le trou béant d'où sortait une vapeur.

Boule de Suif, à plusieurs reprises, se pencha comme si elle cherchait quelque chose sous ses jupons. Elle hésitait une seconde, regardait ses voisins, puis se redressait tranquillement. Les figures étaient pâles et crispées. Loiseau affirma qu'il payerait mille francs un jambonneau. Sa femme fit un geste comme pour protester; puis elle se calma. Elle souffrait toujours en entendant parler d'argent gaspillé, et ne comprenait même pas les plaisanteries sur ce sujet. — «Le fait est que je ne me sens pas bien, dit le comte, comment n'ai-je pas songé à apporter des provisions?» — Chacun se faisait le même reproche.

Cependant, Cornudet avait une gourde pleine de rhum; il en offrit; on refusa froidement. Loiseau seul en accepta

deux gouttes, et, lorsqu'il rendit la gourde, il remercia: —
«C'est bon tout de même, ça réchauffe, et ça trompe l'ap-
pétit.» — L'alcool le mit en belle humeur et il proposa de
faire comme sur le petit navire de la chanson: de manger
le plus gras des voyageurs. Cette allusion indirecte à Boule
de Suif choqua les gens bien élevés. On ne répondit pas;
Cornudet seul eut un sourire. Les deux bonnes sœurs
avaient cessé de marmotter leur rosaire, et, les mains en-
foncées dans leurs grandes manches, elles se tenaient im-
mobiles, baissant obstinément les yeux, offrant sans doute
au ciel la souffrance qu'il leur envoyait.

Enfin, à trois heures, comme on se trouvait au milieu
d'une plaine interminable, sans un seul village en vue,
Boule de Suif se baissant vivement, retira de sous la ban-
quette un large panier couvert d'une serviette blanche.

Elle en sortit d'abord une petite assiette de faïence, une
fine timbale en argent, puis une vaste terrine dans laquelle
deux poulets entiers, tout découpés, avaient confi sous leur
gelée; et l'on apercevait encore dans le panier d'autres
bonnes choses enveloppées, des pâtés, des fruits, des
friandises, les provisions préparées pour un voyage de trois
jours, afin de ne point toucher à la cuisine des auberges.
Quatre goulots de bouteilles passaient entre les paquets de
nourriture. Elle prit une aile de poulet et, délicatement, se
mit à la manger avec un de ces petits pains qu'on appelle
«Régence» en Normandie.

Tous les regards étaient tendus vers elle. Puis l'odeur
se répandit, élargissant les narines, faisant venir aux
bouches une salive abondante avec une contraction dou-
loureuse de la mâchoire sous les oreilles. Le mépris des
dames pour cette fille devenait féroce, comme une envie
de la tuer ou de la jeter en bas de la voiture, dans la neige,
elle, sa timbale, son panier et ses provisions.

Mais Loiseau dévorait des yeux la terrine de poulet. Il
dit: — «A la bonne heure, madame a eu plus de précaution
que nous. Il y a des personnes qui savent toujours penser
à tout.» — Elle leva la tête vers lui: — «Si vous en désirez,
monsieur? C'est dur de jeûner depuis le matin.» — Il salua:
— «Ma foi, franchement, je ne refuse pas, je n'en peux plus.

A la guerre comme à la guerre, n'est-ce pas, madame?» —
Et, jetant un regard circulaire, il ajouta: — «Dans des
moments comme celui-ci, on est bien aise de trouver des
gens qui vous obligent.» — Il avait un journal qu'il étendit
pour ne point tacher son pantalon, et sur la pointe d'un
couteau toujours logé dans sa poche, il enleva une cuisse
toute vernie de gelée, la dépeça des dents, puis la mâcha
avec une satisfaction si évidente qu'il y eut dans la voiture
un grand soupir de détresse.

Mais Boule de Suif, d'une voix humble et douce, proposa
aux bonnes sœurs de partager sa collation. Elles acceptèrent
toutes les deux instantanément, et, sans lever les yeux, se
mirent à manger très vite après avoir balbutié des remer-
ciements. Cornudet ne refusa pas non plus les offres de sa
voisine, et l'on forma avec les religieuses une sorte de table
en développant des journaux sur les genoux.

Les bouches s'ouvraient et se fermaient sans cesse,
avalaient, mastiquaient, engloutissaient férocement. Loiseau,
dans son coin, travaillait dur, et, à voix basse, il engageait
sa femme à l'imiter. Elle résista longtemps, puis, après une
crispation qui lui parcourut les entrailles, elle céda. Alors
son mari, arrondissant sa phrase, demanda à leur «char-
mante compagne» si elle lui permettait d'offrir un petit
morceau à Mᵐᵉ Loiseau. Elle dit: — «Mais oui, certaine-
ment, monsieur», avec un sourire aimable, et tendit la
terrine.

Un embarras se produisit lorsqu'on eut débouché la
première bouteille de bordeaux: il n'y avait qu'une timbale.
On se la passa après l'avoir essuyée. Cornudet seul, par
galanterie sans doute, posa ses lèvres à la place humide
encore des lèvres de sa voisine.

Alors, entourés de gens qui mangeaient, suffoqués par
les émanations des nourritures, le comte et la comtesse de
Bréville, ainsi que M. et Mᵐᵉ Carré-Lamadon souffrirent
ce supplice odieux qui a gardé le nom de Tantale. Tout d'un
coup la jeune femme du manufacturier poussa un soupir
qui fit retourner les têtes; elle était aussi blanche que la
neige du dehors; ses yeux se fermèrent, son front tomba:
elle avait perdu connaissance. Son mari, affolé, implorait

le secours de tout le monde. Chacun perdait l'esprit, quand la plus âgée des bonnes sœurs, soutenant la tête de la malade, glissa entre ses lèvres la timbale de Boule de Suif et lui fit avaler quelques gouttes de vin. La jolie dame remua, ouvrit les yeux, sourit et déclara d'une voix mourante qu'elle se sentait fort bien maintenant. Mais, afin que cela ne se renouvelât plus, la religieuse la contraignit à boire un plein verre de bordeaux, et elle ajouta: — «C'est la faim, pas autre chose.»

Alors Boule de Suif, rougissante et embarrassée, balbutia en regardant les quatre voyageurs restés à jeun: — «Mon Dieu, si j'osais offrir à ces messieurs et à ces dames . . .» Elle se tut, craignant un outrage. Loiseau prit la parole: — «Eh, parbleu, dans des cas pareils tout le monde est frère et doit s'aider. Allons, mesdames, pas de cérémonie, acceptez, que diable! Savons-nous si nous trouverons seulement une maison où passer la nuit? Du train dont nous allons nous ne serons pas à Tôtes avant demain midi.» — On hésitait, personne n'osant assumer la responsabilité du «oui».

Mais le comte trancha la question. Il se tourna vers la grosse fille intimidée, et, prenant son grand air de gentilhomme, il lui dit: — «Nous acceptons avec reconnaissance, madame.»

Le premier pas seul coûtait. Une fois le Rubicon passé, on s'en donna carrément. Le panier fut vidé. Il contenait encore un pâté de foie gras, un pâté de mauviettes, un morceau de langue fumée, des poires de Crassane, un pavé de Pont-l'Évêque, des petits fours et une tasse pleine de cornichons et d'oignons au vinaigre, Boule de Suif, comme toutes les femmes, adorant les crudités.

On ne pouvait manger les provisions de cette fille sans lui parler. Donc on causa, avec réserve d'abord, puis, comme elle se tenait fort bien, on s'abandonna davantage. M^{mes} de Bréville et Carré-Lamadon, qui avaient un grand savoir-vivre, se firent gracieuses avec délicatesse. La comtesse sourtout montra cette condescendance aimable des très nobles dames qu'aucun contact ne peut salir, et fut charmante. Mais la forte M^{me} Loiseau, qui avait une âme

de gendarme, resta revêche, parlant peu et mangeant beau-
coup.

On s'entretint de la guerre, naturellement. On raconta
des faits horribles des Prussiens, des traits de bravoure des
Français; et tous ces gens qui fuyaient rendirent hommage
au courage des autres. Les histoires personnelles commen-
cèrent bientôt, et Boule de Suif raconta, avec une émotion
vraie, avec cette chaleur de parole qu'ont parfois les filles
pour exprimer leurs emportements naturels, comment elle
avait quitté Rouen: — «J'ai cru d'abord que je pourrais
rester, disait-elle. J'avais ma maison pleine de provisions, et
j'aimais mieux nourrir quelques soldats que m'expatrier je
ne sais où. Mais quand je les ai vus, ces Prussiens, ce fut
plus fort que moi! Ils m'ont tourné le sang de colère; et
j'ai pleuré de honte toute la journée. Oh! si j'étais un homme,
allez! Je les regardais de ma fenêtre, ces gros porcs avec
leur casque à pointe, et ma bonne me tenait les mains pour
m'empêcher de leur jeter mon mobilier sur le dos. Puis il
en est venu pour loger chez moi; alors j'ai sauté à la
gorge du premier. Ils ne sont pas plus difficiles à étrangler
que d'autres! Et je l'aurais terminé, celui-là, si l'on ne
m'avait pas tirée par les cheveux. Il a fallu me cacher
après ça. Enfin, quand j'ai trouvé une occasion, je suis
partie, et me voici.»

On la félicita beaucoup. Elle grandissait dans l'estime de
ses compagnons qui ne s'étaient pas montrés si crânes; et
Cornudet, en l'écoutant, gardait un sourire approbateur et
bienveillant d'apôtre; de même un prêtre entend un dévot
louer Dieu, car les démocrates à longue barbe ont le mono-
pole du patriotisme comme les hommes en soutane ont
celui de la religion. Il parla à son tour d'un ton doctrinaire,
avec l'emphase apprise dans les proclamations qu'on collait
chaque jour aux murs, et il finit par un morceau d'éloquence
où il étrillait magistralement cette «crapule de Badinguet».

Mais Boule de Suif aussitôt se fâcha, car elle était bona-
partiste. Elle devenait plus rouge qu'une guigne, et béga-
yant d'indignation: — «J'aurais bien voulu vous voir à sa
place, vous autres. Ça aurait été du propre, ah oui! C'est
vous qui l'avez trahi, cet homme! On n'aurait plus qu'à

quitter la France si l'on était gouverné par des polissons comme vous!» — Cornudet, impassible, gardait un sourire dédaigneux et supérieur, mais on sentait que les gros mots allaient arriver quand le comte s'interposa et calma, non sans peine, la fille exaspérée, en proclamant avec autocrité que toutes les opinions sincères étaient respectables. Cependant la comtesse et la manufacturière, qui avaient dans l'âme la haine irraisonnée des gens comme il faut pour la République, et cette instinctive tendresse que nourrissent toutes les femmes pour les gouvernements à panache et despotiques, se sentaient, malgré elles, attirées vers cette prostituée pleine de dignité, dont les sentiments ressemblaient si forts aux leurs.

Le panier était vide. A dix on l'avait tari sans peine, en regrettant qu'il ne fût pas plus grand. La conversation continua quelque temps, un peu refroidie néanmoins depuis qu'on avait fini de manger.

La nuit tombait, l'obscurité peu à peu devint profonde, et le froid, plus sensible pendant les digestions, faisait frissonner Boule de Suif, malgré sa graisse. Alors Mme de Bréville lui proposa sa chaufferette dont le charbon, depuis le matin, avait été plusieurs fois renouvelé, et l'autre accepta tout de suite, car elle se sentait les pieds gelés. Mmes Carré-Lamadon et Loiseau donnèrent les leurs aux religieuses.

Le cocher avait allumé ses lanternes. Elles éclairaient d'une lueur vive un nuage de buée au-dessus de la croupe en sueur des timoniers, et, des deux côtes de la route, la neige qui semblait se dérouler sous le reflet mobile des lumières.

On ne distinguait plus rien dans la voiture; mais tout à coup un mouvement se fit entre Boule de Suif et Cornudet; et Loiseau, dont l'œil fouillait l'ombre, crut voir l'homme à la grande barbe s'écarter vivement comme s'il eût reçu quelque bon coup lancé sans bruit.

Des petits points de feu parurent en avant sur la route. C'était Tôtes. On avait marché onze heures, ce qui, avec les deux heures de repos laissés en quatre fois aux chevaux

pour manger l'avoine et souffler, faisait treize. On entra dans
le bourg et devant l'Hôtel du Commerce on s'arrêta.

La portière s'ouvrit! un bruit bien connu fit tressaillir
tous les voyageurs; c'étaient les heurts d'un fourreau de
sabre sur le sol. Aussitôt la voix d'un Allemand cria quel-
que chose.

Bien que la diligence fût immobile, personne ne descen-
dait, comme si en se fût attendu à être massacré à la sortie.
Alors le conducteur apparut, tenant à la main une de ses
lanternes qui éclaira subitement jusqu'au fond de la voiture
les deux rangs de têtes effarées, dont les bouches étaient
ouvertes et les yeux écarquillés de surprise et d'épouvante.

A côté du cocher se tenait, en pleine lumière, un officier
allemand, un grand jeune homme excessivement mince et
blond, serré dans son uniforme comme une fille en son
corset, et portant sur le côté sa casquette plate et cirée qui
le faisait ressembler au chasseur d'un hôtel anglais. Sa
moustache démesurée, à longs poils droits, s'amincissant
indéfiniment de chaque côté et terminée par un seul fil
blond, si mince qu'on n'en apercevait pas la fin, semblait
peser sur les coins de sa bouche, et, tirant la joue, im-
primait aux lèvres un pli tombant.

Il invita en français d'Alsacien les voyageurs à sortir,
disant d'un ton raide: — «Foulez-vous tescentre, messieurs
et dames?»

Les deux bonnes sœurs obéirent les premières avec une
docilité de saintes filles habituées à toutes les soumissions.
Le comte et la comtesse parurent ensuite, suivis du manu-
facturier et de sa femme, puis de Loiseau poussant devant
lui sa grande moitié. Celui-ci, en mettant pied à terre, dit
à l'officier: — «Bonjour, monsieur», par un sentiment de
prudence bien plus que de politesse. L'autre, insolent comme
les gens tout-puissants, le regarda sans répondre.

Boule de Suif et Cornudet, bien que près de la portière,
descendirent les derniers, graves et hautains devant l'en-
nemi. La grosse fille tâchait de se dominer et d'être calme:
le démoc tourmentait d'une main tragique et un peu trem-
blante sa longue barbe roussâtre. Ils voulaient garder de
la dignité, comprenant qu'en ces rencontres-là chacun rep-

résente un peu son pays; et pareillement révoltés par la souplesse de leurs compagnons, elle tâchait de se montrer plus fière que ses voisins, les femmes honnêtes, tandis que lui, sentant bien qu'il devait l'exemple, continuait en toute son attitude sa mission de résistance commencée au défoncement des routes.

On entra dans la vaste cuisine de l'auberge, et l'Allemand, s'étant fait présenter l'autorisation de départ signée par le général en chef et où étaient mentionnés les noms, le signalement et la profession de chaque voyageur, examina longuement tout ce monde, comparant les personnes aux renseignements écrits.

Puis il dit brusquement: — «C'est pien», et il disparut.

Alors en respira. On avait faim encore; le souper fut commandé. Une demi-heure était nécessaire pour l'apprêter; et, pendant que deux servantes avaient l'air de s'en occuper, on alla visiter les chambres. Elles se trouvaient toutes dans un long couloir que terminait une porte vitrée marquée d'un numéro parlant.

Enfin on allait se mettre à table, quand le patron de l'auberge parut lui-même. C'était un ancien marchand de chevaux, un gros homme asthmatique, qui avait toujours des sifflements, des enrouements, des chants de glaires dans le larynx. Son père lui avait transmis le nom de Follenvie.

Il demanda:

— «Mademoiselle Elisabeth Rousset?»

Boule de Suif tressaillit, se retourna:

— «C'est moi.

— Mademoiselle, l'officier prussien veut vous parler immédiatement.

— A moi?

— Oui, si vous êtes bien mademoiselle Elisabeth Rousset.»

Elle se troubla, réfléchit une seconde, puis déclara carrément:

— «C'est possible, mais je n'irai pas.»

Un mouvement se fit autour d'elle; chacun discutait, cherchait la cause de cet ordre. Le comte s'approcha:

— « Vous avez tort, madame, car votre refus peut amener des difficultés considérables, non seulement pour vous, mais

même pour tous vos compagnons. Il ne faut jamais résister aux gens qui sont les plus forts. Cette démarche assurément ne peut présenter aucun danger; c'est sans doute pour quelque formalité oubliée.»

Tout le monde se joignit à lui, on la pria, on la pressa, on la sermonna, et l'on finit par la convaincre; car tous redoutaient les complications qui pourraient résulter d'un coup de tête. Elle dit enfin:

— «C'est pour vous que je le fais, bien sûr!»

La comtesse lui prit la main:

— «Et nous vous en remercions.»

Elle sortit. On l'attendit pour se mettre à table.

Chacun se désolait de n'avoir pas été demandé à la place de cette fille violente et irascible, et préparait mentalement des platitudes pour le cas où on l'appellerait à son tour.

Mais, au bout de dix minutes, elle reparut, soufflant, rouge à suffoquer, exaspérée. Elle balbutiait: — «Oh la canaille! la canaille!»

Tous s'empressaient pour savoir, mais elle ne dit rien; et comme le comte insistait, elle répondit avec une grande dignité: — «Non, cela ne vous regarde pas, je ne peux pas parler.»

Alors on s'assit autour d'une haute soupière d'où sortait un parfum de choux. Malgré cette alerte, le souper fut gai. Le cidre était bon, le ménage Loiseau et les bonnes sœurs en prirent, par économie. Les autres demandèrent du vin; Cornudet réclama de la bière. Il avait une façon particulière de déboucher la bouteille, de faire mousser le liquide, de le considérer en penchant le verre, qu'il élevait ensuite entre la lampe et son œil pour bien apprécier la couleur. Quand il buvait, sa grande barbe, qui avait gardé la nuance de son breuvage aimé, semblait tressaillir de tendresse; ses yeux louchaient pour ne point perdre de vue sa chope, et il avait l'air de remplir l'unique fonction pour laquelle il était né. On eût dit qu'il établissait en son esprit un rapprochement et comme une afinité entre les deux grandes passions qui occupaient toute sa vie: le Pale Ale et la Révolution; et assurément il ne pouvait déguster l'un sans songer à l'autre.

M. et M^me Follenvie dînaient tout au bout de la table.
L'homme, râlant comme une locomotive crevée, avait trop
de tirage dans la poitrine pour pouvoir parler en mangeant;
mais la femme ne se taisait jamais. Elle raconta toutes ses
impressions à l'arrivée des Prussiens, ce qu'ils faisaient, ce
qu'ils disaient, les exécrant, d'abord, parce qu'ils lui coû-
taient de l'argent, et, ensuite, parce qu'elle avait deux fils
à l'armée. Elle s'adressait surtout à la comtesse, flattée de
causer avec une dame de qualité.

Puis elle baissait la voix pour dire des choses délicates,
et son mari, de temps en temps, l'interrompait: — «Tu ferais
mieux de te taire, madame Follenvie.» — Mais elle n'en
tenait aucun compte, et continuait:

— «Oui, madame, ces gens-là, ça ne fait que manger des
pommes de terre et du cochon, et puis du cochon et des
pommes de terre. Et il ne faut pas croire qu'ils sont propres.
— Oh non! — Ils ordurent partout, sauf le respect que je
vous dois. Et si vous les voyiez faire l'exercice pendant des
heures et des jours; ils sont là tous dans un champ: — et
marche en avant, et marche en arrière, et tourne par-ci, et
tourne par-là. — S'ils cultivaient la terre au moins, ou s'ils
travaillaient aux routes dans leur pays! — Mais non, madame,
ces militaires, ça n'est profitable à personne! Faut-il que le
pauvre peuple les nourisse pour n'apprendre rien qu'à mas-
sacrer! — Je ne suis qu'une vieille femme sans éducation,
c'est vrai, mais en les voyant qui s'esquintent le tempéra-
ment à piétiner du matin au soir, je me dis: — Quand il y
a des gens qui font tant de découvertes pour être utiles,
faut-il que d'autres se donnent tant de mal pour être nuisi-
bles! Vraiment, n'est-ce pas une abomination de tuer des
gens, qu'ils soient Prussiens, ou bien Anglais, ou bien Polo-
nais, ou bien Français? — Si l'on se revenge sur quelqu'un
qui vous a fait tort, c'est mal, puisqu'on vous condamne;
mais quand on extermine nos garçons comme du gibier,
avec des fusils, c'est donc bien, puisqu'on donne des décora-
tions à celui qui en détruit le plus? — Non, voyez-vous, je
ne comprendrai jamais ça!»

Cornudet éleva la voix:

— «La guerre est une barbarie quand on attaque un voisin

paisible; c'est un devoir sacré quand on défend la patrie.»

La vieille femme baissa la tête:

— «Oui, quand on se défend, c'est autre chose; mais si l'on ne devrait pas plutôt tuer tous les rois qui font ça pour leur plaisir?»

L'œil de Cornudet s'enflamma:

— «Bravo, citoyenne!» dit-il.

M. Carré-Lamadon réfléchissait profondément. Bien qu'il fût fanatique des illustres capitaines, le bon sens de cette paysanne le faisait songer à l'opulence qu'apporteraient dans un pays tant de bras inoccupés et par conséquent ruineux, tant de forces qu'on entretient improductives, si on les employait aux grands travaux industriels qu'il faudra des siècles pour achever.

Mais Loiseau, quittant sa place, alla causer tout bas avec l'aubergiste. Le gros homme riait, toussait, crachait; son énorme ventre sautillait de joie aux plaisanteries de son voisin, et il lui acheta six feuillettes de bordeaux pour le printemps, quand les Prussiens seraient partis.

Le souper à peine achevé, comme on était brisé de fatigue, on se coucha.

Cependant Loiseau, qui avait observé les choses, fit mettre au lit son épouse, puis colla tantôt son oreille et tantôt son œil au trou de la serrure, pour tâcher de découvrir ce qu'il appelait: «les mystères du corridor».

Au bout d'une heure environ, il entendit un frôlement, regarda bien vite, et aperçut Boule de Suif qui paraissait plus replète encore sous un peignoir de cachemire bleu, bordé de dentelles blanches. Elle tenait un bougeoir à la main et se dirigeait vers le gros numéro tout au fond du couloir. Mais une porte, à côté, s'entr'ouvrit, et, quand elle revint au bout de quelques minutes, Cornudet, en bretelles, la suivait. Ils parlaient bas, puis ils s'arrêtèrent. Boule de Suif semblait défendre l'entrée de sa chambre avec énergie. Loiseau, malheureusement, n'entendait pas les paroles, mais, à la fin, comme ils élevaient la voix, il put en saisir quelques-unes. Cornudet insistait avec vivacité. Il disait:

— «Voyons, vous êtes bête, qu'est-ce que ça vous fait?»

Elle avait l'air indignée et répondit:

— «Non, mon cher, il y a des moments où ces choses-là ne se font pas; et puis, ici, ce serait une honte.»

Il ne comprenait point, sans doute, et demanda pourquoi. Alors elle s'emporta, élevant encore le ton:

— «Pourquoi? Vous ne comprenez pas pourquoi? Quand il y a des Prussiens dans la maison, dans la chambre à côté, peut-être?»

Il se tut. Cette pudeur patriotique de catin qui ne se laissait point caresser près de l'ennemi dut réveiller en son cœur sa dignité défaillante, car, après l'avoir seulement embrassée, il regagna sa porte à pas de loup.

Loiseau, très allumé, quitta la serrure, battit un entrechat dans sa chambre, mit son madras, souleva le drap sous lequel gisait la dure carcasse de sa compagne qu'il réveilla d'un baiser en murmurant: — «M'aimes-tu chérie?»

Alors toute la maison devint silencieuse. Mais bientôt s'éleva quelque part, dans une direction indéterminée qui pouvait être la cave aussi bien que le grenier, un ronflement puissant, monotone, régulier, un bruit sourd et prolongé, avec des tremblements de chaudière sous pression. M. Follenvie dormait.

Comme on avait décidé qu'on partirait à huit heures le lendemain, tout le monde se trouva dans la cuisine; mais la voiture, dont la bâche avait un toit de neige, se dressait solitaire au milieu de la cour, sans chevaux et sans conducteur. On chercha en vain celui-ci dans les écuries, dans les fourrages, dans les remises. Alors tous les hommes se résolurent à battre le pays et ils sortirent. Ils se trouvèrent sur la place, avec l'église au fond et, des deux côtés, des maisons basses où l'on apercevait des soldats prussiens. Le premier qu'ils virent épluchait des pommes de terre. Le second, plus loin, lavait la boutique du coiffeur. Un autre, barbu jusqu'aux yeux, embrassait un mioche qui pleurait et le berçait sur ses genoux pour tâcher de l'apaiser; et les grosses paysannes dont les hommes étaient à «l'armée de la guerre» indiquaient par signes à leurs vainqueurs obéissants le travail qu'il fallait entreprendre: fendre du bois, tremper la soupe, moudre le café; un d'eux même lavait le linge de son hôtesse, une aïeule toute impotente.

Le comte, étonné, interrogea le bedeau qui sortait du presbytère. Le vieux rat d'église lui répondit: — «Oh! ceux-là ne sont pas méchants; c'est pas des Prussiens à ce qu'on dit. Ils sont de plus loin; je ne sais pas bien d'où; et ils ont tous laissé une femme et des enfants au pays; ça ne les amuse pas, la guerre, allez! Je suis sûr qu'on pleure bien aussi là-bas après les hommes; et ça fournira une fameuse misère chez eux comme chez nous. Ici, encore, on n'est pas trop malheureux pour le moment, parce qu'ils ne font pas de mal et qu'ils travaillent comme s'ils étaient dans leurs maisons. Voyez-vous, monsieur, entre pauvres gens, faut bien qu'on s'aide . . . C'est les grands qui font la guerre.»

Cornudet, indigné de l'entente cordiale établie entre les vainqueurs et les vaincus, se retira, préférant s'enfermer dans l'auberge. Loiseau eut un mot pour rire: — «Ils repeuplent.» M. Carré-Lamadon eut un mot grave: — «Ils réparent.» Mais on ne trouvait pas le cocher. A la fin on le découvrit dans le café du village, attablé fraternellement avec l'ordonnance de l'officier. Le comte l'interpella:

— «Ne vous avait-on pas donné l'ordre d'atteler pour huit heures?

— Ah bien oui, mais on m'en a donné un autre depuis.

— Lequel?

— De ne pas atteler du tout.

— Qui vous a donné cet ordre?

— Ma foi! le commandant prussien.

— Pourquoi?

— Je n'en sais rien. Allez lui demander. On me défend d'atteler, moi je n'attelle pas. Voilà.

— C'est lui-même qui vous a dit cela?

— Non, monsieur, c'est l'aubergiste qui m'a donné l'ordre de sa part.

— Quand ça?

— Hier, soir, comme j'allais me coucher.»

Les trois hommes rentrèrent fort inquiets.

On demanda M. Follenvie, mais la servante répondit que monsieur, à cause de son asthme, ne se levait jamais avant dix heures. Il avait même formellement défendu de le réveiller plus tôt, excepté en cas d'incendie.

On voulut voir l'officier, mais cela était impossible absolument, bien qu'il logeât dans l'auberge, M. Follenvie seul était autorisé à lui parler pour les affaires civiles. Alors on attendit. Les femmes remontèrent dans leurs chambres, et des futilités les occupèrent.

Cornudet s'installa sous la haute cheminée de la cuisine où flambait un grand feu. Il se fit apporter là une des petites tables du café, une canette, et il tira sa pipe qui jouissait parmi les démocrates d'une considération presque égale à la sienne, comme si elle avait servi la patrie en servant à Cornudet. C'était une superbe pipe en écume admirablement culottée, aussi noire que les dents de son maître, mais parfumée, recourbée, luisante, familière à sa main, et complétant sa physionomie. Et il demeura immobile, les yeux tantôt fixés sur la flamme du foyer, tantôt sur la mousse qui couronnait sa chope; et chaque fois qu'il avait bu, il passait d'un air satisfait ses longs doigts maigres dans ses longs cheveux gras pendant qu'il humait sa moustache frangée d'écume.

Loiseau, sous prétexte de se dégourdir les jambes, alla placer du vin aux débitants du pays. Le comte et le manufacturier se mirent à causer politique. Ils prévoyaient l'avenir de la France. L'un croyait aux d'Orléans, l'autre à un sauveur inconnu, un héros qui se révélerait quand tout serait désespéré: un Du Guesclin, une Jeanne d'Arc peut-être? ou un autre Napoléon Ier? Ah! si le prince impérial n'était pas si jeune! Cornudet, les écoutant, souriait en homme qui sait le mot des destinées. Sa pipe embaumait la cuisine.

Comme dix heures sonnaient, M. Follenvie parut. On l'interrogea bien vite; mais il ne put que répéter deux ou trois fois, sans une variante, ces paroles: — L'officier m'a dit comme ça: «Monsieur Follenvie, vous défendrez qu'on attelle demain la voiture de ces voyageurs. Je ne veux pas qu'ils partent sans mon ordre. Vous entendez. Ça suffit.»

Alors on voulut voir l'officier. Le comte lui envoya sa carte où M. Carré-Lamadon ajouta son nom et tous ses titres. Le Prussien fit répondre qu'il admettrait ces deux

hommes à lui parler quand il aurait déjeuné, c'est-à-dire vers une heure.

Les dames reparurent et l'on mangea quelque peu, malgré l'inquiétude. Boule de Suif semblait malade et prodigieusement troublée.

On achevait le café quand l'ordonnance vint chercher ces messieurs.

Loiseau se joignit aux deux premiers; mais comme on essayait d'entraîner Cornudet pour donner plus de solennité à leur démarche, il déclara fièrement qu'il entendait n'avoir jamais aucun rapport avec les Allemands; et il se remit dans sa cheminée, demandant une autre canette.

Les trois hommes montèrent et furent introduits dans la plus belle chambre de l'auberge où l'officier les reçut, étendu dans un fauteuil, les pieds sur la cheminée, fumant une longue pipe de porcelaine, et enveloppé par une robe de chambre flamboyante, dérobée sans doute dans la demeure abandonnée de quelque bourgeois de mauvais goût. Il ne se leva pas, ne les salua pas, ne les regarda pas. Il présentait un magnifique échantillon de la goujaterie naturelle au militaire victorieux.

Au bout de quelques instants il dit enfin:

— «Qu'est-ce que fous foulez?»

Le comte prit la parole: — Nous désirons partir, monsieur.

— Non.

— Oserai-je vous demander la cause de ce refus?

— Parce que che ne feux pas.

— Je vous ferai respectueusement observer, monsieur, que votre général en chef nous a délivré une permission de départ pour gagner Dieppe; et je ne pense pas que nous ayons rien fait pour mériter vos rigueurs.

— Che ne feux pas . . . foilà tout . . . Fous poufez tes-centre.»

S'étant inclinés tous les trois, ils se retirèrent.

L'après-midi fut lamentable. On ne comprenait rien à ce caprice d'Allemand; et les idées les plus singulières troublaient les têtes. Tout le monde se tenait dans la cuisine et l'on discutait sans fin, imaginant des choses in-

vraisemblables. On voulait peut-être les garder comme otages — mais dans quel but? — ou les emmener prisonniers? ou, plutôt, leur demander une rançon considérable? A cette pensée, une panique les affola. Les plus riches étaient les plus épouvantés, se voyant déjà contraints, pour racheter leur vie, de verser des sacs pleins d'or entre les mains de ce soldat insolent. Ils se creusaient la cervelle pour découvrir des mensonges acceptables, dissimuler leurs richesses, se faire passer pour pauvres, très pauvres. Loiseau enleva sa chaîne de montre et la cacha dans sa poche. La nuit qui tombait augmenta les appréhensions. La lampe fut allumée, et comme on avait encore deux heures avant le dîner, M^{me} Loiseau proposa une partie de trente et un. Ce serait une distraction. On accepta. Cornudet lui-même, ayant éteint sa pipe par politesse, y prit part.

Le comte battit les cartes — donna — Boule de Suif avait trente et un d'emblée; et bientôt l'intérêt de la partie apaisa la crainte qui hantait les esprits. Mais Cornudet s'aperçut que le ménage Loiseau s'entendait pour tricher.

Comme on allait se mettre à table, M. Follenvie reparut; et, de sa voix graillonnante, il prononça: «L'officier prussien fait demander à M^{lle} Elisabeth Rousset si elle n'a pas encore changé d'avis.»

Boule de Suif resta debout, toute pâle; puis, devenant subitement cramoisie, elle eût un tel étouffement de colère qu'elle ne pouvait plus parler. Enfin elle éclata: — «Vous lui direz à cette crapule, à ce saligaud, à cette charogne de Prussien, que jamais je ne voudrai; vous entendez bien, jamais, jamais, jamais.»

Le gros aubergiste sortit. Alors Boule de Suif fut entourée, interrogée, sollicitée par tout le monde de dévoiler le mystère de sa visite. Elle résista d'abord, mais l'exaspération l'emporta bientôt: — «Ce qu'il veut? . . . ce qu'il veut? . . . Il veut coucher avec moi!» cria-t-elle. Personne ne se choqua du mot, tant l'indignation fut vive. Cornudet brisa sa chope en la reposant violemment sur la table. C'était une clameur de réprobation contre ce soudard ignoble, un souffle de colère, une union de tous pour la résistance, comme si l'on eût demandé à chacun une partie du sacrifice exigé

d'elle. Le comte déclara avec dégoût que ces gens-là se conduisaient à la façon des anciens barbares. Les femmes surtout témoignèrent à Boule de Suif une commisération énergique et caressante. Les bonnes sœurs, qui ne se montraient qu'aux repas, avaient baissé la tête et ne disaient rien.

On dîna néanmoins lorsque la première fureur fut apaisée; mais on parla peu: on songeait.

Les dames se retirèrent de bonne heure; et les hommes, tout en fumant, organisèrent un écarté auquel fut convié M. Follenvie qu'on avait l'intention d'interroger habilement sur les moyens à employer pour vaincre la résistance de l'officier. Mais il ne songeait qu'à ses cartes, sans rien écouter, sans rien répondre; et il répétait sans cesse: — «Au jeu, messieurs, au jeu.» Son attention était si tendue qu'il en oubliait de cracher, ce qui lui mettait parfois des points d'orgue dans la poitrine. Ses poumons sifflants donnaient toute la gamme de l'asthme, depuis les notes graves et profondes jusqu'aux enrouements aigus des jeunes coqs essayant de chanter.

Il refusa même de monter, quand sa femme, qui tombait de sommeil, vint le chercher. Alors elle partit toute seule, car elle était «du matin», toujours levée avec le soleil, tandis que son homme était «du soir», toujours prêt à passer la nuit avec des amis. Il lui cria: — «Tu placeras mon lait de poule devant le feu», et se remit à sa partie. Quand on vit bien qu'on n'en pourrait rien tirer, on déclara qu'il était temps de s'en aller, et chacun gagna son lit.

On se leva encore d'assez bonne heure le lendemain avec un espoir indéterminé, un désir plus grand de s'en aller, une terreur du jour à passer dans cette horrible petite auberge.

Hélas! les chevaux restaient à l'écurie, le cocher demeurait invisible. On alla, par désœuvrement, tourner autour de la voiture.

Le déjeuner fut bien triste; et il s'était produit comme un refroidissement vis-à-vis de Boule de Suif, car la nuit, qui porte conseil, avait un peu modifié les jugements. On en voulait presque à cette fille, maintenant, de n'avoir pas

été trouver secrètement le Prussien, afin de ménager, au réveil, une bonne surprise à ses compagnons. Quoi de plus simple? Qui l'eût su, d'ailleurs? Elle aurait pu sauver les apparences en faisant dire à l'officier qu'elle prenait en pitié leur détresse. Pour elle, ça avait si peu d'importance!

Mais personne n'avouait encore ces pensées.

Dans l'après-midi, comme on s'ennuyait à périr, le comte proposa de faire une promenade aux alentours du village. Chacun s'enveloppa avec soin et la petite société partit, à l'exception de Cornudet, qui préférait rester près du feu, et des bonnes sœurs, qui passaient leurs journées dans l'église ou chez le curé.

Le froid, plus intense de jour en jour, piquait cruellement le nez et les oreilles; les pieds devenaient si douloureux que chaque pas était une souffrance; et lorsque la campagne se découvrit, elle leur apparut si effroyablement lugubre sous cette blancheur illimitée que tout le monde aussitôt retourna, l'âme glacée et le cœur serré.

Les quatre femmes marchaient devant, les trois hommes suivaient, un peu derrière.

Loiseau, qui comprenait la situation, demanda tout à coup si cette «garce-là» allait les faire rester longtemps encore dans un pareil endroit. Le comte, toujours courtois, dit qu'on ne pouvait exiger d'une femme un sacrifice aussi pénible, et qu'il devait venir d'elle-même. M. Carré-Lamadon remarqua que si les Français faisaient, comme il en était question, un retour offensif par Dieppe, la rencontre ne pourrait avoir lieu qu'à Tôtes. Cette réflexion rendit les deux autres soucieux. — «Si l'on se sauvait à pied», — dit Loiseau. Le comte haussa les épaules: — «Y songez-vous, dans cette neige? avec nos femmes? Et puis nous serions tout de suite poursuivis, rattrapés en dix minutes, et ramenès prisonniers à la merci des soldats.» —C'était vrai; on se tut.

Les dames parlaient toilette; mais une certaine contrainte semblait les désunir.

Tout à coup, au bout de la rue, l'officier parut. Sur la neige qui fermait l'horizon, il profilait sa grande taille de guêpe en uniforme, et marchait, les genoux écartés, de ce mouvement

particulier aux militaires qui s'efforcent de ne point maculer leurs bottes soigneusement cirées.

Il s'inclina en passant près des dames, et regarda dédaigneusement les hommes qui eurent, du reste, la dignité de ne se point découvrir, bien que Loiseau ébauchât un geste pour retirer sa coiffure.

Boule de Suif était devenue rouge jusqu'aux oreilles; et les trois femmes mariées ressentaient une grande humiliation d'être ainsi rencontrées par ce soldat, dans la compagnie de cette fille qu'il avait si cavalièrement traitée.

Alors on parla de lui, de sa tournure, de son visage. M^{me} Carré-Lamadon, qui avait connu beaucoup d'officiers et qui les jugeait en connaisseur, trouvait celui-là pas mal du tout; elle regrettait même qu'il ne fût pas Français, parce qu'il ferait un fort joli hussard dont toutes les femmes assurément raffoleraient.

Une fois rentrés, on ne sut plus que faire. Des paroles aigres furent même échangées à propos de choses insignifiantes. Le dîner, silencieux, dura peu, et chacun monta se coucher, espérant dormir pour tuer le temps.

On descendit le lendemain avec des visages fatigués et des cœurs exaspérés. Les femmes parlaient à peine à Boule de Suif.

Une cloche tinta. C'était pour un baptême. La grosse fille avait un enfant élevé chez des paysans d'Yvetot. Elle ne le voyait pas une fois l'an, et n'y songeait jamais; mais la pensée de celui qu'on allait baptiser lui jeta au cœur une tendresse subite et violente pour le sien, et elle voulut absolument assister à la cérémonie.

Aussitôt qu'elle fut partie, tout le monde se regarda, puis on rapprocha les chaises, car on sentait bien qu'à la fin il fallait décider quelque chose. Loiseau eut une inspiration: il était d'avis de proposer à l'officier de garder Boule de Suif toute seule, et de laisser partir les autres.

M. Follenvie se chargea encore de la commission, mais il redescendit presque aussitôt. L'Allemand, qui connaissait la nature humaine, l'avait mis à la porte. Il prétendait retenir tout le monde tant que son désir ne serait pas satisfait.

Alors le tempérament populacier de M^{me} Loiseau éclata:

— «Nous n'allons pourtant pas mourier de vieillesse ici.
Puisque c'est son métier, à cette gueuse, de faire ça avec tous
les hommes, je trouve qu'elle n'a pas le droit de refuser l'un
plutôt que l'autre. Je vous demande un peu, ça a pris tout
ce qu'elle a trouvé dans Rouen, même des cochers! oui,
madame, le cocher de la préfecture! Je le sais bien, moi, il
achète son vin à la maison. Et aujourd'hui qu'il s'agit de nous
tirer d'embarras, elle fait la mijaurée, cette morveuse! . . .
Moi, je trouve qu'il se conduit très bien, cet officier. Il est
peut-être privé depuis longtemps; et nous étions là trois
qu'il aurait sans doute préférées. Mais non, il se contente de
celle à tout le monde. Il respecte les femmes mariées. Songez
donc, il est le maître. Il n'avait qu'à dire: «Je veux», et il
pouvait nous prendre de force avec ses soldats.»

Les deux femmes eurent un petit frisson. Les yeux de la
jolie M^me Carré-Lamadon brillaient, et elle était un peu
pâle, comme si elle se sentait déjà prise de force par l'officier.

Les hommes, qui discutaient à l'écart, se rapprochèrent.
Loiseau, furibond, voulait livrer «cette misérable» pieds et
poings liés à l'ennemi. Mais le comte, issu de trois généra-
tions d'ambassadeurs, et doué d'un physique de diplomate,
était partisan de l'habileté: — «Il faudrait la décider», —
dit-il.

Alors on conspira.

Les femmes se serrèrent, le ton de la voix fut baissé, et la
discussion devint générale, chacun donnant son avis. C'était
fort convenable du reste. Ces dames surtout trouvaient des
délicatesses de tournures, des subtilités d'expression char-
mantes, pour dire les choses les plus scabreuses. Un étranger
n'aurait rien compris, tant les précautions du langage étaient
observées. Mais la légère tranche de pudeur dont est bardée
toute femme du monde ne recouvrant que la surface, elles
s'épanouissaient dans cette aventure polissonne, s'amusaient
follement au fond, se sentant dans leur élément, tripotant de
l'amour avec la sensualité d'un cuisinier gourmand qui
prépare le souper d'un autre.

La gaieté revenait d'elle-même, tant l'histoire leur sem-
blait drôle à la fin. Le comte trouva des plaisanteries un peu
risquées, mais si bien dites qu'elles faisaient sourire. A son

tour Loiseau lâcha quelques grivoiseries plus raides dont on
ne se blessa point; et la pensée brutalement exprimée par sa
femme dominait tous les esprits: «Puisque c'est son métier, à
cette fille, pourquoi refuserait-elle celui-là plus qu'un autre?»
La gentille Mme Carré-Lamadon semblait même penser
qu'à sa place elle refuserait celui-là moins qu'un autre.

On prépara longuement le blocus, comme pour une for-
teresse investie. Chacun convint du rôle qu'il jouerait, des
arguments dont il s'appuierait, des manœuvres qu'il devrait
exécuter. On régla le plan des attaques, les ruses à employer,
et les surprises de l'assaut, pour forcer cette citadelle vivante
à recevoir l'ennemi dans la place.

Cornudet cependant restait à l'écart, complètement étran-
ger à cette affaire.

Une attention si profonde tendait les esprits, qu'on n'en-
tendit point rentrer Boule de Suif. Mais le comte souffla un
léger: «Chut» qui fit relever tous les yeux. Elle était là. On
se tut brusquement et un certain embarras empêcha d'abord
de lui parler. La contesse plus assouplie que les autres aux
duplicités des salons, l'interrogea: — «Était-ce amusant, ce
baptême?»

La grosse fille, encore émue, raconta tout, et les figures,
et les attitudes, et l'aspect même de l'église. Elle ajouta: —
«C'est si bon de prier quelquefois.»

Cependant, jusqu'au déjeuner, ces dames se contentèrent
d'être aimables avec elle, pour augmenter sa confiance et sa
docilité à leurs conseils.

Aussitôt à table, on commença les approches. Ce fut
d'abord une conversation vague sur le dévouement. On cita
des exemples anciens: Judith et Holopherne, puis, sans
aucune raison, Lucrèce avec Sextus, Cléopâtre faisant passer
par sa couche tous les généraux ennemis, et les y réduisant
à des servilités d'esclave. Alors se déroula une histoire fan-
taisiste, éclose dans l'imagination de ces millionnaires igno-
rants, où les citoyennes de Rome allaient endormir à Ca-
poue Annibal entre leurs bras, et, avec lui, ses lieutenants,
et les phalanges des mercenaires. On cita toutes les femmes
qui ont arrêté des conquérants, fait de leur corps un champ
de bataille, un moyen de dominer, une arme, qui ont vaincu

par leurs caresses héroïques des êtres hideux ou détestés, et sacrifié leur chasteté à la vengeance et au dévouement.

On parla même en termes voilés de cette Anglaise de grande famille qui s'était laissé inoculer une horrible et contagieuse maladie pour la transmettre à Bonaparte, sauvé miraculeusement, par une faiblesse subite, à l'heure du rendez-vous fatal.

Et tout cela était raconté d'une façon convenable et modérée, où parfois éclatait un enthousiasme voulu propre à exciter l'émulation.

On aurait pu croire, à la fin, que le seul rôle de la femme, ici bas, était un perpétuel sacrifice de sa personne, un abandon continu aux caprices des soldatesques.

Les deux bonnes sœurs ne semblaient point entendre, perdues en des pensées profondes. Boulet de Suif ne disait rien.

Pendant toute l'après-midi, on la laissa réfléchir. Mais, au lieu de l'appeler «madame» comme on avait fait jusque-là, on lui disait simplement «mademoiselle», sans que personne sût bien pourquoi, comme si l'on avait voulu la faire descendre d'un degré dans l'estime qu'elle avait escaladée, lui faire sentir sa situation honteuse.

Au moment où l'on servit le potage, M. Follenvie reparut, répétant sa phrase de la veille: — «L'officier prussien fait demander à Mlle Élisabeth Rousset si elle n'a point encore changé d'avis.»

Boule de Suif répondit sèchement: — «Non, monsieur.»

Mais au dîner la coalition faiblit. Loiseau eut trois phrases malheureuses. Chacun se battait les flancs pour découvrir des exemples nouveaux et ne trouvait rien, quand la comtesse, sans préméditation peut-être, éprouvant un vague besoin de rendre hommage à la Religion, interrogea la plus âgée des bonnes sœurs sur les grands faits de la vie des saints. Or beaucoup avaient commis des actes qui seraient des crimes à nos yeux; mais l'Église absout sans peine ces forfaits quand ils sont accomplis pour la gloire de Dieu, ou pour le bien du prochain. C'était un argument puissant; la comtesse en profita. Alors, soit par une de ces ententes tacites, de ces complaisances voilées, où excelle quiconque

porte un habit ecclésiastique, soit simplement par l'effet d'une inintelligence heureuse, d'une secourable bêtise, la vieille religieuse apporta à la conspiration un formidable appui. On la croyait timide, elle se montra hardie, verbeuse, violente. Celle-là n'était pas troublée par les tâtonnements de la casuistique; sa doctrine semblait une barre de fer, sa foi n'hésitait jamais; sa conscience n'avait point de scrupules. Elle trouvait tout simple le sacrifice d'Abraham, car elle aurait immédiatement tué père et mère sur un ordre venu d'en haut; et rien, à son avis, ne pouvait déplaire au Seigneur quand l'intention était louable. La comtesse, mettant à profit l'autorié sacrée de sa complice inattendue, lui fit faire comme une paraphrase édifiante de cet axiome de morale: «La fin justifie les moyens.»

Elle l'interrogeait.

— «Alors, ma sœur, vous pensez que Dieu accepte toutes les voies, et pardonne le fait quand le motif est pur?

— Qui pourrait en douter, madame? Une action blâmable en soi devient souvent méritoire par la pensée qui l'inspire.»

Et elles continuaient ainsi, démêlant les volontés de Dieu, prévoyant ses décisions, le faisant s'intéresser à des choses qui, vraiment, ne le regardaient guère.

Tout cela était enveloppé, habile, discret. Mais chaque parole de la sainte fille en cornette faisait brèche dans la résistance indignée de la courtisane. Puis, la conversation se détournant un peu, la femme aux chapelets pendants parla des maisons de son ordre, de sa supérieure, d'elle-même, et de sa mignonne voisine, la chère sœur Saint-Nicéphore. On les avait demandées au Havre pour soigner dans les hôpitaux des centaines de soldats atteints de la petite vérole. Elle les dépeignit, ces misérables, détailla leur maladie. Et tandis qu'elles étaient arrêtées en route par les caprices de ce Prussien, un grand nombre de Français pouvaient mourir qu'elles auraient sauvés peut-être! C'était sa spécialité, à elle, de soigner les militaires; elle avait été en Crimée, en Italie, en Autriche, et, racontant ses campagnes, elle se révéla tout à coup une de ces religieuses à tambours et à trompettes qui semblent faites pour suivre les camps, ramasser des blessés dans les remous des batailles, et, mieux qu'un chef, dompter

d'un mot les grands soudards indisciplinés; une vraie bonne sœur Ran-tan-plan dont la figure ravagée, crevée de trous sans nombre, paraissait une image des dévastations de la guerre.

Personne ne dit rien après elle, tant l'effet semblait excellent.

Aussitôt le repas terminé, on remonta bien vite dans les chambres pour ne descendre, le lendemain, qu'assez tard dans la matinée.

Le déjeuner fut tranquille. On donnait à la graine semée la veille le temps de germer et de pousser ses fruits.

La comtesse proposa de faire une promenade dans l'après-midi; alors le comte, comme il était convenu, prit le bras de Boule de Suif, et demeura derrière les autres, avec elle.

Il lui parla de ce ton familier, paternel, un peu dédaigneux, que les hommes posés emploient avec les filles, l'appelant: «ma chère enfant», la traitant du haut de sa position sociale, de son honorabilité indiscutée. Il pénétra tout de suite au vif de la question:

— «Donc, vous préférez nous laisser ici, exposés comme vous-même à toutes les violences qui suivraient un échec des troupes prussiens, plutôt que de consentir à une de ces complaisances que vous avez eues si souvent en votre vie?»

Boule de Suif ne répondit rien.

Il la prit par la douceur, par le raisonnement, par les sentiments. Il sut rester «monsieur le comte», tout en se montrant galant quand il le fallut, complimenteur, aimable enfin. Il exalta le service qu'elle leur rendrait, parla de leur reconnaissance; puis soudain, la tutoyant gaiement: — «Et tu sais, ma chère, il pourrait se vanter d'avoir goûté d'une jolie fille comme il n'en trouvera pas beaucoup dans son pays.»

Boule de Suif ne répondit pas et rejoignit la société.

Aussitôt rentrée, elle monta chez elle et ne reparut plus. L'inquiétude était extrême. Qu'allait-elle faire? Si elle résistait, quel embarras!

L'heure du dîner sonna; on l'attendit en vain. M. Follenvie, entrant alors, annonça que M^{lle} Rousset se sentait

indisposée, et qu'on pouvait se mettre à table. Tout le monde dressa l'oreille. Le comte s'approcha de l'aubergiste, et, tout bas: «Ça y est?» — «Oui.» — Par convenance, il ne dit rien à ses compagnons, mais il leur fit seulement un léger signe de la tête. Aussitôt un grand soupir de soulagement sortit de toutes les poitrines, une allégresse parut sur les visages. Loiseau cria: — «Saperlipopette! je paye du champagne si l'on en trouve dans l'établissement»; — et Mme Loiseau eut une angoisse lorsque le patron revint avec quatre bouteilles aux mains. Chacun était devenu subitement communicatif et bruyant; une joie égrillarde emplissait les cœurs. Le comte parut s'apercevoir que Mme Carré-Lamadon était charmante, le manufacturier fit des compliments à la comtesse. La conversation fut vive, enjouée, pleine de traits.

Tout à coup, Loiseau, la face anxieuse et levant les bras, hurla: — «Silence!» — Tout le monde se tut, surpris, preque effrayé déjà. Alors il tendit l'oreille en faisant «Chut!» des deux mains, leva les yeux vers le plafond, écouta de nouveau, et reprit, de sa voix naturelle: — «Rassurez-vous, tout va bien.»

On hésitait à comprendre, mais bientôt un sourire passa.

Au bout d'un quart d'heure il recommença la même farce, la renouvela souvent dans la soirée; et il faisait semblant d'interpeller quelqu'un à l'étage au-dessus, en lui donnant des conseils à double sens puisés dans son esprit de commis voyageur. Par moments il prenait un air triste pour soupirer: — «Pauvre fille»: — ou bien il murmurait entre ses dents d'un air rageur: — «Gueux de Prussien, va!» — Quelquefois, au moment où l'on n'y songeait plus, il poussait, d'une voix vibrante, plusieurs: — «Assez! assez!» — et ajoutait, comme se parlant à lui-même: — «Pourvu que nous la revoyions; qu'il ne l'en fasse pas mourir, le misérable!»

Bien que ces plaisanteries fussent d'un goût déplorable, elles amusaient et ne blessaient personne, car l'indignation dépend des milieux comme le reste, et l'atmosphère qui s'était peu à peu créée autour d'eux était chargée de pensées grivoises.

Au dessert, les femmes elles-mêmes firent des allusions spirituelles et discrètes. Les regards luisaient; on avait bu

beaucoup. Le comte, qui conservait, même en ses écarts, sa grande apparence de gravité, trouva une comparaison fort goûtée sur la fin des hivernages au pôle et la joie des naufragés qui voient s'ouvrir une route vers le sud.

Loiseau, lancé, se leva, un verre de champagne à la main: «Je bois à notre délivrance!» — Tout le monde fut debout; on l'acclamait. Les deux bonnes sœurs, elles-mêmes, sollicitées par ces dames, consentirent à tremper leurs lèvres dans ce vin mousseux dont elles n'avaient jamais goûté. Elles déclarèrent que cela ressemblait à la limonade gazeuse, mais que c'était plus fin cependant.

Loiseau résuma la situation.

— «C'est malheureux de ne pas avoir de piano parce qu'on pourrait pincer un quadrille.»

Cornudet n'avait pas dit un mot, pas fait un geste; il paraissait même plongé dans des pensées très graves, et tirait parfois, d'un geste furieux, sa grande barbe qu'il semblait vouloir allonger encore. Enfin, vers minuit, comme on allait se séparer, Loiseau, qui titubait, lui tapa soudain sur le ventre et lui dit en bredouillant: — «Vous n'êtes pas farce, vous, ce soir; vous ne dites rien, citoyen?» — Mais Cornudet releva brusquement la tête, et, parcourant la société d'un regard luisant et terrible: — «Je vous dis à tous que vous venez de faire une infamie!» — Il se leva, gagna la porte, répéta encore une fois: «Une infamie!» et disparut.

Cela jeta un froid d'abord. Loiseau, interloqué, restait bête, mais il reprit son aplomb, puis, tout à coup, se tordit en répétant: — «Ils sont trop verts, mon vieux, ils sont trop verts.» — Comme on ne comprenait pas, il raconta les «mystères du corridor». Alors il y eut une reprise de gaieté formidable. Ces dames s'amusaient comme des folles. Le comte et M. Carré-Lamadon pleuraient à force de rire. Ils ne pouvaient croire.

— «Comment! vous êtes sûr? Il voulait . . .
— Je vous dis que je l'ai vu.
— Et, elle a refusé . . .
— Parce que le Prussien était dans la chambre à côté.
— Pas possible?
— Je vous le jure.»

Le comte étouffait. L'industriel se comprimait le ventre à deux mains. Loiseau continuait:

— «Et, vous comprenez, ce soir, il ne la trouve pas drôle, mais pas du tout.»

Et tous les trois repartaient, malades, essoufflés, toussant.

On se sépara là-dessus. Mais M\me\ Loiseau, qui était de la nature des orties, fit remarquer à son mari, au moment où ils se couchaient, que «cette chipie» de petite Carré-Lamadon avait ri jaune toute la soirée: — «Tu sais, les femmes, quand ça en tient pour l'uniforme, qu'il soit Français ou bien Prussien, ça leur est, ma foi, bien égal. Si ce n'est pas une pitié, Seigneur Dieu!»

Et toute la nuit, dans l'obscurité du corridor coururent comme des frémissements, des bruits légers, à peine sensibles, pareils à des souffles, des effleurements de pieds nus, d'imperceptibles craquements. Et l'on ne dormit que très tard, assurément, car des filets de lumière glissèrent longtemps sous les portes. Le champagne a de ces effets-là; il trouble, dit-on, le sommeil.

Le lendemain, un clair soleil d'hiver rendait la neige éblouissante. La diligence, attelée enfin, attendait devant la porte, tandis qu'une armée de pigeons blancs, rengorgés dans leurs plumes épaisses, avec un œil rose, taché, au milieu, d'un point noir, se promenaient gravement entre les jambes des six chevaux, et cherchaient leur vie dans le crottin fumant qu'ils éparpillaient.

Le cocher, enveloppé dans sa peau de mouton, grillait une pipe sur son siège, et tous les voyageurs, radieux, faisaient rapidement empaqueter des provisions pour le reste du voyage.

On n'attendait plus que Boule de Suif. Elle parut.

Elle semblait un peu troublée, honteuse; et elle s'avança timidement vers ses compagnons, qui, tous, d'un même mouvement, se détournèrent comme s'ils ne l'avaient pas aperçue. Le comte prit avec dignité le bras de sa femme et l'éloigna de ce contact impur.

La grosse fille s'arrêta, stupéfaite; alors ramassant tout son courage, elle aborda la femme du manufacturier d'un «bonjour, madame» humblement murmuré. L'autre fit de

la tête seule un petit salut impertinent qu'elle accompagna
d'un regard de vertu outragée. Tout le monde semblait
affairé, et l'on se tenait loin d'elle comme si elle eût apporté
une infection dans ses jupes. Puis on se précipita vers la
voiture où elle arriva seule, la dernière, et reprit en silence
la place qu'elle avait occupée pendant la première partie
de la route.

On semblait ne pas la voir, ne pas la connaître; mais M^{me}
Loiseau, la considérant de loin avec indignation, dit à mi-
voix à son mari: —«Heureusement que je ne suis pas à
côté d'elle.»

La lourde voiture s'ébranla, et le voyage recommença.

On ne parla point d'abord. Boule de Suif n'osait pas lever
les yeux. Elle se sentait en même temps indignée contre
tous ses voisins, et humiliée d'avoir cédé, souillée par les
baisers de ce Prussien entre les bras duquel on l'avait
hypocritement jetée.

Mais la comtesse, se tournant vers M^{me} Carré-Lamadon,
rompit bientôt ce pénible silence.

— «Vous connaissez, je crois, M^{me} d'Etrelles?

— Oui, c'est une de mes amies.

— Quelle charmante femme!

— Ravissante! Une vraie nature d'élite, fort instruite
d'ailleurs, et artiste jusqu'au bout des doigts; elle chante à
ravir et dessine dans la perfection.»

Le manufacturier causait avec le comte, et au milieu du
fracas des vitres un mot parfois jaillissait: «Coupon —
échéance — prime — à terme.»

Loiseau, qui avait chipé le vieux jeu de cartes de l'auberge,
engraissé par cinq ans de frottement sur les tables mal
essuyées, attaqua un bésigue avec sa femme.

Les bonnes sœurs prirent à leur ceinture le long rosaire
qui pendait, firent ensemble le signe de la croix, et tout à
coup leurs lèvres se mirent à remuer vivement, se hâtant
de plus en plus, précipitant leur vague murmure comme
pour une course d'*oremus;* et de temps en temps elles
baisaient une médaille, se signaient de nouveau, puis recom-
mençaient leur marmottement rapide et continu.

Cornudet songeait, immobile.

Au bout de trois heures de route, Loiseau ramassa ses cartes: — «Il fait faim», dit-il.

Alors sa femme atteignit un paquet ficelé d'où elle fit sortir un morceau de veau froid. Elle le découpa proprement par tranches minces et fermes, et tous deux se mirent à manger.

— «Si nous en faisions autant», — dit la comtesse. On y consentit et elle déballa les provisions préparées pour les deux ménages. C'était, dans un de ces vases allongés dont le couvercle porte un lièvre en faïence, pour indiquer qu'un lièvre en pâté gît au-dessous, une charcuterie succulente, où de blanches rivières de lard traversaient la chair brune du gibier, mêlée à d'autres viandes hachées fin. Un beau carré de gruyère, apporté dans un journal, gardait imprimé: «faits divers» sur sa pâte onctueuse.

Les deux bonnes sœurs développèrent un rond de saucisson qui sentait l'ail; et Cornudet, plongeant les deux mains en même temps dans les vastes poches de son paletot sac, tira de l'une quatre œufs durs et de l'autre le croûton d'un pain. Il détacha la coque, la jeta sous ses pieds dans la paille et se mit à mordre à même les œufs, faisant tomber sur sa vaste barbe des parcelles de jaune clair qui semblaient, là dedans, des étoiles.

Boule de Suif, dans la hâte et l'effarement de son lever, n'avait pu songer à rien; et elle regardait, exaspérée, suffoquant de rage, tous ces gens qui mangeaient placidement. Une colère tumultueuse la crispa d'abord, et elle ouvrit la bouche pour leur crier leur fait avec un flot d'injures qui lui montait aux lèvres; mais elle ne pouvait pas parler tant l'exaspération l'étranglait.

Personne ne la regardait, ne songeait à elle. Elle se sentait noyée dans le mépris de ces gredins honnêtes qui l'avaient sacrifiée d'abord, rejetée ensuite, comme une chose malpropre et inutile. Alors elle songea à son grand panier tout plein de bonnes choses qu'ils avaient goulûment dévorées, à ses deux poulets luisants de gelée, à ses pâtés, à ses poires, à ses quatre bouteilles de bordeaux; et sa fureur tombant soudain, comme une corde trop tendue qui casse, elle se sentit prête à pleurer. Elle fit des efforts terribles, se roidit,

avala ses sanglots comme les enfants, mais les pleurs montaient, luisaient au bord de ses paupières, et bientôt deux grosses larmes, se détachant des yeux, roulèrent lentement sur ses joues. D'autres les suivirent plus rapides, coulant comme les gouttes d'eau qui filtrent d'une roche, et tombant régulièrement sur la courbe rebondie de sa poitrine. Elle restait droite, le regard fixe, la face rigide et pâle, espérant qu'on ne la verrait pas.

Mais la comtesse s'en aperçut et prévint son mari d'un signe. Il haussa les épaules comme pour dire: «Que voulez-vous, ce n'est pas ma faute.» M^me Loiseau eut un rire muet de triomphe et murmura: — «Elle pleure sa honte.»

Les deux bonnes sœurs s'étaient remises à prier, après avoir roulé dans un papier le reste de leur saucisson.

Alors Cornudet, qui digérait ses œufs, étendit ses longues jambes sous la banquette d'en face, se renversa, croisa ses bras, sourit comme un homme qui vient de trouver une bonne farce, et se mit à siffloter la *Marseillaise*.

Toutes les figures se rembrunirent. Le chant populaire, assurément, ne plaisait point à ses voisins. Ils devinrent nerveux, agacés, et avaient l'air prêts à hurler comme des chiens qui entendent un orgue de Barbarie. Il s'en aperçut, ne s'arrêta plus. Parfois même il fredonnait les paroles:

> Amour sacré de la patrie,
> Conduis, soutiens nos bras vengeurs,
> Liberté, liberté chérie,
> Combats avec tes défenseurs!

On fuyait plus vite, la neige étant plus dure; et jusqu'à Dieppe, pendant les longues heures mornes du voyage, à travers les cahots du chemin, par la nuit tombante, puis dans l'obscurité profonde de la voiture, il continua, avec une obstination féroce, son sifflement vengeur et monotone, contraignant les esprits las et exaspérés à suivre le chant d'un bout à l'autre, à se rappeler chaque parole qu'ils appliquaient sur chaque mesure.

Et Boule de Suif pleurait toujours; et parfois un sanglot, qu'elle n'avait pu retenir, passait, entre deux couplets, dans les ténèbres.

LA MAISON TELLIER

LA MAISON TELLIER

On allait là, chaque soir, vers onze heures, comme au café, simplement.

Ils s'y retrouvaient à six ou huit, toujours les mêmes, non pas des noceurs, mais des hommes honorables, des commerçants, des jeunes gens de la ville; et l'on prenait sa chartreuse en lutinant quelque peu les filles, ou bien on causait sérieusement avec *Madame,* que tout le monde respectait.

Puis on rentrait se coucher avant minuit. Les jeunes gens quelquefois restaient.

La maison était familiale, toute petite, peinte en jaune, à l'encoignure d'une rue derrière l'église Saint-Étienne; et, par les fenêtres, on apercevait le bassin plein de navires qu'on déchargeait, le grand marais salant appelé «la Retenue» et, derrière, la côte de la Vierge avec sa vieille chapelle toute grise.

Madame, issue d'une bonne famille de paysans du département de l'Eure, avait accepté cette profession absolument comme elle serait devenue modiste ou lingère. Le préjugé du déshonneur attaché à la prostitution, si violent et si vivace dans les villes, n'existe pas dans la campagne normande. Le paysan dit: — «C'est un bon métier»; — et il envoie son enfant tenir un harem de filles comme il l'enverrait diriger un pensionnat de demoiselles.

Cette maison, du reste, était venue par héritage d'un vieil oncle qui la possédait. *Monsieur* et *Madame,* autrefois aubergistes près d'Yvetot, avaient immédiatement liquidé, jugeant l'affaire de Fécamp plus avantageuse pour eux; et ils étaient arrivés un beau matin prendre la direction de l'entreprise qui périclitait en l'absence des patrons.

C'étaient de braves gens qui se firent aimer tout de suite de leur personnel et des voisins.

Monsieur mourut d'un coup de sang deux ans plus tard. Sa nouvelle profession l'entretenant dans la mollesse et l'immobilité, il était devenue très gros, et la santé l'avait étouffé.

Madame, depuis son veuvage, était vainement désirée par tous les habitués de l'établissement; mais on la disait absolument sage, et ses pensionnaires elles-mêmes n'étaient parvenues à rien découvrir.

Elle était grande, charnue, avenante. Son teint, pâli dans l'obscurité de ce logis toujours clos, luisait comme sous un vernis gras. Une mince garniture de cheveux follets, faux et frisés, entourait son front, et lui donnait un aspect juvénile qui jurait avec la maturité de ses formes. Invariablement gaie et la figure ouverte, elle plaisantait volontiers, avec une nuance de retenue que ses occupations nouvelles n'avaient pas encore pu lui faire perdre. Les gros mots la choquaient toujours un peu; et quand un garçon mal élevé appelait de son nom propre l'établissement qu'elle dirigeait, elle se fâchait, révoltée. Enfin elle avait l'âme délicate, et bien que traitant ses femmes en amies, elle répétait volontiers qu'elles «n'étaient point du même panier».

Parfois, durant la semaine, elle partait en voiture de louage avec une fraction de sa troupe; et l'on allait folâtrer sur l'herbe au bord de la petite rivière qui coule dans les fonds de Valmont. C'étaient alors des parties de pensionnaires échappées, des courses folles, des jeux enfantins, toute une joie de recluses grisées par le grand air. On mangeait de la charcuterie sur le gazon en buvant du cidre, et l'on rentrait à la nuit tombante avec une fatigue délicieuse, un attendrissement doux; et dans la voiture on embrassait *Madame* comme une mère très bonne, pleine de mansuétude et de complaisance.

La maison avait deux entrées. A l'encoignure, une sorte de café borgne s'ouvrait, le soir, aux gens du peuple et aux matelots. Deux des personnes chargées du commerce spécial du lieu étaient particulièrement destinées aux besoins de cette partie de la clientèle. Elles servaient, avec l'aide du

garçon, nommé Frédéric, un petit blond imberbe et fort
comme un bœuf, les chopines de vin et les canettes sur les
tables de marbre branlantes, et, les bras jetés au cou des
buveurs, assises en travers de leurs jambes, elles poussaient
à la consommation.

Les trois autres dames (elles n'étaient que cinq) formaient
une sorte d'aristocratie, et demeuraient réservées à la com-
pagnie du premier, à moins pourtant qu'on n'eût besoin
d'elles en bas et que le premier fût vide.

Le salon de Jupiter, où se réunissaient les bourgeois de
l'endroit, était tapissé de papier bleu et agrémenté d'un
grand dessin représentant Léda étendue sous un cygne. On
parvenait dans ce lieu au moyen d'un escalier tournant
terminé par une porte étroite, humble d'apparence, donnant
sur la rue, et au-dessus de laquelle brillait toute la nuit,
derrière un treillage, une petite lanterne comme celles
qu'on allume encore en certaines villes aux pieds des ma-
dones encastrées dans les murs.

Le bâtiment, humide et vieux, sentait légèrement le moisi.
Par moments, un souffle d'eau de Cologne passait dans les
couloirs, ou bien une porte entr'ouverte en bas faisait éclater
dans toute la demeure, comme une explosion de tonnerre, les
cris populaciers des hommes attablés au rez-de-chaussée, et
mettait sur la figure des messieurs du premier un moue
inquiète et dégoûtée.

Madame, familière avec les clients ses amis, ne quittait
point le salon, et s'intéressait aux rumeurs de la ville qui lui
parvenaient par eux. Sa conversation grave faisait diversion
aux propos sans suite des trois femmes; elle était comme un
repos dans le badinage polisson des particuliers ventrus qui
se livraient chaque soir à cette débauche honnête et mé-
diocre de boire un verre de liqueur en compagnie de filles
publiques.

Les trois dames du premier s'appelaient Fernande,
Raphaële et Rosa la Rosse.

Le personnel étant restreint, on avait tâché que chacune
d'elles fût comme un échantillon, un résumé du type fémi-
nin, afin que tout consommateur pût trouver là, à peu près
du moins, la réalisation de son idéeal.

Fernande représentait la *belle blonde*, très grande, presque obèse, molle, fille des champs dont les taches de rousseur se refusaient à disparaître, et dont la chevelure filasse, écourtée, claire et sans couleur, pareille à du chanvre peigné, lui couvrait insuffisamment le crâne.

Raphaële, une Marseillaise, roulure des ports de mer, jouait le rôle indispensable de la *belle Juive*, maigre, avec des pommettes saillantes plâtrées de rouge. Ses cheveux noirs, lustrés à la moelle de bœuf, formaient des crochets sur ses tempes. Ses yeux eussent paru beaux si le droit n'avait été marqué d'une taie. Son nez arqué tombait sur une mâchoire accentuée où deux dents neuves, en haut, faisaient tache à côté de celles du bas qui avaient pris en vieillissant une teinte foncée comme les bois anciens.

Rosa la Rosse, une petite boule de chair tout en ventre avec des jambes minuscules, chantait du matin au soir, d'une voix éraillée, des couplets alternativement grivois ou sentimentaux, racontait des histoires interminables et insignifiantes, ne cessait de parler que pour manger et de manger que pour parler, remuait toujours, souple comme un écureuil malgré sa graisse et l'exiguïté de ses pattes; et son rire, une cascade de cris aigus, éclatait sans cesse, de-ci, de-là, dans une chambre, au grenier, dans le café, partout, à propos de rien.

Les deux femmes du rez-de-chaussée, Louise, surnommée Cocote, et Flora, dite Balançoire parce qu'elle boitait un peu, l'une toujours en *Liberté* avec une ceinture tricolore, l'autre en Espagnole de fantaisie avec des sequins de cuivre qui dansaient dans ses cheveux carotte à chacun de ses pas inégaux, avaient l'air de filles de cuisine habillées pour un carnaval. Pareilles à toutes les femmes du peuple, ni plus laides, ni plus belles, vraies servantes d'auberge, on les désignait dans le port sous le sobriquet des deux Pompes.

Une paix jalouse, mais rarement troublée, régnait entre ces cinq femmes, grâce à la sagesse conciliante de *Madame* et à son intarissable bonne humeur.

L'établissement, unique dans la petite ville, était assidûment fréquenté. *Madame* avait su lui donner une tenue si comme il faut; elle se montrait si aimable, si prévenante

LA MAISON TELLIER
LA MAISON TELLIER
4o-4444-----4444

clients du premier étage, rebroussant chemin le plus vite possible, se mirent à errer par les rues.

Ils rencontrèrent encore M. Dupuis, l'agent d'assurances, puis M. Vasse, le juge au tribunal de commerce; et une longue promenade commença qui les conduisit à la jetée d'abord. Ils s'assirent en ligne sur le parapet de granit et regardèrent moutonner les flots. L'écume, sur la crête des vagues, faisait dans l'ombre des blancheurs lumineuses, éteintes presque aussitôt qu'apparues, et le bruit monotone de la mer brisant contre les rochers se prolongeait dans la nuit tout le long de la falaise. Lorsque les tristes promeneurs furent restés là quelque temps, M. Tournevau déclara: — «Ça n'est pas gai.» — «Non certes», reprit M. Pimpesse; et ils repartirent à petits pas.

Après avoir longé la rue que domine la côte et qu'on appelle: «Sous-le-bois», ils revinrent par le pont de planches sur la Retenue, passèrent près du chemin de fer et débouchèrent de nouveau place du Marché, où une querelle commença tout à coup entre le percepteur, M. Pimpesse, et le saleur, M. Tournevau, à propos d'un champignon comestible que l'un d'eux affirmait avoir trouvé dans les environs.

Les esprits étant aigris par l'ennui, on en serait peut-être venu aux voies de fait si les autres ne s'étaient interposés. M. Pimpesse, furieux, se retira; et aussitôt une nouvelle altercation s'éleva entre l'ancien maire, M. Poulin, et l'agent d'assurances, M. Dupuis, au sujet des appointements du percepteur et des bénéfices qu'il pouvait se créer. Les propos injurieux pleuvaient des deux côtés, quand une tempête de cris formidables se déchaîna, et la troupe des matelots, fatigués d'attendre en vain devant une maison fermée, déboucha sur la place. Ils se tenaient par le bras, deux par deux, formant une longue procession, et ils vociféraient furieusement. Le groupe des bourgeois se dissimula sous une porte, et la horde hurlante disparut dans la direction de l'abbaye. Longtemps encore on entendit la clameur qui diminuait comme un orage qui s'éloigne; et le silence se rétablit.

M. Poulin et M. Dupuis, enragés l'un contre l'autre, partirent, chacun de son côté, sans se saluer.

Les quatre autres se remirent en marche, et redescendirent instinctivement vers l'établissement Tellier. Il était toujours clos, muet, impénétrable. Un ivrogne, tranquille et obstiné, tapait des petits coups dans la devanture du café, puis s'arrêtait pour appeler à mi-voix le garçon Frédéric. Voyant qu'on ne lui répondait point, il prit le parti de s'asseoir sur la marche de la porte, et d'attendre les événements.

Les bourgeois allaient se retirer quand la bande tumultueuse des hommes du port reparut au bout de la rue. Les matelots français braillaient la *Marseillaise*, les anglais le *Rule Britannia*. Il y eut un ruement général contre les murs, puis le flot des brutes reprit son cours vers le quai, où une bataille éclata entre les marins des deux nations. Dans la rixe, un Anglais eut le bras cassé, et un Français le nez fendu.

L'ivrogne, qui était resté devant la porte, pleurait maintenant comme pleurent les pochards ou les enfants contrariés.

Les bourgeois, enfin, se dispersèrent.

Peu à peu le calme revint sur la cité troublée. De place en place, encore par instants, un bruit de voix s'élevait, puis s'éteignait dans le lointain.

Seul, un homme errait toujours, M. Tournevau, le saleur, désolé d'attendre au prochain samedi; et il espérait on ne sait quel hasard, ne comprenant pas, s'exaspérant que la police laissât fermer ainsi un établissement d'utilité publique qu'elle surveille et tient sous sa garde.

Il y retourna, flairant les murs, cherchant la raison; et il s'aperçut que sur l'auvent une pancarte était collée. Il alluma bien vite une allumette-bougie, et lut ces mots tracés d'une grande écriture inégale: «*Fermé pour cause de première communion.*»

Alors il s'éloigna, comprenant bien que c'était fini.

L'ivrogne maintenant dormait, étendu tout de son long en travers de la porte inhospitalière.

Et le lendemain, tous les habitués, l'un après l'autre, trouvèrent moyen de passer dans la rue avec des papiers

sous le bras pour se donner une contenance; et, d'un coup d'œil furtif, chacun lisait l'avertissement mystérieux: «*Fermé pour cause de première communion.*»

II

C'est que *Madame* avait un frère établi menuisier en leur pays natal, Virville, dans l'Eure. Du temps que *Madame* était encore aubergiste à Yvetot, elle avait tenu sur les fonts baptismaux la fille de ce frère qu'elle nomma Constance, Constance Rivet; étant elle-même une Rivet par son père. Le menuisier, qui savait sa sœur en bonne position, ne la perdait pas de vue, bien qu'ils ne se rencontrassent pas souvent, retenus tous les deux, par leurs occupations et habitant du reste loin l'un de l'autre. Mais comme la fillette allait avoir douze ans, et faisait, cette année-là, sa première communion, il saisit cette occasion d'un rapprochement, et il écrivit à sa sœur qu'il comptait sur elle pour la cérémonie. Les vieux parents étaient morts, elle ne pouvait refuser à sa filleule; elle accepta. Son frère, qui s'appelait Joseph, espérait qu'à force de prévenances il arriverait peut-être à obtenir qu'on fît un testament en faveur de la petite, *Madame* étant sans enfants.

La profession de sa sœur ne gênait nullement ses scrupules, et, du reste, personne dans le pays ne savait rien. On disait seulement en parlant d'elle: «Madame Tellier est une bourgeoise de Fécamp»; ce qui laissait supposer qu'elle pouvait vivre de ses rentes. De Fécamp à Virville on comptait au moins vingt lieues; et vingt lieues de terre pour des paysans sont plus difficiles à franchir que l'Océan pour un civilisé. Les gens de Virville n'avaient jamais dépassé Rouen; rien n'attirait ceux de Fécamp dans un petit village de cinq cents feux, perdu au milieu des plaines et faisant partie d'un autre département. Enfin on ne savait rien.

Mais, l'époque de la communion approchant, *Madame* éprouva un grand embarras. Elle n'avait point de sous-maîtresse, et ne se souciait nullement de laisser la maison, même pendant un jour. Toutes les rivalités entre les dames

d'en haut et celles d'en bas éclateraient infailliblement; puis Frédéric se griserait sans doute, et quand il était gris, il assommait les gens pour un oui ou pour un non. Enfin elle se décida à emmener tout son monde, sauf le garçon à qui elle donna sa liberté jusqu'au surlendemain.

Le frère consulté ne fit aucune opposition, et se chargea de loger la compagnie entière pour une nuit. Donc, le samedi matin, le train express de huit heures emportait *Madame* et ses compagnes dans un wagon de seconde classe.

Jusqu'à Beuzeville elles furent seules et jacassèrent comme des pies. Mais à cette gare un couple monta. L'homme, vieux paysan vêtu d'une blouse bleue, avec un col plissé, des manches larges serrées aux poignets et ornées d'une petite broderie blanche, couvert d'un antique chapeau de forme haute dont le poil roussi semblait hérissé, tenait d'une main un immense parapluie vert, et de l'autre un vaste panier qui laissait passer les têtes effarées de trois canards. La femme, raide en sa toilette rustique, avait une physionomie de poule avec un nez pointu comme un bec. Elle s'assit en face de son homme et demeura sans bouger, saisie de se trouver au milieu d'une aussi belle société.

Et c'était, en effet, dans le wagon un éblouissement de couleurs éclatantes. *Madame*, tout en bleu, en soie bleue des pieds à la tête, portait là-dessus un châle de faux cachemire français, rouge, aveuglant, fulgurant. Fernande soufflait dans une robe écossaise dont le corsage, lacé à toute force par ses compagnes, soulevait sa croulante poitrine en un double dôme toujours agité qui semblait liquide sous l'étoffe.

Raphaële, avec une coiffure emplumée simulant un nid plein d'oiseaux, portait une toilette lilas, pailletée d'or, quelque chose d'oriental qui seyait à sa physionomie de Juive. Rosa la Rosse, en jupe rose à larges volants, avait l'air d'une enfant trop grasse, d'une naine obèse; et les deux Pompes semblaient s'être taillé des accoutrements étranges au milieu de vieux rideaux de fenêtre, ces vieux rideaux à ramages datant de la Restauration.

Sitôt qu'elles ne furent plus seules dans le compartiment, ces dames prirent une contenance grave, et se mirent à parler de choses relevées pour donner bonne opinion d'elles.

Mais à Bolbec apparut un monsieur à favoris blonds, avec
des bagues et une chaîne en or, qui mit dans le filet sur sa
tête plusieurs paquets enveloppés de toile cirée. Il avait un
air farceur et bon enfant. Il salua, sourit et demanda avec
aisance: — «Ces dames changent de garnison?» — Cette
question jeta dans le groupe une confusion embarrassée.
Madame enfin reprit contenance, et elle répondit sèchement,
pour venger l'honneur du corps: — «Vous pourriez bien
être poli!» — Il s'excusa: — «Pardon, je voulais dire de
monastère.» — *Madame* ne trouvant rien à répliquer, ou
jugeant peut-être la rectification suffisante, fit un salut digne
en pinçant les lèvres.

Alors le monsieur, qui se trouvait assis entre Rosa la Rosse
et le vieux paysan, se mit à cligner de l'œil aux trois canards
dont les têtes sortaient du grand panier; puis, quand il
sentit qu'il captivait déjà son public, il commença à chatouil-
ler ces animaux sous le bec, en leur tenant des discours
drôles pour dérider la société: — «Nous avons quitté notre
petite ma-mare! couen! couen! couen! — pour faire connais-
sance avec la petite bro-broche, — couen! couen! couen!» —
Les malheureuses bêtes tournaient le cou afin d'éviter ses
caresses, faisaient des efforts affreux pour sortir de leur
prison d'osier; puis soudain toutes trois ensemble poussèrent
un lamentable cri de détresse: — Couen! couen! couen!
couen! — Alors ce fut une explosion de rires parmi les
femmes. Elles se penchaient, elles se poussaient pour voir;
on s'intéressait follement aux canards; et le monsieur re-
doublait de grâce, d'esprit et d'agaceries.

Rosa s'en mêla, et, se penchant par-dessus les jambes de
son voisin, elle embrassa les trois bêtes sur le nez. Aussitôt
chaque femme voulut les baiser à son tour; et le monsieur
asseyait ces dames sur ses genoux, les faisait sauter, les
pinçait; tout à coup il les tutoya.

Les deux paysans, plus affolés encore que leurs volailles,
roulaient des yeux de possédés sans oser faire un mouve-
ment, et leurs vieilles figures plissées n'avaient pas un sourire,
pas un tressaillement.

Alors le monsieur, qui était commis voyageur, offrit par
farce des bretelles à ces dames, et, s'emparant d'un de ses

paquets, il l'ouvrit. C'était une ruse, le paquet contenait des jarretières.

Il y en avait en soie bleue, en soie rose, en soie rouge, en soie violette, en soie mauve, en soie ponceau, avec des boucles de métal formées par deux amours enlacés et dorés. Les filles poussèrent des cris de joie, puis examinèrent les échantillons, reprises par la gravité naturelle à toute femme qui tripote un objet de toilette. Elles se consultaient de l'œil ou d'un mot chuchoté, se répondaient de même, et *Madame* maniait avec envie une paire de jarretières orangées, plus larges, plus imposantes que les autres: de vraies jarretières de patronne.

Le monsieur attendait, nourrissant une idée: — «Allons, mes petites chattes, dit-il, il faut les essayer.» — Ce fut une tempête d'exclamations; et elles serraient leurs jupes entre leurs jambes comme si elles eussent craint des violences. Lui, tranquille, attendait son heure. Il déclara: — «Vous ne voulez pas, je remballe.» Puis, finement: — «J'offrirai une paire, au choix, à celles qui feront l'essai.» — Mais elles ne voulaient pas, très dignes, la taille redressée. Les deux Pompes cependant semblaient si malheureuses qu'il leur renouvela la proposition. Flora Balançoire surtout, torturée de désir, hésitait visiblement. Il la pressa: — «Vas-y, ma fille, un peu de courage; tiens, la paire lilas, elle ira bien avec ta toilette.» Alors elle se décida, et, relevant sa robe, montra une forte jambe de vachère, mal serrée en un bas grossier. Le monsieur, se baissant, accrocha la jarretière sous le genou d'abord, puis au-dessus; et il chatouillait doucement la fille pour lui faire pousser des petits cris avec de brusques tressaillements. Quand il eut fini, il donna la paire lilas et demanda: — «A qui le tour?» Toutes ensemble s'écrièrent: — «A moi! à moi!» Il commença par Rosa la Rosse, qui découvrit une chose informe, toute ronde, sans cheville, un vrai «boudin de jambe», comme disait Raphaële. Fernande fut complimentée par le commis voyageur qu'enthousiasmèrent ses puissantes colonnes. Les maigres tibias de la belle Juive eurent moins de succès. Louise Cocote, par plaisanterie, coiffa le monsieur de sa jupe; et *Madame* fut obligée d'intervenir pour arrêter cette farce inconvenante.

Enfin *Madame* elle-même tendit sa jambe, une belle jambe normande, grasse et musclée; et le voyageur, surpris et ravi, ôta galamment son chapeau pour saluer ce maître mollet en vrai chevalier français.

Les deux paysans, figés dans l'ahurissement, regardaient de côté, d'un seul œil; et ils ressemblaient si absolument à des poulets que l'homme aux favoris blonds, en se relevant, leur fit dans le nez «Co-co-ri-co». Ce qui déchaîna de nouveau un ouragan de gaieté.

Les vieux descendirent à Motteville, avec leur panier, leurs canards et leur parapluie; et l'on entendit la femme dire à son homme en s'éloignant: — «C'est des traînées qui s'en vont encore à ce satané Paris.»

Le plaisant commis porte-balle descendit lui-même à Rouen, après s'être montré si grossier que *Madame* se vit obligée de le remettre vertement à sa place. Elle ajouta, comme morale: — Ça nous apprendra à causer au premier venu.»

A Oissel, elles changèrent de train, et trouvèrent à une gare suivante M. Joseph Rivet qui les attendait avec une grande charrette pleine de chaises et attelée d'un cheval blanc.

Le menuisier embrassa poliment toutes ces dames et les aida à monter dans sa carriole. Trois s'assirent sur trois chaises au fond; Raphaële, *Madame* et son frère, sur les trois chaises de devant, et Rosa, n'ayant point de siège, se plaça tant bien que mal sur les genoux de la grande Fernande; puis l'équipage se mit en route. Mais, aussitôt, le trot saccadé du bidet secoua si terriblement la voiture que les chaises commencèrent à danser, jetant les voyageuses en l'air, à droite, à gauche, avec des mouvements de pantins, des grimaces effarées, des cris d'effroi, coupés soudain par une secousse plus forte. Elles se cramponnaient aux côtés du véhicule; les chapeaux tombaient dans le dos, sur le nez ou vers l'épaule; et le cheval blanc allait toujours, allongeant la tête, et la queue droite, une petite queue de rat sans poil dont il se battait les fesses de temps en temps. Joseph Rivet, un pied tendu sur le brancard, l'autre jambe repliée sous lui, les coudes très élevés, tenait les rênes, et de sa gorge

s'échappait à tout instant une sorte de gloussement qui, faisant dresser les oreilles au bidet, accélérait son allure.

Des deux côté de la route la campagne verte se déroulait. Les colzas en fleur mettaient de place en place une grande nappe jaune ondulante d'où s'élevait une saine et puissante odeur, une odeur pénétrante et douce, portée très loin par le vent. Dans les seigles déjà grands des bluets montraient leurs petites têtes azurées que les femmes voulaient cueillir, mais M. Rivet refusa d'arrêter. Puis parfois, un champ tout entier semblait arrosé de sang tant les coquelicots l'avaient envahi. Et au milieu de ces plaines colorées ainsi par les fleurs de la terre, la carriole, qui paraissait porter elle-même un bouquet de fleurs aux teintes plus ardentes, passait au trot du cheval blanc, disparaissait derrière les grands arbres d'une ferme, pour reparaître au bout du feuillage et promener de nouveau à travers les récoltes jaunes et vertes, piquées de rouge ou de bleu, cette éclatante charretée de femmes qui fuyait sous le soleil.

Une heure sonnait quand on arriva devant la porte du menuisier.

Elles étaient brisées de fatigue et pâles de faim, n'ayant rien pris depuis le départ. Mme Rivet se précipita, les fit descendre l'une après l'autre, les embrassant aussitôt qu'elles touchaient terre; et elle ne se lassait point de bécoter sa belle-sœur, qu'elle désirait accaparer. On mangea dans l'atelier débarrassé des établis pour le dîner du lendemain.

Une bonne omelette que suivit une andouille grillée, arrosée de bon cidre piquant, rendit la gaieté à tout le monde. Rivet, pour trinquer, avait pris un verre, et sa femme servait, faisait la cuisine, apportait les plats, les enlevait, murmurant à l'oreille de chacune: — «En avez-vous à votre désir?» — Des tas de planches dressées contre les murs et des empilements de copeaux balayés dans les coins répandaient un parfum de bois varlopé, une odeur de menuiserie, ce souffle résineux qui pénètre au fond des poumons.

On réclama la petite, mais elle était à l'église, ne devant rentrer que le soir.

La compagnie alors sortit pour faire un tour dans le pays.

C'était un tout petit village que traversait une grand'-

route. Une dizaine de maisons rangées le long de cette voie
unique abritaient les commerçants de l'endroit, le boucher,
l'épicier, le menuisier, le cafetier, le savetier et le boulanger.
L'église, au bout de cette sorte de rue, était entourée d'un
étroit cimetière; et quatre tilleuls démesurés, plantés devant
son portail, l'ombrageaient tout entière. Elle était bâtie en
silex taillé, sans style aucun, et coiffée d'un clocher d'ar-
doises. Après elle la campagne recommençait, coupée çà
et là de bouquets d'arbres cachant les fermes.

Rivet, par cérémonie, et bien qu'en vêtements d'ouvrier,
avait pris le bras de sa sœur qu'il promenait avec majesté.
Sa femme, tout émue par la robe à filets d'or de Raphaële,
s'était placée entre elle et Fernande. La boulotte Rosa trot-
tait derrière avec Louise Cocote et Flora Balançoire, qui
boitillait, exténuée.

Les habitants venaient aux portes, les enfants arrêtaient
leurs jeux, un rideau soulevé laissait entrevoir une tête
coiffée d'un bonnet d'indienne; une vieille à béquille et
presque aveugle se signa comme devant une procession; et
chacun suivait longtemps du regard toutes les belles dames
de la ville qui étaient venues de si loin pour la première
communion de la petite à Joseph Rivet. Une immense con-
sidération rejaillissait sur le menuisier.

En passant devant l'église, elles entendirent des chants
d'enfants: un cantique crié vers le ciel par des petites voies
aiguës; mais *Madame* empêcha qu'on entrât, pour ne point
troubler ces chérubins.

Après un tour dans la campagne, et l'énumération des
principales propriétés, du rendement de la terre et de la
production du bétail, Joseph Rivet ramena son troupeau de
femmes et l'installa dans son logis.

La place étant fort restreinte, on les avait réparties deux
par deux dans les pièces.

Rivet, pour cette fois, dormirait dans l'atelier, sur les
copeaux; sa femme partagerait son lit avec sa belle-sœur,
et, dans la chambre à côté, Fernande et Raphaële repose-
raient ensemble. Louise et Flora se trouvaient installées
dans la cuisine sur un matelas jeté par terre; et Rosa occu-
pait seule un petit cabinet noir au-dessus de l'escalier, contre

l'entrée d'une soupente étroite où coucherait, cette nuit-là, la communiante.

Lorsque rentra la petite fille, ce fut sur elle une pluie de baisers; toutes les femmes la voulaient caresser, avec ce besoin d'expansion tendre, cette habitude professionnelle de chatteries, qui, dans le wagon, les avait fait toutes embrasser les canards. Chacune l'assit sur ses genoux, mania ses fins cheveux blonds, la serra dans ses bras en des élans d'affection véhémente et spontanée. L'enfant bien sage, toute pénétrée de piété, comme fermée par l'absolution, se laissait faire, patiente et recueillie.

La journée ayant été pénible pour tout le monde, on se coucha bien vite après dîner. Ce silence illimité des champs qui semble presque religieux enveloppait le petit village, un silence tranquille, pénétrant, et large jusqu'aux astres. Les filles, accoutumées aux soirées tumultueuses du logis public, se sentaient émues par ce muet repos de la campagne endormie. Elles avaient des frissons sur la peau, non de froid, mais des frissons de solitude venus du cœur inquiet et troublé.

Sitôt qu'elles furent en leur lit, deux par deux, elles s'étreignirent comme pour se défendre contre cet envahissement du calme et profond sommeil de la terre. Mais Rosa la Rosse, seule en son cabinet noir, et peu habituée à dormir les bras vides, se sentit saisie par une émotion vague et pénible. Elle se retournait sur sa couche, ne pouvant obtenir le sommeil, quand elle entendit, derrière la cloison de bois contre sa tête, de faibles sanglots comme ceux d'un enfant qui pleure. Effrayée, elle appela faiblement, et une petite voix entrecoupée lui répondit. C'était la fillette qui, couchant toujours dans la chambre de sa mère, avait peur en sa soupente étroite.

Rosa, ravie, se leva, et doucement, pour ne réveiller personne, alla chercher l'enfant. Elle l'amena dans son lit bien chaud, la pressa contre sa poitrine en l'embrassant, la dorlota, l'enveloppa de sa tendresse aux manifestations exagérées, puis, calmée elle-même, s'endormit. Et jusqu'au jour la communiante reposa son front sur le sein nu de la prostituée.

Dès cinq heures, à l'*Angelus*, la petite cloche de l'église
sonnant à toute volée réveilla ces dames qui dormaient
ordinairement leur matinée entière, seul repos des fatigues
nocturnes. Les paysans dans le village étaient déjà debout.
Les femmes du pays allaient affairées de porte en porte,
causant vivement, apportant avec précaution de courtes
robes de mousseline empesées comme du carton, ou des
cierges démesurés, avec un nœud de soie frangée d'or au
milieu, et des découpures de cire indiquant la place de la
main. Le soleil déjà haut rayonnait dans un ciel tout bleu
qui gardait vers l'horizon une teinte un peu rosée, comme
une trace affaiblie de l'aurore. Des familles de poules se
promenaient devant leurs maisons; et, de place en place,
un coq noir au cou luisant levait sa tête coiffée de pourpre,
battait des ailes, et jetait au vent son chant de cuivre que
répétaient les autres coqs.

Des carrioles arrivaient des communes voisines déchar-
geant au seuil des portes les hautes Normandes en robes
sombres, au fichu croisé sur la poitrine et retenu par un bijou
d'argent séculaire. Les hommes avaient passé la blouse
bleue sur la redingote neuve ou sur le vieil habit de drap
vert dont les deux basques passaient.

Quand les chevaux furent à l'écurie, il y eut ainsi tout
le long de la grande route une double ligne de guimbardes
rustiques, charrettes, cabriolets, tilburys, chars à bancs,
voitures de toute forme et de tout âge, penchées sur le nez
ou bien cul par terre et les brancards au ciel.

La maison du menuisier était pleine d'une activité de
ruche. Ces dames, en caraco et en jupon, les cheveux
répandus sur le dos, des cheveux maigres et courts qu'on
aurait dits ternis et rongés par l'usage, s'occupaient à ha-
biller l'enfant.

La petite, debout sur une table, ne remuait pas, tandis
que M^me Tellier dirigeait les mouvements de son bataillon
volant. On la débarbouilla, on la peigna, on a coiffa, on la
vêtit, et, à l'aide d'une multitude d'épingles, on disposa les
plis de la robe, on pinça la taille trop large, on organisa
l'élégance de la toilette. Puis, quand ce fut terminé, on fit
asseoir la patiente en lui recommandant de ne plus bouger;

et la troupe agitée des femmes courut se parer à son tour.

La petite église recommençait à sonner. Son tintement frêle de cloche pauvre montait se perdre à travers le ciel, comme une voix trop faible, vite noyée dans l'immensité bleue.

Les communiants sortaient des portes, allaient vers le bâtiment communal qui contenait les deux écoles et la mairie, et situé tout au bout du pays, tandis que la «maison de Dieu» occupait l'autre bout.

Les parents, en tenue de fête, avec une physionomie gauche et ces mouvements inhabiles des corps toujours courbés sur le travail, suivaient leurs mioches. Les petites filles disparaissaient dans un nuage de tulle neigeux semblable à de la crème fouettée, tandis que les petits hommes, pareils à des embryons de garçons de café, la tête encollée de pommade, marchaient les jambes écartées, pour ne point tacher leur culotte noire.

C'était une gloire pour une famille quand un grand nombre des parents, venus de loin, entouraient l'enfant: aussi le triomphe du menuisier fut-il complet. Le régiment Tellier, patronne en tête, suivait Constance; et le père donnant le bras à sa sœur, la mère marchant à côté de Raphaële, Fernande avec Rosa, et les deux Pompes ensemble, la troupe se déployait majestueusement comme un état-major en grand uniforme.

L'effet dans le village fut foudroyant.

A l'école, les filles se rangèrent sous la cornette de la bonne sœur, les garçons sous le chapeau de l'instituteur, un bel homme qui représentait; et l'on partit en attaquant un cantique.

Les enfants mâles en tête allongeaient leurs deux files entre les deux rangs de voitures dételées les filles suivaient dans le même ordre; et tous les habitants ayant cédé le pas aux dames de la ville par considération, elles arrivaient immédiatement après les petites, prolongeant encore la double ligne de la procession, trois à gauche et trois à droite, avec leurs toilettes éclatantes comme un bouquet de feu d'artifice.

Leur entrée dans l'église affola la population. On se

pressait, on se retournait, on se poussait pour les voir. Et
des dévotes parlaient presque haut, stupéfaites par le spec-
tacle de ces dames plus chamarrées que les chasubles des
chantres. Le maire offrit son banc, le premier banc à droite
auprès du chœur, et Mme Tellier y prit place avec sa belle-
sœur, Fernande et Raphaële. Rosa la Rosse et les deux
Pompes occupèrent le second banc en compagnie du
menuisier.

Le chœur de l'église était plein d'enfants à genoux, filles
d'un côté, garçons de l'autre, et les longs cierges qu'ils
tenaient en main semblaient des lances inclinées en tous
sens.

Devant le lutrin, trois hommes debout chantaient d'une
voix pleine. Ils prolongeaient indéfiniment les syllabes du
latin sonore, éternisant les *Amen* avec des *a-a* indéfinis,
que le serpent soutenait de sa note monotone poussée sans
fin, mugie par l'instrument de cuivre à large gueule. La voix
pointue d'un enfant donnait la réplique, et, de temps en
temps, un prêtre assis dans une stalle et coiffé d'une barrette
carrée se levait, bredouillait quelque chose et s'asseyait de
nouveau, tandis que les trois chantres repartaient, l'œil fixé
sur le gros livre de plain-chant ouvert devant eux et porté
par les ailes déployées d'un aigle de bois monté sur pivot.

Puis un silence se fit. Toute l'assistance, d'un seul mouve-
ment, se mit à genoux, et l'officiant parut, vieux, vénérable,
avec des cheveux blancs, incliné sur le calice qu'il portait de
sa main gauche. Devant lui marchaient les deux servants en
robe rouge, et, derrière, apparut une foule de chantres à
gros souliers qui s'alignèrent des deux côtés du chœur.

Une petite clochette tinta au milieu du grand silence.
L'office divin commençait. Le prêtre circulait lentement
devant le tabernacle d'or, faisait des génuflexions, psalmo-
diait de sa voix cassée, chevrotante de vieillesse, les prières
préparatoires. Aussitôt qu'il s'était tu, tous les chantres et
le serpent éclataient d'un seul coup, et des hommes aussi
chantaient dans l'église, d'une voix moins forte, plus
humble, comme doivent chanter les assistants.

Soudain le *Kyrie eleison* jaillit vers le ciel, poussé par
toutes les poitrines et tous les cœurs. Des grains de pous-

sière et des fragments de bois vermoulu tombèrent même
de la voûte ancienne secouée par cette explosion de cris.
Le soleil qui frappait sur les ardoises du toit faisait une
fournaise de la petite église; et une grande émotion, une
attente anxieuse, les approches de l'ineffable mystère,
étreignaient le cœur des enfants, serraient la gorge de leurs
mères.

Le prêtre, qui s'était assis quelque temps, remonta vers
l'autel, et, tête nue, couvert de ses cheveux d'argent, avec
des gestes tremblants, il approchait de l'acte surnaturel.

Il se tourna vers les fidèles, et, les mains tendues vers
eux, prononça: «*Orate, frates*», «priez, mes frères». Ils
priaient tous. Le vieux curé balbutiait maintenant tout bas
les paroles mystérieuses et suprêmes; la clochette tintait
coup sur coup; la foule prosternée appelait Dieu; les en-
fants défaillaient d'une anxiété démesurée.

C'est alors que Rosa, le front dans ses mains, se rappela
tout à coup se mère, l'église de son village, sa première
communion. Elle se crut revenue à ce jour-là, quand elle
était si petite, toute noyée en sa robe blanche, et elle se
mit à pleurer. Elle pleura doucement d'abord: les larmes
lentes sortaient de ses paupières, puis, avec ses souvenirs,
son émotion grandit, et, le cou gonflé, la poitrine battante,
elle sanglota. Elle avait tiré son mouchoir, s'essuyait les
yeux, se tamponnait le nez et la bouche pour ne point crier:
ce fut en vain; une espèce de râle sortit de sa gorge, et
deux autres soupirs profonds, déchirants, lui répondirent;
car ses deux voisines, abattues près d'elle, Louise et Flora,
étreintes des mêmes souvenances lointaines, gémissaient
aussi avec des torrents de larmes.

Mais comme les larmes sont contagieuses, *Madame*, à
son tour, sentit bientôt ses paupières humides, et, se
tournant vers sa belle-sœur, elle vit que tout son banc
pleurait aussi.

Le prêtre engendrait le corps de Dieu. Les enfants
n'avaient plus de pensée, jetés sur les dalles par une dévo-
tion brûlante; et, dans l'église, de place en place, une
femme, une mère, une sœur, saisie par l'étrange sympathie
des émotions poignantes, bouleversée aussi par ces belles

dames à genoux que secouaient des frissons et des hoquets, trempait son mouchoir d'indienne à carreaux et, de la main gauche, pressait violemment son cœur bondissant.

Comme la flammèche qui jette le feu à travers un champ mûr, les larmes de Rosa et de ses compagnes gagnèrent en un instant toute la foule. Hommes, femmes, vieillards, jeunes gars en blouse neuve, tous bientôt sanglotèrent, et sur leur tête semblait planer quelque chose de surhumain, une âme épandue, le souffle prodigieux d'un être invisible et tout-puissant.

Alors, dans le chœur de l'église, un petit coup sec retentit: la bonne sœur, en frappant sur son livre, donnait le signal de la communion; et les enfants, grelottant d'une fièvre divine, s'approchèrent de la table sainte.

Toute une file s'agenouillait. Le vieux, curé, tenant en main le ciboire d'argent doré, passait devant eux, leur offrant, entre deux doigts, l'hostie sacrée, le corps du Christ, la rédemption du monde. Ils ouvraient la bouche avec des spasmes, des grimaces nerveuses, les yeux fermés, la face toute pâle; et la longue nappe étendue sous leurs mentons frémissait comme de l'eau qui coule.

Soudain dans l'église une sorte de folie courut, une rumeur de foule en délire, une tempête de sanglots avec des cris étouffés. Cela passa comme ces coups de vent qui courbent les forêts; et le prêtre restait debout, immobile, une hostie à la main, paralysé par l'émotion, se disant: «C'est Dieu, c'est Dieu qui est parmi nous, qui manifeste sa présence, qui descend à ma voix sur son peuple agenouillé.» Et il balbutiait des prières affolées, sans trouver les mots, des prières de l'âme, dans un élan furieux vers le ciel.

Il acheva de donner la communion avec une telle surexcitation de foi que ses jambes défaillaient sous lui, et quand lui-même eut bu le sang de son Seigneur, il s'abîma dans un acte de remerciement éperdu.

Derrière lui le peuple peu à peu se calmait. Les chantres, relevés dans la dignité du surplis blanc, repartaient d'une voix moins sûre, encore mouillée; et le serpent aussi semblait enroué comme si l'instrument lui-même eût pleuré.

Alors, le prêtre, levant les mains, leur fit signe de se taire, et passant entre les deux haies de communiants perdus en des extases de bonheur, il s'approcha jusqu'à la grille du chœur.

L'assemblée s'était assise au milieu d'un bruit de chaises, et tout le monde à présent se mouchait avec force. Dès qu'on aperçut le curé, on fit silence, et il commença à parler d'un ton très bas, hésitant, voilé. — «Mes chers frères, mes chères sœurs, mes enfants, je vous remercie du fond du cœur: vous venez de me donner la plus grande joie de ma vie. J'ai senti Dieu qui descendait sur nous à mon appel. Il est venu, il était là, présent, qui emplissait vos âmes, faisait déborder vos yeux. Je suis le plus vieux prêtre du diocèse, j'en suis aussi, aujourd'hui, le plus heureux. Un miracle s'est fait parmi nous, un vrai, un grand, un sublime miracle. Pendant que Jésus-Christ pénétrait pour la première fois dans le corps de ces petits, le Saint-Esprit, l'oiseau céleste, le souffle de Dieu, s'est battu sur vous, s'est emparé de vous, vous a saisis, courbés comme des roseaux sous la brise.»

Puis, d'une voix plus claire, se tournant vers les deux bancs où se trouvaient les invitées du menuisier: — «Merci surtout à vous, mes chères sœurs, qui êtes venues de si loin, et dont la présence parmi nous, dont la foi visible, dont la piété si vive ont été pour tous un salutaire exemple. Vous êtes l'édification de ma paroisse; votre émotion a échauffé les cœurs; sans vous, peut-être, ce grand jour n'aurait pas eu ce caractère vraiment divin. Il suffit parfois d'une seule brebis d'élite pour décider le Seigneur à descendre sur le troupeau.»

La voix lui manquait. Il ajouta: «C'est la grâce que je vous souhaite. Ainsi soit-il.» Et il remonta vers l'autel pour terminer l'office.

Maintenant on avait hâte de partir. Les enfants eux-mêmes s'agitaient, las d'une si longue tension d'esprit. Ils avaient faim d'ailleurs, et les parents peu à peu s'en allaient, sans attendre le dernier évangile, pour terminer les apprêts du repas.

Ce fut une cohue à la sortie, une cohue bruyante, un

charivari de voix criardes où chantait l'accent normand.
La population formait deux haies, et lorsque parurent les
enfants, chaque famille se précipita sur le sien.

Constance se trouva saisie, entourée, embrassée par toute
la maisonnée de femmes. Rosa surtout ne se lassait pas de
l'étreindre. Enfin elle lui prit une main, Mme Tellier s'em-
para de l'autre; Raphaële et Fernande relevèrent sa longue
jupe de mousseline pour qu'elle ne traînât point dans la
poussière; Louise et Flora fermaient la marche avec Mme
Rivet; et l'enfant, recueillie, toute pénétrée par le Dieu
qu'elle portait en elle, se mit en route au milieu de cette
escorte d'honneur.

Le festin était servi dans l'atelier sur de longues planches
portées par des traverses.

La porte ouverte, donnant sur la rue, laissait entrer toute
la joie du village. On se régalait partout. Par chaque fenêtre
on apercevait des tablées de monde endimanché, et des
cris sortaient des maisons en goguette. Les paysans, en
bras de chemise, buvaient du cidre pur à plein verre, et au
milieu de chaque compagnie on apercevait deux enfants,
ici deux filles, là deux garçons, dînant dans l'une des deux
familles.

Quelquefois, sous la lourde chaleur de midi, un char à
bancs traversait le pays au trot sautillant d'un vieux bidet,
et l'homme en blouse qui conduisait jetait un regard d'envie
sur toute cette ripaille étalée.

Dans la demeure du menuisier, la gaieté gardait un
certain air de réserve, un reste de l'émotion du matin. Rivet
seul était en train et buvait outre mesure. Mme Tellier
regardait l'heure à tout moment, car pour ne point chômer
deux jours de suite on devait reprendre le train de 3 h. 55
qui les mettrait à Fécamp vers le soir.

Le menuisier faisait tous ses efforts pour détourner l'at-
tention et garder son monde jusqu'au lendemain; mais
Madame ne se laissait point distraire; et elle ne plaisantait
jamais quand il s'agissait des affaires.

Aussitôt que le café fut pris, elle ordonna à ses pension-
naires de se préparer bien vite; puis, se tournant vers son

frère: — «Toi, tu vas atteler tout de suite»; et elle-même
alla terminer ses derniers préparatifs.

Quand elle redescendit, sa belle-sœur l'attendait pour
lui parler de la petite; et une longue conversation eut lieu
où rien ne fut résolu. La paysanne finassait, faussement
attendrie, et Mme Tellier, qui tenait l'enfant sur ses genoux,
ne s'engageait à rien, promettait vaguement: on s'occuperait
d'elle, on avait du temps, on se reverrait d'ailleurs.

Cependant la voiture n'arrivait point, et les femmes ne
descendaient point. On entendait même en haut de grands
rires, des bousculades, des poussées de cris, des battements
de mains. Alors, tandis que l'épouse du menuisier se rendait
à l'écurie pour voir si l'équipage était prêt, Madame, à la
fin, monta.

Rivet, très pochard et à moitié dévêtu, essayait, mais en
vain, de violenter Rosa qui défaillait de rire. Les deux
Pompes le retenaient par les bras, et tentaient de le calmer,
choquées de cette scène après la cérémonie du matin; mais
Raphaële et Fernande l'excitaient, tordues de gaieté, se
tenant les côtes; et elles jetaient des cris aigus à chacun
des efforts inutiles de l'ivrogne. L'homme furieux, la face
rouge, tout débraillé, secouant en des efforts violents les
deux femmes cramponnées à lui, tirait de toutes ses forces
sur la jupe de Rosa en bredouillant: — «Salope, tu ne veux
pas?» — Mais Madame, indignée, s'élança, saisit son frère
par les épaules, et le jeta dehors si violemment qu'il alla
frapper contre le mur.

Une minute plus tard, on l'entendait dans la cour qui se
pompait de l'eau sur la tête; et quand il reparut dans sa
carriole, il était déjà tout apaisé.

On se remit en route comme la veille, et le petit cheval
blanc repartit de son allure vive et dansante.

Sous le soleil ardent, la joie assoupie pendant le repas
se dégageait. Les filles s'amusaient maintenant des cahots
de la guimbarde, poussaient même les chaises des voisines,
éclataient de rire à tout instant, mises en train d'ailleurs
par les vaines tentatives de Rivet.

Une lumière folle emplissait les champs, une lumière
miroitant aux yeux; et les roues soulevaient deux sillons de

poussière qui voltigeaient longtemps derrière la voiture sur la grand'route.

Tout à coup Fernande, qui aimait la musique, supplia Rosa de chanter; et celle-ci entama gaillardement le *Gros Curé de Meudon*. Mais *Madame* tout de suite la fit taire, trouvant cette chanson peu convenable en ce jour. Elle ajouta: — «Chante-nous plutôt quelque chose de Béranger.» — Alors Rosa, après avoir hésité quelques secondes, fixa son choix, et de sa voix usée commença la *Grand'mère*:

> Ma grand'mère, un soir à sa fête,
> De vin pur ayant bu deux doigts,
> Nous disait en branlant la tête:
> Que d'amoureux j'eus autrefois!
> Combien je regrette
> Mon bras si dodu,
> Ma jambe bien faite,
> Et le temps perdu!

Et le chœur des filles, que *Madame* elle-même conduisait, reprit:

> Combien je regrette
> Mon bras si dodu,
> Ma jambe bien faite,
> Et le temps perdu!

— Ça, c'est tapé! déclara Rivet, allumé par la cadence: et Rosa aussitôt continua:

> Quoi, maman, vous n'étiez pas sage!
> — Non, vraiment! et de mes appas,
> Seule, à quinze ans, j'appris l'usage,
> Car, la nuit, je ne dormais pas.

Tous ensemble hurlèrent le refrain; et Rivet tapait du pied sur son brancard, battait la mesure avec les rênes sur le dos du bidet blanc qui, comme s'il eût été lui-même enlevé par l'entrain du rythme, prit le galop, un galop de tempête, précipitant ces dames en tas les unes sur les autres dans le fond de la voiture.

Elles se relevèrent en riant comme des folles. Et la chanson continua, braillée à tue-tête à travers la campagne, sous

le ciel brûlant, au milieu des récoltes mûrissantes, au train enragé du petit cheval qui s'emballait maintenant à tous les retours du refrain, et piquait chaque fois ses cent mètres de galop, à la grande joie des voyageurs.

De place en place, quelque casseur de cailloux se redressait, et regardait à travers son loup en fil de fer cette carriole enragée et hurlante emportée dans la poussière.

Quand on descendit devant la gare, le menuisier s'attendrit: — «C'est dommage que vous partiez, on aurait bien rigolé.»

Madame lui répondit sensément: — «Toute chose a son temps, on ne peut pas s'amuser toujours.» — Alors une idée illumina l'esprit de Rivet: — «Tiens, dit-il, j'irai vous voir à Fécamp le mois prochain.» — Et il regarda Rosa d'un air rusé, avec un œil brillant et polisson. — «Allons, conclut *Madame,* il faut être sage; tu viendras si tu veux, mais tu ne feras point de bêtises.»

Il ne répondit pas, et comme on entendait siffler le train, il se mit immédiatement à embrasser tout le monde. Quand ce fut au tour de Rosa, il s'acharna à trouver sa bouche que celle-ci, riant derrière ses lèvres fermées, lui dérobait chaque fois par un rapide mouvement de côté. Il la tenait en ses bras, mais il n'en pouvait venir à bout, gêné par son grand fouet qu'il avait gardé à sa main et que, dans ses efforts, il agitait désespérément derrière le dos de la fille.

— Les voyageurs pour Rouen, en voiture! cria l'employé. Elles montèrent.

Un mince coup de sifflet partit, répété tout de suite par le sifflement puissant de la machine qui cracha bruyamment son premier jet de vapeur pendant que les roues commençaient à tourner un peu avec un effort visible.

Rivet, quittant l'intérieur de la gare, courut à la barrière pour voir encore une fois Rosa; et comme le wagon plein de cette marchandise humaine passait devant lui, il se mit à faire claquer son fouet en sautant et chantant de toutes ses forces:

Combien je regrette
Mon bras si dodu,

Ma jambe bien faite
Et le temps perdu!

Puis il regarda s'éloigner un mouchoir blanc qu'on agitait.

III

Elles dormirent jusqu'à l'arrivée, du sommeil paisible des consciences satisfaites; et quand elles rentrèrent au logis, rafraîchies, reposées pour la besogne de chaque soir, *Madame* ne put s'empêcher de dire: — «C'est égal, il m'ennuyait déjà de la maison.»

On soupa vite, puis, quand on eut repris le costume de combat, on attendit les clients habituels; et la petite lanterne allumée, la petite lanterne de madone, indiquait aux passants que dans la bergerie le troupeau était revenu.

En un clin d'œil la nouvelle se répandit, on ne sait comment, on ne sait par qui. M. Philippe, le fils du banquier, poussa même la complaisance jusqu'à prévenir par un exprès M. Tournevau, emprisonné dans sa famille.

Le saleur avait justement chaque dimanche plusieurs cousins à dîner, et l'on prenait le café quand un homme se présenta avec une lettre à la main. M. Tournevau, très ému, rompit l'enveloppe et devint pâle: il n'y avait que ces mots tracés au crayon: «*Chargement de morues retrouvé; navire entré au port; bonne affaire pour vous. Venez vite.*»

Il fouilla dans ses poches, donna vingt centimes au porteur, et rougissant soudain jusqu'aux oreilles: «Il faut, dit-il, que je sorte.» Et il tendit à sa femme le billet laconique et mystérieux. Il sonna, puis, lorsque parut la bonne: — «Mon pardessus, vite, vite, et mon chapeau.» — A peine dans la rue, il se mit à courir en sifflant un air, et le chemin lui parut deux fois plus long tant son impatience était vive.

L'établissement Tellier avait un air de fête. Au rez-de-chaussée les voix tapageuses des hommes du port faisaient un assourdissant vacarme. Louise et Flora ne savaient à qui répondre, buvaient avec l'un, buvaient avec l'autre, méritaient mieux que jamais leur sobriquet des «deux

Pompes». On les appelait partout à la fois; elles ne pou-
vaient déjà suffire à la besogne, et la nuit pour elles s'an-
nonçait laborieuse.

Le cénacle du premier fut au complet dès neuf heures.
M. Vasse, le juge au tribunal de commerce, le soupirant
attitré mais platonique de *Madame*, causait tout bas avec
elle dans un coin; et ils souriaient tous les deux comme si
une entente était près de se faire. M. Poulin, l'ancien maire,
tenait Rosa à cheval sur ses jambes; et elle, nez à nez avec
lui, promenait ses mains courtes dans les favoris blancs du
bonhomme. Un bout de cuisse nue passait sous la jupe de
soie jaune relevée, coupant le drap noir du pantalon, et les
bas rouges étaient serrés par une jarretière bleue, cadeau
du commis voyageur.

La grande Fernande, étendue sur le sopha, avait les deux
pieds sur le ventre de M. Pimpesse, le percepteur, et le
torse sur le gilet du jeune M. Philippe dont elle accrochait
le cou de sa main droite, tandis que de la gauche elle tenait
une cigarette.

Raphaële semblait en pourparlers avec M. Dupuis, l'agent
d'assurances, et elle termina l'entretien par ces mots: —
«Oui, mon chéri, ce soir, je veux bien.» — Puis, faisant seule
un tour de valse rapide à travers le salon: — «Ce soir, tout
ce qu'on voudra,» cria-t-elle.

La porte s'ouvrit brusquement et M. Tournevau parut.
Des cris enthousiastes éclatèrent: — «Vive Tournevau!» —
Et Raphaële, qui pivotait toujours, alla tomber sur son
cœur.

Il la saisit d'un enlacement formidable, et, sans dire un
mot, l'enlevant de terre comme une plume, il traversa le
salon, gagna la porte du fond, et disparut dans l'escalier
des chambres avec son fardeau vivant, au milieu des
applaudissements.

Rosa, qui allumait l'ancien maire, l'embrassant coup sur
coup et tirant sur ses deux favoris en même temps pour
maintenir droite sa tête, profita de l'exemple: — «Allons,
fais comme lui,» — dit-elle. Alors le bonhomme se leva, et,
rajustant son gilet, suivit la fille en fouillant dans la poche
où dormait son argent.

Fernande et *Madame* restèrent seules avec les quatre
hommes, et M. Philippe s'écria: — «Je paye du champagne:
M^{me} Tellier, envoyez chercher trois bouteilles.» — Alors
Fernande l'étreignant lui demanda dans l'oreille: — «Fais-
nous danser, dis, tu veux?» — Il se leva, et, s'asseyant devant
l'épinette séculaire endormie en un coin, fit sortir une valse,
une valse enrouée, larmoyante, du ventre geignant de la
machine. La grande fille enlaça le percepteur, *Madame*
s'abandonna au bras de M. Vasse; et les deux couples
tournèrent en échangeant des baisers. M. Vasse, qui avait
jadis dansé dans le monde, faisait des grâces, et *Madame*
le regardait d'un œil captivé, de cet œil qui répond «oui»,
un «oui» plus discret et plus délicieux qu'une parole!

Frédéric apporta le champagne. Le premier bouchon
partit, et M. Philippe exécuta l'invitation d'un quadrille.

Les quatre danseurs le marchèrent à la façon mondaine,
convenablement, dignement, avec des manières, des in-
clinations et des saluts.

Après quoi l'on se mit à boire. Alors M. Tournevau
reparut, satisfait, soulagé, radieux. Il s'écria: — «Je ne sais
pas ce qu'a Raphaële, mais elle est parfaite ce soir.» — Puis,
comme on lui tendait un verre, il le vida d'un trait en
murmurant: — «Bigre, rien que ça de luxe!»

Sur-le-champ M. Philippe entama une polka vive, et
M. Tournevau s'élança avec la belle Juive qu'il tenait en
l'air, sans laisser ses pieds toucher terre. M. Pimpesse et
M. Vasse étaient repartis d'un nouvel élan. De temps en
temps un des couples s'arrêtait près de la cheminée pour
lamper une flûte de vin mousseux; et cette danse menaçait
de s'éterniser, quand Rosa entr'ouvrit la porte avec un
bougeoir à la main. Elle était en cheveux, en savates, en
chemise, tout animée, toute rouge: — «Je veux danser,»
cria-t-elle. Raphaële demanda: — «Et ton vieux?» — Rosa
s'esclaffa: — «Lui? il dort déjà, il dort tout de suite.» — Elle
saisit M. Dupuis, resté sans emploi sur le divan, et la polka
recommença.

Mais les bouteilles étaient vides: — «J'en paye une,»
déclara M. Tournevau. — «Moi aussi,» annonça M. Vasse.

— «Moi de même,» conclut M. Dupuis. Alors tout le monde
applaudit.

Cela s'organisait, devenait un vrai bal. De temps en temps
même, Louise et Flora montaient bien vite, faisaient rapide-
ment un tour de valse, pendant que leurs clients, en bas,
s'impatientaient; puis elles retournaient en courant à leur
café, avec le cœur gonflé de regrets.

A minuit, on dansait encore. Parfois une des filles
disparaissait, et quand on la cherchait pour faire un vis-à-
vis, on s'apercevait tout à coup qu'un des hommes aussi
manquait.

— «D'où venez-vous donc?» demanda plaisamment M.
Philippe, juste au moment où M. Pimpesse rentrait avec
Fernande. — «De voir dormir M. Poulin,» répondit le per-
cepteur. Le mot eut un succès énorme; et tous, à tour de
rôle, montaient voir dormir M. Poulin avec l'une ou l'autre
des demoiselles, qui se montrèrent, cette nuit-là, d'une com-
plaisance inconcevable. *Madame* fermait les yeux; et elle
avait dans les coins de longs apartés avec M. Vasse comme
pour régler les derniers détails d'une affaire entendue déjà.

Enfin, à une heure, les deux hommes mariés, M. Tourne-
vau et M. Pimpesse, déclarèrent qu'ils se retiraient, et
voulurent régler leur compte. On ne compta que le cham-
pagne, et, encore, à six francs la bouteille au lieu de dix
francs, prix ordinaire. Et comme ils s'étonnaient de cette
générosité, *Madame*, radieuse, leur répondit:

— Ça n'est pas tous les jours fête.

HISTOIRE
D'UNE FILLE DE FERME

HISTOIRE
D'UNE FILLE DE FERME

I

Comme le temps était fort beau, les gens de la ferme avaient dîné plus vite que de coutume et s'en étaient allés dans les champs.

Rose, la servante, demeura toute seule au milieu de la vaste cuisine où un reste de feu s'éteignait dans l'âtre sous la marmite pleine d'eau chaude. Elle puisait à cette eau par moment et lavait lentement sa vaisselle, s'interrompant pour regarder deux carrés lumineux que le soleil, à travers la fenêtre, plaquait sur la longue table, et dans lesquels apparaissaient les défauts des vitres.

Trois poules très hardies cherchaient des miettes sous les chaises. Des odeurs de basse-cour, des tiédeurs fermentées d'étable entraient par la porte entr'ouverte; et dans le silence du midi brûlant on entendait chanter les coqs.

Quand la fille eut fini sa besogne, essuyé la table, nettoyé la cheminée et rangé les assiettes sur le haut dressoir au fond près de l'horloge en bois au tic tac sonore, elle respira, un peu étourdie, oppressée sans savoir pourquoi. Elle regarda les murs d'argile noircis, les poutres enfumées du plafond où pendaient des toiles d'araignée, des harengs saurs et des rangées d'oignons; puis elle s'assit, gênée par les émanations anciennes que la chaleur de ce jour faisait sortir de la terre battue du sol où avaient séché tant de choses répandues depuis si longtemps. Il s'y mêlait aussi la saveur âcre du laitage qui crémait au frais dans la pièce à côté. Elle voulut cependant se mettre à coudre comme elle en avait l'habitude, mais la force lui manqua et elle alla respirer sur le seuil.

Alors, caressée par l'ardente lumière, elle sentit une douceur qui lui pénétrait au cœur, un bien-être coulant dans ses membres.

Devant la porte, le fumier dégageait sans cesse une petite vapeur miroitante. Les poules se vautraient dessus, couchées sur le flanc, et grattaient un peu d'une seule patte pour trouver des vers. Au milieu d'elles, le coq, superbe, se dressait. A chaque instant il en choisissait une et tournait autour avec un petit gloussement d'appel. La poule se levait nonchalamment et le recevait d'un air tranquille, pliant les pattes et le supportant sur ses ailes; puis elle secouait ses plumes d'où sortait de la poussière et s'étendait de nouveau sur le fumier, tandis que lui chantait, comptant ses triomphes; et dans toutes les cours tous les coqs lui répondaient, comme si, d'une ferme à l'autre, ils se fussent envoyé des défis amoureux.

La servante les regardait sans penser, puis elle leva les yeux et fut éblouie par l'éclat des pommiers en fleur, tout blancs comme des têtes poudrées.

Soudain un jeune poulain, affolé de gaieté, passa devant elle en galopant. Il fit deux fois le tour des fossés plantés d'arbres, puis s'arrêta brusquement et tourna la tête comme étonné d'être seul.

Elle aussi se sentait une envie de courir, un besoin de mouvement et, en même temps, un désir de s'étendre, d'allonger ses membres, de se reposer dans l'air immobile et chaud. Elle fit quelques pas, indécise, fermant les yeux, saisie par un bien-être bestial; puis, tout doucement, elle alla chercher les œufs au poulailler. Il y en avait treize, qu'elle prit et rapporta. Quand ils furent serrés dans le buffet, les odeurs de la cuisine l'incommodèrent de nouveau et elle sortit pour s'asseoir un peu sur l'herbe.

La cour de ferme, enfermée par les arbres, semblait dormir. L'herbe haute, où des pissenlits jaunes éclataient comme des lumières, était d'un vert puissant, d'un vert tout neuf de printemps. L'ombre des pommiers se ramassait en rond à leurs pieds; et les toits de chaume des bâtiments, au sommet desquels poussaient des iris aux feuilles pareilles à des sabres, fumaient un peu comme si l'humidité des écuries et des granges se fût envolée à travers la paille.

La servante arriva sous le hangar où l'on rangeait les

chariots et les voitures. Il y avait là, dans le creux du fossé, un grand trou vert plein de violettes dont l'odeur se répandait, et, par-dessus le talus, on apercevait la campagne, une vaste plaine où poussaient les récoltes, avec des bouquets d'arbres par endroits, et, de place en place, des groupes de travailleurs lointains, tout petits comme des poupées, des chevaux blancs pareils à des jouets, traînant une charrue d'enfant poussée par un bonhomme haut comme le doigt.

Elle alla prendre une botte de paille dans un grenier et la jeta dans ce trou pour s'asseoir dessus; puis, n'étant pas à son aise, elle défit le lien, éparpilla son siège et s'étendit sur le dos, les deux bras sous sa tête et les jambes allongées.

Tout doucement elle fermait les yeux, assoupie dans une mollesse délicieuse. Elle allait même s'endormir tout à fait, quand elle sentit deux mains qui lui prenaient la poitrine, et ele se redressa d'un bond. C'était Jacques, le garçon de ferme, un grand Picard bien découplé, qui la courtisait depuis quelque temps. Il travaillait ce jour-là dans la bergerie, et, l'ayant vue s'étendre à l'ombre, il était venu à pas de loup, retenant son haleine, les yeux brillants, avec des brins de paille dans le cheveux.

Il essaya de l'embrasser, mais elle le gifla, forte comme lui; et, sournois, il demanda grâce. Alors ils s'assirent l'un près de l'autre et ils causèrent amicalement. Ils parlèrent du temps qui était favorable aux moissons, de l'année qui s'annonçait bien, de leur maître, un brave homme, puis des voisins, du pays tout entier, d'eux-mêmes, de leur village, de leur jeunesse, de leurs souvenirs, des parents qu'ils avaient quittés pour longtemps, pour toujours peut-être. Elle s'attendrit en pensant à cela, et lui, avec son idée fixe, se rapprochait, se frottait contre elle, frémissant tout envahi par le désir. Elle disait:

— Y a bien longtemps que je n'ai vu maman; c'est dur tout de même d'être séparées tant que ça.

Et son œil perdu regardait au loin, à travers l'espace, jusqu'au village abandonné làbas, là-bas, vers le nord.

Lui, tout à coup, la saisit par le cou et l'embrassa de nouveau; mais, de son poing fermé, elle le frappa en pleine

figure si violemment qu'il se mit à saigner du nez; et il
se leva pour aller appuyer sa tête contre un tronc d'arbre.
Alors elle fut attendrie et, se rapprochant de lui, elle
demanda:

— Ça te fait mal?

Mais il se mit à rire. Non, ce n'était rien; seulement elle
avait tapé juste sur le milieu. Il murmurait: «Cré coquin!»
et il la regardait avec admiration, pris d'un respect, d'une
affection tout autre, d'un commencement d'amour vrai pour
cette grande gaillarde si solide.

Quand le sang eut cessé de couler, il lui proposa de faire
un tour, craignant, s'ils restaient ainsi côte à côte, la rude
poigne de sa voisine. Mais d'elle-même elle lui prit le bras,
comme font les promis le soir, dans l'avenue, et elle lui dit:

— Ça n'est pas bien, Jacques, de me mépriser comme ça.

Il protesta. Non, il ne la méprisait pas, mais il était
amoureux, voilà tout.

— Alors tu me veux bien en mariage? dit-elle.

Il hésita, puis il se mit à la regarder de côté pendant
qu'elle tenait ses yeux perdus au loin devant elle. Elle avait
les joues rouges et pleines, une large poitrine saillante sous
l'indienne de son caraco, de grosses lèvres fraîches, et sa
gorge, presque nue, était semée de petites gouttes de sueur.
Il se sentit repris d'envie, et, la bouche dans son oreille, il
murmura:

— Oui, je veux bien.

Alors elle lui jeta ses bras au cou et elle l'embrassa si
longtemps qu'ils en perdaient haleine tous les deux.

De ce moment commença entre eux l'éternelle histoire
de l'amour. Ils se lutinaient dans les coins; ils se donnaient
des rendez-vous au clair de la lune, à l'abri d'une meule
de foin, et ils se faisaient des bleus aux jambes, sous la
table, avec leurs gros souliers ferrés.

Puis, peu à peu, Jacques parut s'ennuyer d'elle; il l'évitait,
ne lui parlait plus guère, ne cherchait plus à la rencontrer
seule. Alors elle fut envahie par des doutes et une grande
tristesse; et, au bout de quelque temps, elle s'aperçut
qu'elle était enceinte.

Elle fut consternée d'abord, puis une colère lui vint, plus

forte chaque jour, parce qu'elle ne parvenait point à le trouver, tant il l'évitait avec soin.

Enfin, une nuit, comme tout le monde dormait dans la ferme, elle sortit sans bruit, en jupon, pieds nus, traversa la cour et poussa la porte de l'écurie où Jacques était couché dans une grande boîte pleine de paille audessus de ses chevaux. Il fit semblant de ronfler en l'entendant venir; mais elle se hissa près de lui, et, à genoux à son côté, le secoua jusqu'à ce qu'il se dressât.

Quand il se fut assis, demandant: — «Qu'est-ce que tu veux?» elle prononça, les dents serrées, tremblant de fureur: — «Je veux, je veux que tu m'épouses, puisque tu m'as promis le mariage.» Il se mit à rire et répondit: — «Ah bien! si on épousait toutes les filles avec qui on a fauté, ça ne serait pas à faire.»

Mais elle le saisit à la gorge, le renversa sans qu'il pût se débarrasser de son étreinte farouche, et, l'étranglant, elle lui cria tout près, dans la figure: — «Je suis grosse, entends-tu, je suis grosse.»

Il haletait, suffoquant; et ils restaient là tous deux, immobiles, muets dans le silence noir troublé seulement par le bruit de mâchoire d'un cheval qui tirait sur la paille du râtelier, puis la broyait avec lenteur.

Quand Jacques comprit qu'elle était la plus forte, il balbutia:

— Eh bien, je t'épouserai, puisque c'est ça.

Mais elle ne croyait plus à ses promesses.

— Tout de suite, dit-elle; tu feras publier les bans.

Il répondit:

— Tout de suite.

— Jure-le sur le bon Dieu.

Il hésita pendant quelques secondes, puis prenant son parti:

— Je le jure sur le bon Dieu.

Alors elle ouvrit les doigts et, sans ajouter une parole, s'en alla.

Elle fut quelques jours sans pouvoir lui parler, et, l'écurie se trouvant désormais fermée à clef toutes les nuits, elle n'osait pas faire de bruit de crainte du scandale.

Puis, un matin, elle vit entrer à la soupe un autre valet.
Elle demanda:

— Jacques est parti?

— Mais oui, dit l'autre, je suis à sa place.

Elle se mit à trembler si fort, qu'elle ne pouvait décrocher
sa marmite; puis, quand tout le monde fut au travail, elle
monta dans sa chambre et pleura, la face dans son traversin,
pour n'être pas entendue.

Dans la journée, elle essaya de s'informer sans éveiller
les soupçons; mais elle était tellement obsédée par la pensée
de son malheur qu'elle croyait voir rire malicieusement
tous les gens qu'elle interrogeait. Du reste, elle ne put rien
apprendre, sinon qu'il avait quitté le pays tout à fait.

II

Alors commença pour elle une vie de torture continuelle.
Elle travaillait comme une machine, sans s'occuper de ce
qu'elle faisait, avec cette idée fixe en tête: «Si on le savait!»

Cette obsession constante la rendait tellement incapable
de raisonner qu'elle ne cherchait même pas les moyens
d'éviter ce scandale qu'elle sentait venir, se rapprochant
chaque jour, irréparable, et sûr comme la mort.

Elle se levait tous les matins bien avant les autres et,
avec une persistance acharnée, essayait de regarder sa taille
dans un petit morceau de glace cassée qui lui servait à se
peigner, très anxieuse de savoir si ce n'était pas aujourd'hui
qu'on s'en apercevrait.

Et, pendant le jour, elle interrompait à tout instant son
travail, pour considérer du haut en bas si l'ampleur de son
ventre ne soulevait pas trop son tablier.

Les mois passaient. Elle ne parlait presque plus et, quand
on lui demandait quelque chose, ne comprenait pas, effarée,
l'œil hébété, les mains tremblantes; ce qui faisait dire à son
maître:

— Ma pauvre fille, que t'es sotte depuis quelque temps!

A l'église, elle se cachait derrière un pilier, et n'osait plus
aller à confesse, redoutant beaucoup la rencontre du curé,

à qui elle prêtait un pouvoir surhumain lui permettant de lire dans les consciences.

A table, les regards de ses camarades la faisaient maintenant défaillir d'angoisse, et elle s'imaginait toujours être découverte par le vacher, un petit gars précoce et sournois dont l'œil luisant ne la quittait pas.

Un matin, le facteur lui remit une lettre. Elle n'en avait jamais reçu et resta tellement bouleversée qu'elle fut obligée de s'asseoir. C'était de lui, peut-être? Mais, comme elle ne savait pas lire, elle restait anxieuse, tremblante, devant ce papier couvert d'encre. Elle le mit dans sa poche, n'osant confier son secret à personne; et souvent elle s'arrêtait de travailler pour regarder longtemps ces lignes également espacées qu'une signature terminait, s'imaginant vaguement qu'elle allait tout à coup en découvrir le sens. Enfin, comme elle devenait folle d'impatience et d'inquiétude, elle alla trouver le maître d'école qui la fit asseoir et lut:

«*Ma chère fille, la présente est pour te dire que je suis bien bas; notre voisin, maître Dentu, a pris la plume pour te mander de venir si tu peux.*

«*Pour ta mère affectionnée,*
«CÉSAIRE DENTU, *adjoint.*»

Elle ne dit pas un mot et s'en alla; mais, sitôt qu'elle fut seule, elle s'affaissa au bord du chemin, les jambes rompues; et elle resta là jusqu'à la nuit.

En rentrant, elle raconta son malheur au fermier, qui la laissa partir pour autant de temps qu'elle voudrait, promettant de faire faire sa besogne par une fille de journée et de la reprendre à son retour.

Sa mère était à l'agonie; elle mourut le jour même de son arrivée; et, le lendemain, Rose accouchait d'un enfant de sept mois, un petit squelette affreux, maigre à donner des frissons, et qui semblait souffrir sans cesse, tant il crispait douloureusement ses pauvres mains décharnées comme des pattes de crabe.

Il vécut cependant.

Elle raconta qu'elle était mariée, mais qu'elle ne pouvait

se charger du petit et elle le laissa chez des voisins qui promirent d'en avoir bien soin.

Elle revint.

Mais alors, en son cœur si longtemps meurtri, se leva, comme une aurore, un amour inconnu pour ce petit être chétif qu'elle avait laissé là-bas; et cet amour même était une souffrance nouvelle, une souffrance de toutes les heures, de toutes les minutes, puisqu'elle était séparée de lui.

Ce qui la martyrisait surtout, c'était un besoin fou de l'embrasser, de l'étreindre en ses bras, de sentir contre sa chair la chaleur de son petit corps. Elle ne dormait plus la nuit; elle y pensait tout le jour; et, le soir, son travail fini, elle s'asseyait devant le feu, qu'elle regardait fixement comme les gens qui pensent au loin.

On commençait même à jaser à son sujet, et on la plaisantait sur l'amoureux qu'elle devait avoir, lui demandant s'il était beau, s'il était grand, s'il était riche, à quand la noce, à quand le baptême? Et elle se sauvait souvent pour pleurer toute seule, car ces questions lui entraient dans la peau comme des épingles.

Pour se distraire de ces tracasseries, elle se mit à l'ouvrage avec fureur, et, songeant toujours à son enfant, elle chercha les moyens d'amasser pour lui beaucoup d'argent.

Elle résolut de travailler si fort qu'on serait obligé d'augmenter ses gages.

Alors, peu à peu, elle accapara la besogne autour d'elle, fit renvoyer une servante qui devenait inutile depuis qu'elle peinait autant que deux, économisa sur le pain, sur l'huile et sur la chandelle, sur le grain qu'on jetait trop largement aux poules, sur le fourrage des bestiaux qu'on gaspillait un peu. Elle se montra avare de l'argent du maître comme si c'eût été le sien, et, à force de faire des marchés avantageux, de vendre cher ce qui sortait de la maison et de déjouer les ruses des paysans qui offraient leurs produits, elle eut seule le soin des achats et des ventes, la direction du travail des gens de peine, le compte des provisions; et, en peu de temps, elle devint indispensable. Elle exerçait une telle surveillance autour d'elle, que la ferme, sous sa direction, prospéra prodigieusement. On parlait à deux lieues à la

ronde de la «servante à maître Vallin»; et le fermier ré-
pétait partout: «Cette fille-là, ça vaut mieux que de l'or.»

Cependant, le temps passait et ses gages restaient les
mêmes. On acceptait son travail forcé comme une chose
due par toute servante dévouée, une simple marque de
bonne volonté; et elle commença à songer avec un peu
d'amertume que si le fermier encaissait, grâce à elle, cin-
quante ou cent écus de supplément tous les mois, elle con-
tinuait à gagner ses 240 francs par an, rien de plus, rien
de moins.

Elle résolut de réclamer une augmentation. Trois fois elle
alla trouver la maître et, arrivée devant lui, parla d'autre
chose. Elle ressentait une sorte de pudeur à solliciter de
l'argent, comme si c'eût été une action un peu honteuse.
Enfin, un jour que le fermier déjeunait seul dans la cuisine,
elle lui dit d'un air embarrassé qu'elle désirait lui parler
particulièrement. Il leva la tête, surpris, les deux mains sur
la table, tenant de l'une son couteau, la pointe en l'air, et
de l'autre une bouchée de pain, et il regarda fixement sa
servante. Elle se troubla sous son regard et demanda huit
jours pour aller au pays parce qu'elle était un peu malade.

Il les lui accorda tout de suite; puis, embarrassé lui-même,
il ajouta:

— Moi aussi j'aurai à te parler quand tu seras revenue.

III

L'enfant allait avoir huit mois; elle ne le reconnut point.
Il était devenue tout rose, joufflu, potelé partout, pareille à
un petit paquet de graisse vivante. Ses doigts, écartés par
des bourrelets de chair, remuaient doucement dans une
satisfaction visible. Elle se jeta dessus comme sur une proie,
avec un emportement de bête, et elle l'embrassa si violem-
ment qu'il se prit à hurler de peur. Alors elle se mit elle-
même à pleurer parce qu'il ne la reconnaissait pas et qu'il
tendait ses bras vers sa nourrice aussitôt qu'il l'apercevait.

Dès le lendemain cependant il s'accoutuma à sa figure,
et il riait en la voyant. Elle l'emportait dans la campagne,

courait affolée en le tenant au bout de ses mains, s'asseyait
sous l'ombre des arbres; puis, pour la première fois de sa vie,
et bien qu'il ne l'entendît point, elle ouvrait son cœur à
quelqu'un, lui racontait ses chagrins, ses travaux, ses soucis,
ses espérances, et elle le fatiguait sans cesse par la violence
et l'acharnement de ses caresses.

Elle prenait une joie infinie à le pétrir dans ses mains, à
le laver, à l'habiller; et elle était même heureuse de nettoyer
ses saletés d'enfant, comme si ces soins intimes eussent été
une confirmation de sa maternité. Elle le considérait, s'éton-
nant toujours qu'il fût à elle, et elle se répétait à demi-voix,
en le faisant danser dans ses bras: «C'est mon petiot, c'est
mon petiot.»

Elle sanglota toute la route en retournant à la ferme, et
elle était à peine revenue que son maître l'appela dans sa
chambre. Elle s'y rendit, très étonnée et fort émue sans
savoir pourquoi.

— Assieds-toi là, dit-il.

Elle s'assit et ils restèrent pendant quelques instants à
côté l'un de l'autre, embarrassés tous les deux, les bras
inertes et encombrants, et sans se regarder en face, à la
façon des paysans.

Le fermier, gros homme de quarante-cinq ans, deux fois
veuf, jovial et têtu, éprouvait une gêne évidente qui ne lui
était pas ordinaire. Enfin il se décida et se mit à parler d'un
air vague, bredouillant un peu et regardant au loin la
campagne.

— Rose, dit-il, est-ce que tu n'as jamais songé à t'établir?

Elle devint pâle comme une morte. Voyant qu'elle ne lui
répondait pas, il continua:

— Tu es une brave fille, rangée, active et économe. Une
femme comme toi, ça ferait la fortune d'un homme.

Elle restait toujours immobile, l'œil effaré, ne cherchant
même pas à comprendre, tant ses idées tourbillonnaient
comme à l'approche d'un grand danger. Il attendit, une
seconde, puis continua:

— Vois-tu, une ferme sans maîtresse, ça ne peut pas aller,
même avec une servante comme toi.

Alors il se tut, ne sachant plus que dire; et Rose le regar-

dait de l'air épouvanté d'une personne qui se croit en face
d'un assassin et s'apprête à s'enfuir au moindre geste qu'il
fera.

Enfin, au bout de cinq minutes, il demanda:

— Hé bien! ça te va-t-il?

Elle répondit avec une physionomie idiote:

— Quoi, not' maître?

Alors lui, brusquement:

— Mais de m'épouser, pardine!

Elle se dressa tout à coup, puis retomba comme cassée
sur sa chaise, où elle demeura sans mouvement, pareille à
quelqu'un qui aurait reçu le coup d'un grand malheur. Le
fermier à la fin s'impatienta:

— Allons, voyons; qu'est-ce qu'il te faut alors?

Elle le contemplait affolée; puis, soudain, les larmes lui
vinrent aux yeux, et elle répéta deux fois en suffoquant:

— Je ne peux pas, je ne peux pas!

— Pourquoi ça? demanda l'homme. Allons, ne fais pas la
bête; je te donne jusqu'à demain pour réfléchir.

Et il se dépêcha de s'en aller, très soulagé d'en avoir fini
avec cette démarche qui l'embarrassait beaucoup, et ne
doutant pas que, le lendemain, sa servante accepterait une
proposition qui était pour elle tout à fait inespérée et, pour
lui, une excellente affaire, puisqu'il s'attachait ainsi à jamais
une femme qui lui rapporterait certes davantage que la
plus belle dot du pays.

Il ne pouvait d'ailleurs exister entre eux de scrupules de
mésalliance, car, dans la campagne, tous sont à peu près
égaux: le fermier laboure comme son valet, qui, le plus sou-
vent, devient maître à son tour un jour ou l'autre, et les
servantes à tout moment passent maîtresses sans que cela
apporte aucun changement dans leur vie ou leurs habitudes.

Rose ne se coucha pas cette nuit-là. Elle tomba assise sur
son lit, n'ayant plus même la force de pleurer, tant elle
était anéantie. Elle restait inerte, ne sentant plus son corps,
et l'esprit dispersé, comme si quelqu'un l'eût déchiqueté avec
un de ces instruments dont se servent les cardeurs pour
effiloquer la laine des matelas.

Par instants seulement elle parvenait à rassembler comme

des bribes de réflexions, et elle s'épouvantait à la pensée de ce qui pouvait advenir.

Ses terreurs grandirent, et chaque fois que dans le silence assoupi de la maison la grosse horloge de la cuisine battait lentement les heures, il lui venait des sueurs d'angoisse. Sa tête se perdait, les cauchemars se succédaient, sa chandelle s'éteignit; alors commença le délire, ce délire fuyant des gens de la campagne qui se croient frappés par un sort, un besoin fou de partir, de s'échapper, de courir devant le malheur comme un vaisseau devant la tempête.

Une chouette glapit; elle tressaillit, se dressa, passa ses mains sur sa face, dans ses cheveux, se tâta le corps comme une folle; puis, avec des allures de somnambule, elle descendit. Quand elle fut dans la cour, elle rampa pour n'être point vue par quelque goujat rôdeur, car la lune, près de disparaître, jetait une lueur claire dans les champs. Au lieu d'ouvrir la barrière, elle escalada le talus; puis, quand elle fut en face de la campagne, elle partit. Elle filait droit devant elle, d'un trot élastique et précipité, et, de temps en temps, inconsciemment, elle jetait un cri perçant. Son ombre démesurée, couchée sur le sol à son côté, filait avec elle, et parfois un oiseau de nuit venait tournoyer sur sa tête. Les chiens dans les cours de fermes aboyaient en l'entendant passer; l'un d'eux sauta le fossé et la poursuivit pour la mordre; mais elle se retourna sur lui en hurlant de telle façon que l'animal épouvanté s'enfuit, se blottit dans sa loge et se tut.

Parfois une jeune famille de lièvres folâtrait dans un champ; mais, quand approchait l'enragée coureuse, pareille à une Diane en délire, les bêtes craintives se débandaient: les petits et la mère disparaissaient blottis dans un sillon, tandis que le père déboulait à toutes pattes et, parfois, faisait passer son ombre bondissante, avec ses grandes oreilles dressées, sur la lune à son coucher, qui plongeait maintenant au bout du monde et éclairait la plaine de sa lumière oblique, comme une énorme lanterne posée par terre à l'horizon.

Les étoiles s'effacèrent dans les profondeurs du ciel; quelques oiseaux pépiaient; le jour naissait. La fille, ex-

ténuée, haletait; et quand le soleil perça l'aurore empour-
prée, elle s'arrêta.

Ses pieds enflés se refusaient à marcher; mais elle aperçut
une mare, une grande mare dont l'eau stagnante semblait
du sang, sous les reflets rouges du jour nouveau, et elle alla,
à petits pas, boitant, la main sur son cœur, tremper ses
deux jambes dedans.

Elle s'assit sur une touffe d'herbe, ôta ses gros souliers
pleins de poussière, défit ses bas, et enfonça ses mollets
bleus dans l'onde immobile où venaient parfois crever des
bulles d'air.

Une fraîcheur délicieuse lui monta des talons jusqu'à la
gorge; et, tout à coup, pendant qu'elle regardait fixement
cette mare profonde, un vertige la saisit, un désir furieux
d'y plonger tout entière. Ce serait fini de souffrir là dedans,
fini pour toujours. Elle ne pensait plus à son enfant; elle
voulait la paix, le repos complet, dormir sans fin. Alors
elle se dressa, les bras levés, et fit deux pas en avant. Elle
enfonçait maintenant jusqu'aux cuisses, et déjà elle se pré-
cipitait, quand des piqûres ardentes aux chevilles la firent
sauter en arrière, et elle poussa un cri désespéré, car depuis
ses genoux jusqu'au bout de ses pieds de longues sangsues
noires buvaient sa vie, se gonflaient, collées à sa chair. Elle
n'osait point y toucher et hurlait d'horreur. Ses clameurs
désespérées attirèrent un paysan qui passait au loin avec sa
voiture. Il arracha les sangsues une à une, comprima les
plaies avec des herbes et ramena la fille dans sa carriole
jusqu'à la ferme de son maître.

Elle fut pendant quinze jours au lit, puis, le matin où
elle se releva, comme elle était assise devant la porte, le
fermier vint soudain se planter devant elle.

— Eh bien, dit-il, c'est une affaire entendue, n'est-ce pas?

Elle ne répondit point d'abord, puis, comme il restait
debout, la perçant de son regard obstiné, elle articula
péniblement:

— Non, not'maître, je ne peux pas.

Mais il s'emporta tout à coup.

— Tu ne peux pas, la fille, tu ne peux pas, pourquoi ça?

Elle se remit à pleurer et répéta:

— Je ne peux pas.

Il la dévisageait, et il lui cria dans la face:

— C'est donc que tu as un amoureux?

Elle balbutia, tremblante de honte.

— Peut-être bien que c'est ça.

L'homme, rouge comme un coquelicot, bredouillait de colère:

— Ah! tu l'avoues donc, gueuse! Et qu'est-ce que c'est, ce merle là? Un va-nu-pieds, un sans-le-sou, un couche-dehors, un crève-la-faim? Qu'est-ce que c'est, dis?

Et, comme elle ne répondait rien:

— Ah! tu ne veux pas . . . Je vas te le dire, moi: c'est Jean Baudu?

Elle s'écria:

— Oh! non, pas lui.

— Alors c'est Pierre Martin?

— Oh non! not' maître.

Et il nommait éperdument tous les garçons du pays, pendant qu'elle niait, accablée, et s'essuyant les yeux à tout moment du coin de son tablier bleu. Mais lui cherchait toujours avec son obstination de brute, grattant à ce cœur pour connaître son secret, comme un chien de chasse qui fouille un terrier tout un jour pour avoir la bête qu'il sent au fond. Tout à coup l'homme s'écria:

— Eh! pardine, c'est Jacques, le valet de l'autre année; on disait bien qu'il te parlait et que vous vous étiez promis mariage.

Rose suffoqua, un flot de sang empourpra sa face; ses larmes tarirent tout à coup; elles se séchèrent sur ses joues comme des gouttes d'eau sur du fer rouge. Elle s'écria:

— Non, ce n'est pas lui, ce n'est pas lui.

— Est-ce bien sûr, ça? demanda le paysan malin qui flairait un bout de vérité.

Elle répondit précipitamment:

— Je vous le jure, je vous le jure . . .

Elle cherchait sur quoi jurer, n'osant point invoquer les choses sacrées. Il l'interrompit:

— Il te suivait pourtant dans les coins et il te mangeait

des yeux pendant tous les repas. Lui as-tu promis ta foi, hein, dis?

Cette fois, elle regarda son maître en face.

— Non, jamais, jamais, et je vous jure par le bon Dieu que s'il venait aujourd'hui me demander, je ne voudrais pas de lui.

Elle avait l'air tellement sincère que le fermier hésita. Il reprit, comme se parlant à lui-même:

— Alors, quoi? Il ne t'est pourtant pas arrivé un malheur, on le saurait. Et puisqu'il n'y a pas eu de conséquence, une fille ne refuserait pas son maître à cause de ça. Il faut pourtant qu'il y ait quelque chose.

Elle ne répondait plus rien, étranglée par une angoisse.

Il demanda encore: — «Tu ne veux point?»

Elle soupira: — «Je n'peux pas not'maître.» Et il tourna les talons.

Elle se crut débarrassée et passa le reste du jour à peu près tranquille, mais aussi rompue et exténuée que si, à la place du vieux cheval blanc, on lui eût fait tourner depuis l'aurore la machine à battre le grain.

Elle se coucha sitôt qu'elle le put et s'endormit tout d'un coup.

Vers le milieu de la nuit, deux mains qui palpaient son lit la réveillèrent. Elle tressauta de frayeur, mais elle reconnut aussitôt la voix du fermier qui lui disait: — «N'aie pas peur, Rose, c'est moi qui viens pour te parler.» Elle fut d'abord étonnée; puis, comme il essayait de pénétrer sous ses draps, elle comprit ce qu'il cherchait et se mit à trembler très fort, se sentant seule dans l'obscurité, encore lourde de sommeil, et toute nue, et dans un lit, auprès de cet homme qui la voulait. Elle ne consentait pas, pour sûr, mais elle résistait nonchalamment, luttant elle-même contre l'instinct toujours plus puissant chez les natures simples, et mal protégée par la volonté indécise de ces races inertes et molles. Elle tournait sa tête tantôt vers le mur, tantôt vers la chambre, pour éviter les caresses dont la bouche du fermier poursuivait la sienne, et son corps se tordait un peu sous sa couverture, énervé par la fatigue de la lutte. Lui, devenait brutal, grisé par le désir. Il la découvrit d'un mouvement

brusque. Alors elle sentit bien qu'elle ne pouvait plus ré-
sister. Obéissant à une pudeur d'autruche, elle cacha sa
figure dans ses mains et cessa de se défendre.

Le fermier resta la nuit auprès d'elle. Il y revint le soir
suivant, puis tous les jours.

Ils vécurent ensemble.

Un matin, il lui dit: — «J'ai fait publier les bans, nous
nous marierons le mois prochain.»

Elle ne répondit pas. Que pouvait-elle dire? Elle ne
résista point. Que pouvait-elle faire?

IV

Elle l'épousa. Elle se sentait enfoncée dans un trou aux
bords inaccessibles, dont elle ne pourrait jamais sortir, et
toutes sortes de malheurs restaient suspendus sur sa tête
comme de gros rochers qui tomberaient à la première
occasion. Son mari lui faisait l'effet d'un homme qu'elle
avait volé et qui s'en apercevrait un jour ou l'autre. Et puis
elle pensait à son petit d'où venait tout son malheur, mais
d'où venait aussi tout son bonheur sur la terre.

Elle allait le voir deux fois l'an et revenait plus triste
chaque fois.

Cependant, avec l'habitude, ses appréhensions se calmè-
rent, son cœur s'apaisa, et elle vivait plus confiante avec une
vague crainte flottant encore en son âme.

Des années passèrent; l'enfant gagnait six ans. Elle était
maintenant presque heureuse, quand tout à coup l'humeur
du fermier s'assombrit.

Depuis deux ou trois années déjà il semblait nourrir une
inquiétude, porter en lui un souci, quelque mal de l'esprit
grandissant peu à peu. Il restait longtemps à table après son
dîner, la tête enfoncée dans ses mains, et triste, triste, rongé
par le chagrin. Sa parole devenait plus vive, brutale parfois;
et il semblait même qu'il avait une arrière-pensée contre sa
femme, car il lui répondait par moments avec dureté,
presque avec colère.

Un jour que le gamin d'une voisine était venu chercher

des œufs, comme elle le rudoyait un peu, pressée par la
besogne, son mari apparut tout à coup et lui dit de sa voix
méchante:

— Si c'était le tien, tu ne le traiterais pas comme ça.

Elle demeura saisie, sans pouvoir répondre, puis elle
rentra, avec toutes ses angoisses réveillées.

Au dîner, le fermier ne lui parla pas, ne la regarda pas,
et il semblait la détester, la mépriser, savoir quelque chose
enfin.

Perdant la tête, elle n'osa pas rester seule avec lui après
le repas; elle se sauva et courut jusqu'à l'église.

La nuit tombait; l'étroite nef était toute sombre, mais un
pas rôdait dans le silence là-bas, vers le chœur, car le
sacristain préparait pour la nuit la lampe du tabernacle.
Ce point de feu tremblotant, noyé dans les ténèbres de la
voûte, apparut à Rose comme une dernière espérance, et,
les yeux fixés sur lui, elle s'abattit à genoux.

La mince veilleuse remonta dans l'air avec un bruit de
chaîne. Bientôt retentit sur le pavé un saut régulier de sabots
que suivait un frôlement de corde traînant, et la maigre
cloche jeta l'*Angelus* du soir à travers les brumes grandis-
santes. Comme l'homme allait sortir, elle le joignit.

— Monsieur le curé est-il chez lui? dit-elle.

Il répondit:

— Je crois bien, il dîne toujours à l'*Angelus*.

Alors elle poussa en tremblant la barrière du presbytère.

Le prêtre se mettait à table. Il la fit asseoir aussitôt.

— Oui, oui, je sais, votre mari m'a parlé déjà de ce qui
vous amène.

La pauvre femme défaillait. L'ecclésiastique reprit:

— Que voulez-vous, mon enfant?

Et il avalait rapidement des cuillerées de soupe dont les
gouttes tombaient sur sa soutane rebondie et crasseuse au
ventre.

Rose n'osait plus parler, ni emplorer, ni supplier; elle se
leva; le curé lui dit:

— Du courage . . .

Et elle sortit.

Elle revint à la ferme sans savoir ce qu'elle faisait. Le

maître l'attendait, les gens de peine étant partis en son absence. Alors elle tomba lourdement à ses pieds et elle gémit en versant des flots de larmes.

— Qu'est-ce que t'as contre moi?

Il se mit à crier, jurant:

— J'ai que je n'ai pas d'éfants, nom de Dieu! Quand on prend une femme, c'n'est pas pour rester tout seuls tous les deux jusqu'à la fin. V'là c'que j'ai. Quand une vache n'a point de viaux, c'est qu'elle ne vaut rien. Quand une femme n'a point d'éfant, c'est aussi qu'elle ne vaut rien.

Elle pleurait balbutiant, répétant:

— C'n'est point d'ma faute! c'n'est point d'ma faute!

Alors il s'adoucit un peu et il ajouta:

— J'te dis pas, mais c'est contrariant tout de même.

<p style="text-align:center">v</p>

De ce jour elle n'eut plus qu'une pensée: avoir un enfant, un autre; et elle confia son désir à tout le monde.

Une voisine lui indiqua un moyen: c'était de donner à boire à son mari, tous les soirs, un verre d'eau avec une pincée de cendres. Le fermier s'y prêta, mais le moyen ne réussit pas.

Ils se dirent: «Peut-être qu'il y a des secrets.» Et ils allèrent aux renseignements. On leur désigna un berger qui demeurait à dix lieues de là; et maître Vallin ayant attelé son tilbury partit un jour pour le consulter. Le berger lui remit un pain sur lequel il fit des signes, un pain pétri avec des herbes et dont il fallait que tous deux mangeassent un morceau, la nuit, avant comme après leurs caresses.

Le pain tout entier fut consommé sans obtenir de résultat.

Un instituteur leur dévoila des mystères, des procédés d'amour inconnus aux champs, et infaillibles, disait-il. Ils ratèrent.

Le curé conseilla un pèlerinage au précieux Sang de Fécamp. Rose alla avec la foule se prosterner dans l'abbaye, et, mêlant son vœu aux souhaits grossiers qu'exhalaient tous ces cœurs de paysans, elle supplia Celui que tous imploraient

de la rendre encore une fois féconde. Ce fut en vain. Alors elle s'imagina être punie de sa première faute et une immense douleur l'envahit.

Elle dépérissait de chagrin; son mari aussi vieillissait, «se mangeait les sangs», disait-on, se consumait en espoirs inutiles.

Alors la guerre éclata entre eux. Il l'injuria, la battit. Tout le jour il la querellait, et le soir, dans leur lit, haletant, haineux, il lui jetait à la face des outrages et des ordures.

Une nuit enfin, ne sachant plus qu'inventer pour la faire souffrir davantage, il lui ordonna de se lever et d'aller attendre le jour sous la pluie devant la porte. Comme elle n'obéissait pas, il la saisit par le cou et se mit à la frapper au visage à coups de poing. Elle ne dit rien, ne remua pas. Exaspéré, il sauta à genoux sur son ventre; et, les dents serrées, fou de rage, il l'assommait. Alors elle eut un instant de révolte désespérée, et, d'un geste furieux le rejetant contre le mur, elle se dressa sur son séant, puis, la voix changée, sifflante:

— J'en ai un éfant, moi, j'en ai un! je l'ai eu avec Jacques; tu sais bien, Jacques. Il devait m'épouser: il est parti.

L'homme, stupéfait, restait là, aussi éperdu qu'elle-même; il bredouillait:

— Qué que tu dis? qué que tu dis?

Alors elle se mit à sangloter, et à travers ses larmes ruisselantes elle balbutia:

— C'est pour ça que je ne voulais pas t'épouser, c'est pour ça. Je ne pouvais point te le dire; tu m'aurais mise sans pain avec mon petit. Tu n'en as pas, toi, d'éfants; tu ne sais pas, tu ne sais pas!

Il répétait machinalement, dans une surprise grandissante:

— T'as un éfant? t'as un éfant?

Elle prononça au milieu des hoquets:

— Tu m'as prise de force; tu le sais bien peut-être? moi je ne voulais point t'épouser.

Alors il se leva, alluma la chandelle, et se mit à marcher dans la chambre, les bras derrière le dos. Elle pleurait toujours, écroulée sur le lit. Tout à coup il s'arrêta devant elle:

— «C'est de ma faute alors si je t'en ai pas fait?» dit-il. Elle
ne répondit pas. Il se remit à marcher; puis, s'arrêtant de
nouveau, il demanda: — «Quel âge qu'il a ton petiot?»

Elle murmura:

— V'là qu'il va avoir six ans.

Il demanda encore:

— Pourquoi que tu ne me l'as pas dit?

Elle gémit:

— Est-ce que je pouvais!

Il restait debout immobile.

— Allons, lève-toi, dit-il.

Elle se redressa péniblement; puis, quand elle se fut mise
sur ses pieds, appuyée au mur, il se prit à rire soudain de
son gros rire des bons jours; et comme elle demeurait bou-
leversée, il ajouta: — «Eh bien, on ira le chercher, c't'éfant,
puisque nous n'en avons pas ensemble.»

Elle eut un tel effarement que, si la force ne lui eût pas
manqué, elle se serait assurément enfuie. Mais le fermier
se frottait les mains et murmurait:

— Je voulais en adopter un, le v'là trouvé, le v'là trouvé.
J'avais demandé au curé un orphelin.

Puis, riant toujours, il embrassa sur les deux joues sa
femme éplorée et stupide, et il cria, comme si elle ne l'en-
tendait pas:

— Allons, la mère, allons voir s'il y a encore de la soupe;
moi j'en mangerai bien une potée.

Elle passa sa jupe; ils descendirent; et pendant qu'à
genoux elle rallumait le feu sous la marmite, lui, radieux,
continuait à marcher à grands pas dans la cuisine en
répétant:

— Eh bien, vrai, ça me fait plaisir; c'est pas pour dire,
mais je suis content, je suis bien content.

———————

PAR UN SOIR DE PRINTEMPS

PAR UN SOIR DE PRINTEMPS.

Jeanne allait épouser son cousin Jacques. Ils se connaissaient depuis l'enfance et l'amour ne prenait point entre eux les formes cérémonieuses qu'il garde généralement dans le monde. Ils avaient été élevés ensemble sans se douter qu'ils s'aimaient. La jeune fille, un peu coquette, faisait bien quelques agaceries innocentes au jeune homme; elle le trouvait gentil, en outre, et bon garçon, et chaque fois qu'elle le revoyait, elle l'embrassait de tout son cœur, mais sans frisson, sans ce frisson qui semble plisser la chair, du bout des mains au bout des pieds.

Lui, il pensait tout simplement: «Elle est mignonne, ma petite cousine»; et il songeait à elle avec cette espèce d'attendrissement instinctif qu'un homme éprouve toujours pour une jolie fille. Ses réflexions n'allaient pas plus loin.

Puis voilà qu'un jour Jeanne entendit par hasard sa mère dire à sa tante (à sa tante Alberte, car la tante Lison était restée vieille fille): «Je t'assure qu'ils s'aimeront tout de suite, ces enfants-là; ça se voit. Quant à moi, Jacques est absolument le gendre que je rêve.»

Et immédiatement Jeanne s'était mise à adorer son cousin Jacques. Alors elle avait rougi en le voyant, sa main avait tremblé dans la main du jeune homme; ses yeux se baissaient quand elle rencontrait son regard, et elle faisait des manières pour se laisser embrasser par lui; si bien qu'il s'était aperçu de tout cela. Il avait compris, et dans un élan où se trouvait autant de vanité satisfaite que d'affection véritable, il avait saisi à pleins bras sa cousine en lui soufflant dans l'oreille: «Je t'aime, je t'aime!»

A partir de ce jour, ça n'avait été que roucoulements, galanteries, etc., un déploiement de toutes les façons amoureuses que leur intimité passée rendait sans gêne et sans embarras. Au salon, Jacques embrassait sa fiancée

devant les trois vieilles femmes, les trois sœurs, sa mère,
la mère de Jeanne et sa tante Lison. Il se promenait avec
elle, seuls tous deux, des jours entiers, dans les bois, le long
de la petite rivière, à travers les prairies humides où l'herbe
était criblée de fleurs des champs. Et ils attendaient le
moment fixé pour leur union, sans impatience trop vive,
mais enveloppés, roulés dans une tendresse délicieuse, sa-
vourant le charme exquis des insignifiantes caresses, des
doigts pressés, des regards passionnés, si longs que les âmes
semblent se mêler; et vaguement tourmentés par le désir
encore indécis des grandes étreintes, sentant comme des
inquiétudes à leurs lèvres qui s'appelaient, semblaient se
guetter, s'attendre, se promettre.

Quelquefois quand ils avaient passé tout le jour dans
cette sorte de tiédeur passionnée, dans ces platoniques
tendresses, ils avaient, au soir, comme une courbature
singulière, et ils poussaient tous les deux de profonds soupirs,
sans savoir pourquoi, sans comprendre, des soupirs gonflés
d'attente.

Les deux mères et leur sœur, tante Lison, regardaient ce
jeune amour avec un attendrissement souriant. Tante Lison
surtout semblait tout émue à les voir.

C'était une petite femme qui parlait peu, s'effaçait tou-
jours, ne faisait point de bruit, apparaissait seulement aux
heures des repas, remontait ensuite dans sa chambre où elle
restait enfermée sans cesse. Elle avait un air bon et vieillot,
un œil doux et triste, et ne comptait presque pas dans la
famille.

Les deux sœurs, qui étaient veuves, ayant tenu une place
dans le monde, la considéraient un peu comme un être
insignifiant. On la traitait avec une familiarité sans gêne que
cachait une sorte de bonté un peu méprisante pour la vieille
fille. Elle s'appelait Lise, étant née aux jours où Béranger
régnait sur la France. Quant on avait vu qu'elle ne se mariait
pas, qu'elle ne se marierait sans doute point, de Lise on
avait fait Lison. Aujourd'hui elle était «tante Lison», une
humble vieille proprette, affreusement timide même avec
les siens, qui l'aimaient d'une affection participant de l'habi-
tude, de la compassion et d'une indifférence bienveillante.

Les enfants ne montaient jamais l'embrasser dans sa
chambre. La bonne seule pénétrait chez elle. On l'envoyait
chercher pour lui parler. C'est à peine si on savait où était
située cette chambre, cette chambre où s'écoulait solitaire-
ment toute cette pauvre vie. Elle ne tenait point de place.
Quand elle n'était pas là, on ne parlait jamais d'elle, on ne
songeait jamais à elle. C'était un de ces êtres effacés qui
demeurent inconnus même à leurs proches, comme inex-
plorés, et dont la mort ne fait ni trou ni vide dans une
maison, un de ces êtres qui ne savent entrer ni dans
l'existence ni dans les habitudes, ni dans l'amour de ceux
qui vivent à côté d'eux.

Elle marchait toujours à petits pas pressés et muets, ne
faisait jamais de bruit, ne heurtait jamais rien, semblait
communiquer aux objets la propriété de ne rendre aucun
son; ses mains paraissaient faites d'une espèce d'ouate, tant
elles maniaient légèrement et délicatement ce qu'elles
touchaient.

Quand on prononçait: «tante Lison», ces deux mots
n'éveillaient pour ainsi dire aucune pensée dans l'esprit de
personne. C'est comme si on avait dit: «la cafetière» ou
«le sucrier».

La chienne Loute possédait certainement une person-
nalité beaucoup plus marquée; on la câlinait sans cesse, on
l'appelait: «Ma chère Loute, ma belle Loute, ma petite
Loute». On la pleurerait infiniment plus.

Le mariage des deux cousins devait avoir lieu à la fin du
mois de mai. Les jeunes gens vivaient les yeux dans les
yeux, les mains dans les mains, la pensée dans la pensée,
le cœur dans le cœur. Le printemps, tardif cette année,
hésitant, grelottant jusque-là sous les gelées claires des nuits
et la fraîcheur brumeuse des matinées, venait de jaillir tout
à coup.

Quelques jours chauds, un peu voilés, avaient remué
toute la sève de la terre, ouvrant les feuilles comme par
miracle, répandant partout cette bonne odeur amollissante
des bourgeons et des premières fleurs.

Puis, un après-midi, le soleil victorieux, séchant enfin les

buées flottantes, s'était étalé, rayonnant sur toute la plaine.
Sa gaieté claire avait empli la campagne, avait pénétré par-
tout, dans les plantes, les bêtes et les hommes. Les oiseaux
amoureux voletaient, battaient des ailes, s'appelaient. Jeanne
et Jacques, oppressés d'un bonheur délicieux, mais plus
timides que de coutume, inquiets de ces tressaillements
nouveaux qui entraient en eux avec la fermentation des bois,
étaient restés tout le jour côte à côte sur un banc devant
la porte du château, n'osant plus s'éloigner seuls, et re-
gardant d'un œil vague, là-bas, sur la pièce d'eau les grands
cygnes qui se poursuivaient.

Puis, le soir venu, ils s'étaient sentis apaisés, plus tran-
quilles, et après le dîner, s'étaient accoudés, en causant
doucement, à la fenêtre ouverte du salon, tandis que leurs
mères jouaient au piquet dans la clarté ronde que formait
l'abat-jour de la lampe, et que tante Lison tricotait des bas
pour les pauvres du pays.

Une haute futaie s'étendait au loin, derrière l'étang, et,
dans le feuillage encore menu des grands arbres, la lune
tout à coup s'était montrée. Elle avait peu à peu monté à
travers les branches qui se dessinaient sur son orbe, et,
gravissant le ciel, au milieu des étoiles qu'elle effaçait, elle
s'était mise à verser sur le monde cette lueur mélancolique
où flottent des blancheurs et des rêves, si chère aux attendris,
aux poètes, aux amoureux.

Les jeunes gens l'avaient regardée d'abord, puis, tout
imprégnés par la douceur tendre de la nuit, par cet éclaire-
ment vaporeux des gazons et des massifs, ils étaient sortis
à pas lents et ils se promenaient sur la grande pelouse
blanche jusqu'à la pièce d'eau qui brillait.

Lorsqu'elles eurent terminé les quatre parties de piquet
de tous les soirs, les deux mères, s'endormant peu à peu,
eurent envie de se coucher.

— Il faut appeler les enfants, dit l'une.

L'autre, d'un coup d'œil, parcourut l'horizon pâle où deux
ombres erraient doucement:

— Laisse-les donc, reprit-elle, il fait si bon dehors! Lison
va les attendre; n'est-ce pas Lison?

La vieille fille releva ses yeux inquiets, et répondit de sa voix timide:

— Certainement, je les attendrai.

Et les deux sœurs gagnèrent leur lit.

Alors tante Lison à son tour se leva, et, laissant sur le bras du fauteuil l'ouvrage commencé, sa laine et la grande aiguille, elle vint s'accouder à la fenêtre et contempla la nuit charmante.

Les deux amoureux allaient sans fin, à travers le gazon, de l'étang jusqu'au perron, et du perron jusqu'à l'étang. Ils se serraient les doigts et ne parlaient plus, comme sortis d'eux-mêmes, mêlés à la poésie visible qui s'exhalait de la terre. Jeanne tout à coup aperçut dans le cadre de la fenêtre la silhouette de la vieille fille que dessinait la clarté de la lampe.

— Tiens, dit-elle, tante Lison qui nous regarde.

Jacques leva la tête.

— Oui, reprit-il, tante Lison nous regarde.

Et ils continuèrent à rêver, à marcher lentement, à s'aimer.

Mais la rosée couvrait l'herbe. Ils eurent un petit frisson de fraîcheur.

— Rentrons, maintenant, dit-elle.

Et ils revinrent.

Lorsqu'ils pénétrèrent dans le salon, tante Lison s'était remise à tricoter; elle avait le front penché sur son travail, et ses petits doigts maigres tremblaient un peu comme s'ils eussent été très fatigués.

Jeanne s'approcha.

— Tante, nous allons dormir, maintenant.

La vieille fille tourna les yeux. Ils étaient rouges comme si elle eût pleuré. Jacques et sa fiancée n'y prirent point garde. Mais le jeune homme aperçut les fins souliers de la jeune fille tout couverts d'eau. Il fut saisi d'inquiétude et demanda tendrement:

— N'as-tu point froid à tes chers petits pieds?

Et tout à coup les doigts de la tante furent secoués d'un tremblement si fort que son ouvrage s'en échappa; la pelote de laine roula au loin sur le parquet; et cachant brusque-

ment sa figure dans ses mains, la vieille fille se mit à pleurer par grands sanglots convulsifs.

Les deux enfants s'élancèrent vers elle; Jeanne, à genoux, écarta ses bras, bouleversée, répétant:

— Qu'as-tu, tante Lison? Qu'as-tu, tante Lison? . . .

Alors, la pauvre vieille, balbutiant, avec la voix toute mouillée de larmes et le corps crispé de chagrin, répondit:

— C'est . . . c'est . . . quand il t'a demandé: «N'as-tu point froid . . . à . . . tes chers petits pieds? . . .» On ne m'a jamais . . . jamais dit de ces choses-là, à moi! . . . jamais! . . . jamais!

RENCONTRE

RENCONTRE.

A Édouard Rod.

Ce fut un hasard, un vrai hasard. Le baron d'Étraille, fatigué de rester debout, entra, tous les appartements de la princesse étant ouverts ce soir de fête, dans la chambre à coucher déserte et presque sombre au sortir des salons illuminés.

Il cherchait un siège où dormir, certain que sa femme ne voudrait point partir avant le jour. Il aperçut dès la porte le large lit d'azur à fleurs d'or, dressé au milieu de la vaste pièce, pareil à un catafalque où aurait été enseveli l'amour, car la princesse n'était plus jeune. Par derrière, une grande tache claire donnait la sensation d'un lac vu par une haute fenêtre. C'était la glace, immense, discrète, habillée de draperies sombres qu'on laissait tomber quelquefois, qu'on avait souvent relevées; et la glace semblait regarder la couche, sa complice. On eût dit qu'elle avait des souvenirs, des regrets, comme ces châteaux que hantent les spectres des morts, et qu'on allait voir passer sur sa face unie et vide ces formes charmantes qu'ont les hanches nues des femmes, et les gestes doux des bras quand ils enlacent.

Le baron s'était arrêté souriant, un peu ému au seuil de cette chambre d'amour. Mais soudain, quelque chose apparut dans la glace comme si les fantômes évoqués eussent surgi devant lui. Un homme et une femme, assis sur un divan très bas caché dans l'ombre, s'étaient levés. Et le cristal poli, réflétant leurs images, les montrait debout et se baisant aux lèvres avant de se séparer.

Le baron reconnut sa femme et le marquis de Cervigné. Il se retourna et s'éloigna en homme fort et maître de lui; et il attendit que le jour vînt pour emmener la baronne; mais il ne songeait plus à dormir.

Dès qu'il fut seul avec elle, il lui dit:

— Madame, je vous ai vue tout à l'heure dans la chambre

de la princesse de Raynes. Je n'ai point besoin de m'expliquer davantage. Je n'aime ni les reproches, ni les violences, ni le ridicule. Voulant éviter ces choses, nous allons nous séparer sans bruit. Les hommes d'affaires régleront votre situation suivant mes ordres. Vous serez libre de vivre à votre guise n'étant plus sous mon toit, mais je vous préviens que si quelque scandale a lieu, comme vous continuez à porter mon nom, je serai forcé de me montrer sévère.

Elle voulut parler; il l'en empêcha, s'inclina, et rentra chez lui.

Il se sentait plutôt étonné et triste que malheureux. Il l'avait beaucoup aimée dans les premiers temps de leur mariage. Cette ardeur s'était peu à peu refroidie, et maintenant il avait souvent des caprices, soit au théâtre, soit dans le monde, tout en gardant néanmoins un certain goût pour la baronne.

Elle était fort jeune, vingt-quatre ans à peine, petite, singulièrement blonde, et maigre, trop maigre. C'était une poupée de Paris, fine, gâtée, élégante, coquette, assez spirituelle, avec plus de charme que de beauté. Il disait familièrement à son frère en parlant d'elle: «Ma femme est charmante, provocante, seulement . . . elle ne vous laisse rien dans la main. Elle ressemble à ces verres de champagne où tout est mousse. Quand on a fini par trouver le fond, c'est bon tout de même, mais il y en a trop peu.»

Il marchait dans sa chambre, de long en large, agité et songeant à mille choses. Par moments, des souffles de colère le soulevaient et il sentait des envies brutales d'aller casser les reins du marquis ou le souffleter au cercle. Puis il constatait que cela serait de mauvais goût, qu'on rirait de lui et non de l'autre, et que ces emportements lui venaient bien plus de sa vanité blessée que de son cœur meurtri. Il se coucha, mais ne dormit point.

On apprit dans Paris, quelques jours plus tard, que le baron et la baronne d'Étraille s'étaient séparés à l'amiable pour incompatibilité d'humeur. On ne soupçonna rien, on ne chuchota pas et on ne s'étonna point.

Le baron, cependant, pour éviter des rencontres qui lui

seraient pénibles, voyagea pendant un an, puis il passa l'été suivant aux bains de mer, l'automne à chasser et il revint à Paris pour l'hiver. Pas une fois il ne vit sa femme.

Il savait qu'on ne disait rien d'elle. Elle avait soin, au moins, de garder les apparences. Il n'en demandait pas davantage.

Il s'ennuya, voyagea encore, puis restaura son château de Villebosc, ce qui lui demanda deux ans, puis il y reçut ses amis, ce qui l'occupa quinze mois au moins; puis, fatigué de ce plaisir usé, il rentra dans son hôtel de la rue de Lille, juste six années après la séparation.

Il avait maintenant quarante-cinq ans, pas mal de cheveux blancs, un peu de ventre, et cette mélancolie des gens qui ont été beaux, recherchés, aimés et qui se détériorent tous les jours.

Un mois après son retour à Paris, il prit froid en sortant du cercle et se mit à tousser. Son médecin lui ordonna d'aller finir l'hiver à Nice.

Il partit donc, un lundi soir, par le rapide.

Comme il se trouvait en retard, il arriva alors que le train se mettait en marche. Il y avait une place dans un coupé, il y monta. Une personne était déjà installée sur le fauteuil du fond, tellement enveloppée de fourrures et de manteaux qu'il ne put même deviner si c'était un homme ou une femme. On n'apercevait rien d'elle qu'un long paquet de vêtements. Quand il vit qu'il ne saurait rien, le baron, à son tour, s'installa, mit sa toque de voyage, déploya ses couvertures, se roula dedans, s'étendit et s'endormit.

Il ne se réveilla qu'à l'aurore, et tout de suite il regarda vers son compagnon. Il n'avait point bougé de toute la nuit et il semblait encore en plein sommeil.

M. d'Étraille en profita pour faire sa toilette du matin, brosser sa barbe et ses cheveux, refaire l'aspect de son visage que la nuit change si fort, si fort, quand on atteint un certain âge.

Le grand poète a dit:

Quand on est jeune, on a des matins triomphants!

Quand on est jeune, on a de magnifiques réveils, avec la peau fraîche, l'œil luisant, les cheveux brillants de sève.

Quand on vieillit, on a des réveils lamentables. L'œil terne, la joue rouge et bouffie, la bouche épaisse, les cheveux en bouillie et la barbe mêlée donnent au visage un aspect vieux, fatigué, fini.

Le baron avait ouvert son nécessaire de voyage et il rajusta sa physionomie en quelques coups de brosse. Puis il attendit.

Le train siffla, s'arrêta. Le voisin fit un mouvement. Il était sans doute réveillé. Puis la machine repartit. Un rayon de soleil oblique entrait maintenant dans le wagon et tombait juste en travers du dormeur, qui remua de nouveau, donna quelques coups de tête comme un poulet qui sort de sa coquille, et montra tranquillement son visage.

C'était une jeune femme blonde, toute fraîche, fort jolie et grasse. Elle s'assit.

Le baron, stupéfait, la regardait. Il ne savait plus ce qu'il devait croire. Car vraiment on eût juré que c'était . . . que c'était sa femme, mais sa femme extraordinairement changée . . . à son avantage, engraissée, oh! engraissée autant que lui-même, mais en mieux.

Elle le regarda tranquillement, parut ne pas le reconnaître, et se débarrassa avec placidité des étoffes qui l'entouraient.

Elle avait l'assurance calme d'une femme sûre d'elle-même, l'audace insolente du réveil, se sachant, se sentant en pleine beauté, en pleine fraîcheur.

Le baron perdait vraiment la tête.

Était-ce sa femme? Ou une autre qui lui aurait ressemblé comme une sœur? Depuis six ans qu'il ne l'avait vue, il pouvait se tromper.

Elle bâilla. Il reconnut son geste. Mais de nouveau elle se tourna vers lui et le parcourut, le couvrit d'un regard tranquille, indifférent, d'un regard qui ne sait rien, puis elle considéra la campagne.

Il demeura éperdu, horriblement perplexe. Il attendit, la guettant de côté, avec obstination.

Mais oui, c'était sa femme, morbleu! Comment pouvait-il

hésiter? Il n'y en avait pas deux avec ce nez-là? Mille
souvenirs lui revenaient, des souvenirs de caresses, des
petits détails de son corps, un grain de beauté sur la hanche,
un autre au dos, en face du premier. Comme il les avait
souvent baisés! Il se sentait envahi par une griserie ancienne,
retrouvant l'odeur de sa peau, son sourire quand elle lui
jetait ses bras sur les épaules, les intonations douces de sa
voix, toutes ses câlineries gracieuses.

Mais, comme elle était changée, embellie, c'était elle et
ce n'était plus elle. Il la trouvait plus mûre, plus faite, plus
femme, plus séduisante, plus désirable, adorablement
désirable.

Donc cette femme étrangère, inconnue, rencontrée par
hasard dans un wagon était à lui, lui appartenait de par la
loi. Il n'avait qu'à dire: «Je veux».

Il avait jadis dormi dans ses bras, vécu dans son amour.
Il la retrouvait maintenant si changée qu'il la reconnaissait
à peine. C'était une autre et c'était elle en même temps:
c'était une autre, née, formée, grandie depuis qu'il l'avait
quittée; c'était elle aussi qu'il avait possédée, dont il re-
trouvait les attitudes modifiées, les traits anciens plus formés,
le sourire moins mignard, les gestes plus assurés. C'étaient
deux femmes en une, mêlant une grande part d'inconnu
nouveau à une grande part de souvenir aimé. C'était quel-
que chose de singulier, de troublant, d'excitant, une sorte
de mystère d'amour où flottait une confusion délicieuse.
C'était sa femme dans un corps nouveau, dans une chair
nouvelle que ses lèvres n'avaient point parcourus.

Et il pensait, en effet, qu'en six années tout change en
nous. Seul le contour demeure reconnaissable, et quelque-
fois même il disparaît.

Le sang, les cheveux, la peau, tout recommence, tout se
reforme. Et quand on est demeuré longtemps sans se voir,
on retrouve un autre être tout différent, bien qu'il soit le
même et qu'il porte le même nom.

Et le cœur aussi peut varier, les idées aussi se modifient,
se renouvellent, si bien qu'en quarante ans de vie nous pou-
vons, par de lentes et constantes transformations, devenir
quatre ou cinq êtres absolument nouveaux et différents.

Il songeait, troublé jusqu'à l'âme. La pensée lui vint brusquement du soir où il l'avait surprise dans la chambre de la princesse. Aucune fureur ne l'agita. Il n'avait pas sous les yeux la même femme, la petite poupée maigre et vive de jadis.

Qu'allait-il faire? Comment lui parler? Qui lui dire? L'avait-elle reconnu, elle?

Le train s'arrêtait de nouveau. Il se leva, salua et prononça: «Berthe, n'avez-vous besoin de rien. Je pourrais vous apporter . . . »

Elle le regarda des pieds à la tête et répondit, sans étonnement, sans confusion, sans colère, avec une placide indifférence: «Non — de rien — merci.»

Il descendit et fit quelques pas sur le quai pour se secouer comme pour reprendre ses sens après une chute. Qu'allait-il faire maintenant? Monter dans un autre wagon? Il aurait l'air de fuir. Se montrer galant, empressé? Il aurait l'air de demander pardon. Parler comme un maître? Il aurait l'air d'un goujat, et puis, vraiment, il n'en avait plus le droit.

Il remonta et reprit sa place.

Elle aussi, pendant son absence, avait fait vivement sa toilette. Elle était étendue maintenant sur le fauteuil, impassible et radieuse.

Il se tourna vers elle et lui dit: «Ma chère Berthe, puisqu'un hasard bien singulier nous remet en présence après six ans de séparation, de séparation sans violence, allons-nous continuer à nous regarder comme deux ennemis irréconciliables? Nous sommes enfermés en tête-à-tête? Tant pis, ou tant mieux. Moi je ne m'en irai pas. Donc n'est-il pas préférable de causer comme . . . comme . . . comme . . . des . . . amis, jusqu'au terme de notre route?»

Elle répondit tranquillement: «Comme vous voudrez.»

Alors il demeura court, ne sachant que dire. Puis, ayant de l'audace, il s'approcha, s'assit sur le fauteuil du milieu, et d'une voix galante: «Je vois qu'il faut vous faire la cour, soit. C'est d'ailleurs un plaisir, car vous êtes charmante. Vous ne vous figurez point comme vous avez gagné depuis six ans. Je ne connais pas de femme qui m'ait donné la sensation délicieuse que j'aie eue en vous voyant sortir de

vos fourrures, tout à l'heure. Vraiment, je n'aurais pas cru possible un tel changement . . . »

Elle prononça, sans remuer la tête, et sans le regarder: «Je ne vous en dirai pas autant, car vous avez beaucoup perdu.»

Il rougait, confus et troublé, puis avec un sourire résigné: «Vous êtes dure.»

Elle se tourna vers lui: «Pourquoi? Je constate. Vous n'avez pas l'intention de m'offrir votre amour, n'est-ce pas? Donc il est absolument indifférent que je vous trouve bien ou mal? Mais je vois que ce sujet vous est pénible. Parlons d'autre chose. Qu'avez-vous fait depuis que je ne vous ai vu?»

Il avait perdu contenance, il balbutia: «Moi? j'ai voyagé, j'ai chassé, j'ai vieilli, comme vous le voyez. Et vous?»

Elle déclara avec sérénité: «Moi, j'ai gardé les apparences comme vous me l'aviez ordonné.»

Un mot brutal lui vint aux lèvres. Il ne le dit pas, mais prenant la main de sa femme, il la baisa: «Et je vous en remercie.»

Elle fut surprise. Il était fort vraiment, et toujours maître de lui.

Il reprit: «Puisque vous avez consenti à ma première demande, voulez-vous maintenant que nous causions sans aigreur.»

Elle eut un petit geste de mépris. «De l'aigreur? mais je n'en ai pas. Vous m'êtes complètement étranger. Je cherche seulement à animer une conversation difficile.»

Il la regardait toujour, séduit malgré sa rudesse, sentant un désir brutal l'envahir, un désir irrésistible, un désir de maître.

Elle prononça, sentant bien qu'elle l'avait blessé et s'acharnant: «Quel âge avez-vous donc aujourd'hui? Je vous croyais plus jeune que vous ne paraissez.»

Il pâlit: «J'ai quarante-cinq ans.» Puis il ajouta: «J'ai oublié de vous demander des nouvelles de la princesse de Raynes. Vous la voyez toujours?»

Elle lui jeta un regard de haine: «Oui, toujours. Elle va fort bien — merci.»

Et ils demeurèrent côte à côte, le cœur agité, l'âme irritée. Tout à coup il déclara: «Ma chère Berthe, je viens de changer d'avis. Vous êtes ma femme, et je prétends que vous reveniez aujourd'hui sous mon toit. Je trouve que vous avez gagné en beauté et en caractère, et je vous reprends. Je suis votre mari, c'est mon droit.»

Elle fut stupéfaite, et le regarda dans les yeux pour y lire sa pensée. Il avait un visage impassible, impénétrable et résolu.

Elle répondit: «Je suis bien fâchée, mais j'ai des engage-ments.»

Il sourit: «Tants pis pour vous. La loi me donne la force. J'en userai.»

On arrivait à Marseille; le train sifflait, ralentissant sa marche. La baronne se leva, roula ses couvertures avec assurance, puis se tournant vers son mari: «Mon cher Ray-mond, n'abusez pas d'un tête-à-tête que j'ai préparé. J'ai voulu prendre une précaution, suivant vos conseils, pour n'avoir rien à craindre ni de vous ni du monde, quoi qu'il arrive. Vous allez à Nice, n'est-ce pas?

— J'irai où vous irez.

— Pas du tout. Écoutez-moi, et je vous promets que vous me laisserez tranquille. Tout à l'heure, sur le quai de la gare, vous allez voir la princesse de Raynes et la comtesse Henriot qui m'attendent avec leurs maris. J'ai voulu qu'on nous vît ensemble, vous et moi, et qu'on sût bien que nous avons passé la nuit seuls, dans ce coupé. Ne craignez rien. Ces dames le raconteront partout, tant la chose paraîtra surprenante.

Je vous disais tout à l'heure que, suivant en tous points vos recommandations, j'avais soigneusement gardé les ap-parences. Il n'a pas été question du reste, n'est-ce pas. Eh bien, c'est pour continuer que j'ai tenu à cette rencontre. Vous m'avez ordonné d'éviter avec soin le scandale, je l'évite, mon cher . . . , car j'ai peur . . . , j'ai peur . . .

Elle attendait que le train fût complètement arrêté, et comme une bande d'amis s'élançait à sa portière et l'ouvrait, elle acheva:

— J'ai peur d'être enceinte.

La princesse tendait les bras pour l'embrasser. La baronne lui dit montrant le baron stupide d'étonnement et cherchant à deviner la vérité:

— Vous ne reconnaissez donc pas Raymond? Il est bien changé, en effet. Il a consenti à m'accompagner pour ne pas me laisser voyager seule. Nous faisons quelquefois des fugues comme cela, en bons amis qui ne peuvent vivre ensemble. Nous allons d'ailleurs nous quitter ici. Il a déjà assez de moi.»

Elle tendait sa main qu'il prit machinalement. Puis elle sauta sur le quai au milieu de ceux qui l'attendaient.

Le baron ferma brusquement la portière, trop ému pour dire un mot ou pour prendre une résolution. Il entendait la voix de sa femme et ses rires joyeux qui s'éloignaient.

Il ne l'a jamais revue.

Avait-elle menti? Disait-elle vrai? Il l'ignora toujours.

CE COCHON DE MORIN

CE COCHON DE MORIN

A M. Oudinot.

I

Çà, mon ami, dis-je à Labarbe, tu viens encore de pro-
noncer ces quatre mots, «ce cochon de Morin». Pourquoi,
diable, n'ai-je jamais entendu parler de Morin sans qu'on
le traitât de «cochon»?

Labarbe, aujourd'hui député, me regarda avec des yeux
de chat-huant. «Comment, tu ne sais pas l'histoire de Morin,
et tu es de la Rochelle?»

J'avouai que je ne savais pas l'histoire de Morin. Alors
Labarbe se frotta les mains et commença son récit.

«Tu as connu Morin, n'est-ce pas, et tu te rappelles son
grand magasin de mercerie sur le quai de la Rochelle?

— «Oui, parfaitement.

— «Eh bien, sache qu'en 1862 ou 63 Morin alla passer
quinze jours à Paris, pour son plaisir, ou ses plaisirs, mais
sous prétexte de renouveler ses approvisionnements. Tu
sais ce que sont, pour un commerçant de province, quinze
jours de Paris. Cela vous met le feu dans le sang. Tous les
soirs des spectacles, des frôlements de femmes, une con-
tinuelle excitation d'esprit. On devient fou. On ne voit plus
que danseuses en maillot, actrices décolletées, jambes rondes,
épaules grasses, tout cela presque à portée de la main, sans
qu'on ose ou qu'on puisse y toucher. C'est à peine si on
goûte, une fois ou deux, à quelques mets inférieurs. Et l'on
s'en va, le cœur encore tout secoué, l'âme émoustillée, avec
une espèce de démangeaison de baisers qui vous chatouillent
les lèvres.

Morin se trouvait dans cet état, quand il prit son billet
pour la Rochelle par l'express de 8 h. 40 du soir. Et il se
promenait plein de regrets et de trouble dans la grande salle
commune du chemin de fer d'Orléans, quand il s'arrêta

net devant une jeune femme qui embrassait une vieille
dame. Elle avait relevé sa voilette, et Morin, ravi, murmura:
«Bigre, la belle personne!»

Quand elle eut fait ses adieux à la vieille, elle entra dans
la salle d'attente, et Morin la suivit; puis elle passa sur le
quai, et Morin la suivit encore; puis elle monta dans un
wagon vide, et Morin la suivit toujours.

Il y avait peu de voyageurs pour l'express. La locomotive
siffla; le train partit. Ils étaient seuls.

Morin la dévorait des yeux. Elle semblait avoir dix-neuf
à vingt ans; elle était blonde, grande, d'allure hardie. Elle
roula autour de ses jambes une couverture de voyage, et
s'étendit sur les banquettes pour dormir.

Morin se demandait: «Qui est-ce?» Et mille suppositions,
mille projets lui traversaient l'esprit. Il se disait: On raconte
tant d'aventures de chemin de fer. C'en est une peut-être
qui se présente pour moi. Qui sait? une bonne fortune est
si vite arrivée. Il me suffirait peut-être d'être audacieux.
N'est-ce pas Danton qui disait: «De l'audace, de l'audace,
et toujours de l'audace.» Si ce n'est pas Danton, c'est Mira-
beau. Enfin, qu'importe. Oui, mais je manque d'audace,
voilà le hic. Oh! Si on savait, si on pouvait lire dans les
âmes! Je parie qu'on passe tous les jours, sans s'en douter,
à côté d'occasions magnifiques. Il lui suffirait d'un geste pour-
tant pour m'indiquer qu'elle ne demande pas mieux . . . »

Alors, il supposa des combinaisons qui le conduisaient au
triomphe. Il imaginait une entrée en rapport chevaleresque,
des petits services qu'il lui rendait, une conversation vive,
galante, finissait par une déclaration qui finissait par . . . par
ce que tu penses.

Mais ce qui lui manquait toujours, c'était le début, le
prétexte. Et il attendait une circonstance heureuse, le cœur
ravagé, l'esprit sens dessus dessous.

La nuit cependant s'écoulait et la belle enfant dormait
toujours, tandis que Morin méditait sa chute. Le jour parut,
et bientôt le soleil lança son premier rayon, un long rayon
clair venu du bout de l'horizon, sur le doux visage de la
dormeuse.

Elle s'éveilla, s'assit, regarda la campagne, regarda Morin

et sourit. Elle sourit en femme heureuse, d'un air engageant et gai. Morin tressaillit. Pas de doute, c'était pour lui ce sourire-là, c'était bien une invitation discrète, le signal rêvé qu'il attendait. Il voulait dire, ce sourire: «Êtes-vous bête, êtes-vous niais, êtes-vous jobard, d'être resté là, comme un pieu, sur votre siège depuis hier soir.

«Voyons, regardez-moi, ne suis-je pas charmante? Et vous demeurez comme ça toute une nuit en tête avec une jolie femme sans rien oser, grand sot.»

Elle souriait toujours en le regardant; elle commençait même à rire; et il perdait la tête, cherchant un mot de circonstance, un compliment, quelque chose à dire enfin, n'importe quoi. Mais il ne trouvait rien, rien. Alors, saisi d'une audace de poltron, il pensa: «Tant pis, je risque tout»; et brusquement, sans crier «gare», il s'avança, les mains tendues, les lèvres gourmandes, et, la saisissant à pleins bras, il l'embrassa.

D'un bond elle fut debout criant: «Au secours», hurlant d'épouvante. Et elle ouvrit la portière, elle agita ses bras dehors, folle de peur, essayant de sauter, tandis que Morin éperdu, persuadé qu'elle allait se précipiter sur la voie, la retenait par sa jupe en bégayant: «Madame . . . oh! . . . madame.»

Le train ralentit sa marche, s'arrêta. Deux employés se précipitèrent aux signaux désespérés de la jeune femme qui tomba dans leurs bras en balbutiant: «Cet homme a voulu . . . a voulu . . . me . . . me . . .« Et elle s'évanouit.

On était en gare de Mauzé. Le gendarme présent arrêta Morin.

Quand la victime de sa brutalité eut repris connaissance, elle fit sa déclaration. L'autorité verbalisa. Et le pauvre mercier ne put regagner son domicile que le soir, sous le coup d'une poursuite judiciare pour outrage aux bonnes mœurs dans un lieu public.

II

J'étais alors rédacteur en chef du *Fanal des Charentes*; et je voyais Morin, chaque soir, au Café du commerce.

Dès le lendemain de son aventure, il vint me trouver, ne sachant que faire. Je ne lui cachai pas mon opinion: «Tu n'es qu'un cochon. On ne se conduit pas comme ça.«

Il pleurait; sa femme l'avait battu; et il voyait son commerce ruiné, son nom dans la boue, déshonoré, ses amis, indignés, ne le saluant plus. Il finit par me faire pitié, et j'appelai mon collaborateur Rivet, un petit homme goguenard et de bon conseil, pour prendre ses avis.

Il m'engagea à voir le procureur impérial, qui était de mes amis. Je renvoyai Morin chez lui je me rendis chez ce magistrat.

J'appris que la femme outragée était une jeune fille, M^{lle} Henriette Bonnel, qui venait de prendre à Paris ses brevets d'institutrice et qui, n'ayant plus ni père ni mère, passait ses vacances chez son oncle et sa tante, braves petits bourgeois de Mauzé.

Ce qui rendait grave la situation de Morin, c'est que l'oncle avait porté plainte. Le ministère public consentait à laisser tomber l'affaire si cette plainte était retirée. Voilà ce qu'il fallait obtenir.

Je retournai chez Morin. Je le trouvai dans son lit, malade d'émotion et de chagrin. Sa femme, une grande gaillarde osseuse et barbue, le maltraitait sans repos. Elle m'introduisit dans la chambre en me criant par la figure: «Vous venez voir ce cochon de Morin? Tenez, le voilà, le coco!»

Et elle se planta devant le lit, les poings sur les hanches. J'exposai la situation; et il me supplia d'aller trouver la famille. La mission était délicate; cependant je l'acceptai. Le pauvre diable ne cessait de répéter: «Je t'assure que je ne l'ai pas même, embrassée, non, pas même. Je te le jure!»

Je répondis: «C'est égal, tu n'es qu'un cochon.» Et je pris mille francs qu'il m'abandonna pour les employer comme je le jugerais convenable.

Mais comme je ne tenais pas à m'aventurer seul dans la maison des parents, je priai Rivet de m'accompagner. Il y consentit, à la condition qu'on partirait immédiatement, car il avait, le lendemain dans l'après-midi, une affaire urgente à la Rochelle.

Et, deux heures plus tard, nous sonnions à la porte d'une jolie maison de campagne. Une belle jeune fille vint nous ouvrir. C'était elle assurément. Je dis tout bas à Rivet: «Sacrebleu, je commence à comprendre Morin.»

L'oncle, M. Tonnelet, était justement un abonné du *Fanal*, un fervent coreligionnaire politique qui nous reçut à bras ouverts, nous félicita, nous congratula, nous serra les mains, enthousiasmé d'avoir chez lui les deux rédacteurs de son journal. Rivet me souffla dans l'oreille: «Je crois que nous pourrons arranger l'affaire de ce cochon de Morin.»

La nièce s'était éloignée; et j'abordai la question délicate. J'agitai le spectre du scandale; je fis valoir la dépréciation inévitable que subirait la jeune personne après le bruit d'une pareille affaire; car on ne croirait pamais à un simple baiser.

Le bonhomme semblait indécis; mais il ne pouvait rien décider sans sa femme qui ne rentrerait que tard dans la soirée. Tout à coup il poussa un cri de triomphe: «Tenez, j'ai une idée excellente. Je vous tiens, je vous garde. Vous allez dîner et coucher ici tous les deux; et, quand ma femme sera revenue, j'espère que nous nous entendrons.»

Rivet résistait; mais le désir de tirer d'affaire ce cochon de Morin le décida; et nous acceptâmes l'invitation.

L'oncle se leva, radieux, appela sa nièce, et nous proposa une promenade dans sa propriété en proclamant: «A ce soir les affaires sérieuses.»

Rivet et lui se mirent à parler politique.

Quant à moi, je me trouvai bientôt à quelques pas en arrière, à côté de la jeune fille. Elle était vraiment charmante, charmante!

Avec des précautions infinies, je commençai à lui parler de son aventure pour tâcher de m'en faire une alliée.

Mais elle ne parut pas confuse le moins du monde; elle m'écoutait de l'air d'une personne qui s'amuse beaucoup.

Je lui disais: «Songez donc, mademoiselle, à tous les ennuis que vous aurez. Il vous faudra comparaître devant le tribunal, affronter les regards malicieux, parler en face de tout ce monde, raconter publiquement cette triste scène du wagon. Voyons, entre nous, n'auriez-vous pas mieux fait de ne rien dire, de remettre à sa place ce polisson, sans appeler

les employés; et de changer simplement de voiture.»

Elle se mit à rire. «C'est vrai ce que vous dites! mais que voulez-vous? J'ai eu peur; et, quand on a peur, on ne raisonne plus. Après avoir compris la situation, j'ai bien regretté mes cris; mais il était trop tard. Songez aussi que cet imbécile s'est jeté sur moi comme un furieux, sans prononcer un mot, avec une figure de fou. Je ne savais même pas ce qu'il me voulait.»

Elle me regardait en face, sans être troublée ou intimidée. Je me disais: «Mais c'est une gaillarde, cette fille. Je comprends que ce cochon de Morin se soit trompé.»

Je repris, en badinant: «Voyons, mademoiselle, avouez qu'il était excusable, car, enfin, on ne peut pas se trouver en face d'une aussi belle personne que vous sans éprouver le désir absolument légitime de l'embrasser.»

Elle rit plus fort, toutes les dents au vent: «Entre le désir et l'action, monsieur, il y a place pour le respect.»

La phrase était drôle, bien que peu claire. Je demandai brusquement: «Eh bien, voyons, si je vous embrassais, moi, maintenant; qu'est-ce que vous feriez?»

Elle s'arrêta pour me considérer du haut en bas, puis elle dit, tranquillement: «Oh, vous, ce n'est pas la même chose.»

Je le savais bien, parbleu, que ce n'était pas la même chose, puisqu'on m'appelait dans toute la province «le beau Labarbe». J'avais trente ans, alors, mais je demandai: «Pourquoi ça?»

Elle haussa les épaules, et répondit: «Tiens! parce que vous n'êtes pas aussi bête que lui.» Puis elle ajouta, en me regardant en dessous: «Ni aussi laid.»

Avant qu'elle eût pu faire un mouvement pour m'éviter, je lui avais planté un bon baiser sur la joue. Elle sauta de côté, mais trop tard. Puis elle dit: «Eh bien! vous n'êtes pas gêné non plus, vous. Mais ne recommencez pas ce jeu-là.»

Je pris un air humble et je dis à mi-voix: «Oh! mademoiselle, quant à moi, si j'ai un désir au cœur, c'est de passer devant un tribunal pour la même cause que Morin.»

Elle demanda à son tour: «Pourquoi ça?» Je la regardai au fond des yeux sérieusement. «Parce que vous êtes une

des plus belles créatures qui soient; parce que ce serait pour moi un brevet, un titre, une gloire, que d'avoir voulu vous violenter. Parce qu'on dirait après vous avoir vue: «Tiens, Labarbe n'a pas volé ce qui lui arrive, mais il a eu de la chance tout de même.»

Elle se remit à rire de tout son cœur.

«Êtes-vous drôle?» Elle n'avait pas fini le mot *«drôle»* que je la tenais à pleins bras et je lui jetais des baisers voraces partout où je trouvais une place, dans les cheveux, sur le front, sur les yeux, sur la bouche parfois, sur les joues, par toute la tête, dont elle découvrait toujours malgré elle un coin pour garantir les autres.

A la fin, elle se dégagea, rouge et blessée. «Vous êtes un grossier, monsieur, et vous me faites repentir de vous avoir écouté.»

Je lui saisis la main, un peu confus, balbutiant: «Pardon, pardon, mademoiselle. Je vous ai blessée; j'ai été brutal! Ne m'en voulez pas. Si vous saviez? . . .» Je cherchais vainement une excuse.

Elle prononça, au bout d'un moment: «Je n'ai rien à savoir, monsieur.»

Mais j'avais trouvé; je m'écriai: «Mademoiselle, voici un an que je vous aime!»

Elle fut vraiment surprise et releva les jeux. Je repris: «Oui, mademoiselle, écoutez-moi. Je ne connais pas Morin et je me moque bien de lui. Peu m'importe qu'il aille en prison et devant les tribunaux. Je vous ai vue ici l'an passé, vous étiez là-bas, devant la grille. J'ai reçu une secousse en vous apercevant et votre image ne m'a quitté. Croyez-moi, ou ne me croyez pas, peu m'importe. Je vous ai trouvée adorable; votre souvenir me possédait; j'ai voulu vous revoir; j'ai saisi le prétexte de cette bête de Morin; et me voici. Les circonstances m'ont fait passer les bornes; pardonnez-moi, je vous en supplie, pardonnez-moi.»

Elle guettait la vérité dans mon regard, prête à sourire de nouveau; et elle murmura: «Blagueur.»

Je levai la main, et d'un ton sincère je crois même que j'étais sincère: «Je vous jure que je ne mens pas.»

Elle dit simplement: «Allons donc.»

Nous étions seuls, tout seuls, Rivet et l'oncle ayant disparu dans les allées tournantes; et je lui fis une vraie déclaration, longue, douce, en lui pressant et lui baisant les doigts. Elle écoutait cela comme une chose agréable et nouvelle, sans bien savoir ce qu'elle en devait croire.

Je finissais par me sentir troublé; par penser ce que je disais; j'étais pâle, oppressé, frissonnant; et, doucement, je lui pris la taille.

Je lui parlais tout bas dans les petits cheveux frisés de l'oreille. Elle semblait morte tant elle était rêveuse.

Puis sa main rencontra la mienne et la serra; je pressai lentement sa taille d'une étreinte tremblante et toujours grandissante; elle ne remuait plus du tout; j'effleurais sa joue de ma bouche; et tout à coup mes lèvres, sans chercher, trouvèrent les siennes. Ce fut un lon, long baiser; et il aurait encore duré longtemps, si je n'avais entendu «hum, hum» à quelques pas derrière moi.

Elle s'enfuit à travers un massif. Je me retournai et j'aperçus Rivet qui me rejoignait.

Il se campa au milieu du chemin; et sans rire: «Eh bien! c'est comme ça que tu arranges l'affaire de ce cochon de Morin.»

Je répondis avec fatuité: «On fait ce qu'on peut, mon cher. Et l'oncle? Qu'en as-tu obtenu? Moi, je réponds de la nièce.»

Rivet déclara: «J'ai été moins heureux avec l'oncle.»

Et je lui pris le bras pour rentrer.

III

Le dîner acheva de me faire perdre la tête. J'étais à côté d'elle et ma main sans cesse rencontrait sa main sous la nappe; mon pied pressait son pied; nos regards se joignaient, se mêlaient.

On fit ensuite un tour au clair de lune et je lui murmurai dans l'âme toutes les tendresses qui me montaient du cœur. Je la tenais serrée contre moi, l'embrassant à tout moment, mouillant mes lèvres aux siennes. Devant nous, l'oncle et

Rivet discutaient. Leurs ombres les suivaient gravement
sur le sable des chemins.

On rentra. Et bientôt l'employé du télégraphe apporta
une dépêche de la tante annonçant qu'elle ne reviendrait
que le lendemain matin, à sept heures, par le premier train.

L'oncle dit: «Eh bien, Henriette, va montrer leurs cham-
bres à ces messieurs.» On serra la main du bonhomme et on
monta. Elle nous conduisit d'abord dans l'appartement de
Rivet, et il me souffla dans l'oreille: «Pas de danger qu'elle
nous ait menés chez toi d'abord.» Puis elle me guida vers
mon lit. Dès qu'elle fut seule avec moi, je la saisis de nou-
veau dans mes bras, tâchant d'affoler sa raison et de culbuter
sa résistance. Mais, quand elle se sentit tout près de défaillir,
elle s'enfuit.

Je me glissais entre mes draps, très contrarié, très agité,
et très penaud, sachant bien que je ne dormirais guère,
cherchant quelle maladresse j'avais pu commettre, quand
on heurta doucement ma porte.

Je demandai: «Qui est là?»

Une voix légère répondit: «Moi.»

Je me vêtis à la hâte; j'ouvris; elle entra. «J'ai oublié,
dit-elle, de vous demander ce que vous prenez le matin: du
chocolat, du thé, ou du café?»

Je l'avais enlacée impétueusement, la dévorant de caresses,
bégayant: «Je prends . . . je prends . . . je prends . . .» Mais
elle me glissa entre les bras, souffla ma lumière et disparut.

Je restai seul, furieux, dans l'obscurité, cherchant des
allumettes, n'en trouvant pas. J'en découvris enfin et je sor-
tis dans le corridor, à moitié fou, mon bougeoir à la main.

Qu'allais-je faire? Je ne raisonnais plus; je voulais la trou-
ver; je la voulais. Et je fis quelques pas sans réfléchir à rien.
Puis je pensai brusquement: «Mais si j'entre chez l'oncle?
que dirais-je? . . .» Et je demeurai immobile, le cerveau vide,
le cœur battant. Au bout de plusieurs secondes, la réponse
me vint: «Parbleu je dirai que je cherchais la chambre de
Rivet pour lui parler d'une chose urgente.»

Et je mis à inspecter les portes m'efforçant de découvrir
la sienne, à elle. Mais rien ne pouvait me guider. Au hasard

je pris une clef que je tournai. J'ouvris, j'entrai . . . Henriette, assise dans son lit, effarée, me regardait.

Alors je poussai doucement le verrou; et, m'approchant sur la pointe des pieds, je lui dis: «J'ai oublié, mademoiselle, de vous demander quelque chose à lire.» Elle se débattait; mais j'ouvris bientôt le livre que je cherchais. Je n'en dirai pas le titre. C'était vraiment le plus merveilleux des romans et le plus divin des poèmes.

Une fois tournée la première page, elle me la laissa parcourir à mon gré; et j'en feuilletai tant de chapitres que nos bougies s'usèrent jusqu'au bout.

Puis, après l'avoir remerciée, je regagnais, à pas de loup, ma chambre, quand une main brutale m'arrêta; et une voix, celle de Rivet, me chuchota dans le nez: «Tu n'as donc pas fini d'arranger l'affaire de ce cochon de Morin?»

Dès sept heures du matin elle m'apportait elle-même une tasse de chocolat. Je n'en ai jamais bu de pareil. Un chocolat à s'en faire mourir, mœlleux, velouté, parfumé, grisant. Je ne pouvais ôter ma bouche des bords délicieux de sa tasse.

A peine la jeune fille était-elle sortie que Rivet entra. Il semblait un peu nerveux, agacé comme un homme qui n'a guère dormi, il me dit d'un ton maussade: «Si tu continues, tu sais, tu finiras par gâter l'affaire de ce cochon de Morin.»

A huit heures, la tante arrivait. La discussion fut courte. Les braves gens retiraient leur plainte, et je laisserais cinq cents francs aux pauvres du pays.

Alors on voulut nous retenir à passer la journée. On organiserait même une excursion pour aller visiter des ruines. Henriette derrière le dos de ses ses parents me faisait des signes de tête: «Oui, restez donc.» J'acceptais, mais Rivet s'acharna à s'en aller.

Je le pris à part; je le priai, je le sollicitai; je lui disais: «Voyons, mon petit Rivet, fais cela pour moi.» Mais il semblait exaspéré et me répétait dans la figure: «J'en ai assez, entends-tu, de l'affaire de ce cochon de Morin.»

Je fus bien contraint de partir aussi. Ce fut un des moments les plus durs de ma vie. J'aurais bien arrangé cette affaire-là pendant toute mon existence.

Dans le wagon, après les énergiques et muettes poignées de main des adieux, je dis à Rivet: «Tu n'es qu'une brute.» Il répondit: «Mon petit, tu commençais à m'agacer bougrement.»

En arrivant aux bureaux du *Fanal*, j'aperçus une foule qui nous attendait . . . On cria dès qu'on nous vit: «Eh bien, avez-vous arrangé l'affaire de ce cochon de Morin?»

Tout la Rochelle en était troublé. Rivet, dont la mauvaise humeur s'était dissipée en route, eut grand'peine à ne pas rire en déclarant: «Oui, c'est fait, grâce à Labarbe.»

Et nous allâmes chez Morin.

Il était étendu dans un fauteuil, avec des sinapismes aux jambes et de compresses d'eau froide sur le crâne, défaillant d'angoisse. Et il toussait sans cesse, d'une petite toux d'agonisant, sans qu'on sût d'où lui était venu ce rhume. Sa femme le regardait avec des yeux de tigresse prête à le dévorer.

Dès qu'il nous aperçut, il eut un tremblement qui lui secouait les poignets et les genoux. Je dis: «C'est arrangé, salaud, mais ne recommence pas.»

Il se leva, suffoquant, me prit les mains, les baisa comme celles d'un prince, pleura, faillit perdre connaissance, embrassa Rivet, embrassa même M^me Morin qui le rejeta d'une poussée dans son fauteuil.

Mais il ne se remit jamais de ce coup-là, son émotion avait été trop brutale.

On ne l'appelait plus dans toute la contrée que «ce cochon de Morin», et cette épithète le traversait comme un coup d'épée chaque fois qu'il l'entendait.

Quand un voyou dans la rue criait: «Cochon», il se retournait la tête par instinct. Ses amis le criblaient de plaisanteries horribles, lui demandant, chaque fois qu'ils mangeaient du jambon: «Est-ce du tien?»

Il mourut deux ans plus tard.

Quant à moi, me présentant à la députation, en 1875, j'allai faire une visite intéressée au nouveau notaire de Tousserre, M^e Belloncle. Une grande femme opulente et belle me reçut.

«Vous ne me reconnaissez pas?» dit-elle.

Je balbutiai: «Mais . . . non . . . madame.»

— «Henriette Bonnel.»

— «Ah!!» — Et je me sentis devenir pâle.

Elle semblait parfaitement à son aise, et souriait en me regardant.

Dès qu'elle m'eut laissé seul avec son mari, il me prit les mains, les serrant à les broyer: «Voici longtemps, cher monsieur, que je veux aller vous voir. Ma femme m'a tant parlé de vous. Je sais . . . oui, je sais en quelle circonstance douloureuse vous l'avez connue, je sais aussi comme vous avez été parfait, plein de délicatesse, de tact, de dévouement dans l'affaire . . .» Il hésita, puis prononça, plus bas, comme s'il eût articulé un mot grossier, «. . . Dans l'affaire de ce cochon de Morin.»

UN COUP D'ÉTAT

UN COUP D'ÉTAT.

Paris venait d'apprendre le désastre de Sedan. La République était proclamée. La France entière haletait au début de cette démence qui dura jusqu'après la Commune. On jouait au soldat d'un bout à l'autre du pays.

Des bonnetiers étaient colonels faisant fonctions de généraux; des revolvers et des poignards s'étalaient autour de gros ventres pacifiques enveloppés de ceintures rouges; des petits bourgeois devenus guerriers d'occasion commandaient des bataillons de volontaires braillards et juraient comme des charretiers pour se donner de la prestance.

Le seul fait de tenir des armes, de manier des fusils à système affolait ces gens qui n'avaient jusqu'ici manié que des balances, et les rendait, sans aucune raison, redoutables au premier venu. On exécutait des innocents pour prouver qu'on savait tuer; on fusillait, en rôdant par les campagnes vierges encore de Prussiens, les chiens errants, les vaches ruminant en paix, les chevaux malades pâturant dans les herbages.

Chacun se croyait appelé à jouer un grand rôle militaire. Les cafés des moindres villages, pleins de commerçants en uniforme, ressemblaient à des casernes ou à des ambulances.

Le bourg de Canneville ignorait encore les affolantes nouvelles de l'armée et de la capitale; mais une extrême agitation le remuait depuis un mois, les partis adverses se trouvant face à face.

Le maire, M. le vicomte de Varnetot, petit homme maigre, vieux déjà, légitimiste rallié à l'Empire depuis peu, par ambition, avait vu surgir un adversaire déterminé dans le docteur Massarel, gros homme sanguin, chef du parti républicain dans l'arrondissement, vénérable de la loge

maçonnique du chef-lieu, président de la Société d'agriculture et du banquet des pompiers, et organisateur de la milice rurale qui devait sauver la contrée.

En quinze jours, il avait trouvé le moyen de décider à la défense du pays soixante-trois volontaires mariés et pères de famille, paysans prudents et marchands du bourg, et il les exerçait, chaque matin, sur la place de la mairie.

Quand le maire, par hasard, venait au bâtiment communal, le commandant Massarel, bardé de pistolets, passant fièrement, le sabre en main, devant le front de sa troupe, faisait hurler à son monde: «Vive la patrie!» Et ce cri, on l'avait remarqué, agitait le petit vicomte, qui voyait là sans doute une menace, un défi, en même temps qu'un souvenir odieux de la grande Révolution.

Le 5 septembre au matin, le docteur en uniforme, son revolver sur sa table, donnait une consultation à un couple de vieux campagnards, dont l'un, le mari, atteint de varices depuis sept ans, avait attendu que sa femme en eût aussi pour venir trouver le médecin, quand le facteur apporta le journal.

M. Massarel l'ouvrit, pâlit, se dressa brusquement, et, levant les deux bras au ciel dans un geste d'exaltation, il se mit à vociférer de toute sa voix devant les deux ruraux affolés:

— Vive la République! vive la République! vive la République!

Puis il retomba sur son fauteuil, défaillant d'émotion.

Et comme le paysan reprenait: «Ça a commencé par des fourmis qui me couraient censément le long des jambes,» le docteur Massarel s'écria:

— Fichez-moi la paix; j'ai bien le temps de m'occuper de vos bêtises. La République est proclamée, l'empereur est prisonnier, la France est sauvée. Vive la République! Et courant à la porte; il beugla: Céleste, vite, Céleste!

La bonne épouvantée accourut; il bredouillait tant il parlait rapidement.

— Mes bottes, mon sabre, ma cartouchière et le poignard espagnol qui est sur ma table de nuit: dépêche-toi!

Comme le paysan obstiné, profitant d'un instant de silence, continuait:

— Ça a devenu comme des poches qui me faisaient mal en marchant.

Le médecin exaspéré hurla:

— Fichez-moi donc la paix, nom d'un chien, si vous vous étiez lavé les pieds, ça ne serait pas arrivé.

Puis, le saisissant au collet, il lui jeta dans la figure:

— Tu ne sens donc pas que nous sommes en république, triple brute?

Mais le sentiment professionel le calma tout aussitôt, et il poussa dehors le ménage abasourdi, en répétant:

— Revenez demain, revenez demain; mes amis. Je n'ai pas le temps aujourd'hui.

Toute en s'équipant des pieds à la tête, il donna de nouveau une série d'ordres urgents à sa bonne:

— Cours chez le lieutenant Picart et chez le sous-lieutenant Pommel, et dis-leur que je les attends ici immédiatement. Envoie-moi aussi Torchebeuf avec son tambour, vite, vite.

Et quand Céleste fut sortie, il se recueillit, se préparant à surmonter les difficultés de la situation.

Les trois hommes arrivèrent ensemble, en vêtement de travail. Le commandant, qui s'attendait à les voir en tenue, eut un sursaut.

— Vous ne savez donc rien, sacrebleu? L'empereur est prisonnier, la République est proclamée. Il faut agir. Ma position est délicate, je dirai plus, périlleuse.

Il réfléchit quelques secondes devant les visages ahuris de ses subordonnées, puis reprit:

— Il faut agir et ne pas hésiter; les minutes valent des heures dans des instants pareils. Tout dépend de la promptitude des décisions. Vous, Picart, allez trouver le curé et sommez-le de sonner le tocsin pour réunir la population que je vais prévenir. Vous, Torchebeuf, battez le rappel dans toute la commune jusqu'aux hameaux de la Gerisaie et de Salmare pour rassembler la milice en armes sur la place. Vous, Pommel, revêtez promptement votre uniforme, rien que la tunique et le képi. Nous allons occuper ensemble la

mairie et sommer M. de Varnetot de me remettre ses pou-
voirs. C'est compris?

— Oui.

— Exécutez, et promptement. Je vous accompagne jusque
chez vous, Pommel, puisque nous opérons ensemble.

Cinq minutes plus tard, le commandant et son subalterne,
armés jusqu'aux dents, apparaissaient sur la place juste au
moment où le petit vicomte de Varnetot, les jambes guê-
trées comme pour une partie de chasse, son Lefaucheux sur
l'épaule, débouchait à pas rapides par l'autre rue, suivi de
ses trois gardes en tunique verte, le couteau sur la cuisse et
le fusil en bandoulière.

Pendant que le docteur s'arrêtait, stupéfait, les quatre
hommes pénétrèrent dans la mairie dont la porte se referma
derrière eux.

— Nous sommes devancés, murmura le médecin, il faut
maintenant attendre du renfort. Rien à faire pour le quart
d'heure.

Le lieutenant Picart reparut:

— Le curé a refusé d'obéir, dit-il; il s'est même enfermé
dans l'église avec le bedeau et le suisse.

Et, de l'autre côté de la place, en face de la mairie
blanche et close, l'église, muette et noire, montrait sa grande
porte de chêne garnie de ferrures de fer.

Alors, comme les habitants intrigués mettaient le nez aux
fenêtres ou sortaient sur le seuil des maisons, le tambour
soudain roula, et Torchebeuf apparut, battant avec fureur
les trois coups précipités du rappel. Il traversa la place au
pas gymnastique, puis disparut dans le chemin des champs.

Le commandant tira son sabre, s'avança seul, à moitié
distance environ entre les deux bâtiments où s'était barri-
cadé l'ennemi et, agitant son arme au-dessus de sa tête, il
mugit de toute la force de ses poumons:

— Vive la République! Mort aux traîtres!

Puis il se replia vers ses officiers.

Le boucher, le boulanger et le pharmacien, inquiets,
accrochèrent leurs volets et fermèrent leurs boutiques. Seul
l'épicer demeura ouvert.

Cependant les hommes de la milice arrivaient peu à peu,

vêtus diversement et tous coiffés d'un képi noir à galon rouge, le képi constituant tout l'uniforme du corps. Ils étaient armés de leurs vieux fusils rouillés, ces vieux fusils pendus depuis trente ans sur les cheminées des cuisines, et ils ressemblaient assez à un détachement de gardes champêtres.

Lorsqu'il en eut une trentaine autour de lui, le commandant, en quelques mots, les mit au fait des événements; puis, se tournant vers son état-major: «Maintenant, agissons,» dit-il.

Les habitants se rassemblaient, examinaient et devisaient.

Le docteur eut vite arrêté son plan de campagne:

— Lieutenant Picart, vous allez vous avancer sous les fenêtres de cette mairie et sommer M. de Varnetot, au nom de la République, de me remettre la maison de ville.

Mais le lieutenant, un maître maçon, refusa:

— Vous êtes encore un malin, vous. Pour me faire flanquer un coup de fusil, merci. Ils tirent bien, ceux qui sont là dedans, vous savez. Faites vos commissions vous-même.

Le commandant devint rouge.

— Je vous ordonne d'y aller au nom de la discipline.

Le lieutenant se révolta:

— Plus souvent que je me ferai casser la figure sans savoir pourquoi.

Les notables, rassemblés en un groupe voisin, se mirent à rire. Un d'eux cria:

— T'as raison, Picart, c'est pas l'moment!

Le docteur, alors, murmura:

— Lâches!

Et, déposant son sabre et son revolver aux mains d'un soldat, il s'avança d'un pas lent, l'œil fixé sur les fenêtres, s'attendant à en voir sortir un canon de fusil braqué sur lui.

Comme il n'était qu'à quelques pas du bâtiment, les portes des deux extrémités donnant entrée dans les deux écoles s'ouvrirent, et un flot de petits êtres, garçons par-ci, filles par-là, s'en échappèrent et se mirent à jouer sur la grande place vide, piaillant, comme un troupeau d'oies, autour du docteur, qui ne pouvait se faire entendre.

Aussitôt les derniers élèves sortis, les deux portes s'étaient refermées.

Le gros des marmots enfin se dispersa, et le commandant appela d'une voix forte:

— Monsieur de Varnetot?

Une fenêtre du premier étage s'ouvrit. Monsieur de Varnetot parut.

Le Commandant reprit:

— Monsieur, vous savez les grands événements qui viennent de changer la face du gouvernement. Celui que vous représentiez n'est plus. Celui que je représente monte au pouvoir. En ces circonstances douloureuses, mais décisives, je viens vous demander, au nom de la nouvelle République, de remettre en mes mains les fonctions dont vous avez été investi par le précédent pouvoir.

M. de Varnetot répondit:

— Monsieur le docteur, je suis maire de Canneville, nommé par l'autorité compétente, et je resterai maire de Canneville tant que je n'aurai pas été révoqué et remplacé par un arrêté de mes supérieurs. Maire, je suis chez moi dans la mairie, et j'y reste. Au surplus, essayez de m'en faire sortir.

Et il referma la fenêtre.

Le commandant retourna vers sa troupe. Mais, avant de s'expliquer, toisant du haut en bas le lieutenant Picart:

— Vous êtes un crâne, vous; un fameux lapin, la honte de l'armée. Je vous casse de votre grade.

Le lieutenant répondit:

— Je m'en fiche un peu.

Et il alla se mêler au groupe murmurant des habitants.

Alors le docteur hésita. Que faire? Donner l'assaut? Mais ses hommes marcheraient-ils? Et puis, en avait-il le droit?

Une idée l'illumina. Il courut au télégraphe dont le bureau faisait face à la mairie, de l'autre côté de la place. Et il expédia trois dépêches:

A MM. les membres du gouvernment républicain à Paris;

A. M. le nouveau préfet républicain de la Seine-Inférieure, à Rouen;

A M. le nouveau sous-préfet républicain de Dieppe.

Il exposait la situation, disait le danger couru par la commune demeurée aux mains de l'ancien maire monarchiste, offrait ses services dévoués, demandait des ordres et signait en faisant suivre son nom de tous ses titres.

Puis il revint vers son corps d'armée et, tirant dix francs de sa poche: «Tenez, mes amis, allez manger et boire un coup; laissez seulement ici un détachement de dix hommes pour que personne ne sorte de la mairie.»

Mais l'ex-lieutenant Picart, qui causait avec l'horloger, entendit; il se mit à ricaner et prononça: «Pardi, s'ils sortent, ce sera une occasion d'entrer. Sans ça, je ne vous vois pas encore là dedans, moi!»

Le docteur ne répondit pas, et il alla déjeuner.

Dans l'après-midi, il disposa des postes tout autour de la commune, comme si elle était menacée d'une surprise.

Il passa plusieurs fois devant les portes de la maison de ville et de l'église sans rien remarquer de suspect; on aurait cru vides ces deux bâtiments.

Le boucher, le boulanger et le pharmacien rouvrirent leurs boutiques.

On jasait beaucoup dans les logis. Si l'empereur était prisonnier, il y avait quelque traîtrise là-dessous. On ne savait pas au juste laquelle des républiques était revenue.

La nuit tomba.

Vers neuf heures, le docteur s'approcha seul, sans bruit, de l'entrée du bâtiment communal, persuadé que son adversaire était parti se coucher; et, comme il se disposait à enfoncer la porte à coups de pioche, une voix forte, celle d'un garde, demanda tout à coup:

— Qui va là?

Et M. Massarel battit en retraite à toutes jambes.

Le jour se leva sans que rien fût changé dans la situation.

La milice en armes occupait la place. Tous les habitants s'étaient réunis autour de cette troupe, attendant une solution. Ceux des villages voisins arrivaient pour voir.

Alors, le docteur, comprenant qu'il jouait sa réputation, résolut d'en finir d'une manière ou d'une autre; et il allait prendre une résolution quelconque, énergique assurément,

quand la porte du télégraphe s'ouvrit et la petite servante
de la directrice parut, tenant à la main deux papiers.

Elle se dirigea d'abord vers le commandant et lui remit
une des dépêches; puis, traversant le milieu désert de la
place, intimidée par tous les yeux fixés sur elle, baissant la
tête et trottant menu, elle alla frapper doucement à la
maison barricadée, comme si elle eût ignoré qu'un parti
armé s'y cachait.

L'huis s'entre-bâilla; une main d'homme reçut le message,
et la fillette revint, toute rouge, prête à pleurer, d'être
dévisagée ainsi par le pays entier.

Le docteur commanda d'une voix vibrante:

— Un peu de silence, s'il vous plaît.

Et comme le populaire s'était tu, il reprit fièrement:

— Voici la communication que je reçois du gouverne-
ment. Et, élevant sa dépêche, il lut:

«Ancien maire révoqué. Veuillez aviser au plus pressé.
Recevrez instructions ultérieures.

 «Pour le sous-préfet,

 «SAPIN, conseiller.»

Il triomphait; son cœur battait de joie; ses mains trem-
blaient, mais Picart, son ancien subalterne, lui cria d'un
groupe voisin:

— C'est bon, tout ça; mais si les autres ne sortent pas,
ça vous fait une belle jambe, votre papier.

Et M. Massarel pâlit. Si les autres ne sortaient pas, en
effet, il fallait aller de l'avant maintenant. C'était non seule-
ment son droit, mais aussi son devoir.

Et il regardait anxieusement la mairie, espérant qu'il allait
voir la porte s'ouvrir et son adversaire se replier.

La porte restait fermée. Que faire? la foule augmentait,
se serrait autour de la milice. On riait.

Une réflexion surtout torturait le médecin. S'il donnait
l'assaut, il faudrait marcher à la tête de ses hommes; et
comme, lui mort, toute contestation cesserait, c'était sur lui,
sur lui seul que tireraient M. de Varnetot et ses trois gardes.
Et ils tiraient bien, très bien; Picart venait encore de le lui
répéter. Mais une idée l'illumina et, se tournant vers
Pommel:

— Allez vite prier le pharmacien de me prêter une serviette et un bâton.

Le lieutenant se précipita.

Il allait faire un drapeau parlementaire, un drapeau blanc dont la vue réjouirait peut-être le cœur légitimiste de l'ancien maire.

Pommel revint avec le linge demandé et un manche à balai. Au moyen de ficelles, on organisa cet étendard que M. Massarel saisit à deux mains; et il s'avança de nouveau vers la mairie en le tenant devant lui. Lorsqu'il fut en face de la porte, il appela encore «Monsieur de Varnetot.» La porte s'ouvrit soudain, et M. de Varnetot apparut sur le seuil avec ses trois gardes.

Le docteur recula par un mouvement instinctif; puis il salua courteoisement son ennemi et prononça, étranglé par l'émotion: «Je viens, monsieur, vous communiquer les instructions que j'ai reçues.»

Le gentilhomme, sans lui rendre son salut, répondit: «Je me retire, Monsieur, mais sachez bien que ce n'est ni par crainte, ni par obéissance à l'odieux gouvernement qui usurpe le pouvoir.» Et, appuyant sur chaque mot, il déclara: «Je ne veux pas avoir l'air de servir un seul jour la République. Voilà tout.»

Massarel, interdit, ne répondit rien; et M. de Varnetot, se mettant en marche d'un pas rapide, disparut au coin de la place, suivi toujours de son escorte.

Alors le docteur, éperdu d'orgueil, revint vers la foule. Dès qu'il fut assez près pour se faire entendre, il cria: «Hurrah! hurrah! La République triomphe sur toute la ligne.»

Aucune émotion ne se manifesta.

Le médecin reprit: «Le peuple est libre, vous êtes libres, indépendants. Soyez fiers!»

Les villageois inertes le regardaient sans qu'aucune gloire illuminât leurs yeux.

A son tour, il les contempla, indigné de leur indifférence, cherchant ce qu'il pourrait dire, ce qu'il pourrait faire pour frapper un grand coup, électriser ce pays placide, remplir sa mission d'initiateur.

Mais une inspiration l'envahit et, se tournant vers Pommel: «Lieutenant, allez chercher le buste de l'ex-empereur qui est dans la salle des délibérations du conseil municipal, et apportez-le avec une chaise.»

Et bientôt l'homme reparut portant sur l'épaule droite le Bonaparte de plâtre, et tenant de la main gauche une chaise de paille.

M. Massarel vint au-devant de lui, prit la chaise, la posa par terre, plaça dessus le buste blanc, puis se reculant de quelques pas, l'interpella d'une voix sonore:

«Tyran, tyran, te voici tombé, tombé dans la boue, tombé dans la fange. La patrie expirante râlait sous ta botte. Le Destin vengeur t'a frappé. La défaite et la honte se sont attachées à toi; tu tombes vaincu, prisonnier du Prussien; et, sur les ruines de ton empire croulant, la jeune et radieuse République se dresse, ramassant ton épée brisée . . .»

Il attendait des applaudissements. Aucun cri, aucun battement de mains n'éclata. Les paysans effarés se taisaient; et le buste aux moustaches pointues qui dépassaient les joues de chaque côté, le buste immobile et bien peigné comme une enseigne de coiffeur, semblait regarder M. Massarel avec son sourire de plâtre, un sourire ineffaçable et moqueur.

Ils demeuraient ainsi face à face, Napoléon sur sa chaise, le médecin debout, à trois pas de lui. Une colère saisit le commandant. Mais que faire? que faire pour émouvoir ce peuple et gagner définitivement cette victoire de l'opinion?

Sa main par hasard, se posa sur son ventre, et il rencontra, sous sa ceinture rouge, la crosse de son revolver.

Aucune inspiration, aucune parole ne lui venaient plus. Alors, il tira son arme, fit deux pas et, à bout portant, foudroya, l'ancien monarque.

La balle creusa dans le front un petit trou noir, pareil à une tache, presque rien. L'effet était manqué. M. Massarel tira un second coup, qui fit un second trou, puis un troisième, puis, sans s'arrêter, il lâcha les trois derniers. Le front de Napoléon volait en poussière blanche, mais les yeux, le nez, et les fines pointes des moustaches restaient intacts.

Alors exaspéré, le docteur renversa la chaise d'un coup

de poing et, appuyant un pied sur les reste du buste, dans une posture de triomphateur, il se tourna vers le public abasourdi en vociférant: «Périssent ainsi tous les traîtres!"»

Mais comme aucun enthousiasme ne se manifestait encore, comme les spectateurs semblaient stupides d'étonnement, le commandant cria aux hommes de la milice: «Vous pouvez maintenant regagner vos foyers.» Et il se dirigea lui-même à grands pas vers sa maison, comme s'il eût fui.

Sa bonne, dès qu'il parut, lui dit que des malades l'attendaient depuis plus de trois heures dans son cabinet. Il y courut. C'étaient les deux paysans aux varices, revenus dès l'aube, obstinés et patients.

Et le vieux aussitôt reprit son explication: «Ça a commencé par des fourmis qui me couraient censément le long des jambes . . .»

LES BIJOUX

LES BIJOUX.

Monsieur Lantin ayant rencontré cette jeune fille, dans une soirée, chez son sous-chef de bureau, l'amour l'enveloppa comme un filet.

C'était la fille d'un percepteur de province, mort depuis plusieurs années. Elle était venue ensuite à Paris avec sa mère, qui fréquentait quelques familles bourgeoises de son quartier dans l'espoir de marier la jeune personne.

Elles étaient pauvres et honorables, tranquilles et douces. La jeune fille semblait le type absolu de l'honnête femme à laquelle le jeune homme sage rêve de confier sa vie. Sa beauté modeste avait un charme de pudeur angélique, et l'imperceptible sourire qui ne quittait point ses lèvres semblait un reflet de son cœur.

Tout le monde chantait ses louanges; tous ceux qui la connaissaient répétaient sans fin: «Heureux celui qui la prendra. On ne pourrait trouver mieux.»

M. Lantin, alors commis principal au ministère de l'Intérieur, aux appointements annuels de trois mille cinq cents francs, la demanda en mariage et l'épousa.

Il fut avec elle invraisemblablement heureux. Elle gouverna sa maison avec une économie si adroite qu'ils semblaient vivre dans le luxe. Il n'était point d'attentions, de délicatesses, de chatteries qu'elle n'eût pour son mari; et la séduction de sa personne était si grande que, six ans après leur rencontre, il l'aimait plus encore qu'aux premiers jours.

Il ne blâmait en elle que deux goûts, celui du théâtre et celui des bijouteries fausses.

Ses amies (elle connaissait quelques femmes de modestes fonctionnaires) lui procuraient à tous moments des loges pour les pièces en vogue, même pour les premières représentations; et elle traînait, bon gré, mal gré, son mari à ces divertissements qui le fatiguaient affreusement après sa journée de travail. Alors il la supplia de consentir à aller au

spectacle avec quelque dame de sa connaissance qui la ramènerait ensuite. Elle fut longtemps à céder, trouvant peu convenable cette manière d'agir. Elle s'y décida enfin par complaisance, et il lui en sut un gré infini.

Or ce goût pour le théâtre fit bientôt naître en elle le besoin de se parer. Ses toilettes demeuraient toutes simples, il est vrai, de bon goût toujours, mais modestes; et sa grâce douce, sa grâce irrésistible, humble et souriante, semblait acquérir une saveur nouvelle de la simplicité de ses robes, mais elle prit l'habitude de pendre à ses oreilles deux gros cailloux du Rhin qui simulaient des diamants, et elle portait des colliers de perles fausses, des bracelets en similor, des peignes agrémentés de verroteries variées jouant les pierres fines.

Son mari, que choquait un peu cet amour du clinquant, répétait souvent: «Ma chère, quand on n'a pas le moyen de se payer des bijoux véritables, on ne se montre parée que de sa beauté et de sa grâce, voilà encore les plus rares joyaux.»

Mais elle souriait doucement et répétait: «Que veux-tu? j'aime ça. C'est mon vice. Je sais bien que tu as raison; mais on ne se refait pas. J'aurais adoré les bijoux, moi!»

Et elle faisait rouler dans ses doigts les colliers de perles, miroiter les facettes des cristaux taillés, en répétant: «Mais regarde donc comme c'est bien fait. On jurerait du vrai.»

Il souriait en déclarant: «Tu as des goûts de bohémienne.»

Quelquefois, le soir, quand ils demeuraient en tête à tête au coin du feu, elle apportait sur la table où ils prenaient le thé la boîte de maroquin où elle enfermait la «pacotille», selon le mot de M. Lantin; et elle se mettait à examiner ces bijoux imités avec une attention passionnée, comme si elle eût savouré quelque jouissance secrète et profonde; et elle s'obstinait à passer un collier au cou de son mari pour rire ensuite de tout son cœur en s'écriant: «Comme tu es drôle!» Puis se jetait dans ses bras et l'embrassait éperdument.

Comme elle avait été à l'Opéra, une nuit d'hiver, elle rentra toute frissonnante de froid.

Le lendemain elle toussait. Huit jours plus tard elle mourait d'une fluxion de poitrine.

Lantin faillit la suivre dans la tombe. Son désespoir fut si terrible que ses cheveux devinrent blancs en un mois. Il pleurait du matin au soir, l'âme déchirée d'une souffrance intolérable, hanté par le souvenir, par le sourire, par la voix, par tout le charme de la morte.

Le temps n'apaisa point sa douleur. Souvent pendant les heures du bureau, alors que les collègues s'en venaient causer un peu des choses du jour, on voyait soudain ses joues se gonfler, son nez se plisser, ses yeux s'emplir d'eau; il faisait une grimace affreuse et se mettait à sangloter.

Il avait gardé intacte la chambre de sa compagne où il s'enfermait tous les jours pour penser à elle; et tous les meubles, ses vêtements mêmes demeuraient à leur place comme ils se trouvaient au dernier jour.

Mais la vie se faisait dure pour lui. Ses appointements, qui, entre les mains de sa femme, suffisaient à tous les besoins du ménage, devenaient, à présent, insuffisants pour lui tout seul. Et il se demandait avec stupeur comment elle avait su s'y prendre pour lui faire boire toujours des vins excellents et manger des nourritures délicates qu'il ne pouvait plus se procurer avec ses modestes ressources.

Il fit quelques dettes et courut après l'argent à la façon des gens réduits aux expédients. Un matin enfin, comme il se trouvait sans un sou, une semaine entière avant la fin du mois, il songea à vendre quelque chose; et tout de suite la pensée lui vint de se défaire de la «pacotille» de sa femme, car il avait gardé au fond du cœur une sorte de rancune contre ces «trompe-l'œil» qui l'irritaient autrefois. Leur vue même, chaque jour, lui gâtait un peu le souvenir de sa bien-aimée.

Il chercha longtemps dans le tas de clinquant qu'elle avait laissé, car jusqu'aux derniers jours de sa vie elle en avait acheté obstinément, rapportant presque chaque soir un objet nouveau, et il se décida pour le grand collier qu'elle semblait préférer, et qui pouvait bien valoir, pensait-il, six ou huit francs, car il était vraiment d'un travail très soigné pour du faux.

Il le mit en sa poche et s'en alla vers son ministère en

suivant les boulevards, cherchant une boutique de bijoutier
qui lui inspirât confiance.

Il en vit une enfin et entra, un peu honteux d'étaler ainsi
sa misère et de chercher à vendre une chose de si peu de
prix.

— Monsieur, dit- il au marchand, je voudrais bien savoir
ce que vous estimez ce morceau.

L'homme reçut l'objet, l'examina, le retourna, le soupesa,
prit une loupe, appela son commis, lui fit tout bas des
remarques, reposa le collier sur son comptoir et le regarda
de loin pour mieux juger de l'effet.

M. Lantin, gêné par toutes ces cérémonies, ouvrait la
bouche pour déclarer: «Oh! je sais bien que cela n'a aucune
valeur,» — quand le bijoutier prononça:

— Monsieur, cela vaut de douze à quinze mille francs;
mais je ne pourrais l'acheter que si vous m'en faisiez con-
naître exactement la provenance.

Le veuf ouvrit des yeux énormes et demeura béant, ne
comprenant pas. Il balbutia enfin: «Vous dites? . . . Vous
êtes sûr.» L'autre se méprit sur son étonnement, et, d'un ton
sec: «Vous pouvez chercher ailleurs si on vous en donne
davantage. Pour moi cela vaut, au plus, quinze mille. Vous
reviendrez me trouver si vous ne trouvez pas mieux.»

M. Lantin, tout à fait idiot, reprit son collier et s'en alla,
obéissant à un confus besoin de se trouver seul et de
réfléchir.

Mais, dès qu'il fut dans la rue, un besoin de rire le saisit,
et il pensa: «L'imbécile! oh! l'imbécile! si je l'avais pris au
mot tout de même! En voilà un bijoutier qui ne sait pas
distinguer le faux du vrai!»

Et il pénétra chez un autre marchand, à l'entrée de la
rue de la Paix. Dès qu'il eut aperçu le bijou, l'orfèvre s'écria:

— Ah! parbleu, je le connais bien, ce collier; il vient de
chez moi.

M. Lantin, fort troublé, demanda:

— Combien vaut-il?

— Monsieur, je l'ai vendu vingt-cinq mille. Je suis prêt à
le reprendre pour dix-huit mille, quand vous m'aurez indi-

qué, pour obéir aux prescriptions légales, comment vous en êtes détenteur.

Cette fois, M. Lantin s'assit perclus d'étonnement. Il reprit

— Mais . . . , mais examinez-le bien attentivement, monsieur, j'avais cru jusqu'ici qu'il était en . . . en faux.

Le joaillier reprit:

— Voulez-vous me dire votre nom, monsieur?

— Parfaitement. Je m'appelle Lantin, je suis employé au ministère de l'Intérieur, je demeure 16, rue des Martyrs.

Le marchand ouvrit ses registres, rechercha, et prononça:

— Ce collier a été envoyé en effet à l'adresse de M^me Lantin, 16, rue des Martyrs, le 20 juillet 1876.

Et les deux hommes se regardèrent dans les yeux, l'employé éperdu de surprise, l'orfèvre flairant un voleur.

Celui-ci reprit:

— Voulez-vous me laisser cet objet pendant vingt-quatre heures seulement, je vais vous en donner un reçu.

M. Lantin balbutia:

— Mais oui, certainement. Et il sortit en pliant le papier qu'il mit dans sa poche.

Puis il traversa la rue, la remonta, s'aperçut qu'il se trompait de route, redescendit aux Tuileries, passa la Seine, reconnut encore son erreur, revint aux Champs-Elysées sans une idée nette dans la tête. Il s'efforçait de raisonner, de comprendre. Sa femme n'avait pu acheter un objet d'une pareille valeur. — Non, certes. — Mais alors, c'était un cadeau! Un cadeau de qui? Pourquoi?

Il s'était arrêté, et il demeurait debout au milieu de l'avenue. Le doute horrible l'effleura. — Elle? — Mais alors tous les autres bijoux étaient aussi des cadeaux! Il lui sembla que la terre remuait; qu'un arbre, devant lui, s'abattait; il étendit les bras et s'écroula, privé de sentiment.

Il reprit connaissance dans la boutique d'un pharmacien où les passants l'avaient porté. Il se fit reconduire chez lui, et s'enferma.

Jusqu'à la nuit il pleura éperdument, mordant un mouchoir pour ne pas crier. Puis il se mit au lit accablé de fatigue et de chagrin, et il dormit d'un pesant sommeil.

Un rayon de soleil le réveilla, et il se leva lentement pour aller à son ministère. C'était dur de travailler après de pareilles secousses. Il réfléchit alors qu'il pouvait s'excuser auprès de son chef; et il lui écrivit. Puis il songea qu'il fallait retourner chez le bijoutier; et une honte l'empourpra. Il demeura longtemps à réfléchir. Il ne pouvait pourtant pas laisser le collier chez cet homme, il s'habilla et sortit.

Il faisait beau, le ciel bleu s'étendait sur la ville qui semblait sourire. Des flâneurs allaient devant eux, les mains dans leurs poches.

Lantin se dit en les regardant passer: «Comme on est heureux quand on a de la fortune! Avec de l'argent on peut secouer jusqu'aux chagrins, on va où l'on veut, on voyage, on se distrait! Oh! si j'étais riche!»

Il s'aperçut qu'il avait faim, n'ayant pas mangé depuis l'avant-veille. Mais sa poche était vide, et il se ressouvint du collier. Dixhuit mille francs! Dix-huit mille francs! c'était une somme, cela!

Il gagna la rue de la Paix et commença à se promener de long en large sur le trottoir, en face de la boutique. Dix-huit mille francs! Vingt fois il faillit entrer; mais la honte l'arrêtait toujours.

Il avait faim pourtant, grand'faim, et pas un sou. Il se décida brusquement, traversa la rue en courant pour ne pas se laisser le temps de réfléchir, et il se précipita chez l'orfèvre.

Dès qu'il l'aperçut, le marchand s'empressa, offrit un siège avec une politesse souriante. Les commis eux-mêmes arrivèrent, qui regardaient de côté Lantin, avec des gaietés dans les yeux et sur les lèvres.

Le bijoutier déclara:

— Je me suis renseigné, monsieur, et si vous êtes toujours dans les mêmes dispositions, je suis prêt à vous payer la somme que je vous ai proposée.

L'employé balbutia:

— Mais certainement.

L'orfèvre tira d'un tiroir dix-huit grands billets, les compta, les tendit à Lantin, qui signa un petit reçu et mit d'une main frémissante l'argent dans sa poche.

Puis, comme il allait sortir, il se retourna vers le marchand qui souriait toujours, et, baissant les yeux:

— J'ai ... j'ai d'autres bijoux ... qui me viennent ... qui me viennent de la même succession. Vous conviendrait-il de me les acheter aussi?

Le marchand s'inclina:

— Mais certainement, monsieur. Un des commis sortit pour rire à son aise; un autre se mouchait avec force.

Lantin impassible, rouge et grave, annonça:

— Je vais vous les apporter.

Et il prit un fiacre pour aller chercher les joyaux.

Quand il revint chez le marchand, une heure plus tard, il n'avait pas encore déjeuné. Ils se mirent à examiner les objets pièce à pièce, évaluant chacun. Presque tous venaient de la maison.

Lantin, maintenant, discutait les estimations, se fâchait, exigeait qu'on lui montrât les livres de vente, et parlait de plus en plus haut à mesure que s'élevait la somme.

Les gros brillants d'oreilles valent vingt mille francs, les bracelets trente-cinq mille, les broches, bagues et médaillons seize mille, une parure d'émeraudes et de saphirs quatorze mille; un solitaire suspendu à une chaîne d'or formant collier quarante mille; le tout atteignant le chiffre de cent quatre-vingt-seize mille francs.

Le marchand déclara avec une bonhomie railleuse:

— Cela vient d'une personne qui mettait toutes ses économies en bijoux.

Lantin prononça gravement:

— C'est une manière comme une autre de placer son argent. Et il s'en alla après avoir décidé avec l'acquéreur qu'une contre-expertise aurait lieu le lendemain.

Quand il se trouva dans la rue, il regarda la colonne Vendôme avec l'envie d'y grimper, comme si c'eût été un mât de cocagne. Il se sentait léger à jouer à saute-mouton par-dessus la statue de l'Empereur perché là-haut dans le ciel.

Il alla déjeuner chez Voisin et but du vin à vingt francs la bouteille.

Puis il prit un fiacre et fit un tour au Bois. Il regardait les

équipages avec un certain mépris, oppressé du désir de crier
aux passants: «Je suis riche aussi, moi. J'ai deux cent mille
francs!»

Le souvenir de son ministère lui revint. Il s'y fit conduire,
entra délibérément chez son chef et annonça:

— Je viens, monsieur, vous donner ma démission. J'ai fait
un héritage de trois cent mille francs.

Il alla serrer la main de ses anciens collègues et leur confia
ses projets d'existence nouvelle; puis il dîna au Café Anglais.

Se trouvant à côté d'un monsieur qui lui parut distingué,
il ne put résister à la démangeaison de lui confier, avec une
certaine coquetterie, qu'il venait d'hériter de quatre cent
mille francs.

Pour la première fois de sa vie il ne s'ennuya pas au
théâtre, et il passa sa nuit avec des filles.

Six mois plus tard il se remariait. Sa seconde femme était
très honnête, mais d'un caractère difficile. Elle le fit beau-
coup souffrir.

L'AVENTURE
DE WALTER SCHNAFFS

L'AVENTURE
DE WALTER SCHNAFFS.

A Robert Pinchon.

Depuis son entrée en France avec l'armée d'invasion, Walter Schnaffs se jugeait le plus malheureux des hommes. Il était gros, marchait avec peine, soufflait beaucoup et souffrait affreusement des pieds qu'il avait fort plats et fort gras. Il était en outre pacifique et bienveillant, nullement magnanime ou sanguinaire, père de quatre enfants qu'il adorait et marié avec une jeune femme blonde, dont il regrettait désespérément chaque soir les tendresses, les petits soins et les baisers. Il aimait se lever tard et se coucher tôt, manger lentement de bonnes choses et boire de la bière dans les brasseries. Il songeait en outre que tout ce qui est doux dans l'existence disparaît avec la vie; et il gardait au cœur une haine épouvantable, instinctive et raisonnée en même temps, pour les canons, les fusils, les revolvers et les sabres, mais surtout pour les baïonnettes, se sentant incapable de manœuvrer assez vivement cette arme rapide pour défendre son gros ventre.

Et quand il se couchait sur la terre, la nuit venue, roulé dans son manteau à côté des camarades qui ronflaient, il pensait longuement aux siens laissés là-bas et aux dangers semés sur sa route: — S'il était tué, que deviendraient les petits? Qui donc les nourrirait et les élèverait? A l'heure même, ils n'étaient pas riches, malgré les dettes qu'il avait contractées en partant pour leur laisser quelque argent. Et Walter Schnaffs pleurait quelquefois.

Au commencement des batailles il se sentait dans les jambes de telles faiblesses qu'il se serait laissé tomber s'il n'avait songé que toute l'armée lui passerait sur le corps. Le sifflement des balles hérissait le poil sur sa peau.

Depuis des mois il vivait ainsi dans la terreur et dans l'angoisse.

Son corps d'armée s'avançait vers la Normandie; et il fut un jour envoyé en reconnaissance avec un faible détache-

ment qui devait simplement explorer une partie du pays et
se replier ensuite. Tout semblait calme dans la campagne;
rien n'indiquait une résistance préparée.

Or, les Prussiens descendaient avec tranquillité dans une
petite vallée que coupaient des ravins profonds quand une
fusillade violente les arrêta net, jetant bas une vingtaine
des leurs; et une troupe de francs-tireurs, sortant brusque-
ment d'un petit bois grand comme la main, s'élança en avant,
la baïonnette au fusil.

Walter Schnaffs demeura d'abord immobile, tellement
surpris et éperdu qu'il ne pensait même pas à fuir. Puis un
désir fou de détaler le saisit; mais il songea aussitôt qu'il
courait comme une tortue en comparaison des maigres
Français qui arrivaient en bondissant comme un troupeau
de chèvres. Alors, apercevant à six pas devant lui un large
fossé plein de broussailles couvertes de feuilles sèches, il y
sauta à pieds joints, sans songer même à la profondeur,
comme on saute d'un pont dans une rivière.

Il passa, à la façon d'une flèche, à travers une couche
épaisse de lianes et de ronces aiguës qui lui déchirèrent la
face et les mains, et il tomba lourdement assis sur un lit de
pierres.

Levant aussitôt les yeux, il vit le ciel par le trou qu'il avait
fait. Ce trou révélateur le pouvait dénoncer, et il se traîna
avec précaution, à quatre pattes, au fond de cette ornière,
sous le toit de branchages enlacés, allant le plus vite pos-
sible, en s'éloignant du lieu du combat. Puis il s'arrêta et
s'assit de nouveau, tapi comme un lièvre au milieu des hautes
herbes sèches.

Il entendit pendant quelque temps encore des détona-
tions, des cris et des plaintes. Puis les clameurs de la lutte
s'affaiblirent, cessèrent. Tout redevint muet et calme.

Soudain quelque chose remua contre lui. Il eut un sursaut
épouvantable. C'était un petit oiseau qui, s'étant posé sur
une branche, agitait des feuilles mortes. Pendant près d'une
heure, le cœur de Walter Schnaffs en battit à grands coups
pressés.

La nuit venait, emplissant d'ombre le ravin. Et le soldat
se mit à songer. Qu'allait-il faire? Qu'allait-il devenir? Re-

joindre son armée? . . . Mais comment? Mais par où? Et il lui faudrait recommencer l'horrible vie d'angoisses, d'épouvantes, de fatigues et de souffrances qu'il menait depuis le commencement de la guerre! Non! Il ne se sentait plus ce courage! Il n'aurait plus l'énergie qu'il fallait pour supporter les marches et affronter les dangers de toutes les minutes.

Mais que faire? Il ne pouvait rester dans ce ravin et s'y cacher jusqu'à la fin des hostilités. Non, certes. S'il n'avait pas fallu manger, cette perspective ne l'aurait pas trop atterré; mais il fallait manger, manger tous les jours.

Et il se trouvait ainsi tout seul, en armes, en uniforme, sur le territoire ennemi, loin de ceux qui le pouvaient défendre. Des frissons lui couraient sur la peau.

Soudain il pensa: «Si seulement j'étais prisonnier!» Et son cœur frémit de désir, d'un désir violent, immodéré, d'être prisonnier des Français. Prisonnier! Il serait sauvé, nourri, logé à l'abri des balles et des sabres, sans appréhension possible, dans une bonne prison bien gardée. Prisonnier! Quel rêve!

Et sa résolution fut prise immédiatement:

— Je vais me constituer prisonnier.

Il se leva, résolu à exécuter ce projet sans tarder d'une minute. Mais il demeura immobile, assailli soudain par des réflexions fâcheuses et par des terreurs nouvelles.

Où allait-il se constituer prisonnier? Comment? De quel côté? Et des images affreuses, des images de mort, se précipitèrent dans son âme.

Il allait courir des dangers terribles en s'aventurant seul, avec son casque à pointe, par la campagne.

S'il rencontrait des paysans? Ces paysans, voyant un Prussien perdu, un Prussien sans défense, le tueraient comme un chien errant! Ils le massacreraient avec leurs fourches, leurs pioches, leurs faux, leurs pelles! Ils en feraient une bouillie, une pâtée, avec l'acharnement des vaincus exaspérés.

S'il rencontrait des francs-tireurs? Ces francs-tireurs, des enragés sans loi ni discipline, le fusilleraient pour s'amuser, pour passer une heure, histoire de rire en voyant sa tête. Et il se croyait déjà appuyé contre un mur en face de douze

canons de fusils, dont les petits trous ronds et noirs sem-
blaient le regarder.

S'il rencontrait l'armée française elle-même? Les hommes
d'avant-garde le prendraient pour un éclaireur, pour quel-
que hardi et malin troupier parti seul en reconnaissance, et
ils lui tireraient dessus. Et il entendait déjà les détonations
irrégulières des soldats couchés dans les broussailles, tandis
que lui, debout au milieu d'un champ, s'affaissait, troué
comme une écumoire par les balles qu'il sentait entrer dans
sa chair.

Il se rassit, désespéré. Sa situation lui paraissait sans issue.

La nuit était tout à fait venue, la nuit muette et noire. Il
ne bougeait plus, tressaillant à tous les bruits inconnus et
légers qui passent dans les ténèbres. Un lapin, tapant du
cul au bord d'un terrier, faillit faire s'enfuir Walter Schnaffs.
Les cris des chouettes lui déchiraient l'âme, le traversant de
peurs soudaines, douloureuses comme des blessures. Il
écarquillait ses gros yeux pour tâcher de voir dans l'ombre;
et il s'imaginait à tout moment entendre marcher près de lui.

Après d'interminables heures et des angoisses de damné,
il aperçut, à travers son plafond de branchages, le ciel qui
devenait clair. Alors, un soulagement immense le pénétra;
ses membres se détendirent, reposés soudain; son cœur
s'apaisa; ses yeux se fermèrent. Il s'endormit.

Quand il se réveilla, le soleil lui parut arrivé à peu près
au milieu du ciel; il devait être midi. Aucun bruit ne
troublait la paix morne des champs; et Walter Schnaffs
s'aperçut qu'il était atteint d'une faim aiguë.

Il bâillait, la bouche humide à la pensée du saucisson,
du bon saucisson des soldats; et son estomac lui faisait mal.

Il se leva, fit quelques pas, sentit que ses jambes étaient
faibles, et se rassit pour réfléchir. Pendant deux ou trois
heures encore, il établit le pour et le contre, changeant à
tout moment de résolution, combattu, malheureux, tiraillé
par les raisons les plus contraires.

Une idée lui parut enfin logique et pratique, c'était de
guetter le passage d'un villageois seul, sans armes, et sans
outils de travail dangereux, de courir au-devant de lui et

de se remettre en ses mains en lui faisant bien comprendre qu'il se rendait.

Alors il ôta son casque, dont la pointe le pouvait trahir, et il sortit sa tête au bord de son trou, avec des précautions infinies.

Aucun être isolé ne se montrait à l'horizon. Là-bas, à droite, un petit village envoyait au ciel la fumée de ses toits, la fumée des cuisines! Là-bas, à gauche, il apercevait, au bout des arbres d'une avenue, un grand château flanqué de tourelles.

Il attendit ainsi jusqu'au soir, souffrant affreusement, ne voyant rien que des vols de corbeaux, n'entendant rien que les plaintes sourdes de ses entrailles.

Et la nuit encore tomba sur lui.

Il s'allongea au fond de sa retraite et il s'endormit d'un sommeil fiévreux, hanté de cauchemars, d'un sommeil d'homme affamé.

L'aurore de nouveau se leva sur sa tête. Il se remit en observation. Mais la campagne restait vide comme la veille; et une peur nouvelle entrait dans l'esprit de Walter Schnaffs, la peur de mourir de faim! Il se voyait étendu au fond de son trou, sur le dos, les yeux fermés. Puis des bêtes, des petites bêtes de toute sorte s'approchaient de son cadavre et se mettaient à le manger, l'attaquant partout à la fois, se glissant sous ses vêtements pour mordre sa peau froide. Et un grand corbeau lui piquait les yeux de son bec effilé.

Alors, il devint fou, s'imaginant qu'il allait s'évanouir de faiblesse et ne plus pouvoir marcher. Et déjà, il s'apprêtait à s'élancer vers le village, résolu à tout oser, à tout braver, quand il aperçut trois paysans qui s'en allaient aux champs avec leurs fourches sur l'épaule, et il replongea dans sa cachette.

Mais, dès que le soir obscurcit la plaine, il sortit lente-ment du fossé, et se mit en route, courbé, craintif, le cœur battant, vers le château lointain, préférant entrer là-dedans plutôt qu'au village qui lui semblait redoutable comme une tanière pleine de tigres.

Les fenêtres d'en bas brillaient. Une d'elles était même ouverte; et une forte odeur de viande cuite s'en échappait,

une odeur qui pénétra brusquement dans le nez et jusqu'au fond du ventre de Walter Schnaffs, qui le crispa, le fit haleter, l'attirant irrésistiblement, lui jetant au cœur une audace désespérée.

Et brusquement, sans réfléchir, il apparut, casqué, dans le cadre de la fenêtre.

Huit domestiques dînaient autour d'une grande table. Mais soudain une bonne demeura béante, laissant tomber son verre, les yeux fixes. Tous les regards suivirent le sien!

On aperçut l'ennemi!

Seigneur! les Prussiens attaquaient le château! . . .

Ce fut d'abord un cri, un seul cri, fait de huit cris poussés sur huit tons différents, un cri d'épouvante horrible, puis une levée tumultueuse, une bousculade, une mêlée, une fuite éperdue vers la porte du fond. Les chaises tombaient, les hommes renversaient les femmes et passaient dessus. En deux secondes, la pièce fut vide, abandonnée, avec la table couverte de mangeaille en face de Walter Schnaffs stupéfait, toujours debout dans sa fenêtre.

Après quelques instants d'hésitation, il enjamba le mur d'appui et s'avança vers les assiettes. Sa faim exaspérée le faisait trembler comme un fiévreux: mais une terreur le retenait, le paralysait encore. Il écouta. Toute la maison semblait frémir; des portes se fermaient, des pas rapides couraient sur le plancher du dessus. Le Prussien inquiet tendait l'oreille à ces confuses rumeurs; puis il entendit des bruits sourds comme si des corps fussent tombés dans la terre molle, au pied des murs, des corps humains, sautant du premier étage.

Puis tout mouvement, toute agitation cessèrent, et le grand château devint silencieux comme un tombeau.

Walter Schnaffs s'assit devant une assiette restée intacte, et il se mit à manger. Il mangeait par grandes bouchées comme s'il eût craint d'être interrompu trop tôt, de n'en pouvoir engloutir assez. Il jetait à deux mains les morceaux dans sa bouche ouverte comme une trappe; et des paquets de nourriture lui descendaient coup sur coup dans l'estomac, gonflant sa gorge en passant. Parfois il s'interrompait, prêt à crever à la façon d'un tuyau trop plein. Il prenait alors

la cruche au cidre et se déblayait l'œsophage comme on lave un conduit bouché.

Il vida toutes les assiettes, tous les plats et toutes les bouteilles; puis, saoul de liquide et de mangeaille, abruti, rouge, secoué par des hoquets, l'esprit troublé et la bouche grasse, il déboutonna son uniforme pour souffler, incapable d'ailleurs de faire un pas. Ses yeux se fermaient, ses idées s'engourdissaient; il posa son front pesant dans ses bras croisés sur la table, et il perdit doucement la notion des choses et des faits.

Le dernier croissant éclairait vaguement l'horizon au-dessus des arbres du parc. C'était l'heure froide qui précède le jour.

Des ombres glissaient dans les fourrés, nombreuses et muettes; et parfois, un rayon de lune faisait reluire dans l'ombre une pointe d'acier.

Le château tranquille dressait sa grande silhouette noire. Deux fenêtres seules brillaient encore au rez-de-chaussée.

Soudain, une voix tonnante hurla:

— En avant! nom d'un nom! à l'assaut! mes enfants!

Alors, en un instant, les portes, les contrevents et les vitres s'enfoncèrent sous un flot d'hommes qui s'élança, brisa, creva tout, envahit la maison. En un instant cinquante soldats armés jusqu'aux cheveux, bondirent dans la cuisine où reposait pacifiquement Walter Schnaffs, et lui posant sur la poitrine cinquante fusils chargés, le culbutèrent, le roulèrent, le saisirent, le lièrent des pieds à la tête.

Il haletait d'ahurissement, trop abruti pour comprendre, battu, crossé et fou de peur.

Et tout d'un coup, un gros militaire chamarré d'or lui planta son pied sur le ventre en vociférant:

— Vous êtes mon prisonnier, rendez-vous!

Le Prussien n'entendit que ce seul mot «prisonnier», et il gémit: «ya, ya, ya».

Il fut relevé, ficelé sur une chaise, et examiné avec une vive curiosité par ses vainqueurs qui soufflaient comme des baleines. Plusieurs s'assirent n'en pouvant plus d'émotion et de fatigue.

Il souriait, lui, il souriait maintenant, sûr d'être enfin prisonnier!

Un autre officier entra et prononça:

— Mon colonel, les ennemis se sont enfuis; plusieurs semblent avoir été blessés. Nous restons maîtres de la place.

Le gros militaire qui s'essuyait le front vociféra: «Victoire!»

Et il écrivit sur un petit agenda de commerce tiré de sa poche:

«Après une lutte acharnée, les Prussiens ont dû battre en retraite, emportant leurs morts et leurs blessés, qu'on évalue à cinquante hommes hors de combat. Plusieurs sont restés entre nos mains.»

Le jeune officier reprit:

— Quelles dispositions dois-je prendre, mon colonel?

Le colonel répondit:

— Nous allons nous replier pour éviter un retour offensif avec l'artillerie et des forces supérieures.

Et il donna l'ordre de repartir.

La colonne se reforma dans l'ombre, sous les murs du château, et se mit en mouvement, enveloppant de partout Walter Schnaffs garrotté, tenu par six guerriers le revolver au poing.

Des reconnaissances furent envoyées pour éclairer la route. On avançait avec prudence, faisant halte de temps en temps.

Au jour levant, on arrivait à la sous-préfecture de La Roche-Oysel, dont la garde nationale avait accompli ce fait d'armes.

La population anxieuse et surexcitée attendait. Quand on aperçut le casque du prisonnier, des clameurs formidables éclatèrent. Les femmes levaient les bras; des vieilles pleuraient; un aïeul lança sa béquille au Prussien et blessa le nez d'un de ses gardiens.

Le colonel hurlait:

— Veillez à la sûreté du captif!

On parvint enfin à la maison de ville. La prison fut ouverte, et Walter Schnaffs jeté dedans, libre de liens.

Deux cents hommes en armes montèrent la garde autour du bâtiment.

Alors, malgré des symptômes d'indigestion qui le tourmentaient depuis quelque temps, le Prussien, fou de joie, se mit à danser, à danser éperdument, en levant les bras et les jambes, à danser en poussant des rires frénétiques, jusqu'au moment où il tomba, épuisé au pied d'un mur.

Il était prisonnier! Sauvé!

C'est ainsi que le château de Champignet fut repris à l'ennemis après six heures seulement d'occupation.

Le colonel Ratier, marchand de drap, qui enleva cette affaire à la tête des gardes nationaux de La Roche-Oysel, fut décoré.

LA REINE HORTENSE

LA REINE HORTENSE

On l'appelait, dans Argenteuil, la reine Hortense. Personne ne sut jamais pourquoi. Peut-être parce qu'elle parlait ferme comme un officier qui commande? Peut-être parce qu'elle était grande, osseuse, impérieuse? Peut-être parce qu'elle gouvernait un peuple de bêtes domestiques, poules, chiens, chats, serins et perruches, de ces bêtes chères aux vieilles filles? Mais elle n'avait pour ces animaux familiers ni gâteries, ni mots mignards, ni ces puériles tendresses qui semblent couler des lèvres des femmes sur le poil velouté du chat qui ronronne. Elle gouvernait ses bêtes avec autorité, elle régnait.

C'était une vieille fille, en effet, une de ces vieilles filles à la voix cassante, au geste sec, dont l'âme semble dure. Elle avait toujours eu de jeunes bonnes, parce que la jeunesse se plie mieux aux brusques volontés. Elle n'admettait jamais ni contradiction, ni réplique, ni hésitation, ni nonchalance, ni paresse, ni fatigue. Jamais on ne l'avait entendue se plaindre, regretter quoi que ce fût, envier n'importe qui. Elle disait «Chacun sa part» avec une conviction de fataliste. Elle n'allait pas à l'église, n'aimait pas les prêtres, ne croyait guère à Dieu, appelant toutes les choses religieuses de la «marchandise à pleureurs».

Depuis trente ans qu'elle habitait sa petite maison, précédée d'un petit jardin longeant la rue, elle n'avait jamais modifié ses habitudes, ne changeant que ses bonnes impitoyablement, lorsqu'elles prenaient vingt et un ans.

Elle remplaçait sans larmes et sans regrets ses chiens, ses chats et ses oiseaux quand ils mouraient de vieillesse ou d'accident, et elle enterrait les animaux trépassés dans une plate-bande, au moyen d'une petite bêche, puis tassait la terre dessus de quelques coups de pied indifférents.

Elle avait dans la ville quelques connaissances, des familles d'employés dont les hommes allaient à Paris tous

les jours. De temps en temps, on l'invitait à venir prendre une tasse de thé le soir. Elle s'endormait inévitablement dans ces réunions, il fallait la réveiller pour qu'elle retournât chez elle. Jamais elle ne permit à personne de l'accompagner, n'ayant peur ni le jour ni la nuit. Elle ne semblait pas aimer les enfants.

Elle occupait son temps à mille besognes de mâle, menuisant, jardinant, coupant le bois avec la scie ou la hache, réparant sa maison vieillie, maçonnant même quand il le fallait.

Elle avait des parents qui la venaient voir deux fois l'an: les Cimme et les Colombel, ses deux sœurs ayant épousé l'une un herboriste, l'autre un petit rentier. Les Cimme n'avaient pas de descendants; les Colombel en possédaient trois: Henri, Pauline et Joseph. Henri avait vingt ans, Pauline dix-sept et Joseph trois ans seulement, étant venu alors qu'il semblait impossible que sa mère fût encore fécondée.

Aucune tendresse n'unissait la vieille fille à ses parents.

Au printemps de l'année 1882, la reine Hortense tomba malade tout à coup. Les voisins allèrent chercher un médecin qu'elle chassa. Un prêtre s'étant alors présenté, elle sortit de son lit à moiti nue pour le jeter dehors.

La petite bonne, éplorée, lui faisait de la tisane.

Après trois jours de lit, la situation parut devenir si grave, que le tonnelier d'à côté, d'après le conseil du médecin, rentré d'autorité dans la maison, prit sur lui d'appeler les deux familles.

Elles arrivèrent par le même train vers dix heures du matin, les Colombel ayant amené le petit Joseph.

Quand elles se présentèrent à l'entrée du jardin, elles aperçurent d'abord la bonne qui pleurait, sur une chaise, contre le mur.

Le chien dormait couché sur le paillasson de la porte d'entrée, sous une brûlante tombée de soleil; deux chats, qu'on eût crus morts, étaient allongés sur le rebord des deux fenêtres, les yeux fermés, les pattes et la queue tout au long étendues.

Une grosse poule gloussante promenait un bataillon de poussins, vêtus de duvet jaune, léger comme de la ouate, à travers le petit jardin; et une grande cage accrochée au mur, couverte de mouron, contenait un peuple d'oiseaux qui s'égosillaient dans la lumière de cette chaude matinée de printemps.

Deux inséparables dans une autre cagette en forme de chalet restaient bien tranquilles, côte à côte sur leur bâton.

M. Cimme, un très gros personnage soufflant, qui entrait toujours le premier partout, écartant les autres, hommes ou femmes, quand il le fallait, demanda:

— Eh bien! Céleste, ça ne va donc pas?

La petite bonne gémit à travers ses larmes:

— Elle ne me reconnaît seulement plus. Le médecin dit que c'est la fin.

Tout le monde se regarda.

Mᵐᵉ Cimme et Mᵐᵉ Colombel s'embrassèrent instantanément, sans dire un mot. Elles se ressemblaient beaucoup, ayant toujours porté des bandeaux plats et des châles rouges, des cachemires français éclatants comme des brasiers.

Cimme se tourna vers son beau-frère, homme pâle, jaune et maigre, ravagé par une maladie d'estomac, et qui boitait affreusement, et il prononça d'un ton sérieux:

— Bigre! il était temps.

Mais personne n'osait pénétrer dans la chambre de la mourante située au rez-de-chaussée. Cimme lui-même cédait le pas. Ce fut Colombel qui se décida le premier, et il entra en se balançant comme un mât de navire, faisant sonner sur les pavés le fer de sa canne.

Les deux femmes se hasardèrent ensuite, et M. Cimme ferma la marche.

Le petit Joseph était resté dehors, séduit par la vue du chien.

Un rayon de soleil coupait en deux le lit, éclairant tout juste les mains qui s'agitaient nerveusement, s'ouvrant et se refermant sans cesse. Les doigts remuaient comme si une pensée les eût animés, comme s'ils eussent signifié des choses, indiqué des idées, obéi à une intelligence. Tout le

reste du corps restait immobile sous le drap. La figure anguleuse n'avait pas un tressaillement. Les yeux demeuraient fermés.

Les parents se déployèrent en demi-cercle et se mirent à regarder, sans dire un mot, la poitrine serrée, la respiration courte. La petite bonne les avait suivis et larmoyait toujours.

A la fin, Cimme demanda:

— Qu'est-ce que dit au juste le médecin?

La servante balbutia:

— Il dit qu'on la laisse tranquille, qu'il n'y a plus rien à faire.

Mais, soudain, les lèvres de la vieille fille se mirent à s'agiter. Elles semblaient prononcer des mots silencieux, des mots cachés dans cette tête de mourante; et ses mains précipitaient leur mouvement singulier.

Tout à coup elle parla d'une petite voix maigre qu'on ne lui connaissait pas, d'une voix qui semblait venir de loin, du fond de ce cœur toujours fermé peut-être?

Cimme s'en alla sur la point du pied, trouvant pénible ce spectacle. Colombel, dont la jambe estropiée se fatiguait, s'assit.

Les deux femmes restaient debout.

La reine Hortense babillait maintenant très vite sans qu'on comprît rien à ses paroles. Elle prononçait des noms, beaucoup de noms, appelait tendrement des personnes imaginaires.

«Viens ici, mon petit Philippe, embrasse ta mère. Tu l'aimes bien ta maman, dis, mon enfant? Toi, Rose, tu vas veiller sur ta petite sœur pendant que je serai sortie. Surtout, ne la laisse pas seule, tu m'entends? Et je te défends de toucher aux allumettes.»

Elle se taisait quelques secondes, puis, d'un ton plus haut, comme si elle eût appelé: «Henriette!» Elle attendait un peu, puis reprenait: «Dis à ton père de venir me parler avant d'aller à son bureau.» Et soudain: «Je suis un peu souffrante aujourd'hui, mon chéri; promets-moi de ne pas revenir tard. Tu diras à ton chef que je suis malade. Tu comprends qu'il est dangereux de laisser les enfants seuls quand je suis au lit. Je vais te faire pour le dîner un plat de

riz au sucre. Les petits aiment beaucoup cela. C'est Claire
qui sera contente!»

Elle se mettait à rire, d'un rire jeune et bruyant, comme
elle n'avait jamais ri: «Regarde Jean, quelle drôle de tête
il a. Il s'est barbouillé avec les confitures, le petit sale!
Regarde donc, mon chéri, comme il est drôle!»

Colombel, qui changeait de place à tout moment sa
jambe fatiguée par le voyage, murmura:

— Elle rêve qu'elle a des enfants et un mari, c'est l'agonie
qui commence.

Les deux sœurs ne bougeaient toujours point, surprises
et stupides.

La petite bonne prononça:

— Faut retirer vos châles et vos chapeaux, voulez-vous
passer dans la salle?

Elles sortirent sans avoir prononcé une parole. Et Colom-
bel les suivit en boitant, laissant de nouveau toute seule la
mourante.

Quand elles se furent débarrassées de leurs vêtements
de route, les femmes s'assirent enfin. Alors un des chats
quitta sa fenêtre, s'étira, sauta dans la salle, puis sur les
genoux de Mᵐᵉ Cimme, qui se mit à le caresser.

On entendait à côté la voix de l'agonisante, vivant, à
cette heure dernière, la vie qu'elle avait attendue sans
doute, vidant ses rêves eux-mêmes au moment où tout
allait finir pour elle.

Cimme, dans le jardin, jouait avec le petit Joseph et le
chien, s'amusant beaucoup, d'une gaieté de gros homme
aux champs, sans aucun souvenir de la mourante.

Mais tout à coup il rentra, et s'adressant à la bonne:

— Dis donc, ma fille, tu vas nous faire à déjeuner. Qu'est-
ce que vous allez manger, Mesdames?

On convint d'une omelette aux fines herbes, d'un mor-
ceau de faux filet avec des pommes nouvelles, d'un fro-
mage et d'une tasse de café.

Et comme Mᵐᵉ Colombel fouillait dans sa poche pour
chercher son porte-monnaie, Cimme l'arrêta; puis, se tour-
nant vers la bonne:

— Tu dois avoir de l'argent?

Elle répondit:

— Oui, Monsieur.

— Combien?

— Quinze francs.

— Ça suffit. Dépêche-toi, ma fille, car je commence à avoir faim.

M^me Cimme, regardant au dehors les fleurs grimpantes baignées de soleil, et deux pigeons amoureux sur le toit en face, prononça d'un air navré:

— C'est malheureux d'être venus pour une aussi triste circonstance. Il ferait bien bon dans la campagne aujourd'hui.

Sa sœur soupira sans répondre, et Colombel murmura, ému peut-être par la pensée d'une marche:

— Ma jambe me tracasse bougrement.

Le petit Joseph et le chien faisaient un bruit terrible: l'un poussant des cris de joie, l'autre aboyant éperdument. Ils jouaient à cache-cache autour des trois plates-bandes, courant l'un après l'autre comme deux fous.

La mourante continuait à appeler ses enfants, causant avec chacun, s'imaginant qu'elle les habillait, qu'elle les caressait, qu'elle leur apprenait à lire: «Allons! Simon, répète: A B C D. Tu ne dis pas bien, voyons, D D D, m'entends-tu! Répète alors . . .»

Cimme prononça: «C'est curieux ce que l'on dit à ces moments-là.»

M^me Colombel alors demanda:

— Il vaudrait peut-être mieux retourner auprès d'elle. Mais Cimme aussitôt l'en dissuada:

— Pourquoi faire, puisque vous ne pouvez rien changer à son état? Nous sommes aussi bien ici.

Personne n'insista. M^me Cimme considéra les deux oiseaux verts, dits inséparables. Elle loua en quelques phrases cette fidélité singulière et blâma les hommes de ne pas imiter ces bêtes. Cimme se mit à rire, regarda sa femme, chantonna d'un air goguenard: «Tra-la-la. Tra-la-la-la», comme pour laisser entendre bien des choses sur sa fidélité, à lui, Cimme.

Colombel, pris maintenant de crampes d'estomac, frappait le pavé de sa canne.

L'autre chat entra la queue en l'air.

On ne se mit à table qu'à une heure.

Dès qu'il eût goûté au vin, Colombel, à qui on avait recommandé de ne boire que du bordeaux de choix, rappela la servante:

— Dis donc, ma fille, est-ce qu'il n'y a rien de meilleur que cela dans la cave?

— Oui, Monsieur, il y a du vin fin qu'on vous servait quand vous veniez.

— Eh bien; va nous en chercher troit bouteilles.

On goûte ce vin qui parut excellent; non pas qu'il provînt d'un cru remarquable, mais il avait quinze ans de cave. Cimme déclara:

— C'est du vrai vin de malade.

Colombel, saisi d'une envie ardente de posséder ce bordeaux, interrogea de nouveau la bonne:

— Combien en reste-t-il, ma fille?

— Oh! presque tout, Monsieur; Mamz'elle n'en buvait jamais. C'est le tas du fond.

Alors il se tourna vers son beau-frère:

— Si vous vouliez, Cimme, je vous reprendrais ce vin-là pour autre chose, il convient merveilleusement à mon estomac.

La poule était entrée à son tour avec son troupeau de poussins; les deux femmes s'amusaient à lui jeter des miettes.

On renvoya au jardin Joseph et le chien qui avaient assez mangé.

La reine Hortense parlait toujours, mais à voix basse maintenant, de sorte qu'on ne distinguait plus les paroles.

Quand on eut achevé le café, tout le monde alla constater l'état de la malade. Elle semblait calme.

On ressortit et on s'assit en cercle dans le jardin pour digérer.

Tout à coup le chien se mit à tourner autour des chaises de toute la vitesse de ses pattes, portant quelque chose en sa gueule. L'enfant courait derrière éperdument. Tous deux disparurent dans la maison.

Cimme s'endormit le ventre au soleil.

La mourante se remit à parler haut. Puis, tout à coup, elle cria.

Les deux femmes et Colombel s'empressèrent de rentrer pour voir ce qu'elle avait. Cimme, réveillé, ne se dérangea pas, n'aimant point ces choses-là.

Elle s'était assise, les yeux hagards. Son chien, pour échapper à la poursuite du petit Joseph, avait sauté sur le lit, franchi l'agonisante; et, retranché derrière l'oreiller, il regardait son camarade de ses yeux luisants, prêt à sauter de nouveau pour recommencer la partie. Il tenait à la gueule une des pantoufles de sa maîtresse, déchirée à coups de crocs, depuis une heure qu'il jouait avec.

L'enfant, intimidé par cette femme dressée soudain devant lui, restait immobile en face de la couche.

La poule, entrée aussi, effarouchée par le bruit, avait sauté sur une chaise; et elle appelait désespérément ses poussins qui pépiaient, effarés, entre les quatre jambes du siège.

La reine Hortense criait d'une voix déchirante: «Non, non, je ne veux pas mourir, je ne veux pas! je ne veux pas! qui est-ce qui élèvera mes enfants? Qui les soignera? Qui les aimera? Non, je ne veux pas! . . . je ne . . .»

Elle se renversa sur le dos. C'était fini.

Le chien, très excité, sauta dans la chambre en gambadant.

Colombel courut à la fenêtre, appela son beau-frère: «Arrivez vite, arrivez vite. Je crois qu'elle vient de passer.»

Alors Cimme se leva et, prenant son parti, il pénétra dans la chambre en balbutiant:

— Ça été moins long que je n'aurais cru.

MON ONCLE JULES

MON ONCLE JULES.

A M. Achille Bénouville.

Un vieux pauvre, à barbe blanche, nous demanda l'aumône. Mon camarade Joseph Davranche lui donna cent sous. Je fus surpris. Il me dit:

— Ce misérable m'a rappelé une histoire que je vais te dire et dont le souvenir me poursuit sans cesse. La voici:

Ma famille, originaire du Havre, n'était pas riche. On s'en tirait, voilà tout. Le père travaillait, rentrait tard du bureau et ne gagnait pas grand'chose. J'avais deux sœurs.

Ma mère souffrait beaucoup de la gêne où nous vivions, et elle trouvait souvent des paroles aigres pour son mari, des reproches voilés et perfides. Le pauvre homme avait alors un geste qui me navrait. Il se passait la main ouverte sur le front, comme pour essuyer une sueur qui n'existait pas, et il ne répondait rien. Je sentais sa douleur impuissante. On économisait sur tout; on n'acceptait jamais un dîner, pour n'avoir pas à le rendre; on achetait les provisions au rabais, les fonds de boutique. Mes sœurs faisaient leurs robes elles-mêmes et avaient de longues discussions sur le prix d'un galon qui valait quinze centimes le mètre. Notre nourriture ordinaire consistait en soupe grasse et bœuf accommodé à toutes les sauces. Cela est sain et réconfortant, paraît-il; j'aurais préféré autre chose.

On me faisait des scènes abominables pour les boutons perdus et les pantalons déchirés.

Mais chaque dimanche nous allions faire notre tour de jetée en grande tenue. Mon père, en redingote, en grand chapeau, en gants, offrait le bras à ma mère, pavoisée comme un navire un jour de fête. Mes sœurs, prêtes les premières, attendaient le signal du départ; mais, au dernier moment, on découvrait toujours une tache oubliée sur la redingote du chef de famille, et il fallait bien vite l'effacer avec un chiffon mouillé de benzine.

Mon père, gardant son grand chapeau sur la tête, attendait, en manches de chemise, que l'opération fût terminée, tandis que ma mère se hâtait, ayant ajusté ses lunettes de myope, et ôté ses gants pour ne pas les gâter.

On se mettait en route avec cérémonie. Mes sœurs marchaient devant en se donnant le bras. Elles étaient en âge de mariage, et on en faisait montre en ville. Je me tenais à gauche de ma mère, dont mon père gardait la droite. Et je me rappelle l'air pompeux de mes pauvres parents dans ces promenades du dimanche, la rigidité de leurs traits, la sévérité de leur allure. Ils avançaient d'un pas grave, le corps droit, les jambes raides, comme si une affaire d'une importance extrême eût dépendu de leur tenue.

Et chaque dimanche, en voyant entrer les grands navires qui revenaient de pays inconnus et lointains, mon père prononçait invariablement les mêmes paroles:

— Hein! si Jules était là dedans, quelle surprise!

Mon oncle Jules, le frère de mon père, était le seul espoir de la famille, après en avoir été la terreur. J'avais entendu parler de lui depuis mon enfance, et il me semblait que je l'aurais reconnu du premier coup, tant sa pensée m'était devenue familière. Je savais tous les détails de son existence jusqu'au jour de son départ pour l'Amérique, bien qu'on ne parlât qu'à voix basse de cette période de sa vie.

Il avait eu, paraît-il, une mauvaise conduite, c'est-à-dire qu'il avait mangé quelque argent, ce qui est bien le plus grand des crimes pour les familles pauvres. Chez les riches, un homme qui s'amuse *fait des bêtises*. Il est ce qu'on appelle, en souriant, un noceur. Chez les nécessiteux, un garçon qui force les parents à écorner le capital devient un mauvais sujet, un gueux, un drôle!

Et cette distinction est juste, bien que le fait soit le même, car les conséquences seules déterminent la gravité de l'acte.

Enfin l'oncle Jules avait notablement diminué l'héritage sur lequel comptait mon père; après avoir d'ailleurs mangé sa part jusqu'au dernier sou.

On l'avait embarqué pour l'Amérique, comme on faisait alors, sur un navire marchand allant du Havre à New-York.

Une fois là-bas, mon oncle Jules s'établit marchand de je ne sais quoi, et il écrivit bientôt qu'il gagnait un peu d'argent et qu'il espérait pouvoir dédommager mon père du tort qu'il lui avait fait. Cette lettre causa dans la famille une émotion profonde. Jules, qui ne valait pas, comme on dit, les quatre fers d'un chien devint tout à coup un honnête homme, un garçon de cœur, un vrai Davranche, intègre comme tous les Davranche.

Un capitaine nous apprit en outre qu'il avait loué une grande boutique et qu'il faisait un commerce important.

Une seconde lettre, deux ans plus tard, disait: «Mon cher Philippe, je t'écris pour que tu ne t'inquiètes pas de ma santé, qui est bonne. Les affaires aussi vont bien. Je pars demain pour un long voyage dans l'Amérique du Sud. Je serai peut-être plusieurs années sans te donner de mes nouvelles. Si je ne t'écris pas, ne sois pas inquiet. Je reviendrai au Havre une fois fortune faite. J'espère que ce ne sera pas trop long, et nous vivrons heureux ensemble . . .»

Cette lettre était devenue l'Evangile de la famille. On la lisait à tout propos, on la montrait à tout le monde.

Pendant dix ans, en effet, l'oncle Jules ne donna plus de nouvelles; mais l'espoir de mon père grandissait à mesure que le temps marchait; et ma mère aussi disait souvent:

— Quand ce bon Jules sera là, notre situation changera. En voilà un qui a su se tirer d'affaire!

Et chaque dimanche, en regardent venir de l'horizon les gros vapeurs noirs vomissant sur le ciel des serpents de fumée, mon père répétait sa phrase éternelle:

— Hein! si Jules était là dedans, quelle surprise!

Et on s'attendait presque à le voir agiter un mouchoir, et crier:

— Ohé! Philippe.

On avait échafaudé mille projets sur ce retour assuré; on devait même acheter, avec l'argent de l'oncle, une petite maison de campagne près d'Ingouville. Je n'affirmerais pas que mon père n'eût point entamé déjà des négociations à ce sujet.

L'aînée de mes sœurs avait alors vingt-huit ans; l'autre vingt-six. Elles ne se mariaient pas, et c'était là un gros

chagrin pour tout le monde.

Un prétendant enfin se présenta pour la seconde. Un employé, pas riche, mais honorable. J'ai toujours eu la conviction que la lettre de l'oncle Jules, montrée un soir, avait terminé les hésitations et emporté la résolution du jeune homme.

On l'accepta avec empressement, et il fut décidé qu'après le mariage toute la famille ferait ensemble un petit voyage à Jersey.

Jersey est l'idéal du voyage pour les gens pauvres. Ce n'est pas loin; on passe la mer dans un paquebot et on est en terre étrangère, cet îlot appartenant aux Anglais. Donc, un Français, avec deux heures de navigation, peut s'offrir la vue d'un peuple voisin chez lui et étudier les mœurs, déplorables d'ailleurs, de cette île couverte par le pavillon britannique, comme disent les gens qui parlent avec simplicité.

Ce voyage de Jersey devint notre préoccupation, notre unique attente, notre rêve de tous les instants.

On partit enfin. Je vois cela comme si c'était d'hier: le vapeur chauffant contre le quai de Granville; mon père, effaré, surveillant l'embarquement de nos trois colis; ma mère inquiète ayant pris le bras de ma sœur non mariée, qui semblait perdue depuis le départ de l'autre, comme un poulet resté seul de sa couvée; et, derrière nous, les nouveaux époux qui restaient toujours en arrière, ce qui me faisait souvent tourner la tête.

Le bâtiment siffla. Nous voici montés, et le navire, quittant la jetée, s'éloigna sur une mer plate comme une table de marbre vert. Nous regardions les côtes s'enfuir, heureux et fiers comme tous ceux qui voyagent peu.

Mon père tendait son ventre sous sa redingote dont on avait, le matin même, effacé avec soin toutes les taches, et il répandait autour de lui cette odeur de benzine des jours de sortie, qui me faisait reconnaître les dimanches.

Tout à coup, il avisa deux dames élégantes à qui deux messieurs offraient des huîtres. Un vieux matelot déguenillé ouvrait d'un coup de couteau les coquilles et les passait aux messieurs, qui les tendaient ensuite aux dames. Elles

mangeaient d'une manière délicate, en tenant l'écaille sur un mouchoir fin et en avançant la bouche pour ne point tacher leurs robes. Puis elles buvaient l'eau d'un petit mouvement rapide et jetaient la coquille à la mer.

Mon père, sans doute, fut séduit par cet acte distingué de manger des huîtres sur un navire en marche. Il trouva cela bon genre, raffiné, supérieur, et il s'approcha de ma mère et de mes sœurs en demandant:

— Voulez-vous que je vous offre quelques huîtres?

Ma mère hésitait, à cause de la dépense; mais mes deux sœurs acceptèrent tout de suite. Ma mère dit, d'un ton contrarié:

— J'ai peur de me faire mal à l'estomac. Offre ça aux enfants seulement, mais pas trop, tu les rendrais malades.

Puis, se tournant vers moi, elle ajouta:

— Quant à Joseph, il n'en a pas besoin; il ne faut point gâter les garçons.

Je restai donc à côté de ma mère, trouvant injuste cette distinction. Je suivais de l'œil mon père, qui conduisait pompeusement ses deux filles et son gendre vers le vieux matelot déguenillé.

Les deux dames venaient de partir, et mon père indiquait à mes sœurs comment il fallait s'y prendre pour manger sans laisser couler l'eau; il voulut même donner l'exemple et il s'empara d'une huître. En essayant d'imiter les dames, il renversa immédiatement tout le liquide sur sa redingote et j'entendis ma mère murmurer:

— Il ferait mieux de se tenir tranquille.

Mais tout à coup mon père me parut inquiet; il s'éloigna de quelques pas, regarda fixement sa famille pressée autour de l'écailleur, et, brusquement, il vint vers nous. Il me sembla fort pâle, avec des yeux singuliers. Il dit à mi-voix à ma mère:

— C'est extraordinaire comme cet homme qui ouvre les huîtres ressemble à Jules.

Ma mère, interdite, demanda:

— Quel Jules? . . .

Mon père reprit:

— Mais . . . mon frère . . . Si je ne le savais pas en bonne

position en Amérique, je croirais que c'est lui.

Ma mère effarée balbutia:

— Tu es fou! Du moment que tu sais bien que ce n'est pas lui, pourquoi dire ces bêtises-là?

Mais mon père insistait:

— Va donc le voir, Clarisse, j'aime mieux que tu t'en assures toi-même, de tes propres yeux.

Elle se leva et alla rejoindre ses filles. Moi aussi, je regardais l'home. Il était vieux, sale, tout ridé, et ne détournait pas le regard de sa besogne.

Ma mère revint. Je m'aperçus qu'elle tremblait. Elle prononça très vite:

— Je crois que c'est lui. Va donc demander des renseignements au capitaine. Surtout sois prudent, pour que ce garnement ne nous retombe pas sur les bras maintenant!

Mon père s'éloigna, mais je le suivis. Je me sentais étrangement ému.

Le capitaine, un grand monsieur, maigre, à longs favoris, se promenait sur la passerelle d'un air important, comme s'il eût commandé le courrier des Indes.

Mon père l'aborda avec cérémonie, en l'interrogeant sur son métier avec accompagnement de compliments:

— Quelle était l'importance de Jersey? Ses productions? Sa population? Ses mœurs? Ses coutumes? La nature du sol, etc., etc.

On eût cru qu'il s'agissait au moins des Etats-Unis d'Amérique.

Puis on parla du bâtiment qui nous portait, l'Express, puis on en vint à l'équipage. Mon père, enfin, d'une voix troublée:

— Vous avez là un vieil écailleur d'huîtres qui paraît bien intéressant. Savez-vous quelques détails sur ce bonhomme?

Le capitaine, que cette conversation finissait par irriter, répondit sèchement:

— C'est un vieux vagabond français que j'ai trouvé en Amérique l'an dernier, et que j'ai rapatrié. Il a, paraît-il, des parents au Havre, mais il ne veut pas retourner près d'eux parce qu'il leur doit de l'argent. Il s'appelle Jules . . . Jules Darmanche ou Darvanche, quelque chose comme ça, enfin.

Il paraît qu'il a été riche un moment là-bas, mais vous voyez où il en est réduit maintenant.

Mon père, qui devenait livide, articula, la gorge serrée, les yeux hagards:

— Ah! ah! très bien . . . fort bien . . . Cela ne m'étonne pas . . . Je vous remercie beaucoup, capitaine.

Et il s'en alla, tandis que le marin le regardait s'éloigner avec stupeur.

Il revint auprès de ma mère, tellement décomposé qu'elle lui dit:

— Assieds-toi, on va s'apercevoir de quelque chose.

Il tomba sur le banc en bégayant:

— C'est lui, c'est bien lui!

Puis il demanda:

— Qu'allons-nous faire? . . .

Elle répondit vivement:

— Il faut éloigner les enfants. Puisque Joseph sait tout, il va aller les chercher. Il faut prendre garde surtout que notre gendre ne se doute de rien.

Mon père paraissait atterré. Il murmura:

— Quelle catastrophe!

Ma mère ajouta, devenue tout à coup furieuse:

— Je me suis toujours doutée que ce voleur ne ferait rien, et qu'il nous retomberait sur le dos! Comme si on pouvait attendre quelque chose d'un Davranche! . . .

Et mon père se passa la main sur le front, comme il faisait sous les reproches de sa femme.

Elle ajouta:

— Donne de l'argent à Joseph pour qu'il aille payer ces huîtres, à présent. Il ne manquerait plus que d'être reconnus par ce mendiant. Cela ferait un joli effet sur le navire. Allons-nous-en à l'autre bout, et fais en sorte que cet homme n'approche pas de nous!

Elle se leva, et ils s'éloignèrent après m'avoir remis une pièce de cent sous.

Mes sœurs, surprises, attendaient leur père. J'affirmai que maman s'était trouvée un peu gênée par la mer, et je demandai à l'ouvreur d'huîtres:

— Combien est-ce nous vous devons, monsieur?

J'avais envie de dire: mon oncle.

Il répondit:

— Deux francs cinquante.

Je tendis mes cent sous et il me rendit la monnaie.

Je regardais sa main, une pauvre main de matelot toute plissée, et je regardais son visage, un vieux et misérable visage, triste, accablé, en me disant:

— C'est mon oncle, le frère de papa, mon oncle!

Je lui laissai dix sous de pourboire. Il me remercia:

— Dieu vous bénisse, mon jeune monsieur!

Avec l'accent d'un pauvre qui reçoit l'aumône. Je pensai qu'il avait dû mendier là-bas!

Mes sœurs me contemplaient, stupéfaites de ma générosité.

Quand je remis les deux francs à mon père, ma mère, surprise, demanda:

— Il y en avait pour trois francs? . . . Ce nest pas possible.

Je déclarai d'une voix ferme:

— J'ai donné dix sous de pourboire.

Ma mère eut un sursaut et me regarda dans les yeux:

— Tu es fou! Donner dix sous à cet homme, à ce gueux! . . .

Elle s'arrêta sous un regard de mon père, qui désignait son gendre.

Puis on se tut.

Devant nous, à l'horizon, une ombre violette semblait sortir de la mer. C'était Jersey.

Lorsqu'on approcha des jetées, un désir violent me vint au cœur de voir encore une fois mon oncle Jules, de m'approcher, de lui dire quelque chose de consolant, de tendre.

Mais, comme personne ne mangeait plus d'huîtres, il avait disparu, descendu sans doute au fond de la cale infecte où logeait ce misérable.

Et nous sommes revenus par le bateau de Saint-Malo, pour ne pas le rencontrer. Ma mère était dévorée d'inquiétude.

Je n'ai jamais revu le frère de mon père!

Voilà pourquoi tu me verras quelquefois donner cent sous aux vagabonds.

DÉCORÉ!

DÉCORÉ!

Des gens naissent avec un instinct prédominant, une vocation ou simplement un désir éveillé, dès qu'ils commencent à parler, à penser.

M. Sacrement n'avait, depuis son enfance, qu'une idée en tête, être décoré. Tout jeune il portait des croix de la Légion d'honneur en zinc comme d'autres enfants portent un képi et il donnait fièrement la main à sa mère, dans la rue, en bombant sa petite poitrine ornée du ruban rouge et de l'étoile de métal.

Après de pauvres études il échoua au baccalauréat, et, ne sachant plus que faire, il épousa une jolie fille, car il avait de la fortune.

Ils vécurent à Paris comme vivent des bourgeois riches, allant dans leur monde, sans se mêler au monde, fiers de la connaissance d'un député qui pouvait devenir ministre, et amis de deux chefs de division.

Mais la pensée entrée aux premiers jours de sa vie dans la tête de M. Sacrement ne le quittait plus et il souffrait d'une façon continue de n'avoir point le droit de montrer sur sa redingote un petit ruban de couleur.

Les gens décorés qu'il rencontrait sur le boulevard lui portaient un coup au cœur. Il les regardait de coin avec une jalousie exaspérée. Parfois, par les longs après-midi de désœuvrement, il se mettait à les compter. Il se disait: «Voyons, combien j'en trouverai de la Madeleine à la rue Drouot.»

Et il allait lentement, inspectant les vêtements, l'œil exercé à distinguer de loin le petit point rouge. Quand il arrivait au bout de sa promenade, il s'étonnait toujours des chiffres: «Huit officiers, et dix-sept chevaliers. Tant que ça! C'est stupide de prodiguer les croix d'une pareille façon. Voyons si j'en trouverai autant au retour.»

Et il revenait à pas lents, désolé quand la foule pressée

des passants pouvait gêner ses recherches, lui faire oublier quelqu'un.

Il connaissait les quartiers où on en trouvait le plus. Ils abondaient au Palais-Royal. L'avenue de l'Opéra ne valait pas la rue de la Paix; le côté droit du boulevard était mieux fréquenté que le gauche.

Ils semblaient aussi préférer certains cafés, certains théâtres. Chaque fois que M. Sacrement apercevait un groupe de vieux messieurs à cheveux blancs arrêtés au milieu du trottoir, et gênant la circulation, il se disait: «Voici des officiers de la Légion d'honneur!» Et il avait envie de les saluer.

Les officiers (il l'avait souvent remarqué) ont une autre allure que les simples chevaliers. Leur port de tête est différent. On sent bien qu'ils possèdent officiellement une considération plus haute, une importance plus étendue.

Parfois aussi une rage saisissait M. Sacrement, une fureur contre tous les gens décorés; et il sentait pour eux une haine de socialiste.

Alors, en rentrant chez lui, excité par la rencontre de tant de croix, comme l'est un pauvre affamé après avoir passé devant les grandes boutiques de nourriture, il déclarait d'une voix forte: «Quand donc, enfin, nous débarrassera-t-on de ce sale gouvernement?» Sa femme surprise, lui demandait: «Qu'est-ce que tu as aujourd'hui?»

Et il répondait: «J'ai que je suis indigné par les injustices que je vois commettre partout. Ah! que les communards avaient raison!»

Mais il ressortait après son dîner, et il allait considérer les magasins de décorations. Il examinait tous ces emblèmes de formes diverses, de couleurs variées. Il aurait voulu les posséder tous, et, dans une cérémonie publique, dans une immense salle pleine de monde, pleine de peuple émerveillé, marcher en tête d'un cortège, la poitrine étincelante, zébrée de brochettes alignées l'une sur l'autre, suivant la forme de ses côtes, et passer gravement, le claque sous le bras, luisant comme un astre au milieu de chuchotements admiratifs, dans une rumeur de respect.

Il n'avait, hélas! aucun titre pour aucune décoration.

Il se dit: «La Légion d'honneur est vraiment par trop difficile pour un homme qui ne remplit aucune fonction publique. Si j'essayais de me faire nommer officier d'Académie!»

Mais il ne savait comment s'y prendre. Il en parla à sa femme qui demeura stupéfaite.

— «Officier d'Académie? Qu'est-ce que tu as fait pour cela?»

Il s'emporta: «Mais comprends donc ce que je veux dire. Je cherche justement ce qu'il faut faire. Tu es stupide par moments.»

Elle sourit: «Parfaitement, tu as raison. Mais je ne sais pas, moi?»

Il avait une idée: «Si tu en parlais au député Rosselin, il pourrait me donner un excellent conseil. Moi, tu comprends que je n'ose guère aborder cette question directement avec lui. C'est assez délicat, assez difficile; venant de toi, la chose devient toute naturelle.»

Mme Sacrement fit ce qu'il demandait. M. Rosselin promit d'en parler au Ministre. Alors Sacrement le harcela. Le député finit par lui répondre qu'il fallait faire une demande et énumérer ses titres.

Ses titres? Voilà. Il n'était même pas bachelier.

Il se mit cependant à la besogne et commença une brochure traitant: «Du droit du peuple à l'instruction.» Il ne la put achever par pénurie d'idées.

Il chercha des sujets plus faciles et en aborda plusieurs successivement. Ce fut d'abord: «L'instruction des enfants par les yeux.» Il voulait qu'on établît dans les quartiers pauvres des espèces de théâtres gratuits pour les petits enfants. Les parents les y conduiraient dès leur plus jeune âge, et on leur donnerait là, par le moyen d'une lanterne magique, des notions de toutes les connaissances humaines. Ce seraient de véritables cours. Le regard instruirait le cerveau, et les images resteraient gravées dans la mémoire, rendant pour ainsi dire visible la science.

Quoi de plus simple que d'enseigner ainsi l'histoire uni-

verselle, la géographie, l'histoire naturelle, la botanique, la zoologie, l'anatomie, etc. . . , etc.?»

Il fit imprimer ce mémoire et en envoya un exemplaire à chaque député, dix à chaque ministre, cinquante au président de la République, dix également à chacun des journaux parisiens, cinq aux journaux de province.

Puis il traita la question des bibliothèques des rues, voulant que l'État fît promener par les rues des petites voitures pleines de livres, pareilles aux voitures des marchandes d'oranges. Chaque habitant aurait droit à dix volumes par mois en location, moyennant un sou d'abonnement.

«Le peuple, disait M. Sacrement, ne se dérange que pour ses plaisirs. Puisqu'il ne va pas à l'instruction! il faut que l'instruction vienne à lui, etc.»

Aucun bruit ne se fit autour de ces essais. Il adressa cependant sa demande. On lui répondit qu'on prenait note, qu'on instruisait. Il se crut sûr du succès; il attendit. Rien ne vint.

Alors il se décida à faire des démarches personnelles. Il sollicita une audience du ministre de l'instruction publique, et il fut reçu par un attaché de cabinet tout jeune et déjà grave, important même, et qui jouait, comme d'un piano, d'une série de petits boutons blancs pour appeler les huissiers et les garçons de l'antichambre ainsi que les employés subalternes. Il affirma au solliciteur que son affaire était en bonne voie et il lui conseilla de continuer ses remarquables travaux.

Et M. Sacrement se remit à l'œuvre.

M. Rosselin, le député, semblait maintenant s'intéresser beaucoup à son succès, et il lui donnait même une foule de conseils pratiques excellents. Il était décoré d'ailleurs, sans qu'on sût quels motifs lui avaient valu cette distinction.

Il indiqua à Sacrement des études nouvelles à entreprendre, il le présenta à des Sociétés savantes qui s'occupaient de points de science particulièrement obscurs, dans l'intention de parvenir à des honneurs. Il le patronna même au ministère.

Or, un jour, comme il venait déjeuner chez son ami (il

mangeait souvent dans la maison depuis plusieurs mois) il lui dit tout bas en lui serrant les mains: «Je viens d'obtenir pour vous une grande faveur. Le comité des travaux historiques vous charge d'une mission. Il s'agit de recherches à faire dans diverses bibliothèques de France.»

Sacrement, défaillant, n'en put manger ni boire. Il partit huit jours plus tard.

Il allait de ville en ville, étudiant les catalogues, fouillant en des greniers bondés de bouquins poudreux, en proie à la haine des bibliothécaires.

Or, un soir, comme il se trouvait à Rouen il voulut aller embrasser sa femme qu'il n'avait point vue depuis une semaine; et il prit le train de neuf heures qui devait le mettre à minuit chez lui.

Il avait sa clef. Il entra sans bruit, frémissant de plaisir, tout heureux de lui faire cette surprise. Elle s'était enfermée, quel ennui! Alors il cria à travers la porte: «Jeanne, c'est moi!»

Elle dut avoir grand'peur, car il l'entendit sauter du lit et parler seule comme dans un rêve. Puis elle courut à son cabinet de toilette, l'ouvrit et le referma, traversa plusieurs fois sa chambre dans une course rapide, nu-pieds, secouant les meubles dont les verreries sonnaient. Puis, enfin, elle demanda: «C'est bien toi, Alexandre?»

Il répondit: «Mais oui, c'est moi, ouvre donc!»

La porte céda, et sa femme se jeta sur son cœur en balbutiant: «Oh! quelle terreur! quelle surprise! quelle joie!»

Alors, il commença à se dévêtir, méthodiquement, comme il faisait tout. Et il reprit, sur une chaise, son pardessus qu'il avait l'habitude d'accrocher dans le vestibule. Mais, soudain, il demeura stupéfait. La boutonnière portait un ruban rouge!

Il balbutia: «Ce . . . ce . . . ce paletot est décoré!»

Alors sa femme, d'un bond, se jeta sur lui, et lui saisissant dans les mains le vêtement: «Non . . . tu te trompes . . . donne-moi ça.»

Mais il le tenait toujours par une manche, ne le lâchant pas, répétant dans une sorte d'affolement: «Hein? . . . Pour-

quoi? . . . Explique-moi? . . . A qui ce pardessus? . . . Ce n'est pas le mien, puisqu'il porte la Légion d'honneur?»

Elle s'efforçait de le lui arracher, éperdue, bégayant: «Écoute . . . écoute . . . donne-moi ça . . . Je ne peux pas te dire . . . c'est un secret . . . écoute.»

Mais il se fâchait, devenait pâle: «Je veux savoir comment ce paletot est ici. Ce n'est pas le mien.»

Alors, elle lui cria dans la figure: «Si, tais-toi, jure-moi . . . écoute . . . eh bien! tu es décoré!»

Il eut une telle secousse d'émotion qu'il lâcha le pardessus et alla tomber dans un fauteuil.

— Je suis . . . tu dis . . . je suis . . . décoré.

— Oui . . . c'est un secret, un grand secret . . .

Elle avait enfermé dans une armoire le vêtement glorieux, et revenait vers son mari, tremblante et pâle. Elle reprit: «Oui, c'est un pardessus neuf que je t'ai fait faire. Mais j'avais juré de ne te rien dire. Cela ne sera pas officiel avant un mois ou six semaines. Il faut que ta mission soit terminée. Tu ne devais le savoir qu'à ton retour. C'est M. Rosselin qui a obtenu ça pour toi . . .»

Sacrement, défaillant, bégayait: «Rosselin . . . décoré . . . Il m'a fait décorer . . . moi . . . lui . . . Ah! . . .»

Et il fut obligé de boire un verre d'eau.

Un petit papier blanc gisait par terre, tombé de la poche du pardessus. Sacrement la ramassa, c'était une carte de visite. Il lut: «Rosselin — député.»

«Tu vois bien», dit la femme.

Et il se mit à pleurer de joie.

Huit jours plus tard l'*Officiel* annonçait que M. Sacrement était nommé chevalier de la Légion d'honneur, pour services exceptionnels.

LA FICELLE

LA FICELLE.

A Harry Alis.

Sur toutes les routes autour de Goderville, les paysans et leurs femmes s'en venaient vers le bourg; car c'était jour de marché. Les mâles allaient, à pas tranquilles, tout le corps en avant à chaque mouvement de leurs longues jambes torses, déformées par les rudes travaux, par la pesée sur la charrue qui fait en même temps monter l'épaule gauche et dévier la taille, par le fauchage des blés qui fait écarter les genoux pour prendre un aplomb solide, par toutes les besognes lentes et pénibles de la campagne. Leur blouse bleue, empesée, brillante, comme vernie, ornée au col et aux poignets d'un petit dessin de fil blanc, gonflée autour de leur torse osseux, semblait un ballon prêt à s'envoler, d'où sortaient une tête, deux bras et deux pieds.

Les uns tiraient au bout d'une corde une vache, un veau. Et leurs femmes, derrière l'animal, lui fouettaient les reins d'une branche encore garnie de feuilles, pour hâter sa marche. Elles portaient au bras de larges paniers d'où sortaient des têtes de poulets par-ci, des têtes de canards par-là. Et elles marchaient d'un pas plus court et plus vif que leurs hommes, la taille sèche, droite et drapée dans un petit châle étriqué, épinglé sur leur poitrine plate, la tête enveloppée d'un linge blanc collé sur les cheveux et surmontée d'un bonnet.

Puis, un char à bancs passait, au trot saccadé d'un bidet, secouant étrangement deux hommes assis côte à côte et une femme dans le fond du véhicule, dont elle tenait le bord pour atténuer les durs cahots.

Sur la place de Goderville, c'était une foule, une cohue d'humains et de bêtes mélangés. Les cornes des bœufs, les hauts chapeaux à longs poils des paysans riches et les coiffes des paysannes émergeaient à la surface de l'assemblée. Et les voix criardes, aiguës, glapissantes, formaient une clameur continue et sauvage que dominait parfois un grand éclat

poussé par la robuste poitrine d'un campagnard en gaieté, ou le long meuglement d'une vache attachée au mur d'une maison.

Tout cela sentait l'étable, le lait et le fumier, le foin et la sueur, dégageait cette saveur aigre, affreuse, humaine et bestiale, particulière aux gens des champs.

Maître Hauchecorne, de Bréauté, venait d'arriver à Goderville, et il se dirigeait vers la place, quand il aperçut par terre un petit bout de ficelle. Maître Hauchecorne, économe en vrai Normand, pensa que tout était bon à ramasser qui peut servir; et il se baissa péniblement, car il souffrait de rhumatismes. Il prit, par terre, le morceau de corde mince, et il se disposait à le rouler avec soin, quand il remarqua, sur le seuil de sa porte, maître Malandain, le bourrelier, qui le regardait. Ils avaient eu des affaires ensemble au sujet d'un licol, autrefois, et ils étaient restés fâchés, étant rancuniers tous deux. Maître Hauchecorne fut pris d'une sorte de honte d'être vu ainsi, par son ennemi, cherchant dans la crotte un bout de ficelle. Il cacha brusquement sa trouvaille sous sa blouse, puis dans la poche de sa culotte; puis il fit semblant de chercher encore par terre quelque chose qu'il ne trouvait point, et il s'en alla vers le marché, la tête en avant, courbé en deux par ses douleurs.

Il se perdit aussitôt dans la foule criarde et lente, agitée par les interminables marchandages. Les paysans tâtaient les vaches, s'en allaient, revenaient, perplexes, toujours dans la crainte d'être mis dedans, n'osant jamais se décider, épiant l'œil du vendeur, cherchant sans fin à découvrir la ruse de l'homme et le défaut de la bête.

Les femmes, ayant posé à leurs pieds leurs grands paniers, en avaient tiré leurs volailles qui gisaient par terre, liées par les pattes, l'œil effaré, la crête écarlate.

Elles écoutaient les propositions, maintenaient leurs prix, l'air sec, le visage impassible, ou bien tout à coup, se décidant au rabais proposé, criaient au client qui s'éloignait lentement:

— C'est dit, maît' Anthime. J' vous l' donne.

Puis, peu à peu, la place se dépeupla, et l'*Angelus* son-

nant midi, ceux qui demeuraient trop loin se répandirent
dans les auberges.

Chez Jourdain, la grande salle était pleine de mangeurs,
comme la vaste cour était pleine de véhicules de toute race,
charrettes, cabriolets, chars à bancs, tilburys, carrioles
innommables, jaunes de crotte, déformées, rapiécées, levant
au ciel, comme deux bras, leurs brancards, ou bien le nez
par terre et le derrière en l'air.

Tout contre les dîneurs attablés, l'immense cheminée,
pleine de flamme claire, jetait une chaleur vive dans le dos
de la rangée de droite. Trois broches tournaient, chargées
de poulets, de pigeons et de gigots; et une délectable odeur
de viande rôtie et de jus ruisselant sur la peau rissolée,
s'envolait de l'âtre, allumait les gaietés, mouillait les
bouches.

Toute l'aristocratie de la charrue mangeait là, chez maît'
Jourdain, aubergiste et maquignon, un malin qui avait des
écus.

Les plats passaient, se vidaient comme les brocs de cidre
jaune. Chacun racontait ses affaires, ses achats et ses ventes.
On prenait des nouvelles des récoltes. Le temps était bon
pour les verts, mais un peu mucre pour les blés.

Tout à coup, le tambour roula, dans la cour, devant la
maison. Tout le monde aussitôt fut debout, sauf quelques
indifférents, et on courut à la porte, aux fenêtres, la bouche
encore pleine et la serviette à la main.

Après qu'il eut terminé son roulement, le crieur public
lança d'une voix saccadée, scandant ses phrases à contre-
temps.

— Il est fait assavoir aux habitants de Goderville, et en
général à toutes — les personnes présentes au marché, qu'il
a été perdu ce matin, sur la route de Beuzeville, entre —
neuf heures et dix heures, un portefeuille en cuir noir, con-
tenant cinq cents francs et des papiers d'affaires. On est prié
de le rapporter — à la mairie, incontinent, ou chez maître
Fortuné Houlbrèque, de Manneville. Il y aura vingt francs
de récompense.

Puis l'homme s'en alla. On entendit encore une fois au

loin les battements sourds de l'instrument et la voix affaiblie du crieur.

Alors on se mit à parler de cet événement en énumérant les chances qu'avait maître Houlbrèque de retrouver ou de ne pas retrouver son portefeuille.

Et le repas s'acheva.

On finissait le café, quand le brigadier de gendarmerie parut sur le seuil.

Il demanda:

— Maître Hauchecorne, de Bréauté, est-il ici?

Maître Hauchecorne, assis à l'autre bout de la table, répondit:

— Me v' là.

Et le brigadier reprit:

— Maître Hauchecorne, voulez-vous avoir la complaisance de m'accompagner à la mairie. M. le maire voudrait vous parler.

Le paysan, surpris, inquiet, avala d'un coup son petit verre, se leva et, plus courbé encore que le matin, car les premiers pas après chaque repos étaient particulièrement difficiles, il se mit en route en répétant:

— Me v'là, me v'là.

Et il suivit le brigadier.

Le maire l'attendait, assis dans un fauteuil. C'était le notaire de l'endroit, homme gros, grave, à phrases pompeuses.

— Maître Hauchecorne, dit-il, on vous a vu ce matin ramasser, sur la route de Beuzeville, le portefeuille perdu par maître Houlbrèque, de Manneville.

Le campagnard, interdit, regardait le maire, apeuré déjà par ce soupçon qui pesait sur lui, sans qu'il comprît pourquoi.

—Mé, mé, j'ai ramassé çu portafeuille?

— Oui, vous-même.

— Parole d'honneur, je n'en ai seulement point eu connaissance.

— On vous a vu.

— On m'a vu, mé? Qui ça qui m'a vu?

— M. Malandain, le bourrelier.

Alors le vieux se rappela, comprit et, rougissant de colère:

— Ah! i m'a vu, çu manant! I m'a vu ramasser c'te ficelle-là, tenez, m'sieu le maire.

Et, fouillant au fond de sa poche, il en retira le petit bout de corde.

Mais le maire, incrédule, remuait la tête.

— Vous ne me ferez pas accroire, maître Hauchecorne, que M. Malandain, qui est un homme digne de foi, a pris ce fil pour un portefeuille.

Le paysan, furieux, leva la main, cracha de côté pour attester son honneur, répétant:

— C'est pourtant la vérité du bon Dieu, la sainte vérité, m'sieu le maire. Là, sur mon âme et mon salut, je l' répète.

Le maire reprit:

— Après avoir ramassé l'objet, vous avez même encore cherché longtemps dans la boue, si quelque pièce de monnaie ne s'en était pas échappée.

Le bonhomme suffoquait d'indignation et de peur.

— Si on peut dire! . . . si on peut dire . . . des menteries comme ça pour dénaturer un honnête homme! Si on peut dire! . . .

Il eut beau protester, on ne le crut pas.

Il fut confronté avec M. Malandain, qui répéta et soutint son affirmation. Ils s'injurièrent une heure durant. On fouilla, sur sa demande, maître Hauchecorne. On ne trouva rien sur lui.

Enfin, le maire, fort perplexe, le renvoya en le prévenant qu'il allait aviser le parquet et demander des ordres.

La nouvelle s'était répandue. A sa sortie de la mairie, le vieux fut entouré, interrogé avec une curiosité sérieuse ou goguenarde, mais où n'entrait aucune indignation. Et il se mit à raconter l'histoire de la ficelle. On ne le crut pas. On riait.

Il allait, arrêté par tous, arrêtant ses connaissances, recommençant sans fin son récit et ses protestations, montrant ses poches retournées, pour prouver qu'il n'avait rien.

On lui disait:

— Vieux malin, va!

Et il se fâchait, s'exaspérant, enfiévré, désolé de n'être

pas cru, ne sachant que faire, et contant toujours son histoire.

La nuit vint. Il fallait partir. Il se mit en route avec trois voisins à qui il montra la place où il avait ramassé le bout de corde; et tout le long du chemin il parla de son aventure.

Le soir, il fit une tournée dans le village de Bréauté, afin de la dire à tout le monde. Il ne rencontra que des incrédules.

Il en fut malade toute la nuit.

Le lendemain, vers une heure de l'après-midi, Marius Paumelle, valet de ferme de maître Breton, cultivateur à Ymauville, rendait le portefeuille et son contenu à maître Houlbrèque, de Manneville.

Cet homme prétendait avoir, en effet, trouvé l'objet sur la route; mais, ne sachant pas lire, il l'avait rapporté à la maison et donné à son patron.

La nouvelle se répandit aux environs. Maître Hauchecorne en fut informé. Il se mit aussitôt en tournée et commença à narrer son histoire complétée du dénouement. Il triomphait.

— C' qui m' faisait deuil, disait-il, c'est point tant la chose, comprenez-vous; mais c'est la menterie. Y a rien qui vous nuit comme d'être en réprobation pour une menterie.

Tout le jour il parlait de son aventure, il la contait sur les routes aux gens qui passaient, au cabaret aux gens qui buvaient, à la sortie de l'église le dimanche suivant. Il arrêtait des inconnus pour la leur dire. Maintenant, il était tranquille, et pourtant quelque chose le gênait sans qu'il sût au juste ce que c'était. On avait l'air de plaisanter en l'écoutant. On ne paraissait pas convaincu. Il lui semblait sentir des propos derrière son dos.

Le mardi de l'autre semaine, il se rendit au marché de Goderville, uniquement poussé par le besoin de conter son cas.

Malandain, debout sur sa porte, se mit à rire en le voyant passer. Pourquoi?

Il aborda un fermier de Criquetot, qui ne le laissa pas achever et, lui jetant une tape dans le creux de son ventre,

lui cria par la figure: «Gros malin, va!» Puis lui tourna les talons.

Maître Hauchecorne demeura interdit et de plus en plus inquiet. Pourquoi l'avait-on appelé «gros malin»?

Quand il fut assis à table, dans l'auberge de Jourdain, il se remit à expliquer l'affaire.

Un maquignon de Montivilliers lui cria:

— Allons, allons, vieille pratique, je la connais, ta ficelle!

Hauchecorne balbutia:

— Puisqu'on l'a retrouvé, çu portafeuille!

Mais l'autre reprit:

— Tais-té, mon pé, y en a un qui trouve et y en a un qui r'porte. Ni vu ni connu, je t'embrouille.

Le paysan resta suffoqué. Il comprenait enfin. On l'accusait d'avoir fait reporter le portefeuille par un compère, par un complice.

Il voulut protester. Toute la table se mit à rire.

Il ne put achever son dîner et s'en alla, au milieu des moqueries.

Il rentra chez lui, honteux et indigné, étranglé par la colère, par la confusion, d'autant plus atterré qu'il était capable, avec sa finauderie de Normand, de faire ce dont on l'accusait, et même de s'en vanter comme d'un bon tour. Son innocence lui apparaissait confusément comme impossible à prouver, sa malice étant connue. Et il se sentait frappé au cœur par l'injustice du soupçon.

Alors il recommença à conter l'aventure, en allongeant chaque jour son récit, ajoutant chaque fois des raisons nouvelles, des protestations plus énergiques, des serments plus solennels qu'il imaginait, qu'il préparait dans ses heures de solitude, l'esprit uniquement occupé de l'histoire de la ficelle. On le croyait d'autant moins que sa défense était plus compliquée et son argumentation plus subtile.

— Ça, c'est des raisons d'menteux, disait-on derrière son dos.

Il le sentait, se rongeait les sangs, s'épuisait en efforts inutiles.

Il dépérissait à vue d'œil.

Les plaisants maintenant lui faisaient conter «la Ficelle»

pour s'amuser, comme on fait conter sa bataille au soldat qui a fait campagne. Son esprit, atteint à fond, s'affaiblissait.

Vers la fin de décembre, il s'alita.

Il mourut dans les premiers jours de janvier, et, dans le délire de l'agonie, il attestait son innocence, répétant:

— Une 'tite ficelle ... une 'tite ficelle ... t'nez, là voilà, m'sieu le maire.

GARÇON, UN BOCK! . . .

GARÇON, UN BOCK! . . .

A José Maria de Hérédia.

Pourquoi suis-je entré, ce soir-là, dans cette brasserie? Je n'en sais rien. Il faisait froid. Une fine pluie, une poussière d'eau voltigeait, voilait les becs de gaz d'une brume transparente, faisait luire les trottoirs que traversaient les lueurs des devantures, éclairant la boue humide et les pieds sales des passants.

Je n'allais nulle part. Je marchais un peu après le dîner. Je passai le Crédit Lyonnais, la rue Vivienne, d'autres rues encore. J'aperçus soudain une grande brasserie à moitié pleine. J'entrai, sans aucune raison. Je n'avais pas soif.

D'un coup d'œil je cherchai une place où je ne serais point trop serré, et j'allai m'asseoir à côté d'un homme qui me parut vieux et qui fumait une pipe de deux sous, en terre, noire comme un charbon. Six ou huit soucoupes de verres, empilées sur la table devant lui, indiquaient le nombre de bocks qu'il avait absorbés déjà. Je n'examinai pas mon voisin. D'un coup d'œil j'avais reconnu un bockeur, un de ces habitués de brasserie qui arrivent le matin, quand on ouvre, et s'en vont le soir, quand on ferme. Il était sale, chauve du milieu du crâne, tandis que de longs cheveux gras, poivre et sel, tombaient sur le col de sa redingote. Ses habits trop larges semblaient avoir été faits au temps où il avait du ventre. On devinait que le pantalon ne tenait guère et que cet homme ne pouvait faire dix pas sans rajuster et retenir ce vêtement mal attaché. Avait-il un gilet? La seule pensée des bottines et de ce qu'elles enfermaient me terrifia. Les manchettes effiloquées étaient complètement noires du bord, comme les ongles.

Dès que je fus assis à son côté, ce personnage me dit d'une voix tranquille: «Tu vas bien?»

Je me tournai vers lui d'une secousse et je le dévisageai. Il reprit: «Tu ne me reconnais pas?»

— Non!

— Des Barrets.

Je fus stupéfait. C'était le comte Jean des Barrets, mon ancien camarade de collège.

Je lui serrai la main, tellement interdit que je ne trouvai rien à dire.

Enfin, je balbutiai: «Et toi, tu vas bien?»

Il répondit placidement: «Moi, comme je peux.»

Il se tut. Je voulus être aimable, je cherchai une phrase: «Et . . . qu'est-ce que tu fais?»

Il répliqua avec résignation: «Tu vois.»

Je me sentis rougir. J'insistai: «Mais tous les jours?»

Il prononça, en soufflant d'épaisses bouffées de fumée: «Tous les jours c'est la même chose.»

Puis, tapant sur le marbre de la table avec un sou qui traînait, il s'écria: «Garçon, deux bocks!»

Une voix lointaine répéta: «Deux bocks au quatre!» Une autre voix plus éloignée encore lança un «Voilà!» suraigu. Puis un homme en tablier blanc apparut, portant les deux bocks dont il répandait, en courant, les gouttes jaunes sur le sol sablé.

Des Barrets vida d'un trait son verre et le reposa sur la table, pendant qu'il aspirait la mousse restée en ses moustaches.

Puis il demanda: «Et quoi de neuf?»

Je ne savais rien de neuf à lui dire, en vérité. Je balbutiai: «Mais, rien, mon vieux. Moi je suis commerçant.»

Il prononça de sa voix toujours égale: «Et . . . ça t'amuse?

— Non, mais que veux-tu? Il faut bien faire quelque chose!

— Pourquoi ça?

— Mais . . . pour s'occuper.

— A quoi ça sert-il? Moi, je ne fais rien, comme tu vois, jamais rien. Quand on n'a pas le sou, je comprends qu'on travaille. Quand on a de quoi vivre, c'est inutile. A quoi bon travailler? Le fais-tu pour toi ou pour les autres? Si tu le fais pour toi, c'est que ça t'amuse, alors très bien; si tu le fais pour les autres, tu n'es qu'un niais.»

Puis, posant sa pipe sur le marbre, il cria de nouveau: «Garçon, un bock!» et reprit: «Ça me donne soif de parler. Je n'en ai pas l'habitude. Oui, moi, je ne fais rien, je me

laisse aller, je vieillis. En mourant je ne regretterai rien. Je n'aurai pas d'autre souvenir que cette brasserie. Pas de femme, pas d'enfants, pas de soucis, pas de chagrins, rien. Ça vaut mieux.»

Il vida le bock qu'on lui avait apporté, passa sa langue sur ses lèvres et reprit sa pipe.

Je le considérais avec stupeur. Je lui demandai:

— Mais tu n'as pas toujours été ainsi?

— Pardon, toujours, dès le collège.

— Ce n'est pas une vie, ça, mon bon. C'est horrible. Voyons, tu fais bien quelque chose, tu aimes quelque chose, tu as des amis.

— Non. Je me lève à midi. Je viens ici, je déjeune, je bois des bocks, j'attends la nuit, je dîne, je bois des bocks; puis, vers une heure et demie du matin, je retourne me coucher, parce qu'on ferme. C'est ce qui m'embête le plus. Depuis dix ans, j'ai bien passé six années sur cette banquette, dans mon coin; et le reste dans mon lit, jamais ailleurs. Je cause quelquefois avec des habitués.

— Mais, en arrivant à Paris, qu'est-ce que tu as fait, tout d'abord?

— J'ai fait mon droit . . . au café de Médicis.

— Mais après?

— Après . . . j'ai passé l'eau et je suis venu ici.

— Pourquoi as-tu pris cette peine?

— Que veux-tu, on ne peut pas rester toute sa vie au quartier Latin. Les étudiants font trop de bruit. Maintenant je ne bougerai plus. «Garçon, un bock!»

Je croyais qu'il se moquait de moi. J'insistai.

— Voyons, sois franc. Tu as eu quelques gros chagrin? Un désespoir d'amour, sans doute? Certes, tu es un homme que le malheur a frappé. Quel âge as-tu?

— J'ai trente-trois ans. Mais j'en parais au moins quarante-cinq.

Je le regardai bien en face. Sa figure ridée, mal soignée, semblait presque celle d'un vieillard. Sur le sommet du crâne, quelque longs cheveux voltigeaient au-dessus de la peau d'une propreté douteuse. Il avait des sourcils énormes, une forte moustache et une barbe épaisse. J'eus brusque-

ment, je ne sais pourquoi, la vision d'une cuvette pleine
d'eau noirâtre, l'eau où aurait été lavé tout ce poil.

Je lui dis: «En effet, tu as l'air plus vieux que ton âge.
Certainement tu as eu des chagrins.»

Il répliqua: «Je t'assure que non. Je suis vieux parce que
je ne prends jamais l'air. Il n'y a rien qui détériore les gens
comme la vie de café.»

Je ne le pouvais croire: «Tu as bien aussi fait la noce?
On n'est pas chauve comme tu l'es sans avoir beaucoup
aimé.»

Il secoua tranquillement le front, semant sur son dos les
petites choses blanches qui tombaient de ses derniers
cheveux: «Non, j'ai toujours été sage.» Et levant les yeux
vers le lustre qui nous chauffait la tête: «Si je suis chauve,
c'est la faute du gaz. Il est l'ennemi du cheveu. — Garçon,
un bock! — Tu n'as pas soif?

— Non, merci. Mais vraiment tu m'intéresses. Depuis
quand as-tu un pareil découragement? Ça n'est pas normal,
ça n'est pas naturel. Il y a quelque chose là-dessous.

— Oui, ça date de mon enfance. J'ai reçu un coup quand
j'étais petit, et cela m'a tourné au noir pour jusqu'à la fin.

— Quoi donc?

— Tu veux le savoir? écoute. Tu te rappelles bien le
château où je fus élevé, puisque tu y es venu cinq ou six
fois pendant les vacances? Tu te rappelles ce grand bâti-
ment gris, au milieu d'un grand parc, et les longues avenues
de chênes, ouvertes vers les quatre points cardinaux! Tu te
rappelles mon père et ma mère, tous les deux cérémonieux,
solennels et sévères.

J'adorais ma mère; je redoutais mon père, et je les
respectais tous les deux, accoutumé d'ailleurs à voir tout le
monde courbé devant eux. Ils étaient, dans le pays, M. le
comte et Mme la comtesse; et nos voisins aussi, les Tan-
nemare, les Ravelets, les Brenneville, montraient pour mes
parents une considération supérieure.

J'avais alors treize ans. J'étai gai, content de tout, comme
on l'est à cet âge-là, tout plein du bonheur de vivre.

Or, vers la fin de septembre, quelques jours avant ma

rentrée au collège, comme je jouais à faire le loup dans les massifs du parc, courant au milieu des branches et des feuilles, j'aperçus, en traversant une avenue, papa et maman qui se promenaient.

Je me rappelle cela comme d'hier. C'était par un jour de grand vent. Toute la ligne des arbres se courbait sous les rafales, gémissait, semblait pousser des cris, de ces cris sourds, profonds, que les forêts jettent dans les tempêtes.

Les feuilles arrachées, jaunes déjà, s'envolaient comme des oiseaux, tourbillonnaient, tombaient, puis couraient tout le long de l'allée, ainsi que des bêtes rapides.

Le soir venait. Il faisait sombre dans les fourrés. Cette agitation du vent et des branches m'excitait, me faisait galoper comme un fou, et hurler pour imiter les loups.

Dès que j'eus aperçu mes parents, j'allai vers eux à pas furtifs, sous les branches, pour les surprendre, comme si j'eusse été un rôdeur véritable.

Mais je m'arrêtai, saisi de peur, à quelques pas d'eux. Mon père, en proie à une terrible colère, criait:

— Ta mère est une sotte; et, d'ailleurs, ce n'est pas de ta mère qu'il s'agit, mais de toi. Je te dis que j'ai besoin de cet argent, et j'entends que tu signes.

Maman répondit, d'une voix ferme:

— Je ne signerai pas. C'est la fortune de Jean, cela. Je la garde pour lui et je ne veux pas que tu la manges encore avec des filles et des servantes, comme tu as fait de ton héritage.

Alors papa, tremblant de fureur, se retourna, et saisissant sa femme par le cou, il se mit à la frapper avec l'autre main de toute sa force, en pleine figure.

Le chapeau de maman tomba, ses cheveux dénoués se répandirent; elle essayait de parer les coups, mais elle n'y pouvait parvenir. Et papa, comme fou, frappait, frappait. Elle roula par terre, cachant sa face dans ses deux bras. Alors il la renversa sur le dos pour la battre encore, écartant les mains dont elle se couvrait le visage.

Quant à moi, mon cher, il me semblait que le monde allait finir, que les lois éternelles étaient changées. J'éprouvais le

bouleversement qu'on a devant les choses surnaturelles,
devant les catastrophes monstrueuses, devant les irréparables
désastres. Ma tête d'enfant s'égarait, s'affolait. Et je me mis
à crier de toute ma force, sans savoir pourquoi, en proie à
une épouvante, à une douleur, à un effarement épou-
vantables. Mon père m'entendit, se retourna, m'aperçut, et,
se relevant, s'en vint vers moi. Je crus qu'il m'allait tuer et
je m'enfuis comme un animal chassé, courant tout droit
devant moi, dans le bois.

J'allai peut-être une heure, peut-être deux, je ne sais pas.
La nuit étant venue, je tombai sur l'herbe, épuisé, et je
restai là éperdu, dévoré par la peur, rongé par un chagrin
capable de briser à jamais un pauvre cœur d'enfant. J'avais
froid, j'avais faim peut-être. Le jour vint. Je n'osais plus me
lever, ni marcher, ni revenir, ni me sauver encore, craignant
de rencontrer mon père que je ne voulais plus revoir.

Je serais peut-être mort de misère et de famine au pied
de mon arbre, si le garde ne m'avait découvert et ramené
de force.

Je trouvai mes parents avec leur visage ordinaire. Ma
mère me dit seulement: «Comme tu m'as fait peur, vilain
garçon! j'ai passé la nuit sans dormir.» Je ne répondis point,
mais je me mis à pleurer. Mon père ne prononça pas une
parole.

Huit jours plus tard, je rentrais au collège.

Eh bien, mon cher, c'était fini pour moi. J'avais vu l'autre
face des choses, la mauvaise; je n'ai plus aperçu la bonne
depuis ce jour-là. Que s'est-il passé dans mon esprit? Quel
phénomène étrange m'a retourné les idées? Je l'ignore. Mais
je n'ai plus eu de goût pour rien, envie de rien, d'amour
pour personne, de désir quelconque, d'ambition ou d'espé-
rance. Et j'aperçois toujours ma pauvre mère, par terre, dans
l'allée, tandis que mon père l'assommait. — Maman est morte
après quelques années. Mon père vit encore. Je ne l'ai pas
revu. — Garçon, un bock! . . .»

On lui apporta son bock qu'il engloutit d'une gorgée.
Mais, en reprenant sa pipe, comme il tremblait, il la cassa.
Alors il eut un geste désespéré, et il dit: «Tiens! c'est un

vrai chagrin, ça, par exemple. J'en ai pour un mois à en culotter une nouvelle.»

Et il lança à travers la vaste salle, pleine maintenant de fumée et de buveurs, son éternel cri: «Garçon, un bock — et une pipe neuve!»

LA PARURE

LA PARURE.

C'était une de ces jolies et charmantes filles, nées, comme par une erreur du destin, dans une famille d'employés. Elle n'avait pas de dot, pas d'espérances, aucun moyen d'être connue, comprise, aimée, épousée par un homme riche et distingué; et elle se laissa marier avec un petit commis du Ministère de l'instruction publique.

Elle fut simple ne pouvant être parée, mais malheureuse comme une déclassée; car les femmes n'ont point de caste ni de race, leur beauté, leur grâce et leur charme leur servant de naissance et de famille. Leur finesse native, leur instinct d'élégance, leur souplesse d'esprit, sont leur seule hiérarchie, et font des filles du peuple les égales des plus grandes dames.

Elle souffrait sans cesse, se sentant née pour toutes les délicatesses et tous les luxes. Elle souffrait de la pauvreté de son logement, de la misère des murs, de l'usure des sièges, de la laideur des étoffes. Toutes ces choses, dont une autre femme de sa caste ne se serait même pas aperçue, la torturaient et l'indignaient. La vue de la petite Bretonne qui faisait son humble ménage éveillait en elle des regrets désolés et des rêves éperdus. Elle songeait aux antichambres muettes, capitonnées avec des tentures orientales, éclairées par de hautes torchères de bronze, et aux deux grands valets en culotte courte qui dorment dans les larges fauteuils, assoupis par la chaleur lourde du calorifère. Elle songeait aux grands salons vêtus de soie ancienne, aux meubles fins portant des bibelots inestimables, et aux petits salons coquets parfumés, faits pour la causerie de cinq heures avec les amis les plus intimes, les hommes connus et recherchés dont toutes les femmes envient et désirent l'attention.

Quand elle s'asseyait, pour dîner, devant la table ronde couverte d'une nappe de trois jours, en face de son mari qui découvrait la soupière en déclarant d'un air enchanté: «Ah! le bon pot-au-feu! je ne sais rien de meilleur que

cela . . .» elle songeait aux dîners fins, aux argenteries
reluisantes, aux tapisseries peuplant les murailles de per-
sonnages anciens et d'oiseaux étranges au milieu d'une forêt
de féerie; elle songeait aux plats exquis servis en des vais-
selles merveilleuses, aux galanteries chuchotées et écoutées
avec un sourire de sphinx, tout en mangeant la chair rose
d'une truite ou des ailes de gélinotte.

Elle n'avait pas de toilettes, pas de bijoux, rien. Et elle
n'aimait que cela; elle se sentait faite pour cela. Elle eût
tant désiré plaire, être enviée, être séduisante et recherchée.

Elle avait une amie riche, une camarade de couvent
qu'elle ne voulait plus aller voir, tant elle souffrait en reve-
nant. Et elle pleurait pendant des jours entiers, de chagrin,
de regret, de désespoir et de détresse.

Or, un soir, son mari rentra, l'air glorieux, et tenant à la
main une large enveloppe.

— Tiens, dit-il, voici quelque chose pour toi.

Elle déchira vivement le papier et en tira une carte im-
primée qui portait ces mots:

«Le Ministre de l'instruction publique et Mme Georges
Ramponneau prient M. et Mme Loisel de leur faire l'hon-
neur de venir passer la soirée à l'hôtel du Ministère, le lundi
18 janvier.»

Au lieu d'être ravie, comme l'espérait son mari, elle jeta
avec dépit l'invitation sur la table, murmurant:

— Que veux-tu que je fasse de cela?

— Mais, ma chérie, je pensais que tu serais contente. Tu
ne sors jamais, et c'est une occasion, cela, une belle! J'ai eu
une peine infinie à l'obtenir. Tout le monde en veut; c'est
très recherché et on n'en donne pas beaucoup aux employés.
Tu verras là tout le monde officiel.

Elle le regardait d'un œil irrité, et elle déclara avec im-
patience:

— Que veux-tu que je me mette sur le dos pour aller là?

Il n'y avait pas songé; il balbutia:

— Mais la robe avec laquelle tu vas au théâtre. Elle me
semble très bien, à moi . . .

Il se tut, stupéfait, éperdu, en voyant que sa femme

pleurait. Deux grosses larmes descendaient lentement des coins des yeux vers les coins de la bouche; il bégaya:

— Qu'as-tu? qu'as-tu?

Mais, par un effort violent, elle avait dompté sa peine et elle répondit d'une voix calme en essuyant ses joues humides:

— Rien. Seulement je n'ai pas de toilette et par conséquent je ne peux aller à cette fête. Donne ta carte à quelque collègue dont la femme sera mieux nippée que moi.

Il était désolé. Il reprit:

— Voyons, Mathilde. Combien cela coûterait-il, une toilette convenable, qui pourrait te servir encore en d'autres occasions, quelque chose de très simple?

Elle réfléchit quelques secondes, établissant ses comptes et songeant aussi à la somme qu'elle pouvait demander sans s'attirer un refus immédiat et une exclamation effarée du commis économe.

Enfin, elle répondit en hésitant:

— Je ne sais pas au juste, mais il me semble qu'avec quatre cents francs je pourrais arriver.

Il avait un peu pâli, car il réservait juste cette somme pour acheter un fusil et s'offrir des parties de chasse, l'été suivant, dans la plaine de Nanterre, avec quelques amis qui allaient tirer des alouettes, par là, le dimanche.

Il dit cependant:

— Soit. Je te donne quatre cents francs. Mais tâche d'avoir une belle robe.

Le jour de la fête approchait, et Mme Loisel semblait triste, inquiète, anxieuse. Sa toilette était prête cependant. Son mari lui dit un soir:

— Qu'as-tu? Voyons, tu es toute drôle depuis trois jours.

Et elle répondit:

— Cela m'ennuie de n'avoir pas un bijou, pas une pierre, rien à mettre sur moi. J'aurai l'air misère comme tout. J'aimerais presque mieux ne pas aller à cette soirée.

Il reprit:

— Tu mettras des fleurs naturelles. C'est très chic en cette saison-ci. Pour dix francs tu auras deux ou trois roses magnifiques.

Elle n'était point convaincue.

— Non . . . il n'y a rien de plus humiliant que d'avoir l'air pauvre au milieu de femmes riches.

Mais son mari s'écria:

— Que tu es bête! Va trouver ton amie M^{me} Forestier et demande-lui de te prêter des bijoux. Tu es bien assez liée avec elle pour faire cela.

Elle poussa un cri de joie:

— C'est vrai. Je n'y avais point pensé.

Le lendemain, elle se rendit chez son amie et lui conta sa détresse.

M^{me} Forestier alla vers son armoire à glace, prit un large coffret, l'apporta, l'ouvrit, et dit à M^{me} Loisel:

— Choisis, ma chère.

Elle vit d'abord des bracelets, puis un collier de perles, puis une croix vénitienne, or et pierreries, d'un admirable travail. Elle essayait les parures devant la glace, hésitait, ne pouvait se décider à les quitter, à les rendre. Elle demandait toujours:

— Tu n'as plus rien autre?

— Mais si. Cherche. Je ne sais pas ce qui peut te plaire.

Tout à coup elle découvrit, dans une boîte de satin noir, une superbe rivière de diamants; et son cœur se mit à battre d'un désir immodéré. Ses mains tremblaient en la prenant. Elle l'attacha autour de sa gorge, sur sa robe montante, et demeura en extase devant elle-même.

Puis, elle demanda, hésitante, pleine d'angoisse:

— Peux-tu me prêter cela, rien que cela?

— Mais, oui, certainement.

Elle sauta au cou de son amie, l'embrassa avec emportement, puis s'enfuit avec son trésor.

Le jour de la fête arriva. M^{me} Loisel eut un succès. Elle était plus jolie que toutes, élégante, gracieuse, souriante et folle de joie. Tous les hommes la regardaient, demandaient son nom, cherchaient à être présentés. Tous les attachés du cabinet voulaient valser avec elle. Le Ministre la remarqua.

Elle dansait avec ivresse, avec emportement, grisée par le plaisir, ne pensant plus à rien, dans le triomphe de sa beauté,

dans la gloire de son succès, dans une sorte de nuage de
bonheur fait de tous ces hommages, de toutes ces admira-
tions, de tous ces désirs éveillés, de cette victoire si com-
plète et si douce au cœur des femmes.

Elle partit vers quatre heures du matin. Son mari, depuis
minuit, dormait dans un petit salon désert avec trois autres
messieurs dont les femmes s'amusaient beaucoup.

Il lui jeta sur les épaules les vêtements qu'il avait appor-
tés pour la sortie, modestes vêtements de la vie ordinaire,
dont la pauvreté jurait avec l'élégance de la toilette de bal.
Elle le sentit et voulut s'enfuir, pour ne pas être remarquée
par les autres femmes qui s'enveloppaient de riches four-
rures.

Loisel la retenait:

— Attends donc. Tu vas attraper froid dehors. Je vais
appeler un fiacre.

Mais elle ne l'écoutait point et descendait rapidement
l'escalier. Lorsqu'ils furent dans la rue, ils ne trouvèrent
pas de voiture; et ils se mirent à chercher, criant après les
cochers qu'ils voyaient passer de loin.

Ils descendaient vers la Seine, désespérés, grelottants.
Enfin ils trouvèrent sur le quai un de ces vieux coupés noc-
tambules qu'on ne voit dans Paris que la nuit venue, comme
s'ils eussent été honteux de leur misère pendant le jour.

Il les ramena jusqu'à leur porte, rue des Martyrs, et ils
remontèrent tristement chez eux. C'était fini, pour elle. Et
il songeait, lui, qu'il lui faudrait être au Ministère à dix
heures.

Elle ôta les vêtements dont elle s'était enveloppé les
épaules, devant la glace, afin de se voir encore une fois
dans sa gloire. Mais soudain elle poussa un cri. Elle n'avait
plus sa rivière autour du cou!

Son mari, à moitié dévêtu déjà, demanda:

— Qu'est-ce que tu as?

Elle se tourna vers lui, affolée:

— J'ai . . . j'ai . . . je n'ai plus la rivière de M^{me} Forestier.

Il se dressa, éperdu:

— Quoi! . . . comment! . . . Ce n'est pas possible!

Et ils cherchèrent dans les plis de la robe, dans les plis

du manteau, dans les poches, partout. Ils ne la trouvèrent point.

Il demandait:

— Tu es sûre que tu l'avais encore en quittant le bal?

— Oui, je l'ai touchée dans le vestibule du Ministère.

— Mais, si tu l'avais perdue dans la rue, nous l'aurions entendue tomber. Elle doit être dans le fiacre.

— Oui. C'est probable. As-tu pris le numéro?

— Non. Et toi, tu ne l'as pas regardé?

— Non.

Ils se contemplaient atterrés. Enfin Loisel se rhabilla.

— Je vais, dit-il, refaire tout le trajet que nous avons fait à pied, pour voir si je ne la retrouverai pas.

Et il sortit. Elle demeura en toilette de soirée, sans force pour se coucher, abattue sur une chaise, sans feu, sans pensée.

Son mari rentra vers sept heures. Il n'avait rien trouvé.

Il se rendit à la Préfecture de police, aux journaux, pour faire promettre une récompense, aux compagnies de petites voitures, partout enfin où un soupçon d'espoir le poussait.

Elle attendit tout le jour, dans le même état d'effarement devant cet affreux désastre.

Loisel revint le soir, avec la figure creusée, pâlie; il n'avait rien découvert.

— Il faut, dit-il, écrire à ton amie que tu as brisé la ferme- ture de sa rivière et que tu la fais réparer. Cela nous donnera le temps de nous retourner.

Elle écrivit sous sa dictée.

Au bout d'une semaine, ils avaient perdu toute espérance.

Et Loisel, vieilli de cinq ans, déclara:

— Il faut aviser à remplacer ce bijou.

Ils prirent, le lendemain, la boîte qui l'avait renfermé, et se rendirent chez le joaillier, dont le nom se trouvait dedans. Il consulta ses livres:

— Ce n'est pas moi, Madame, qui ai vendu cette rivière; j'ai dû seulement fournir l'écrin.

Alors ils allèrent de bijoutier en bijoutier, cherchant une

parure pareille à l'autre, consultant leurs souvenirs, malades tous deux de chagrin et d'angoisse.

Ils trouvèrent, dans une boutique du Palais-Royal, un chapelet de diamants qui leur parut entièrement semblable à celui qu'ils cherchaient. Il valait quarante mille francs. On le leur laisserait à trente-six mille.

Ils prièrent donc le joaillier de ne pas le vendre avant trois jours. Et ils firent condition qu'on le reprendrait, pour trente-quatre mille francs, si le premier était retrouvé avant la fin de février.

Loisel possédait dix-huit mille francs que lui avait laissés son père. Il emprunterait le reste.

Il emprunta, demandant mille francs à l'un, cinq cents à l'autre, cinq louis par ci, trois louis par là. Il fit des billets, prit des engagements ruineux, eut affaire aux usuriers, à toutes les races de prêteurs. Il compromit toute la fin de son existence, risqua sa signature sans savoir même s'il pourrait y faire honneur, et, épouvanté par les angoisses de l'avenir, par la noire misère qui allait s'abattre sur lui, par la perspective de toutes les privations physiques et de toutes les tortures morales, il alla chercher la rivière nouvelle, en déposant sur le comptoir du marchand trente-six mille francs.

Quand Mme Loisel reporta la parure à Mme Forestier, celle-ci lui dit, d'un air froissé:

— Tu aurais dû me la rendre plus tôt, car je pouvais en avoir besoin.

Elle n'ouvrit pas l'écrin, ce que redoutait son amie. Si elle s'était aperçue de la substitution, qu'aurait-elle pensé? Qu'aurait-elle dit? Ne l'aurait-elle pas prise pour une voleuse?

Mme Loisel connut la vie horrible des nécessiteux. Elle prit son parti, d'ailleurs, tout d'un coup, héroïquement. Il fallait payer cette dette effroyable. Elle payerait. On renvoya la bonne; on changea de logement; on loua sous les toits une mansarde.

Elle connut les gros travaux du ménage, les odieuses besognes de la cuisine. Elle lava la vaisselle, usant ses

ongles roses sur les poteries grasses et le fond des casseroles.
Elle savonna le linge sale, les chemises et les torchons,
qu'elle faisait sécher sur une corde; elle descendit à la rue,
chaque matin, les ordures, et monta l'eau, s'arrêtant à
chaque étage pour souffler. Et, vêtue comme une femme du
peuple, elle alla chez le fruitier, chez l'épicier, chez le
boucher, le panier au bras, marchandant, injuriée, défendant
sou à sou son misérable argent.

Il fallait chaque mois payer des billets, en renouveler
d'autres, obtenir du temps.

Le mari travaillait le soir à mettre au net les comptes
d'un commerçant, et la nuit, souvent, il faisait de la copie à
cinq sous la page.

Et cette vie dura dix ans.

Au bout de dix ans, ils avaient tout restitué, tout, avec le
taux de l'usure, et l'accumulation des intérêts superposés.

Mme Loisel semblait vieille, maintenant. Elle était deve-
nue la femme forte, et dure, et rude, des ménages pauvres.
Mal peignée, avec les jupes de travers et les mains rouges,
elle parlait haut, lavait à grande eau les planchers. Mais
parfois, lorsque son mari était au bureau, elle s'asseyait
auprès de la fenêtre, et elle songeait à cette soirée d'autre-
fois, à ce bal, où elle avait été si belle et si fêtée.

Que serait-il arrivé si elle n'avait point perdu cette
parure? Qui sait? qui sait? Comme la vie est singulière,
changeante! Comme il faut peu de chose pour vous perdre
ou vous sauver!

Or, un dimanche, comme elle était allée faire un tour
aux Champs-Elysées pour se délasser des besognes de la
semaine, elle aperçut tout à coup une femme qui promenait
un enfant. C'était Mme Forestier, toujours jeune, toujours
belle, toujours séduisante.

Mme Loisel se sentit émue. Allait-elle lui parler? Oui,
certes. Et maintenant qu'elle avait payé, elle lui dirait tout.
Pourquoi pas?

Elle s'approcha.

— Bonjour, Jeanne.

L'autre ne la reconnaissait point, s'étonnant d'être appelée ainsi familièrement par cette bourgeoise. Elle balbutia:

— Mais . . . Madame! . . . Je ne sais . . . Vous devez vous tromper.

— Non. Je suis Mathilde Loisel.

Son amie poussa un cri:

— Oh! . . . ma pauvre Mathilde, comme tu es changée! . . .

— Oui, j'ai eu des jours bien durs, depuis que je ne t'ai vue; et bien des misères . . . et cela à cause de toi! . . .

— De moi . . . Comment ça?

— Tu te rappelles bien cette rivière de diamants que tu m'as prêtée pour aller à la fête du Ministère.

— Oui. Eh bien?

— Eh bien, je l'ai perdue.

— Comment! puisque tu me l'as rapportée.

— Je t'en ai rapporté une autre toute pareille. Et voilà dix ans que nous la payons. Tu comprends que ça n'était pas aisé pour nous, qui n'avions rien . . . Enfin c'est fini, et je suis rudement contente.

Mme Forestier s'était arrêtée.

— Tu dis que tu as acheté une rivière de diamants pour remplacer la mienne?

— Oui. Tu ne t'en étais pas aperçue, hein? Elles étaient bien pareilles.

Et elle souriait d'une joie orgueilleuse et naïve.

Mme Forestier, fort émue, lui prit les deux mains.

— Oh! ma pauvre Mathilde! Mais la mienne était fausse. Elle valait au plus cinq cents francs! . . .

LE BONHEUR

LE BONHEUR.

C'etait l'heure du thé, avant l'entrée des lampes. La villa dominait la mer; le soleil disparu avait laissé le ciel tout rose de son passage, frotté de poudre d'or; et la Méditerranée, sans une ride, sans un frisson, lisse, luisante encore sous le jour mourant, semblait une plaque de métal polie et démesurée.

Au loin, sur la droite, les montagnes dentelées dessinaient leur profil noir sur la pourpre pâlie du couchant.

On parlait de l'amour, on discutait ce vieux sujet, on redisait des choses qu'on avait dites, déjà, bien souvent. La mélancolie douce du crépuscule alentissait les paroles, faisait flotter un attendrissement dans les âmes, et ce mot: «amour», qui revenait sans cesse, tantôt prononcé par une forte voix d'homme, tantôt dit par une voix de femme au timbre léger, paraissait emplir le petit salon, y voltiger comme un oiseau, y planer comme un esprit.

Peut-on aimer plusieurs années de suite?

— Oui, prétendaient les uns.

— Non, affirmaient les autres.

On distinguait les cas, on établissait des démarcations, on citait des exemples, et tous, hommes et femmes, pleins de souvenirs surgissants et troublants, qu'ils ne pouvaient citer et qui leur montaient aux lèvres, semblaient émus, parlaient de cette chose banale et souveraine, l'accord tendre et mystérieux de deux êtres, avec une émotion profonde et un intérêt ardent.

Mais tout à coup quelqu'un, ayant les yeux fixés au loin, s'écria:

— Oh! voyez, là-bas, qu'est-ce que c'est?

Sur la mer, au fond de l'horizon, surgissait une masse grise, énorme et confuse.

Les femmes s'étaient levées et regardaient sans com-

prendre cette chose surprenante qu'elles n'avaient jamais
vue.

Quelqu'un dit:

— C'est la Corse! On l'aperçoit ainsi deux ou trois fois par
an dans certaines conditions d'atmosphère exceptionnelles,
quand l'air d'une limpidité parfaite ne la cache plus par
ces brumes de vapeur d'eau qui voilent toujours les lointains.

On distinguait vaguement les crêtes, on crut reconnaître
la neige des sommets. Et tout le monde restait surpris,
troublé, presque effrayé par cette brusque apparition d'un
monde, par ce fantôme sorti de la mer. Peut-être eurent-ils
de ces visions étranges, ceux qui partirent, comme Colomb,
à travers les océans inexplorés.

Alors un vieux monsieur, qui n'avait pas encore parlé,
prononça:

— Tenez, j'ai connu dans cette île, qui se dresse devant
nous, comme pour répondre elle-même à ce que nous disions
et me rappeler un singulier souvenir, j'ai connu un exemple
admirable d'un amour constant, d'un amour invraisembla-
blement heureux.

Le voici.

Je fis, voilà cinq ans, un voyage en Corse. Cette île sau-
vage est plus inconnue et plus loin de nous que l'Amérique,
bien qu'on la voie quelquefois des côtes de France, comme
aujourd'hui.

Figurez-vous un monde encore en chaos, une tempête de
montagnes que séparent des ravins étroits où roulent des
torrents; pas une plaine, mais d'immenses vagues de granit
et de géantes ondulations de terre couvertes de maquis ou
de hautes forêts de châtaigniers et de pins. C'est un sol
vierge, inculte, désert, bien que parfois on aperçoive un
village, pareil à un tas de rochers au sommet d'un mont.
Point de culture, aucune industrie, aucun art. On ne ren-
contre jamais un morceau de bois travaillé, un bout de
pierre sculptée, jamais le souvenir du goût enfantin ou
raffiné des ancêtres pour les choses gracieuses et belles.
C'est là même ce qui frappe le plus en ce superbe et dur

pays: l'indifférence héréditaire pour cette recherche des formes séduisantes qu'on appelle l'art.

L'Italie, où chaque palais, plein de chefs-d'œuvre, est un chef-d'œuvre lui-même, où le marbre, le bois, le bronze, le fer, les métaux et les pierres attestent le génie de l'homme, où les plus petits objets anciens qui traînent dans les vieilles maisons révèlent ce divin souci de la grâce, est pour nous tous la patrie sacrée que l'on aime parce qu'elle nous montre et nous prouve l'effort, la grandeur, la puissance et le triomphe de l'intelligence créatrice.

Et, en face d'elle, la Corse sauvage est restée telle qu'en ses premiers jours. L'être y vit dans sa maison grossière, indifférent à tout ce qui ne touche point son existence même ou ses querelles de famille. Et il est resté avec les défauts et les qualités des races incultes, violent, haineux, sanguinaire avec inconscience, mais aussi hospitalier, généreux, dévoué, naïf, ouvrant sa porte aux passants et donnant son amitié fidèle pour la moindre marque de sympathie.

Donc depuis un mois j'errais à travers cette île magnifique, avec la sensation que j'étais au bout du monde. Point d'auberges, point de cabarets, point de routes. On gagne, par des sentiers à mulets, ces hameaux accrochés au flanc des montagnes, qui dominent des abîmes tortueux d'où l'on entend monter, le soir, le bruit continu, la voix sourde et profonde du torrent. On frappe aux portes des maisons. On demande un abri pour la nuit et de quoi vivre jusqu'au lendemain. Et on s'assoit à l'humble table, et on dort sous l'humble toit; et on serre, au matin, la main tendue de l'hôte qui vous a conduit jusqu'aux limites du village.

Or, un soir, après dix heures de marche, j'atteignis une petite demeure toute seule au fond d'un étroit vallon qui allait se jeter à la mer une lieue plus loin. Les deux pentes rapides de la montagne, couvertes de maquis, de rocs éboulés et de grands arbres, enfermaient comme deux sombres murailles ce ravin lamentablement triste.

Autour de la chaumière, quelques vignes, un petit jardin, et plus loin, quelques grands châtaigniers, de quoi vivre enfin, une fortune pour ce pays pauvre.

La femme qui me reçut était vieille, sévère et propre, par

exception. L'homme, assis sur une chaise de paille, se leva
pour me saluer, puis se rassis sans dire un mot. Sa compagne
me dit:

— Excusez-le; il est sourd maintenant. Il a quatre-vingt-
deux ans.

Elle parlait le français de France. Je fus surpris.

Je lui demandai:

— Vous n'êtes pas de Corse?

Elle répondit:

— Non; nous sommes des continentaux. Mais voilà cin-
quante ans que nous habitons ici.

Une sensation d'angoisse et de peur me saisit à la pensée
de ces cinquante années écoulées dans ce trou sombre, si
loin des villes où vivent les hommes. Un vieux berger rentra,
et l'on se mit à manger le seul plat du dîner, une soupe
épaisse où avaient cuit ensemble des pommes de terre, du
lard et des choux.

Lorsque le court repas fut fini, j'allai m'asseoir devant la
porte, le cœur serré par la mélancolie du morne paysage,
étreint par cette détresse qui prend parfois les voyageurs
en certains soirs tristes, en certains lieux désolés. Il semble
que tout soit près de finir, l'existence et l'univers. On perçoit
brusquement l'affreuse misère de la vie, l'isolement de tous,
le néant de tout, et la noire solitude du cœur qui se berce
et se trompe lui-même par des rêves jusqu'à la mort.

La vieille femme me rejoignit et, torturée par cette curio-
sité qui vit toujours au fond des âmes les plus résignées:

— Alors vous venez de France? dit-elle.

— Oui, je voyage pour mon plaisir.

— Vous êtes de Paris, peut-être?

— Non, je suis de Nancy.

Il me sembla qu'une émotion extraordinaire l'agitait.
Comment ai-je vu ou plutôt senti cela, je n'en sais rien.

Elle répéta d'une voix lente:

— Vous êtes de Nancy?

L'homme parut dans la porte, impassible comme sont les
sourds.

Elle reprit:

— Ça ne fait rien. Il n'entend pas.

Puis, au bout de quelques secondes:

— Alors vous connaissez du monde à Nancy?

— Mais oui, presque tout le monde.

— La famille de Sainte-Allaize?

— Oui, très bien; c'étaient des amis de mon père.

— Comment vous appelez-vous?

Je dis mon nom. Elle me regarda fixement, puis prononça, de cette voix basse qu'éveillent les souvenirs:

— Oui, oui, je me rappelle bien. Et les Brisemare, qu'est-ce qu'ils sont devenus?

— Tous sont morts.

— Ah! Et les Sirmont, vous les connaissiez?

— Oui, le dernier est général.

Alors elle dit, frémissante d'émotion, d'angoisse, de je ne sais quel sentiment confus, puissant et sacré, de je ne sais quel besoin d'avouer, de dire tout, de parler de ces choses qu'elle avait tenues jusque-là enfermées au fond de son cœur, et de ces gens dont le nom bouleversait son âme:

— Oui, Henri de Sirmont. Je le sais bien. C'est mon frère.

Et je levai les yeux vers elle, effaré de surprise. Et tout d'un coup le souvenir me revint.

Cela avait fait, jadis, un gros scandale dans la noble Lorraine. Une jeune fille, belle et riche, Suzanne de Sirmont, avait été enlevée par un sous-officier de hussards du régiment que commandait son père.

C'était un beau garçon, fils de paysans, mais portant bien le dolman bleu, ce soldat qui avait séduit la fille de son colonel. Elle l'avait vu, remarqué, aimé en regardant défiler les escadrons, sans doute. Mais comment lui avait-elle parlé, comment avaient-ils pu se voir, s'entendre? comment avait-elle osé lui faire comprendre qu'elle l'aimait? Cela, on ne le sut jamais.

On n'avait rien deviné, rien pressenti. Un soir, comme le soldat venait de finir son temps, il disparut avec elle. On les chercha, on ne les retrouva pas. On n'en eut jamais de nouvelles et on la considérait comme morte.

Et je la retrouvais ainsi dans ce sinistre vallon.

Alors je repris à mon tour:

— Oui, je me rappelle bien. Vous êtes mademoiselle

Suzanne.

Elle fit «oui», de la tête. Des larmes tombaient de ses yeux. Alors, me montrant d'un regard le vieillard immobile sur le seuil de sa masure, elle me dit:

— C'est lui.

Et je compris qu'elle l'aimait toujours, qu'elle le voyait encore avec ses yeux séduits.

Je demandai:

— Avez-vous été heureuse au moins?

Elle répondit, avec une voix qui venait du cœur:

— Oh! oui, très heureuse. Il m'a rendue très heureuse. Je n'ai jamais regretté.

Je la contemplais, triste, surpris, émerveillé par la puissance de l'amour! Cette fille riche avait suivi cet homme, ce paysan. Elle était devenue elle-même une paysanne. Elle s'était faite à sa vie sans charmes, sans luxe, sans délicatesse d'aucune sorte, elle s'était pliée à ses habitudes simples. Et elle l'aimait encore. Elle était devenue une femme de rustre, en bonnet, en jupe de toile. Elle mangeait dans un plat de terre sur une table de bois, assise sur une chaise de paille, une bouillie de choux et de pommes de terre au lard. Elle couchait sur une paillasse à son côté.

Elle n'avait jamais pensé à rien, qu'à lui! Elle n'avait regretté ni les parures, ni les étoffes, ni les élégances, ni la mollesse des sièges, ni la tiédeur parfumée des chambres enveloppées de tentures, ni la douceur des duvets où plongent les corps pour le repos. Elle n'avait eu jamais besoin que de lui; pourvu qu'il fût là, elle ne désirait rien.

Elle avait abandonné la vie, toute jeune, et le monde, et ceux qui l'avaient élevée, aimée. Elle était venue, seule avec lui, en ce sauvage ravin. Et il avait été tout pour elle, tout ce qu'on désire, tout ce qu'on rêve, tout ce qu'on attend sans cesse, tout ce qu'on espère sans fin. Il avait empli de bonheur son existence, d'un bout à l'autre.

Elle n'aurait pas pu être plus heureuse.

Et toute la nuit, en écoutant le souffle rauque du vieux soldat étendu sur son grabat, à côté de celle qui l'avait suivi si loin, je pensais à cette étrange et simple aventure, à ce bonheur si complet, fait de si peu.

Et je partis au soleil levant, après avoir serré la main des deux vieux époux.

Le conteur se tut. Une femme dit:

— C'est égal, elle avait un idéal trop facile, des besoins trop primitifs et des exigences trop simples. Ce ne pouvait être qu'une sotte.

Une autre prononça d'une voix lente:

— Qu'importe! elle fut heureuse.

Et là-bas, au fond de l'horizon, la Corse s'enfonçait dans la nuit, rentrait lentement dans la mer, effaçait sa grande ombre apparue comme pour raconter elle-même l'histoire des deux humbles amants qu'abritait son rivage.

YVETTE

YVETTE.

I

En sortant du Café Riche, Jean de Servigny dit à Léon Saval:

— Si tu veux, nous irons à pied. Le temps est trop beau pour prendre un fiacre.

Et son ami répondit:

— Je ne demande pas mieux.

Jean reprit:

— Il est à peine onze heures, nous arriverons beaucoup avant minuit, allons donc doucement.

Une cohue agitée grouillait sur le boulevard, cette foule des nuits d'été qui remue, boit, murmure et coule comme une fleuve, pleine de bien-être et de joie. De place en place, un café jetait une grande clarté sur le tas de buveurs assis sur le trottoir devant les petites tables couvertes de bouteilles et de verres, encombrant le passage de leur foule pressée. Et sur la chaussée, les fiacres aux yeux rouges, bleus ou verts, passaient brusquement dans la lueur vive de la devanture illuminée, montrant une seconde la silhouette maigre et trottinante du cheval, le profil élevé du cocher, et le coffre sombre de la voiture. Ceux de l'Urbaine faisaient des taches claires et rapides avec leurs panneaux jaunes frappés par la lumière.

Les deux amis marchaient d'un pas lent, un cigare à la bouche, en habit, le pardessus sur le bras, une fleur à la boutonnière et le chapeau un peu sur le côté comme on le porte quelquefois, par nonchalance, quand on a bien dîné et quand la brise est tiède.

Ils étaient liés depuis le collège par une affection étroite, dévouée, solide.

Jean de Servigny, petit, svelte, un peu chauve, un peu frêle, très élégant, la moustache frisée, les yeux clairs, la

lèvre fine, était un de ces hommes de nuit qui semblent
nés et grandis sur le boulevard, infatigable bien qu'il eût
toujours l'air exténué, vigoureux bien que pâle, un de ces
minces Parisiens en qui le gymnase, l'escrime, les douches
et l'étuve ont mis une force nerveuse et factice. Il était
connu par ses noces autant que par son esprit, par sa for-
tune, par ses relations, par cette sociabilité, cette amabilité,
cette galanterie mondaine, spéciales à certains hommes.

Vrai Parisien, d'ailleurs, léger, sceptique, changeant,
entraînable, énergique et irrésolu, capable de tout et de rien,
égoïste par principe et généreux par élans, il mangeait ses
rentes avec modération et s'amusait avec hygiène. Indiffé-
rent et passionné, il se laissait aller et se reprenait sans
cesse, combattu par des instincts contraires et cédant à tous
pour obéir, en définitive, à sa raison de viveur dégourdi
dont la logique de girouette consistait à suivre le vent et à
tirer profit des circonstances sans prendre la peine de les
faire naître.

Son compagnon Léon Saval, riche aussi, était un de ces
superbes colosses qui font se retourner les femmes dans les
rues. Il donnait l'idée d'un monument fait homme, d'un type
de la race, comme ces objets modèles qu'on envoie aux
expositions. Trop beau, trop grand, trop large, trop fort, il
péchait un peu par excès de tout, par excès de qualités. Il
avait fait d'innombrables passions.

Il demanda, comme ils arrivaient devant le Vaudeville:

— As-tu prévenu cette dame que tu allais me présenter
chez elle?

Servigny se mit à rire.

— Prévenir la marquise Obardi! Fais-tu prévenir un
cocher d'omnibus que tu monteras dans sa voiture au coin
du boulevard?

Saval, alors, un peu perplexe, demanda:

— Qu'est-ce donc au juste que cette personne?

Et son ami répondit:

— Une parvenue, une rastaquouère, une drôlesse char-
mante, sortie on ne sait d'où, apparue un jour, on ne sait
comment, dans le monde des aventuriers, et sachant y faire
figure. Que nous importe d'ailleurs. On dit que son vrai

nom, son nom de fille, car elle est restée fille à tous les titres,
sauf au titre innocence, est Octavie Bardin, d'où Obardi,
en conservant la première lettre du prénom et en suppri-
mant la dernière du nom.

C'est d'ailleurs une aimable femme, dont tu seras inévi-
tablement l'amant, toi, de par ton physique. On n'introduit
pas Hercule chez Messaline, sans qu'il se produise quelque
chose. J'ajoute cependant que si l'entrée est libre en cette
demeure, comme dans les bazars, on n'est pas strictement
forcé d'acheter ce qui se débite dans la maison. On y tient
l'amour et les cartes, mais on ne vous contraint ni à l'un ni
aux autres. La sortie aussi est libre.

Elle s'installa dans le quartier de l'Etoile, quartier sus-
pect, voici trois ans, et ouvrit ses salons à cette écume des
continents qui vient exercer à Paris ses talents divers, re-
doutables et criminels.

J'allai chez elle! Comment? Je ne le sais plus. J'y allai,
comme nous allons tous là dedans, parce qu'on y joue, parce
que les femmes sont faciles et les hommes malhonnêtes.
J'aime ce monde de flibustiers à décorations variées, tous
étrangers, tous nobles, tous titrés, tous inconnus à leurs
ambassades, à l'exception des espions. Tous parlent de
l'honneur à propos de bottes, citent leurs ancêtres à propos
de rien racontent leur vie à propos de tout, hâbleurs, men-
teurs, filous, dangereux comme leurs cartes, trompeurs
comme leurs noms, braves parce qu'il le faut, à la façon des
assassins qui ne peuvent dépouiller les gens qu'à la condi-
tion d'exposer leur vie. C'est l'aristocratie du bagne, enfin.

Je les adore. Ils sont intéressants à pénétrer, intéressants
à connaître, amusants à entendre, souvent spirituels, jamais
banals comme des fonctionnaires français. Leurs femmes
sont toujours jolies, avec une petite saveur de coquinerie
étrangère, avec le mystère de leur existence passée, passée
peut-être à moitié dans une maison de correction. Elles ont
en général des yeux superbes et des cheveux incomparables,
le vrai physique de l'emploi, une grâce qui grise, une séduc-
tion qui pousse aux folies, un charme malsain, irrésistible!
Ce sont des conquérantes à la façon des routiers d'autrefois,

des rapaces, de vraies femelles d'oiseaux de proie. Je les adore aussi.

La marquise Obardi est le type de ces drôlesses élégantes. Mûre et toujours belle, charmeuse et féline. on la sent vicieuse jusque dans les moelles. On s'amuse beaucoup chez elle, on y joue, on y danse, on y soupe . . . on y fait enfin tout ce qui constitue les plaisirs de la vie mondaine.

Léon Saval demanda:

— As-tu été ou es-tu son amant?

Servigny répondit:

— Je ne l'ai pas été, je ne le suis pas et je ne le serai point. Moi, je vais surtout dans la maison pour la fille.

— Ah! Elle a une fille?

— Si elle a une fille! Une merveille, mon cher. C'est aujourd'hui la principale attraction de cette caverne. Grande, magnifique, mûre à point, dix-huit ans, aussi blonde que sa mère est brune, toujours joyeuse, toujours prête pour les fêtes, toujours riant à pleine bouche et dansant à corps perdu. Qui l'aura? ou qui l'a eue? On ne sait pas. Nous sommes dix qui attendons, qui espérons.

Une fille comme ça, entre les mains d'une femme comme la marquise, c'est une fortune. Et elles jouent serré, les deux gaillardes. On n'y comprend rien. Elles attendent peut-être une occasion . . . meilleure . . . que moi. Mais, moi, je te réponds bien que je la saisirai . . . l'occasion, si je la rencontre.

Cette fille, Yvette, me déconcerte absolument, d'ailleurs. C'est un mystère. Si elle n'est pas le monstre d'astuce et de perversité le plus complet que j'aie jamais vu, elle est certes le phénomène d'innocence le plus merveilleux qu'on puisse trouver. Elle vit dans ce milieu infâme avec une aisance tranquille et triomphante, admirablement scélérate ou naïve.

Merveilleux rejeton d'aventurière, poussé sur le fumier de ce monde-là, comme une plante magnifique nourrie de pourritures, ou bien fille de quelque homme de haute race, de quelque grand artiste ou de quelque grand seigneur, de quelque prince ou de quelque roi tombé, un soir, dans le

lit de la mère, on ne peut comprendre ce qu'elle est ni ce qu'elle pense. Mais tu vas la voir.

Saval se mit à rire et dit:

— Tu en es amoureux.

— Non. Je suis sur les rangs, ce qui n'est pas la même chose. Je te présenterai d'ailleurs mes coprétendants les plus sérieux. Mais j'ai des chances marquées. J'ai de l'avance, on me montre quelque faveur.

Saval répéta:

— Tu es amoureux.

— Non. Elle me trouble, me séduit et m'inquiète, m'attire et m'effraye. Je me méfie d'elle comme d'un piège, et j'ai envie d'elle comme on a envie d'un sorbet quand on a soif. Je subis son charme et je ne l'approche qu'avec l'appréhension qu'on aurait d'un homme soupçonné d'être un adroit voleur. Près d'elle j'éprouve un entraînement irraisonné vers sa candeur possible et une méfiance très raisonnable contre sa rouerie non moins probable. Je me sens en contact avec un être anormal, en dehors des règles naturelles, exquis ou détestable. Je ne sais pas.

Saval prononça pour la troisième fois:

— Je te dis que tu es amoureux. Tu parles d'elle avec une emphase de poète et un lyrisme de troubadour. Allons, descends en toi, tâte ton cœur et avoue.

Servigny fit quelques pas sans rien répondre, puis reprit:

— C'est possible, après tout. Dans tous les cas, elle me préoccupe beaucoup. Oui, je suis peut-être amoureux. J'y songe trop. Je pense à elle en m'endormant et aussi en me réveillant . . . c'est assez grave. Son image me suit, me poursuit, m'accompagne sans cesse, toujours devant moi, autour de moi, en moi. Est-ce de l'amour, cette obsession physique? Sa figure est entrée si profondément dans mon regard que je la vois sitôt que je ferme les yeux. J'ai un battement de cœur chaque fois que je l'aperçois, je ne le nie point. Donc je l'aime, mais drôlement. Je la désire avec violence, et l'idée d'en faire ma femme me semblerait une folie, une stupidité, une monstruosité. J'ai un peu peur d'elle aussi, une peur d'oiseau sur qui plane un épervier. Et je suis jaloux d'elle encore, jaloux de tout ce que j'ignore dans

ce cœur incompréhensible. Et je me demande toujours:
«Est-ce une gamine charmante ou une abominable co-
quine?» Elle dit des choses à faire frémir une armée; mais
les perroquets aussi. Elle est parfois impudente ou impu-
dique à me faire croire à sa candeur immaculée, et parfois
naïve, d'une naïveté invraisemblable, à me faire douter
qu'elle ait jamais été chaste. Elle me provoque, m'excite
comme une courtisane et se garde en même temps comme
une vierge. Elle paraît m'aimer et se moque de moi; elle
s'affiche en public comme si elle était ma maîtresse et me
traite dans l'intimité comme si j'étais son frère ou son valet.

Parfois je m'imagine qu'elle a autant d'amants que sa
mère. Parfois je me figure qu'elle ne soupçonne rien de la
vie, mais rien, entends-tu?

C'est d'ailleurs une liseuse de romans enragée. Je suis,
en attendant mieux, son fournisseur de livres. Elle m'ap-
pelle son «bibliothécaire».

Chaque semaine, la Librairie Nouvelle lui adresse, de ma
part, tout ce qui a paru, et je crois qu'elle lit tout, pêle-mêle.

Ça doit faire dans sa tête une étrange salade.

Cette bouillie de lecture est peut-être pour quelque chose
dans les allures singulières de cette fille. Quand on con-
temple l'existence à travers quinze mille romans, on doit la
voir sous un drôle de jour et se faire, sur les choses, des
idées assez baroques.

Quant à moi, j'attends. Il est certain, d'un côté, que je
n'ai jamais eu pour aucune femme le béguin que j'ai pour
celle-là.

Il est encore certain que je ne l'épouserai pas.

Donc, si elle a eu des amants, j'augmenterai l'addition.
Si elle n'en a pas eu, je prends le numéro un, comme au
tramway.

Le cas est simple. Elle ne se mariera pas, assurément. Qui
donc épouserait la fille de la marquise Obardi, d'Octavie
Bardin? Personne, pour mille raisons.

Où trouverait-on un mari? Dans le monde? Jamais. La
maison de la mère est une maison publique dont la fille
attire la clientèle. On n'épouse pas dans ces conditions-là.

Dans la bourgeoisie? Encore moins. Et d'ailleurs la mar-

quise n'est pas femme à faire de mauvaises opérations; elle ne donnerait définitivement Yvette qu'à un homme de grande position, qu'elle ne découvrira pas.

Dans le peuple alors? Encore moins. Donc, pas d'issue. Cette demoiselle-là n'est ni du monde, ni de la bourgeoisie, ni du peuple, elle ne peut entrer par une union dans aucune de ces classes de la société.

Elle appartient par sa mère, par sa naissance, par son éducation, par son hérédité, par ses manières, par ses habitudes, à la prostitution dorée.

Elle ne peut lui échapper, à moins de se faire religieuse, ce qui n'est guère probable, étant donnés ses manières et ses goûts. Elle n'a donc qu'une profession possible: l'amour. Elle y viendra, à moins qu'elle ne l'exerce déjà. Elle ne saurait fuir sa destinée. De jeune fille elle deviendra fille, tout simplement. Et je voudrais bien être le pivot de cette transformation.

J'attends. Les amateurs sont nombreux. Tu verras là un Français, M. de Belvigne; un Russe, appelé le prince Kravalow, et un Italien, le chevalier Valréali, qui ont posé nettement leurs candidatures et qui manœuvrent en conséquence. Nous comptons, en outre, autour d'elle, beaucoup de maraudeurs de moindre importance.

La marquise guette. Mais je crois qu'elle a des vues sur moi. Elle me sait fort riche et elle possède moins les autres.

Son salon est d'ailleurs le plus étonnant que je connaisse dans ce genre d'expositions. On y rencontre même des hommes fort bien, puisque nous y allons, et nous ne sommes pas les seuls. Quant aux femmes, elle a trouvé, ou plutôt elle a trié ce qu'il y a de mieux dans la hotte aux pilleuses de bourses. Où les a-t-elle découvertes, on l'ignore. C'est un monde à côté de celui des vraies drôlesses, à côté de la bohème, à côté de tout. Elle a eu d'ailleurs une inspiration de génie, c'est de choisir spécialement les aventurières en possession d'enfants, de filles principalement. De sorte qu'un imbécile se croirait là chez des honnêtes femmes!

Ils avaient atteint l'avenue des Champs-Élysées. Une brise légère passait doucement dans les feuilles, glissait par moments sur les visages, comme les souffles doux d'un éventail

géant balancé quelque part dans le ciel. Des ombres muettes erraient sous les arbres, d'autres, sur les bancs, faisaient une tache sombre. Et ces ombres parlaient très bas, comme si elles se fussent confié des secrets importants ou honteux.

Servigny reprit:

— Tu ne te figures pas la collection de titres de fantaisie qu'on rencontre dans ce repaire.

A ce propos, tu sais que je vais te présenter sous le nom de comte Saval, Saval tout court serait mal vu, très mal vu.

Son ami s'écria:

— Ah! mais non, par exemple. Je ne veux pas qu'on me suppose, même un soir, même chez ces gens-là, le ridicule de vouloir m'affubler d'un titre. Ah! mais non.

Servigny se mit à rire.

— Tu es stupide. Moi, là dedans, on m'a baptisé le duc de Servigny. Je ne sais ni comment ni pourquoi. Toujours est-il que je suis et que je demeure M. le duc de Servigny, sans me plaindre et sans protester. Ça ne me gêne pas. Sans cela, je serais affreusement méprisé.

Mais Saval ne se laissait point convaincre.

— Toi, tu es noble, ça peut aller. Pour moi, non, je resterai le seul roturier du salon. Tant pis, ou tant mieux. Ce sera mon signe de distinction . . . et . . . ma supériorité.

Servigny s'entêtait.

— Je t'assure que ce n'est pas possible, mais pas possible, entends-tu? Cela paraîtrait presque monstrueux. Tu ferais l'effet d'un chiffonnier dans une réunion d'empereurs. Laisse-moi faire, je te présenterai comme le vice-roi du Haut-Mississipi et personne ne s'étonnera. Quand on prend des grandeurs, on n'en saurait trop prendre.

— Non, encore une fois, je ne veux pas.

— Soit. Mais, en vérité, je suis bien sot de vouloir te convaincre. Je te défie d'entrer là dedans sans qu'on te décore d'un titre comme on donne aux dames des bouquets de violettes au seuil de certains magasins.

Ils tournèrent à droite dans la rue de Berri, montèrent au premier étage d'un bel hôtel moderne, et laissèrent aux mains de quatre domestiques en culotte courte leurs pardessus et leurs cannes. Une odeur chaude de fête, une

odeur de fleurs, de parfums, de femmes, alourdissait l'air;
et un grand murmure confus et continu venait des pièces
voisines qu'on sentait pleines de monde.

Une sorte de maître des cérémonies, haut, droit, ventru,
sérieux, la face encadrée de favoris blancs, s'approcha du
nouveau venu en demandant avec un court et fier salut:

— Qui dois-je annoncer?

Servigny répondit: Monsieur Saval.

Alors, d'une voix sonore, l'homme, ouvrant la porte, cria
dans la foule des invités:

— Monsieur le duc de Servigny.

— Monsieur le baron Saval.

Le premier salon était peuplé de femmes. Ce qu'on
apercevait d'abord, c'était un étalage de seins nus, au-dessus
d'un flot d'étoffes éclatantes.

La maîtresse de maison, debout, causant avec trois amies,
se retourna et s'en vint d'un pas majestueux, avec une grâce
dans la démarche et un sourire sur les lèvres.

Son front étroit, très bas, était couvert d'une masse de
cheveux d'un noir luisant, pressés comme une toison,
mangeant même un peu des tempes.

Elle était grande, un peu trop forte, un peu trop grasse,
un peu mûre, mais très belle, d'une beauté lourde, chaude,
puissante. Sous ce casque de cheveux, qui faisait rêver, qui
faisait sourire, qui la rendait mystérieusement désirable,
s'ouvraient des yeux énormes, noirs aussi. Le nez était un
peu mince, la bouche grande, infiniment séduisante, faite
pour parler et pour conquérir.

Son charme le plus vif était d'ailleurs dans sa voix. Elle
sortait de cette bouche comme l'eau sort d'une source, si
naturelle, si légère, si bien timbrée, si claire, qu'on éprouvait
une jouissance physique à l'entendre. C'était une joie pour
l'oreille d'écouter les paroles souples couler de là avec une
grâce de ruisseau qui s'échappe, et c'était une joie pour le
regard de voir s'ouvrir, pour leur donner passage, ces belles
lèvres un peu trop rouges.

Elle tendit une main à Servigny, qui la baisa, et laissant
tomber son éventail au bout d'une chaînette d'or travaillé,
elle donna l'autre à Saval, en lui disant:

—Soyez le bienvenu, baron, tous les amis du duc sont chez eux ici.

Puis, elle fixa son regard brillant sur le colosse qu'on lui présentait. Elle avait sur la lèvre supérieure un petit duvet noir, un soupçon de moustache, plus sombre quand elle parlait. Elle sentait bon, une odeur forte, grisante, quelque parfum d'Amérique ou des Indes.

D'autres personnes entraient, marquis, comtes ou princes. Elle dit à Servigny, avec une gracieuseté de mère:

— Vous trouverez ma fille dans l'autre salon. Amusez-vous, messieurs, la maison vous appartient.

Et elle les quitta pour aller aux derniers venus, en jetant à Saval ce coup d'œil souriant et fuyant qu'ont les femmes pour faire comprendre qu'on leur a plu.

Servigny saisit le bras de son ami.

— Je vais te piloter, dit-il. Ici, dans le salon où nous sommes, les femmes, c'est le temple de la Chair, fraîche ou non. Objets d'occasion valant le neuf, et même mieux, cotés cher, à prendre à bail. A gauche, le jeu. C'est le temple de l'Argent. Tu connais ça. Au fond, on danse, c'est le temple de l'Innocence, le sanctuaire, le marché aux jeunes filles. C'est là qu'on expose, sous tous les rapports, les produits de ces dames. On consentirait même à des unions légitimes! C'est l'avenir, l'espérance . . . de nos nuits. Et c'est aussi ce qu'il y a de plus curieux dans ce musée des maladies morales, ces fillettes dont l'âme est disloquée comme les membres des petits clowns issus de saltimbanques. Allons les voir.

Il saluait à droite, à gauche, galant, un compliment aux lèvres, couvrant d'un regard vif d'amateur chaque femme décolletée qu'il connaissait.

Un orchestre, au fond du second salon, jouait une valse; et ils s'arrêtèrent sur la porte pour regarder. Une quinzaine de couples tournaient; les hommes graves, les danseuses avec un sourire figé sur les lèvres. Elles montraient beaucoup de peau, comme leurs mères; et le corsage de quelques-unes n'étant soutenu que par un mince ruban qui contournait la naissance du bras, on croyait apercevoir, par moments, une tache sombre sous les aisselles.

Soudain, du fond de l'appartement, une grande fille s'élança, traversant tout, heurtant les danseurs, et relevant de sa main gauche la queue demesurée de sa robe. Elle courait à petits pas rapides comme courent les femmes dans les foules, et elle cria:

— Ah! voilà Muscade. Bonjour, Muscade!

Elle avait sur les traits un épanouissement de vie, une illumination de bonheur. Sa chair blanche, dorée, une chair de rousse, semblait rayonner. Et l'amas de ses cheveux, tordus sur sa tête, des cheveux cuits au feu, des cheveux flambants, pesait sur son front, chargeait son cou flexible encore un peu mince.

Elle paraissait faite pour se mouvoir comme sa mère était faite pour parler, tant ses gestes étaient naturels, nobles et simples. Il semblait qu'on éprouvait une joie morale et un bien-être physique à la voir marcher, remuer, pencher la tête, lever le bras.

Elle répétait:

— Ah! Muscade, bonjour, Muscade.

Servigny lui secoua la main violemment, comme à un homme, et il lui présenta:

— Mam'zelle Yvette, mon ami le baron Saval.

Elle salua l'inconnu, puis le dévisagea:

— Bonjour, monsieur. Êtes-vous tous les jours aussi grand que ça?

Servigny répondit de ce ton gouailleur qu'il avait avec elle, pour cacher ses méfiances et ses incertitudes:

— Non, mam'zelle. Il a pris ses plus fortes dimensions pour plaire à votre maman qui aime les masses.

Et la jeune fille prononça avec un sérieux comique:

— Très bien alors! Mais quand vous viendrez pour moi, vous diminuerez un peu, s'il vous plaît; je préfère les entre-deux. Tenez, Muscade est bien dans mes proportions.

Et elle tendit au dernier venu sa petite main grande ouverte.

Puis elle demanda:

— Est-ce que vous dansez, Muscade? voyons, un tour de valse.

Sans répondre, d'un mouvement rapide, emporté, Ser-

vigny lui enlaça la taille, et ils disparurent aussitôt avec
une furie de tourbillon.

Ils allaient plus vite que tous, tournaient, tournaient,
couraient en pivotant éperdument, liés à ne plus faire qu'un,
et le corps droit, les jambes presque immobiles, comme si
une mécanique invisible, cachée sous leurs pieds, les eût
fait voltiger ainsi.

Ils paraissaient infatigables. Les autres danseurs s'ar-
rêtaient peu à peu. Ils restèrent seuls, valsant indéfiniment.
Ils avaient l'air de ne plus savoir où ils étaient, ni ce qu'ils
faisaient, d'être partis bien loin du bal, dans l'extase. Et
les musiciens de l'orchestre allaient toujours, les regards
fixés sur ce couple forcené; et tout le monde le contemplait,
et quand il s'arrêta enfin, on applaudit.

Elle était un peu rouge, à présent, avec des yeux étranges,
des yeux ardents et timides, moins hardis que tout à l'heure,
des yeux troublés, si bleus avec une pupille si noire qu'ils
ne semblaient point naturels.

Servigny paraissait gris. Il s'appuya contre une porte
pour reprendre son aplomb.

Elle lui dit:

— Pas de tête, mon pauvre Muscade, je suis plus solide
que vous.

Il souriait d'un rire nerveux et il la dévorait du regard
avec des convoitises bestiales dans l'œil et dans le pli des
lèvres.

Elle demeurait devant lui, laissant en plein, sous la vue
du jeune homme, sa gorge découverte que soulevait son
souffle.

Elle reprit:

— Dans certains moments, vous avez l'air d'un chat qui
va sauter sur les gens. Voyons, donnez-moi votre bras, et
allons retrouver votre ami.

Sans dire un mot, il offrit son bras, et ils traversèrent le
grand salon.

Saval n'était plus seul. La marquise Obardi l'avait rejoint.
Elle lui parlait de choses mondaines, de choses banales avec
cette voix ensorcelante qui grisait. Et, le regardant au fond
de la pensée, elle semblait lui dire d'autres paroles que

celles prononcées par sa bouche. Quand elle aperçut Servigny, son visage aussitôt prit une expression souriante et, se tournant vers lui:

— Vous savez, mon cher duc, que je viens de louer une villa à Bougival pour y passer deux mois. Je compte que vous viendrez m'y voir. Amenez votre ami. Tenez, je m'y installe lundi, voulez-vous venir dîner tous les deux samedi prochain? Je vous garderai toute la journée du lendemain.

Servigny tourna brusquement la tête vers Yvette. Elle souriait, tranquille, sereine, et elle dit avec une assurance qui n'autorisait aucune hésitation:

— Mais certainement que Muscade viendra dîner samedi. Ce n'est pas la peine de le lui demander. Nous ferons un tas de bêtises, à la campagne.

Il crut voir une promesse naître dans son sourire et saisir une intention dans sa voix.

Alors la marquise releva ses grands yeux noirs sur Saval:

— Et vous aussi, baron?

Et son sourire à elle n'était point douteux. Il s'inclina:

— Je serai trop heureux, madame.

Yvette murmura, avec une malice naïve ou perfide:

— Nous allons scandaliser tout le monde, là-bas, n'est-ce pas, Muscade? et faire rager mon régiment.

Et d'un coup d'œil elle désignait quelques hommes qui les observaient de loin.

Servigny lui répondit:

— Tant que vous voudrez, mam'zelle.

En lui parlant, il ne prononçait jamais mademoiselle, par suite d'une camaraderie familière.

Et Saval demanda:

— Pourquoi donc M^{lle} Yvette appelle-t-elle toujours mon ami Servigny «Muscade»?

La jeune fille prit un air candide:

— C'est parce qu'il vous glisse toujours dans la main, monsieur. On croit le tenir, on ne l'a jamais.

La marquise prononça d'un ton nonchalant, suivant visiblement une autre pensée et sans quitter les yeux de Saval:

— Ces enfants sont-ils drôles!

Yvette se fâcha:

— Je ne suis pas drôle je suis franche! Muscade me plaît, et il me lâche toujours, c'est embêtant, cela.

Servigny fit un grand salut.

— Je ne vous quitte plus, mam'zelle, ni jour ni nuit.

Elle eut un geste de terreur:

— Ah! mais non! par exemple! Dans le jour, je veux bien, mais la nuit, vous me gêneriez.

Il demanda avec impertinence:

— Pourquoi ça?

Elle répondit avec une audace tranquille:

— Parce que vous ne devez pas être aussi bien en déshabillé.

La marquise, sans paraître émue, s'écria:

— Mais ils disent des énormités. On n'est pas innocent à ce point.

Et Servigny, d'un ton railleur, ajouta:

— C'est aussi mon avis, marquise.

Yvette fixa les yeux sur lui, et d'un ton hautain, blessé:

— Vous, vous venez de commettre une grossièreté, ça vous arrive trop souvent depuis quelque temps.

Et s'étant retournée, elle appela:

— Chevalier, venez me défendre, on m'insulte.

Un homme maigre, brun, lent dans ses allures, s'approcha:

— Quel est le coupable? dit-il, avec un sourire contraint.

Elle désigna Servigny d'un coup de tête:

— C'est lui; mais je l'aime tout de même plus que vous tous, parce qu'il est moins ennuyeux.

Le chevalier Valréali s'inclina:

— On fait ce qu'on peut. Nous avons peut-être moins de qualités, mais non moins de dévouement.

Un homme s'en venait, ventru, de haute taille, à favoris gris, parlant fort:

— Mademoiselle Yvette, je suis votre serviteur.

Elle s'écria:

— Ah! Monsieur de Belvigne.

Puis, se tournant vers Saval, elle présenta:

— Mon prétendant en titre, grand, gros, riche et bête.

C'est comme ça que je les aime. Un vrai tambour-major . . .
de table d'hôte. Tiens, mais vous êtes encore plus grand
que lui. Comment est-ce que je vous baptiserai? . . . Bon!
je vous appellerai M. de Rhodes fils, à cause du colosse qui
était certainement votre père. Mais vous devez avoir des
choses intéressantes à vous dire, vous deux, par-dessus la
tête des autres, bonsoir.

Et elle s'en alla vers l'orchestre, vivement, pour prier les
musiciens de jouer un quadrille.

Mme Obardi semblait distraite. Elle dit à Servigny d'une
voix lente, pour parler:

— Vous la taquinez toujours, vous lui donnerez mauvais
caractère, et un tas de vilains défauts.

Il répliqua:

— Vous n'avez donc pas terminé son éducation?

Elle eut l'air de ne pas comprendre et elle continuait à
sourire avec bienveillance.

Mais elle aperçut, venant vers elle, un monsieur solennel
et constellé de croix, et elle courut à lui:

— Ah! prince, prince, quel bonheur!

Servigny reprit le bras de Saval, et l'entraînant:

— Voilà le dernier prétendant sérieux, le prince Krava-
low. N'est-ce pas qu'elle est superbe?

Et Saval répondit:

— Moi je les trouve superbes toutes les deux. La mère
me suffirait parfaitement.

Servigny le salua:

— A ta disposition, mon cher.

Les danseurs les bousculaient, se mettant en place pour
le quadrille, deux par deux et sur deux lignes, face à face.

— Maintenant, allons donc voir un peu les grecs, dit
Servigny.

Et ils entrèrent dans le salon de jeu.

Autour de chaque table un cercle d'hommes debout
regardait. On parlait peu, et parfois un petit bruit d'or jeté
sur le tapis ou ramassé brusquement, mêlait un léger mur-
mure métallique au murmure des joueurs, comme si la voix
de l'argent eût dit son mot au milieu des voix humaines.

Tous ces hommes étaient décorés d'ordres divers, de

rubans bizarres, et ils avaient une même allure sévère avec
des visages différents. On les distinguait surtout à la barbe.

L'Américain roide avec son fer à cheval, l'Anglais hautain
avec son éventail de poils ouvert sur la poitrine, l'Espagnol
avec sa toison noire lui montant jusqu'aux yeux, le Romain
avec cette énorme moustache dont Victor-Emmanuel a
doté l'Italie, l'Autrichien avec ses favoris et son menton
rasé, un général russe dont la lèvre semblait armée de deux
lances de poils roulés, et des Français à la moustache
galante révélaient la fantaisie de tous les barbiers du monde.

— Tu ne joues pas? demanda Servigny.

— Non, et toi?

— Jamais ici. Veux-tu partir, nous reviendrons un jour
plus calme. Il y a trop de monde aujourd'hui, on ne peut
rien faire.

— Allons!

Et ils disparurent sous une portière qui conduisait au
vestibule.

Dès qu'ils furent dans la rue, Servigny prononça:

— Eh bien! qu'en dis-tu?

— C'est intéressant, en effet. Mais j'aime mieux le côté
femmes que le côté hommes.

— Parbleu. Ces femmes-là sont ce qu'il y a de mieux pour
nous dans la race. Ne trouves-tu pas qu'on sent l'amour chez
elles, comme on sent les parfums chez un coiffeur. En
vérité, ce sont les seules maisons où on s'amuse vraiment
pour son argent. Et quelles praticiennes, mon cher! Quelles
artistes! As-tu quelquefois mangé des gâteaux de bou-
langer? Ça a l'air bon, et ça ne vaut rien. L'homme qui les
a pétris ne sait faire que du pain. Eh bien! l'amour d'une
femme du monde ordinaire me rappelle toujours ces frian-
dises de mitron, tandis que l'amour qu'on trouve chez
les marquises Obardi, vois-tu, c'est du nanan. Oh! elles
savent faire les gâteaux, ces pâtissières-là! On paie cinq
sous chez elles ce qui coûte deux sous ailleurs, et voilà tout.

Saval demanda:

— Quel est le maître de céans en ce moment?

Servigny haussa les épaules avec un geste d'ignorant.

— Je n'en sais rien. Le dernier connu était un pair d'Angle-

terre, parti depuis trois mois. Aujourd'hui, elle doit vivre
sur le commun, sur le jeu peut-être et sur les joueurs, car
elle a des caprices. Mais, dis-moi, il est bien entendu que
nous allons dîner samedi chez elle, à Bougival, n'est-ce
pas? A la campagne, on est plus libre et je finirai bien par
savoir ce qu'Yvette a dans la tête!

Saval répondit:

— Moi, je ne demande pas mieux, je n'ai rien à faire ce
jour-là.

En redescendant les Champs-Elysées sous le champ de
feu des étoiles, ils dérangèrent un couple étendu sur un banc
et Servigny murmura:

— Quelle bêtise et quelle chose considérable en même
temps. Comme c'est banal, amusant, toujours pareil et tou-
jours varié, l'amour! Et le gueux qui paye vingt sous cette
fille ne lui demande pas autre chose que ce que je payerais
dix mille francs à un Obardi quelconque, pas plus jeune et
pas moins bête que cette rouleuse, peut-être? Quelle niai-
serie!

Il ne dit rien pendant quelques minutes, puis il prononça
de nouveau:

— C'est égal, ce serait une rude chance d'être le premier
amant d'Yvette. Oh! pour cela je donnerais . . . je don-
nerais . . .

Il ne trouva pas ce qu'il donnerait. Et Saval lui dit bon-
soir, comme ils arrivaient au coin de la rue Royale.

II

On avait mis le couvert sur la véranda qui dominait la
rivière. La villa Printemps, louée par la marquise Obardi,
se trouvait à mi-hauteur du coteau, juste à la courbe de la
Seine qui venait tourner devant le mur du jardin, coulant
vers Marly.

En face de la demeure, l'île de Croissy formait un horizon
de grands arbres, une masse de verdure, et on voyait un
long bout du large fleuve jusqu'au Café flottant de la Gre-
nouillère caché sous les feuillages.

Le soir tombait, un de ces soirs calmes du bord de l'eau, colorés et doux, un de ces soirs tranquilles qui donnent la sensation du bonheur. Aucun souffle d'air ne remuait les branches, aucun frisson de vent ne passait sur la surface unie et claire de la Seine. Il ne faisait pas trop chaud cependant, il faisait tiède; il faisait bon vivre. La fraîcheur bienfaisante des berges de la Seine montait vers le ciel serein.

Le soleil s'en allait derrière les arbres, vers d'autres contrées, et on aspirait, semblait-il, le bien-être de la terre endormie déjà, on aspirait dans la paix de l'espace la vie nonchalante du monde.

Quand on sortit du salon pour s'asseoir à table, chacun s'extasia. Une gaieté attendrie envahit les cœurs; on sentait qu'on serait si bien à dîner là, dans cette campagne, avec cette grande rivière et cette fin de jour pour décors, en respirant cet air limpide et savoureux.

La marquise avait pris le bras de Saval, Yvette celui de Servigny.

Ils étaient seuls tous les quatre.

Les deux femmes semblaient tout autres qu'à Paris, Yvette surtout.

Elle ne parlait plus guère, paraissait alanguie, grave.

Saval, ne la reconnaissant plus, lui demanda:

— Qu'avez-vous donc, mademoiselle? je vous trouve changée depuis l'autre semaine. Vous êtes devenue une personne toute raisonnable.

Elle répondit:

— C'est la campagne qui m'a fait ça. Je ne suis plus la même. Je me sens toute drôle. Moi, d'ailleurs, je ne me ressemble jamais deux jours de suite. Aujourd'hui, j'aurai l'air d'une folle, et demain d'une élégie; je change comme le temps, je ne sais pas pourquoi. Voyez-vous, je suis capable de tout, suivant les moments. Il y a des jours où je tuerais des gens, pas des bêtes, jamais je ne tuerais des bêtes, mais des gens, oui, et puis d'autres jours où je pleure pour un rien. Il me passe dans la tête un tas d'idées différentes. Ça dépend aussi comment on se lève. Chaque matin, en m'éveillant, je pourrais dire ce que je serai jusqu'au soir. Ce sont

peut-être nos rêves qui nous disposent comme ça. Ça dépend
aussi du livre que je viens de lire.

Elle était vêtue d'une toilette complète de flanelle blanche
qui l'enveloppait délicatement dans la mollesse flottante de
l'étoffe. Son corsage large, à grands plis, indiquait, sans la
montrer, sans la serrer, sa poitrine libre, ferme et déjà
mûre. Et son cou fin sortait d'une mousse de grosses den-
telles, se penchant par mouvements adoucis, plus blond
que sa robe, un bijou de chair, qui portait le lourd paquet
de ses cheveux d'or.

Servigny la regardait longuement. Il prononça:

— Vous êtes adorable, ce soir, mam'zelle. Je voudrais
vous voir toujours ainsi.

Elle lui dit, avec un peu de sa malice ordinaire:

— Ne me faites pas de déclaration, Muscade. Je la pre-
drais au sérieux aujourd'hui, et ça pourrait vous coûter cher!

La marquise paraissait heureuse, très heureuse. Tout en
noir, noblement drapée dans une robe sévère qui dessinait
ses lignes pleines et fortes, un peu de rouge au corsage, une
guirlande d'œillets rouges tombant de la ceinture, comme
une chaîne, et remontant s'attacher sur la hanche, une rose
rouge dans ses cheveux sombres, elle portait dans toute sa
personne, dans cette toilette simple où ces fleurs semblaient
saigner, dans son regard qui pesait, ce soir-là, sur les gens,
dans sa voix lente, dans ses gestes rares, quelque chose
d'ardent.

Saval aussi semblait sérieux, absorbé. De temps en temps,
il prenait dans sa main, d'un geste familier, sa barbe brune
qu'il portait taillée en pointe, à la Henri III, et il paraissait
songer à des choses profondes.

Personne ne dit rien pendant quelques minutes.

Puis, comme on passait une truite, Servigny déclara:

— Le silence a quelquefois du bon. On est souvent plus
près les uns des autres quand on se tait que quand on parle;
n'est-ce pas, marquise?

Elle se retourna un peu vers lui, et répondit:

— Ça, c'est vrai. C'est si doux de penser ensemble à des
choses agréables.

Et elle leva son regard chaud vers Saval; et ils restèrent

quelques secondes à se contempler, l'œil dans l'œil.

Un petit mouvement presque invisible eut lieu sous la table.

Servigny reprit:

— Mam'zelle Yvette, vous allez me faire croire que vous êtes amoureuse si vous continuez à être aussi sage que ça. Or, de qui pouvez-vous être amoureuse? cherchons ensemble, si vous voulez. Je laisse de côté l'armée des soupirants vulgaires, je ne prends que les principaux: du prince Kravalow?

A ce nom, Yvette se réveilla:

— Mon pauvre Muscade, y songez-vous! Mais le prince a l'air d'un Russe de musée de cire, qui aurait obtenu des médailles dans des concours de coiffure.

— Bon. Supprimons le prince; vous avez donc distingué le vicomte Pierre de Belvigne.

Cette fois, elle se mit à rire et demanda:

— Me voyez-vous pendue au cou de Raisiné (elle le baptisait, selon les jours, Raisiné, Malvoisie, Argenteuil, car elle donnait des surnoms à tout le monde) et lui murmurer dans le nez: Mon cher petit Pierre, ou mon divin Pédro, mon adoré Piétri, mon mignon Pierrot, donne ta bonne grosse tête de toutou à ta chère petite femme qui veut l'embrasser?

Servigny annonça:

— Enlevez le Deux. Reste le chevalier Valréali, que la marquise semble favoriser.

Yvette retrouva toute sa joie:

— Larme-à-l'Œil? mais il est pleureur à la Madeleine. Il suit les enterrements de première classe. Je me crois morte toutes les fois qu'il me regarde.

— Et de trois. Alors vous avez eu le coup de foudre pour le baron Saval, ici présent.

—Pour M. de Rhodes fils, non, il est trop fort. Il me semblerait que j'aime l'arc de triomphe de l'Etoile.

— Alors, mam'zelle, il est indubitable que vous êtes amoureuse de moi, car je suis le seul de vos adorateurs dont nous n'ayons point encore parlé. Je m'étais réservé, par modestie, et par prudence. Il me reste à vous remercier.

Elle répondit, avec une grâce joyeuse:

— De vous, Muscade? Ah! mais non. Je vous aime bien . . .
Mais, je ne vous aime pas . . . attendez, je ne veux pas vous
décourager. Je ne vous aime pas . . . encore. Vous avez des
chances . . . peut-être . . . Persévérez, Muscade, soyez
dévoué, empressé, soumis, plein de soins, de prévenances,
docile à mes moindres caprices, prêt à tout pour me plaire
. . . , et nous verrons . . . plus tard.

— Mais, mam'zelle, tout ce que vous réclamez là,
j'aimerais mieux vous le fournir après qu'avant, si ça ne
vous faisait rien.

Elle demanda d'un air ingénu de soubrette:

— Après quoi? . . . Muscade?

— Après que vous m'aurez montré que vous m'aimez,
parbleu!

— Eh bien! faites comme si je vous aimais, et croyez-le
si vous voulez . . .

— Mais, c'est que . . .

— Silence, Muscade, en voilà assez sur ce sujet.

Il fit le salut militaire et se tut.

Le soleil s'était enfoncé derrière l'île, mais tout le ciel
demeurait flamboyant comme un brasier, et l'eau calme du
fleuve semblait changée en sang. Les reflets de l'horizon
rendaient rouges les maisons, les objets, les gens. Et la rose
écarlate dans les cheveux de la marquise avait l'air d'une
goutte de pourpre tombée des nuages sur sa tête.

Yvette regardant au loin, sa mère posa, comme par
mégarde, sa main nue sur la main de Saval; mais la jeune
fille alors ayant fait un mouvement, la main de la marquise
s'envola d'un geste rapide et vint rajuster quelque chose
dans les replis de son corsage.

Servigny, qui les regardait, prononça:

— Si vous voulez, mam'zelle, nous irons faire un tour
dans l'île après dîner?

Elle fut joyeuse de cette idée:

— Oh! oui; ce sera charmant; nous irons tous seuls, n'est-
ce pas, Muscade?

— Oui, tout seuls, mam'zelle.

Puis on se tut de nouveau.

Le large silence de l'horizon, le somnolent repos du soir engourdissaient les cœurs, les corps, les voix. Il est des heures tranquilles, des heures recueillies où il devient presque impossible de parler.

Les valets servaient sans bruit. L'incendie du firmament s'éteignait, et la nuit lente déployait ses ombres sur la terre. Saval demanda:

— Avez-vous l'intention de demeurer longtemps dans ce pays?

Et la marquise répondit en appuyant sur chaque parole:

— Oui. Tant que j'y serai heureuse.

Comme on n'y voyait plus, on apporta les lampes. Elles jetèrent sur la table une étrange lumière pâle sous la grande obscurité de l'espace; et aussitôt une pluie de mouches tomba sur la nappe. C'étaient de toutes petites mouches qui se brûlaient en passant sur les cheminées de verre, puis, les ailes et les pattes grillées, poudraient le linge, les plats, les coupes, d'une sorte de poussière grise et sautillante.

On les avalait dans le vin, on les mangeait dans les sauces, on les voyait remuer sur le pain. Et toujours on avait le visage et les mains chatouillés par la foule innombrable et volante de ces insectes menus.

Il fallait jeter sans cesse les boissons, couvrir les assiettes, manger en cachant les mets avec des précautions infinies.

Ce jeu amusait Yvette, Servigny prenant soin d'abriter ce qu'elle portait à sa bouche, de garantir son verre, d'étendre sur sa tête, comme un toit, sa serviette déployée. Mais la marquise, dégoûtée, devint nerveuse, et la fin du dîner fut courte.

Yvette, qui n'avait point oublié la proposition de Servigny, lui dit:

— Nous allons dans l'île, maintenant.

Sa mère recommanda d'un ton languissant:

— Surtout, ne soyez pas longtemps. Nous allons, d'ailleurs, vous conduire jusqu'au passeur.

Et on partit, toujours deux par deux, la jeune fille et son ami allant devant, sur le chemin de halage. Ils entendaient, derrière eux, la marquise et Saval qui parlaient bas, très bas, très vite. Tout était noir, d'un noir épais, d'un noir

d'encre. Mais le ciel fourmillant de grains de feu, semblait les semer dans la rivière, car l'eau sombre était sablée d'astres.

Les grenouilles maintenant coassaient, poussant, tout le long des berges, leurs notes roulantes et monotones.

Et d'innombrables rossignols jetaient leur chant léger dans l'air calme.

Yvette, tout à coup, demanda:

— Tiens! mais on ne marche plus, derrière nous. Où sont-ils?

Et elle appela:

— Maman!

Aucune voix ne répondit. La jeune fille reprit:

— Ils ne peuvent pourtant pas être loin, je les entendais tout de suite.

Servigny murmura:

— Ils ont dû retourner. Votre mère avait froid, peut-être. Et il l'entraîna.

Devant eux, une lumière brillait. C'était l'auberge de Martinet, restaurateur et pêcheur. A l'appel des promeneurs, un homme sortit de la maison et ils montèrent dans un gros bateau amarré au milieu des herbes de la rive.

Le passeur prit ses avirons, et la lourde barque, avançant, réveillait les étoiles endormies sur l'eau, leur faisait danser une danse éperdue qui se calmait peu à peu derrière eux.

Ils touchèrent l'autre rivage et descendirent sous les grands arbres.

Une fraîcheur de terre humide flottait sous les branches hautes et touffues, qui paraissaient porter autant de rossignols que de feuilles.

Un piano lointain se mit à jouer une valse populaire.

Servigny avait pris le bras d'Yvette, et, tout doucement, il glissa la main derrière sa taille et la serra d'une pression douce.

— A quoi pensez-vous, dit-il?

— Moi? à rien. Je suis très heureuse!

— Alors vous ne m'aimez point?

— Mais oui, Muscade, je vous aime, je vous aime beau-

coup; seulement, laissez-moi tranquille avec ça. Il fait trop
beau pour écouter vos balivernes.

Il la serrait contre lui, bien qu'elle essayât, par petites
secousses, de se dégager, et, à travers la flanelle moelleuse
et douce au toucher, il sentait la tiédeur de sa chair. Il
balbutia:

— Yvette!

— Eh bien, quoi?

— C'est que je vous aime, moi.

— Vous n'êtes pas sérieux, Muscade.

— Mais oui: voilà longtemps que je vous aime.

Elle tentait toujours de se séparer de lui, s'efforçant de
retirer son bras écrasé entre leurs deux poitrines. Et ils
marchaient avec peine, gênés par ce lien et par ces mouve-
ments, zigzaguant comme des gens gris.

Il ne savait plus que lui dire, sentant bien qu'on ne parle
à une jeune fille comme à une femme, troublé, cherchant
ce qu'il devait faire, se demandant si elle consentait ou si
elle ne comprenait pas, et se courbaturant l'esprit pour
trouver les paroles tendres, justes, décisives qu'il fallait.

Il répétait de seconde en seconde:

— Yvette! Dites, Yvette!

Puis, brusquement, à tout hasard, il lui jeta un baiser
sur la joue. Elle fit un petit mouvement d'écart, et, d'un air
fâché:

— Oh! que vous êtes ridicule. Allez-vous me laisser tran-
quille?

Le ton de sa voix ne révélait point ce qu'elle pensait, ce
qu'elle voulait; et, ne la voyant pas trop irritée, il appliqua
ses lèvres à la naissance du cou, sur le premier duvet doré
des cheveux, à cet endroit charmant qu'il convoitait depuis
si longtemps.

Alors elle se débattit avec de grands sursauts pour
s'échapper. Mais il la tenait vigoureusement, et lui jetant
son autre main sur l'épaule, il lui fit de force tourner la tête
vers lui, et lui vola sur la bouche une caresse affolante et
profonde.

Elle glissa entre ses bras par une rapide ondulation de
tout le corps, plongea le long de sa poitrine, et, sortie vive-

ment de son étreinte, elle disparut dans l'ombre avec un grand froissement de jupes, pareil au bruit d'un oiseau qui s'envole.

Il demeura d'abord immobile, surpris par cette souplesse et par cette disparition, puis n'entendant plus rien, il appela à mi-voix:

— Yvette!

Elle ne répondit pas. Il se mit à marcher, fouillant les ténèbres de l'œil, cherchant dans les buissons la tache blanche que devait faire sa robe. Tout était noir. Il cria de nouveau plus fort:

— Mam'zelle Yvette!

Les rossignols se turent.

Il hâtait le pas, vaguement inquiet, haussant toujours le ton:

— Mam'zelle Yvette! Mam'zelle Yvette!

Rien; il s'arrêta, écouta. Toute l'île était silencieuse; à peine un frémissement de feuilles sur sa tête. Seules, les grenouilles continuaient leurs coassements sonores sur les rives.

Alors il erra de taillis en taillis, descendant aux berges droites et broussailleuses du bras rapide, puis retournant aux berges plates et nues du bras mort. Il s'avança jusqu'en face de Bougival, revint à l'établissement de la Grenouillère, fouilla tous les massifs, répétant toujours:

— Mam'zelle Yvette, où êtes-vous? Répondez! C'était une farce! Voyons, répondez! Ne me faites pas chercher comme ça!

Une horloge lointaine se mit à sonner. Il compta les coups: minuit. Il parcourait l'île depuis deux heures. Alors il pensa qu'elle était peut-être rentrée, et il revint très anxieux, faisant le tour par le pont.

Un domestique, endormi sur un fauteuil, attendait dans le vestibule.

Servigny, l'ayant réveillé, lui demanda:

— Y a-t-il longtemps que M^{lle} Yvette est revenue? Je l'ai quittée au bout du pays parce que j'avais une visite à faire.

Et le valet répondit:

— Oh! oui, monsieur le duc. Mademoiselle est rentrée avant dix heures.

Il gagna sa chambre et se mit au lit.

Il demeurait les yeux ouverts, sans pouvoir dormir. Ce baiser volé l'avait agité. Et il songeait. Que voulait-elle? que pensait-elle? que savait-elle? Comme elle était jolie, enfiévrante!

Ses désirs, fatigués par la vie qu'il menait, par toutes les femmes obtenues, par toutes les amours explorées, se réveillaient devant cette enfant singulière, si fraîche, irritante et inexplicable.

Il entendit sonner une heure, puis deux heures. Il ne dormirait pas, décidément. Il avait chaud, il suait, il sentait son cœur rapide battre à ses tempes, et il se leva pour ouvrir la fenêtre.

Un souffle frais entra, qu'il but d'une longue aspiration. L'ombre épaisse était muette, toute noire, immobile. Mais soudain, il aperçut devant lui, dans les ténèbres du jardin, un point luisant; on eût dit un petit charbon rouge. Il pensa:
— Tiens, un cigare. — Ça ne peut être que Saval, et il l'appela doucement:
— Léon!

Une voix répondit:
— C'est toi, Jean?
— Oui. Attends-moi, je descends.

Il s'habilla, sortit, et, rejoignant son ami qui fumait, à cheval sur une chaise de fer:
— Qu'est-ce que tu fais là, à cette heure?

Saval répondit:
— Moi, je me repose!

Et il se mit à rire.

Servigny lui serra la main:
— Tous mes compliments, mon cher. Et moi je . . . je m'embête.
— Ça veut dire que . . .
— Ça veut dire que . . . Yvette et sa mère ne se ressemblent pas.
— Que s'est-il passé? Dis-moi ça!

Servigny raconta ses tentatives et leur insuccès, puis il reprit:

— Décidément, cette petite me trouble. Figure-toi que je n'ai pas pu m'endormir. Que c'est drôle, une fillette. Ça a l'air simple comme tout et on ne sait rien d'elle. Une femme qui a vécu, qui a aimé, qui connaît la vie, on la pénètre très vite. Quand il s'agit d'une vierge, au contraire, on ne devine plus rien. Au fond, je commence à croire qu'elle se moque de moi.

Saval se balançait sur son siège. Il prononça très lentement:

— Prends garde, mon cher, elle te mène au mariage. Rappelle-toi d'illustres exemples. C'est par le même procédé que Mlle de Montijo, qui était au moins de bonne race, devint impératrice. Ne joue pas les Napoléon.

Servigny murmura:

— Quant à ça, ne crains rien, je ne suis ni un naïf, ni un empereur. Il faut être l'un ou l'autre pour faire de ces coups de tête. Mais dis-moi, as-tu sommeil, toi?

— Non, pas du tout.

— Veux-tu faire un tour au bord de l'eau?

— Volontiers.

Ils ouvrirent la grille et se mirent à descendre le long de la rivière, vers Marly.

C'était l'heure fraîche qui précède le jour, l'heure du grand sommeil, du grand repos, du calme profond. Les bruits légers de la nuit eux-mêmes s'étaient tus. Les rossignols ne chantaient plus les grenouilles avaient fini leur vacarme; seule, une bête inconnue, un oiseau peut-être, faisait quelque part une sorte de grincement de scie, faible, monotone, régulier comme un travail de mécanique.

Servigny, qui avait par moments de la poésie et aussi de la philosophie, dit tout à coup:

— Voilà. Cette fille me trouble tout à fait. En arithmétique, un et un font deux. En amour, un et un devraient faire un, et ça fait deux tout de même. As-tu jamais senti cela, toi? Ce besoin d'absorber une femme en soi ou de disparaître en elle? Je ne parle pas du besoin bestial d'étreinte, mais de ce tourment moral et mental de ne faire

qu'un avec un être, d'ouvrir à lui toute son âme, tout son
cœur et de pénétrer toute sa pensée jusqu'au fond. Et
jamais on ne sait rien de lui, jamais on ne découvre toutes
les fluctuations de ses volontés, de ses désirs, de ses opinions.
Jamais on ne divine, même un peu, tout l'inconnu, tout le
mystère d'une âme qu'on sent si proche, d'une âme cachée
derrière deux yeux qui vous regardent, clairs comme de
l'eau, transparents comme si rien de secret n'était dessous,
d'une âme qui vous parle par une bouche aimée, qui
semble à vous, tant on la désire; d'une âme qui vous jette
une à une, par des mots, ses pensées, et qui reste cepen-
dant plus loin de vous que ces étoiles ne sont loin l'une
de l'autre, plus impénétrable que ces astres! C'est drôle,
tout ça!

Saval répondit:

— Je n'en demande pas tant. Je ne regarde pas derrière
les yeux. Je me préoccupe peu du contenu, mais beaucoup
du contenant.

Et Servigny murmura:

— C'est égal. Yvette est une singulière personne. Comment
va-t-elle me recevoir ce matin?

Comme ils arrivaient à la Machine de Marly, ils s'aperçu-
rent que le ciel pâlissait.

Des coqs commençaient à chanter dans les poulaillers;
et leur voix arrivait, un peu voilée par l'épaisseur des murs.
Un oiseau pépiait dans un parc, à gauche, répétant sans
cesse une petite ritournelle d'une simplicité naïve et
comique.

— Il serait temps de rentrer, déclara Saval.

Ils revinrent. Et comme Servigny pénétrait dans sa
chambre, il aperçut l'horizon tout rose par sa fenêtre de-
meurée ouverte.

Alors il ferma sa persienne, tira et croisa ses lourds
rideaux, se coucha et s'endormit enfin.

Il rêva d'Yvette tout le long de son sommeil.

Un bruit singulier le réveilla. Il s'assit en son lit, écouta,
n'entendit plus rien. Puis, ce fut tout à coup contre ses
auvents un crépitement pareil à celui de la grêle qui tombe.

Il sauta du lit, courut à sa fenêtre, l'ouvrit et aperçut

Yvette, debout dans l'allée et qui lui jetait à pleine main des poignées de sable dans la figure.

Elle était habillée de rose, coiffée d'un chapeau de paille à larges bords surmonté d'une plume à la mousquetaire, et elle riait d'une façon sournoise et maligne:

— Eh bien! Muscade, vous dormez? Qu'est-ce que vous avez bien pu faire cette nuit pour vous réveiller si tard? Est-ce que vous avez couru les aventures, mon pauvre Muscade?

Il demeurait ébloui par la clarté violente du jour entrée brusquement dans son œil, encore engourdi de fatigue, et surpris de la tranquillité railleuse de la jeune fille.

Il répondit:

— Me v'là, me v'là, mam'zelle. Le temps de mettre le nez dans l'eau et je descends.

Elle cria:

— Dépêchez-vous, il est dix heures. Et puis j'ai un grand projet à vous communiquer, un complot que nous allons faire. Vous savez qu'on déjeune à onze heures.

Il la trouva assise sur un banc, avec un livre sur les genoux, un roman quelconque. Elle lui prit le bras familièrement, amicalement, d'une façon franche et gaie comme si rien ne s'était passé la veille, et l'entraînant au bout du jardin:

— Voilà mon projet. Nous allons désobéir à maman, et vous me mènerez tantôt à la Grenouillère. Je veux voir ça, moi. Maman dit que les honnêtes femmes ne peuvent pas aller dans cet endroit-là. Moi, ça m'est bien égal, qu'on puisse y aller ou pas y aller. Vous m'y conduirez, n'est-ce pas, Muscade? et nous ferons beaucoup de tapage avec les canotiers.

Elle sentait bon, sans qu'il pût déterminer quelle odeur vague et légère voltigeait autour d'elle. Ce n'était pas un des lourds parfums de sa mère, mais un souffle discret où il croyait saisir un soupçon de poudre d'iris, peut-être aussi un peu de verveine.

D'où venait cette senteur insaisissable? de la robe, des cheveux ou de la peau? Il se demandait cela, et, comme elle lui parlait de très près, il recevait en plein visage son

haleine fraîche qui lui semblait aussi délicieuse à respirer. Alors il pensa que ce fuyant parfum qu'il cherchait à reconnaître n'existait peut-être qu'évoqué par ses yeux charmés et n'était qu'une sorte d'émanation trompeuse de cette grâce jeune et séduisante.

Elle disait:

— C'est entendu, n'est-ce pas, Muscade? . . . Comme il fera très chaud après déjeuner, maman ne voudra pas sortir. Elle est très molle quand il fait chaud. Nous la laisserons avec votre ami et vous m'emmènerez. Nous serons censés monter dans la forêt. Si vous saviez comme ça m'amusera de voir la Grenouillère!

Ils arrivaient devant la grille, en face de la Seine. Un flot de soleil tombait sur la rivière endormie et luisante. Une légère brume de chaleurs s'en élevait, une fumée d'eau évaporée qui mettait sur la surface du fleuve une petite vapeur miroitante.

De temps en temps, un canot passait, yole rapide ou lourd bachot, et on entendait au loin des sifflets courts ou prolongés, ceux des trains qui versent, chaque dimanche, le peuple de Paris dans la campagne des environs, et ceux des bateaux à vapeur qui préviennent de leur approche pour passer l'écluse de Marly.

Mais une petite cloche sonna.

On annonçait le déjeuner. Ils rentrèrent.

Le repas fut silencieux. Un pesant midi de juillet écrasait la terre, oppressait les êtres. La chaleur semblait épaisse, paralysait les esprits et les corps. Les paroles engourdies ne sortaient point des lèvres, et les mouvements semblaient pénibles comme si l'air fût devenu résistant, plus difficile à traverser.

Seule, Yvette, bien que muette, paraissait animée, nerveuse d'impatience.

Dès qu'on eût fini le dessert elle demanda:

— Si nous allions nous promener dans la forêt. Il ferait joliment bon sous les arbres.

La marquise, qui avait l'air exténué, murmura:

— Es-tu folle? Est-ce qu'on peut sortir par un temps pareil?

Et la jeune fille, rusée, reprit:

— Eh bien! nous allons te laisser le baron, pour te tenir compagnie. Muscade et moi, nous grimperons la côte et nous nous assoirons sur l'herbe pour lire.

Et se tournant vers Servigny:

— Hein? C'est entendu?

Il répondit:

— A votre service, mam'zelle.

Elle courut prendre son chapeau.

La marquise haussa les épaules en soupirant:

— Elle est folle, vraiment.

Puis elle tendit avec une paresse, une fatigue dans son geste amoureux et las, sa belle main pâle au baron qui la baisa lentement.

Yvette et Servigny partirent. Ils suivirent d'abord la rive, passèrent le pont, entrèrent dans l'île, puis s'assirent sur la berge, du côté du bras rapide, sous les saules, car il était trop tôt encore pour aller à la Grenouillère.

La jeune fille aussitôt tira un livre de sa poche et dit en riant:

— Muscade, vous allez me faire la lecture.

Et elle lui tendit le volume.

Il eut un mouvement de fuite.

— Moi, mam'zelle? mais je ne sais pas lire!

Elle reprit avec gravité:

— Allons, pas d'excuses, pas de raisons. Vous me faites encore l'effet d'un joli soupirant, vous? Tout pour rien, n'est-ce pas? C'est votre devise?

Il reçut le livre, l'ouvrit, resta surpris. C'était un traité d'entomologie. Une histoire des fourmis par un auteur anglais. Et comme il demeurait immobile, croyant qu'elle se moquait de lui, elle s'impatienta:

— Voyons, lisez, dit-elle.

Il demanda:

— Est-ce une gageure ou bien une simple toquade?

— Non, mon cher, j'ai vu ce livre-là chez un libraire. On m'a dit que c'était ce qu'il y avait de mieux sur les fourmis, et j'ai pensé que ce serait amusant d'apprendre la vie de ces petites bêtes en les regardant courir dans l'herbe, lisez.

Elle s'éntendit tout du long, sur le ventre, les coudes
appuyés sur le sol et la tête entre les mains, les yeux fixés
dans le gazon.

Il lut:

«Sans doute les singes anthropoïdes sont, de tous les
animaux, ceux qui se rapprochent le plus de l'homme par
leur structure anatomique, mais si nous considérons les
mœurs des fourmis, leur organisation en sociétés, leurs
vastes communautés, les maisons et les routes qu'elles
construisent, leur habitude de domestiquer des animaux, et
même parfois de faire des esclaves, nous sommes forcés
d'admettre qu'elles ont droit à réclamer une place près de
l'homme dans l'échelle de l'intelligence . . .»

Et il continua d'une voix monotone, s'arrêtant de temps
en temps pour demander:

— Ce n'est pas assez?

Elle faisait «non» de la tête; et ayant cueilli, à la pointe
d'un brin d'herbe arraché, une fourmi errante, elle s'amusait
à la faire aller d'un bout à l'autre de cette tige, qu'elle ren-
versait dès que la bête atteignait une des extrémités. Elle
écoutait avec une attention concentrée et muette tous les
détails surprenants sur la vie de ces frêles animaux, sur
leurs installations souterraines, sur la manière dont elles
élèvent, enferment et nourrissent des pucerons pour boire
la liqueur sucrée qu'ils sécrètent, comme nous élevons des
vaches en nos étables, sur leur coutume de domestiquer des
petits insectes aveugles qui nettoient les fourmilières, et
d'aller en guerre pour ramener des esclaves qui prendront
soin des vainqueurs, avec tant de sollicitude que ceux-ci
perdront même l'habitude de manger tout seuls.

Et peu à peu, comme si une tendresse maternelle s'était
éveillée en son cœur pour la bestiole si petiote et si intelli-
gente, Yvette la faisait grimper sur son doigt, la regardant
d'un œil ému, avec une envie de l'embrasser.

Et comme Servigny lisait la façon dont elles vivent en
communauté, dont elles jouent entre elles en des luttes
amicales de force et d'adresse, la jeune fille enthousiasmée
voulut baiser l'insecte qui lui échappa et se mit à courir sur
sa figure. Alors elle poussa un cri perçant comme si elle

eût été menacée d'un danger terrible, et, avec des gestes affolés, elle se frappait la joue pour rejeter la bête. Servigny, pris d'un fou rire, la cueillit près des cheveux et mit à la place où il l'avait prise un long baiser sans qu'Yvette éloignât son front.

Puis elle déclara en se levant:

— J'aime mieux ça qu'un roman. Allons à la Grenouillère, maintenant.

Ils arrivèrent à la partie de l'île plantée en parc et ombragée d'arbres immenses. Des couples erraient sous les hauts feuillages, le long de la Seine, où glissaient les canots. C'étaient des filles avec des jeunes gens, des ouvrières avec leurs amants qui allaient en manches de chemise, la redingote sur le bras, le haut chapeau en arrière, d'un air pochard et fatigué, des bourgeois avec leurs familles, les femmes endimanchées et les enfants trottinant comme une couvée de poussins autour de leurs parents.

Une rumeur lointaine et continue de voix humaines, une clameur sourde et grondante annonçait l'établissement cher aux canotiers.

Ils l'aperçurent tout à coup. Un immense bateau, coiffé d'un toit, amarré contre la berge, portait un peuple de femelles et de mâles attablés et buvant ou bien debout, criant, chantant, gueulant, dansant, cabriolant au bruit d'un piano geignard, faux et vibrant comme un chaudron.

De grandes filles en cheveux roux, étalant, par devant et par derrière, la double provocation de leur gorge et de leur croupe, circulaient, l'œil accrochant, la lèvre rouge, aux trois quarts grises, des mots obscènes à la bouche.

D'autres dansaient éperdument en face de gaillards à moitié nus, vêtus d'une culotte de toile et d'un maillot de coton, et coiffés d'une toque de couleur, comme des jockeys.

Et tout cela exhalait une odeur de sueur et de poudre de riz, des émanations de parfumerie et d'aisselles.

Les buveurs, autour des tables, engloutissaient des liquides blancs, rouges, jaunes, verts, et criaient, vociféraient sans raison, cédant à un besoin violent de faire du tapage, à un besoin de brutes d'avoir les oreilles et le cerveau pleins de vacarme.

De seconde en seconde un nageur, debout sur le toit, sautait à l'eau, jetant une pluie d'éclaboussures sur les consommateurs les plus proches, qui poussaient des hurlements de sauvages.

Et sur le fleuve une flotte d'embarcations passait. Les yoles longues et minces filaient, enlevées à grands coups d'aviron par les rameurs aux bras nus, dont les muscles roulaient sous la peau brûlée. Les canotières en robe de flanelle bleue ou de flanelle rouge, une ombrelle, rouge ou bleue aussi, ouverte sur la tête, éclatante sous l'ardent soleil, se renversaient dans leur fauteuil à l'arrière des barques, et semblaient courir sur l'eau, dans une pose immobile et endormie.

Des bateaux plus lourds s'en venaient lentement, chargés de monde. Un collégien en goguette, voulant faire le beau, ramait avec des mouvements d'ailes de moulin, et se heurtait à tous les canots, dont tous les canotiers l'engueulaient, puis il disparaissait éperdu, après avoir failli noyer deux nageurs, poursuivi par les vociférations de la foule entassée dans le grand café flottant.

Yvette, radieuse, passait au bras de Servigny au milieu de cette foule bruyante et mêlée, semblait heureuse de ces coudoiements suspects, dévisageait les filles d'un œil tranquille et bienveillant.

— Regardez celle-là, Muscade, quels jolis cheveux elle a! Elles ont l'air de s'amuser beaucoup.

Comme le pianiste, un canotier vêtu de rouge et coiffé d'une sorte de colossal chapeau parasol en paille, attaquait une valse, Yvette saisit brusquement son compagnon par les reins et l'enleva avec cette furie qu'elle mettait à danser. Ils allèrent si longtemps et si frénétiquement que tout le monde les regardait. Les consommateurs, debout sur les tables, battaient une sorte de mesure avec leurs pieds; d'autres heurtaient les verres; et le musicien semblait devenir enragé, tapait les touches d'ivoire avec des bondissements de la main, des gestes fous de tout le corps, en balançant éperdument sa tête abritée de son immense couvre-chef.

Tout d'un coup il s'arrêta, et, se laissant glisser par terre, s'affaissa tout du long sur le sol, enseveli sous sa coiffure,

comme s'il était mort de fatigue. Un grand rire éclata dans
le café, et tout le monde applaudit.

Quatre amis se précipitèrent comme on fait, dans les
accidents, et, ramassant leur camarade, l'emportèrent par les
quatre membres, après avoir posé sur son ventre l'espèce
de toit dont il se coiffait.

Un farceur les suivant entonna le *De Profundis*, et une
procession se forma derrière le faux mort, se déroulant par
les chemins de l'île, entraînant à la suite les consommateurs,
les promeneurs, tous les gens qu'on rencontrait.

Yvette s'élança, ravie, riant de tout son cœur, causant
avec tout le monde, affolée par le mouvement et le bruit.
Des jeunes gens la regardaient au fond des yeux, se pres-
saient contre elle, très allumés, semblaient la flairer, la
dévêtir du regard; et Servigny commençait à craindre que
l'aventure ne tournât mal à la fin.

La procession allait toujours, accélérant son allure, car les
quatre porteurs avaient pris le pas de course, suivis par la
foule hurlante. Mais, tout à coup, ils se dirigèrent vers la
berge, s'arrêtèrent net en arrivant au bord, balancèrent un
instant leur camarade, puis, le lâchant tous les quatre en
même temps, le lancèrent dans la rivière.

Un immense cri de joie jaillit de toutes les bouches, tandis
que le pianiste, étourdi, barbotait, jurait, toussait, crachait
de l'eau, et, embourbé dans la vase, s'efforçait de remonter
au rivage.

Son chapeau, qui s'en allait au courant, fut rapporté par
une barque.

Yvette dansait de plaisir en battant des mains et répétant:

— Oh! Muscade, comme je m'amuse, comme je m'amuse!

Servigny l'observait, redevenu sérieux, un peu gêné, un
peu froissé de la voir si bien à son aise dans ce milieu
canaille. Une sorte d'instinct se révoltait en lui, cet instinct
du comme il faut qu'un homme bien né garde toujours,
même quand il s'abandonne, cet instinct qui l'écarte des
familiarités trop viles et des contacts trop salissants.

Il se disait, s'étonnant:

— Bigre, tu as de la race, toi!

Et il avait envie de la tutoyer vraiment, comme il la

tutoyait dans sa pensée, comme on tutoie, la première fois qu'on les voit, les femmes qui sont à tous. Il ne la distinguait plus guère des créatures à cheveux roux qui les frôlaient et qui criaient, de leurs voix enrouées, des mots obscènes. Ils couraient dans cette foule; ces mots grossiers, courts et sonores, semblaient voltiger au-dessus, nés là dedans comme des mouches sur un fumier. Ils ne semblaient ni choquer, ni surprendre personne. Yvette ne paraissait point les remarquer.

— Muscade, je veux me baigner, dit-elle, nous allons faire une pleine eau.

Il répondit:

— A vot' service.

Et ils allèrent au bureau des bains pour se procurer des costumes. Elle fut déshabillée la première et elle l'attendit, debout, sur la rive, souriante sous tous les regards. Puis, ils s'en allèrent côte à côte, dans l'eau tiède.

Elle nageait avec bonheur, avec ivresse, toute caressée par l'onde, frémissant d'un plaisir sensuel, soulevée à chaque brasse comme si elle allait s'élancer hors du fleuve. Il la suivait avec peine, essoufflé, mécontent de se sentir médiocre. Mais elle ralentit son allure, puis se tournant brusquement, elle fit la planche, les bras croisés, les yeux ouverts dans le bleu du ciel. Il regardait, allongée ainsi à la surface de la rivière, la ligne onduleuse de son corps, les seins fermes, collés contre l'étoffe légère, montrant leur forme ronde et leurs sommets saillants, le ventre doucement soulevé, la cuisse un peu noyée, le mollet nu, miroitant à travers l'eau, et le pied mignon qui émergeait.

Il la voyait tout entière, comme si elle se fût montrée exprès, pour le tenter, pour s'offrir ou pour se jouer encore de lui. Et il se mit à la désirer avec une ardeur passionnée et un énervement exaspéré. Tout à coup elle se retourna, le regarda, se mit à rire.

— Vous avez une bonne tête, dit-elle.

Il fut piqué, irrité de cette raillerie, saisi par une colère méchante d'amoureux bafoué; alors, cédant brusquement à un obscur besoin de représailles, à un désir de se venger, de la blesser:

— Ça vous irait, cette vie-là?

Elle demanda avec son grand air naïf:

— Quoi donc?

— Allons, ne vous fichez pas de moi. Vous savez bien ce que je veux dire!

— Non, parole d'honneur.

— Voyons, finissons cette comédie. Voulez-vous ou ne voulez-vous pas?

— Je ne vous comprends point.

— Vous n'êtes pas si bête que ça. D'ailleurs je vous l'ai dit hier soir.

— Quoi donc? j'ai oublié.

— Que je vous aime.

— Vous?

— Moi.

— Quelle blague!

— Je vous jure.

— Eh bien, prouvez-le.

— Je ne demande que ça!

— Quoi, ça?

— A le prouver.

— Eh bien, faites.

— Vous n'en disiez pas autant hier soir!

— Vous ne m'avez rien proposé.

— C'te bêtise!

— Et puis d'abord ce n'est pas à moi qu'il faut vous adresser.

— Elle est bien bonne! A qui donc?

— Mais à maman, bien entendu.

Il poussa un éclat de rire.

— A votre mère? non, c'est trop fort!

Elle était devenue soudain très sérieuse, et, le regardant au fond des yeux:

— Écoutez, Muscade, si vous m'aimez vraiment assez pour m'épouser, parlez à maman d'abord, moi je vous répondrai après.

Il crut qu'elle se moquait encore de lui, et, rageant tout à fait:

— Mam'zelle, vous me prenez pour un autre.

Elle le regardait toujours, de son œil doux et clair.

Elle hésita, puis elle dit:

— Je ne vous comprends toujours pas!

Alors, il prononça vivement, avec quelque chose de brusque et de mauvais dans la voix:

— Voyons, Yvette, finissons cette comédie ridicule qui dure depuis trop longtemps. Vous jouez à la petite fille niaise, et ce rôle ne vous va point, croyez-moi. Vous savez bien qu'il ne peut s'agir de mariage entre nous . . . mais d'amour. Je vous ai dit que je vous aimais, — c'est la vérité, — je le répète, je vous aime. Ne faites plus semblant de ne pas comprendre et ne me traitez pas comme un sot.

Ils étaient debout dans l'eau face à face, se soutenant seulement par de petits mouvements des mains. Elle demeura quelques secondes encore immobile, comme si elle ne pouvait se décider à pénétrer le sens de ses paroles, puis elle rougit tout à coup, elle rougit jusqu'aux cheveux. Toute sa figure s'empourpra brusquement depuis son cou jusqu'à ses oreilles qui devinrent presque violettes, et, sans répondre un mot, elle se sauva vers la terre, nageant de toute sa force, par grandes brasses précipitées. Il ne la pouvait rejoindre et il soufflait de fatigue en la suivant.

Il la vit sortir de l'eau, ramassant son peignoir et gagner sa cabine sans s'être retournée.

Il fut longtemps à s'habiller, très perplexe sur ce qu'il avait à faire, cherchant ce qu'il allait lui dire, se demandant s'il devait s'excuser ou persévérer.

Quand il fut prêt, elle était partie, partie toute seule. Il rentra lentement, anxieux et troublé.

La marquise se promenait au bras de Saval dans l'allée ronde, autour du gazon.

En voyant Servigny, elle prononça, de cet air nonchalant qu'elle gardait depuis la veille:

— Qu'est-ce que j'avais dit, qu'il ne fallait point sortir par une chaleur pareille. Voilà Yvette avec un coup de soleil. Elle est partie se coucher. Elle était comme un coquelicot, la pauvre enfant, et elle a une migraine atroce. Vous vous serez promenés en plein soleil, vous aurez fait des folies. Que sais-je, moi? Vous êtes aussi peu raisonnable qu'elle.

La jeune fille ne descendit point pour dîner. Comme on voulait lui porter à manger, elle répondit à travers la porte qu'elle n'avait pas faim, car elle s'était enfermée, et elle pria qu'on la laissât tranquille. Les deux jeunes gens partirent par le train de dix heures, en promettant de revenir le jeudi suivant, et la marquise s'assit devant sa fenêtre ouverte pour rêver, écoutant au loin l'orchestre du bal des canotiers jeter sa musique sautillante dans le grand silence solennel de la nuit.

Entraînée pour l'amour et par l'amour, comme on l'est pour le cheval ou l'aviron, elle avait de subites tendresses qui l'envahissaient comme une maladie. Ces passions la saisissaient brusquement, la pénétraient tout entière, l'affolaient, l'énervaient ou l'accablaient, selon qu'elles avaient un caractère exalté, violent, dramatique ou sentimental.

Elle était une de ces femmes créées pour aimer et pour être aimées. Partie de très bas, arrivée par l'amour dont elle avait fait une profession presque sans le savoir, agissant par instinct, par adresse innée, elle acceptait l'argent comme les baisers, naturellement, sans distinguer, employant son flair remarquable d'une façon irraisonnée et simple, comme font les animaux, que rendent subtils les nécessités de l'existence. Beaucoup d'hommes avaient passé dans ses bras sans qu'elle éprouvât pour eux aucune tendresse, sans qu'elle ressentît non plus aucun dégoût de leurs étreintes.

Elle subissait les enlacements quelconques avec une indifférence tranquille, comme on mange, en voyage, de toutes les cuisines, car il faut bien vivre. Mais, de temps en temps, son cœur ou sa chair s'allumait, et elle tombait alors dans une grande passion qui durait quelques semaines ou quelques mois, selon les qualités physiques ou morales de son amant.

C'étaient les moments délicieux de sa vie. Elle aimait de toute son âme, de tout son corps, avec emportement, avec extase. Elle se jetait dans l'amour comme on se jette dans un fleuve pour se noyer et se laissait emporter, prête à mourir s'il le fallait, enivrée, affolée, infiniment heureuse. Elle s'imaginait chaque fois n'avoir jamais ressenti pareille chose auparavant, et elle se serait fort étonnée, si on lui eût

rappelé de combien d'hommes différents elle avait rêvé
éperdument pendant des nuits entières, en regardant les
étoiles.

Saval l'avait captivée, capturée corps et âme. Elle son-
geait à lui, bercée par son image et par son souvenir, dans
l'exaltation calme du bonheur accompli, du bonheur présent
et certain.

Un bruit derrière elle la fit se retourner. Yvette venait
d'entrer, encore vêtue comme dans le jour, mais pâle mainte-
nant et les yeux luisants comme on les a après de grandes
fatigues.

Elle s'appuya au bord de la fenêtre ouverte, en face de
sa mère.

— J'ai à te parler, dit-elle.

La marquise, étonnée, la regardait. Elle l'aimait en mère
égoïste, fière de sa beauté, comme on l'est d'une fortune,
trop belle encore elle-même pour devenir jalouse, trop indif-
férente pour faire les projets qu'on lui prêtait, trop subtile
cependant pour ne pas avoir la conscience de cette valeur.

Elle répondit:

— Je t'écoute, mon enfant, qu'y a-t-il?

Yvette la pénétrait du regard comme pour lire au fond
de son âme, comme pour saisir toutes les sensations qu'al-
laient éveiller ses paroles.

— Voilà. Il s'est passé tantôt quelque chose d'extraordi-
naire.

— Quoi donc?

— M. de Servigny m'a dit qu'il m'aimait.

La marquise, inquiète, attendait. Comme Yvette ne parlait
plus, elle demanda:

— Comment t'a-t-il dit cela? Explique-toi!

Alors la jeune fille, s'asseyant aux pieds de sa mère dans
une pose câline qui lui était familière, et pressant ses mains,
ajouta:

— Il m'a demandée en mariage.

Mme Obardi fit un geste brusque de stupéfaction, et
s'écria:

— Servigny? mais tu es folle!

Yvette n'avait point détourné les yeux du visage de sa

mère, épiant sa pensée et sa surprise. Elle demanda d'une voix grave:

— Pourquoi suis-je folle? Pourquoi M. de Servigny ne m'épouserait-il pas?

La marquise, embarrassée, balbutia:

— Tu t'es trompée, ce n'est pas possible. Tu as mal entendu ou mal compris. M. de Servigny est trop riche pour toi ... et trop ... trop ... parisien pour se marier.

Yvette s'était levée lentement. Elle ajouta:

— Mais s'il m'aime comme il le dit, maman?

Sa mère reprit avec un peu d'impatience:

— Je te croyais assez grande et assez instruite de la vie pour ne pas te faire de ces idées-là. Servigny est un viveur et un égoïste. Il n'épousera qu'une femme de son monde et de sa fortune. S'il t'a demandée en mariage ... c'est qu'il veut ... c'est qu'il veut ...

La marquise, incapable de dire ses soupçons, se tut une seconde, puis reprit:

— Tiens, laisse-moi tranquille, et va te coucher.

Et la jeune fille, comme si elle savait maintenant ce qu'elle désirait, répondit d'une voix docile:

—Oui, maman.

Elle baisa sa mère au front et s'éloigna d'un pas très calme.

Comme elle allait franchir la porte, la marquise la rappela:

— Et ton coup de soleil? dit-elle.

— Je n'avais rien. C'était ça qui m'avait rendue toute chose.

Et la marquise ajouta:

— Nous en reparlerons. Mais, surtout, ne reste plus seule avec lui d'ici quelque temps, et sois bien sûre qu'il ne t'épousera pas, entends-tu, et qu'il veut seulement te ... compromettre.

Elle n'avait point trouvé mieux pour exprimer sa pensée. Et Yvette rentra chez elle.

Mme Obardi se mit à songer.

Vivant depuis des années dans une quiétude amoureuse et opulente, elle avait écarté avec soin de son esprit toutes les réflexions qui pouvaient la préoccuper, l'inquiéter ou

l'attrister. Jamais elle n'avait voulu se demander ce que deviendrait Yvette; il serait toujours assez tôt d'y songer quand les difficultés arriveraient. Elle sentait bien, avec son flair de courtisane, que sa fille ne pourrait épouser un homme riche et du vrai monde que par un hasard tout à fait improbable, par une de ces surprises de l'amour qui placent des aventurières sur les trônes. Elle n'y comptait point, d'ailleurs, trop occupée d'elle-même pour combiner des projets qui ne la concernaient pas directement.

Yvette ferait comme sa mère, sans doute. Elle serait une femme d'amour. Pourquoi pas? Mais jamais la marquise n'avait osé se demander quand, ni comment, cela arriverait.

Et voilà que sa fille, tout d'un coup, sans préparation, lui posait une de ces questions auxquelles on ne pouvait pas répondre, la forçait à prendre une attitude dans une affaire si difficile, si délicate, si dangereuse à tous égards et si troublante pour sa conscience, pour la conscience qu'on doit montrer quand il s'agit de son enfant et de ces choses.

Elle avait trop d'astuce naturelle, astuce sommeillante, mais jamais endormie, pour s'être trompée une minute sur les intentions de Servigny, car elle connaissait les hommes, par expérience, et surtout les hommes de cette race-là. Aussi, dès les premiers mots prononcés par Yvette, s'était-elle écriée presque malgré elle:

— Servigny, t'épouser? Mais tu es folle!

Comment avait-il employé ce vieux moyen, lui, ce malin, ce roué, cet homme à fêtes et à femmes. Qu'allait-il faire à présent? Et elle, la petite, comment la prévenir plus clairement, la défendre même? car elle pouvait se laisser aller à de grosses bêtises.

Aurait-on jamais cru que cette grande fille était demeurée aussi naïve, aussi peu instruite et peu rusée?

Et la marquise, fort perplexe et fatiguée déjà de réfléchir, cherchait ce qu'il fallait faire, sans trouver rien, car la situation lui semblait vraiment embarrassante.

Et, lasse de ces tracas, elle pensa:

— Bah! je les surveillerai de près, j'agirai suivant les circonstances. S'il le faut même je parlerai à Servigny, qui est fin et qui me comprendra à demi mot.

Elle ne se demanda pas ce qu'elle lui dirait, ni ce qu'il répondrait, ni quel genre de convention pourrait s'établir entre eux, mais heureuse d'être soulagée de ce souci sans avoir eu à prendre de résolution, elle se remit à songer au beau Saval, et, les yeux perdus dans la nuit, tournés vers la droite, vers cette lueur brumeuse qui plane sur Paris, elle envoya de ses deux mains des baisers vers la grande ville, des baisers rapides qu'elle jetait dans l'ombre, l'un sur l'autre, sans compter; et tout bas, comme si elle lui eût parlé encore, elle murmurait:

— Je t'aime, je t'aime!

III

Yvette aussi ne dormait point. Comme sa mère, elle s'accouda à la fenêtre ouverte, et des larmes, ses premières larmes tristes lui emplirent les yeux.

Jusque-là elle avait vécu, elle avait grandi dans cette confiance étourdie et sereine de la jeunesse heureuse. Pourquoi aurait-elle songé, réfléchi, cherché? Pourquoi n'aurait-elle pas été une jeune fille comme toutes les jeunes filles? Pourquoi un doute, pourquoi une crainte, pourquoi des soupçons pénibles lui seraient-ils venus?

Elle semblait instruite de tout parce qu'elle avait l'air de parler de tout, parce qu'elle avait pris le ton, l'allure, les mots osés des gens qui vivaient autour d'elle. Mais elle n'en savait guère plus qu'une fillette élevée en un couvent, ses audaces de parole venant de sa mémoire, de cette faculté d'imitation et d'assimilation qu'ont les femmes, et non d'une pensée instruite et devenue hardie.

Elle parlait de l'amour comme le fils d'un peintre ou d'un musicien parlerait peinture ou musique à dix ou douze ans. Elle savait ou plutôt elle soupçonnait bien quel genre de mystère cachait ce mot — trop de plaisanteries avaient été chuchotées devant elle pour que son innocence n'eût pas été un peu éclairée — mais comment aurait-elle pu conclure de là que toutes les familles ne ressemblaient pas à la sienne?

On baisait la main de sa mère avec un respect apparent;

tous leurs amis portaient des titres; tous étaient ou parais-
saient riches; tous nommaient familièrement des princes de
lignée royale. Deux fils de rois étaient même venus plusieurs
fois, le soir, chez la marquise! Comment aurait-elle su?

Et puis elle était naturellement naïve. Elle ne cherchait
pas, elle ne flairait point les gens comme faisait sa mère.
Elle vivait tranquille, trop joyeuse de vivre pour s'inquiéter
de ce qui aurait peut-être paru suspect à des êtres plus
calmes, plus réfléchis, plus enfermés, moins expansifs et
moins triomphants.

Mais voilà que tout d'un coup, Servigny, par quelques
mots dont elle avait senti la brutalité sans la comprendre,
venait d'éveiller en elle une inquiétude subite, irraisonnée
d'abord, puis une appréhension harcelante.

Elle était rentrée, elle s'était sauvée à la façon d'une bête
blessée, blessée en effet profondément par ces paroles qu'elle
se répétait sans cesse pour en pénétrer tout le sens, pour
en deviner toute la portée: «Vous savez bien qu'il ne peut
pas s'agir de mariage entre nous . . . mais d'amour.»

Qu'avait-il voulu dire? Et pourquoi cette injure Elle
ignorait donc quelque chose, quelque secret, quelque honte?
Elle était seule à l'ignorer sans doute? Mais quoi? Elle de-
meurait effarée, atterrée, comme lorsqu'on découvre une
infamie cachée, la trahison d'un être aimé, un de ces dé-
sastres du cœur qui vous affolent.

Et elle avait songé, réfléchi, cherché, pleuré, mordue de
craintes et de soupçons. Puis son âme jeune et joyeuse se
rassérénant, elle s'était mise à arranger une aventure, à
combiner une situation anormale et dramatique faite de
tous les souvenirs des romans poétiques qu'elle avait lus.
Elle se rappelait des péripéties émouvantes, des histoires
sombres et attendrissantes qu'elle mêlait, dont elle faisait
sa propre histoire, dont elle embellissait le mystère entrevu,
enveloppant sa vie.

Elle ne se désolait déjà plus, elle rêvait, elle soulevait des
voiles, elle se figurait des complications invraisemblables,
mille choses singulières, terribles, séduisantes quand même
par leur étrangeté.

Serait-elle, par hasard, la fille naturelle d'un prince? Sa

pauvre mère séduite et délaissée, faite marquise par un roi,
par le roi Victor-Emmanuel peut-être, avait dû fuir devant
la colère de sa famille?

N'était-elle pas plutôt une enfant abandonnée par ses
parents, par des parents très nobles et très illustres, fruit
d'un amour coupable, recueillie par la marquise, qui l'avait
adoptée et élevée?

D'autres suppositions encore lui traversaient l'esprit. Elle
les acceptait ou les rejetait au gré de sa fantaisie. Elle s'at-
tendrissait sur elle-même, heureuse au fond et triste aussi,
satisfaite surtout de devenir une sorte d'héroïne de livre
qui aurait à se montrer, à se poser, à prendre une attitude
noble et digne d'elle. Et elle pensait au rôle qu'il lui faudrait
jouer, selon les événements devinés. Elle le voyait vague-
ment, ce rôle, pareil à celui d'un personnage de M. Scribe
ou de Mᵐᵉ Sand. Il serait fait de dévouement, de fierté,
d'abnégation, de grandeur d'âme, de tendresse et de belles
paroles. Sa nature mobile se réjouissait presque de cette
attitude nouvelle.

Elle était demeurée jusqu'au soir à méditer sur ce qu'elle
allait faire, cherchant comment elle s'y prendrait pour ar-
racher la vérité à la marquise.

Et quand fut venue la nuit, favorable aux situations
tragiques, elle avait enfin combiné une ruse simple et subtile
pour obtenir ce qu'elle voulait; c'était de dire brusquement
à sa mère que Servigny l'avait demandée en mariage.

A cette nouvelle, Mᵐᵉ Obardi, surprise, laisserait cer-
tainement échapper un mot, un cri qui jetterait une lumière
dans l'esprit de sa fille.

Et Yvette avait aussitôt accompli son projet.

Elle s'attendait à une explosion d'étonnement, à une ex-
pansion d'amour, à une confidence pleine de gestes et de
larmes.

Mais voilà que sa mère, sans paraître stupéfaite ou
désolée, n'avait semblé qu'ennuyée; et, au ton gêné, mécon-
tent et troublé qu'elle avait pris pour lui répondre, la jeune
fille, chez qui s'éveillaient subitement toute l'astuce, la
finesse et la rouerie féminines, comprenant qu'il ne fallait
pas insister, que le mystère était d'autre nature, qu'il lui

serait plus pénible à apprendre, et qu'elle le devait deviner toute seule, était rentrée dans sa chambre, le cœur serré, l'âme en détresse, accablée maintenant sous l'appréhension d'un vrai malheur, sans savoir au juste d'où ni pourquoi lui venait cette émotion. Et elle pleurait, accoudée à sa fenêtre.

Elle pleura longtemps, sans songer à rien maintenant, sans chercher à rien découvrir de plus; et peu à peu, la lassitude l'accablant, elle ferma les yeux. Elle s'assoupissait alors quelques minutes, de ce sommeil fatigant des gens éreintés qui n'ont point l'énergie de se dévêtir et de gagner leur lit, de ce sommeil lourd et coupé par des réveils brusques, quand la tête glisse entre les mains.

Elle ne se coucha qu'aux premières lueurs du jour, lorsque le froid du matin, la glaçant, la contraignit à quitter la fenêtre.

Elle garda le lendemain et le jour suivant une attitude réservée et mélancolique. Un travail incessant et rapide se faisait en elle, un travail de réflexion; elle apprenait à épier, à deviner, à raisonner. Une lueur, vague encore, lui semblait éclairer d'une nouvelle manière les hommes et les choses autour d'elle; et une suspicion lui venait contre tous, contre tout ce qu'elle avait cru, contre sa mère. Toutes les suppositions, elle les fit en ces deux jours. Elle envisagea toutes les possibilités, se jetant dans les résolutions les plus extrêmes avec la brusquerie de sa nature changeante et sans mesure. Le mercredi, elle arrêta un plan, toute une règle de tenue et un système d'espionnage. Elle se leva le jeudi matin avec la résolution d'être plus rouée qu'un policier, et armée en guerre contre tout le monde.

Elle se résolut même à prendre pour devise ces deux mots: «Moi seule», et elle chercha pendant plus d'une heure de quelle manière il les fallait disposer pour qu'ils fissent bon effet, gravés autour de son chiffre, sur son papier à lettres.

Saval et Servigny arrivèrent à dix heures.

La jeune fille tendit sa main avec réserve, sans embarras, et, d'un ton familier, bien que grave:

— Bonjour, Muscade, ça va bien?

— Bonjour, mam'zelle, pas mal, et vous?

Il la guettait.

— Quelle comédie va-t-elle me jouer? — se disait-il.

La marquise ayant pris le bras de Saval, il prit celui d'Yvette et ils se mirent à tourner autour du gazon, paraissant et disparaissant à tout moment derrière les massifs et les bouquets d'arbres.

Yvette allait d'un air sage et réfléchi, regardant le sable de l'allée, paraissant à peine écouter ce que disait son compagnon et n'y répondant guère.

Tout à coup, elle demanda:

— Êtes-vous vraiment mon ami, Muscade?

— Parbleu, mam'zelle.

— Mais là, vraiment, vraiment, bien vraiment de vraiment?

— Tout entier votre ami, mam'zelle, corps et âme.

— Jusqu'à ne pas mentir une fois, une fois seulement?

— Même deux fois, s'il le faut.

— Jusqu'à me dire toute la vérité, la sale vérité tout entière?

— Oui, mam'zelle.

— Eh bien, qu'est-ce que vous pensez, au fond, tout au fond, du prince Kravalow?

— Ah! diable!

— Vous voyez bien que vous vous préparez déjà à mentir.

— Non pas, mais je cherche mes mots, des mots bien justes. Mon Dieu, le prince Kravalow est un Russe . . . un vrai Russe, qui parle russe, qui est né en Russie, qui a eu peut-être un passeport pour venir en France, et qui n'a de faux que son nom et que son titre.

Elle le regardait au fond des yeux.

— Vous voulez dire que c'est? . . .

Il hésita, puis, se décidant:

— Un aventurier, mam'zelle.

— Merci, Et le chevalier Valréali ne vaut pas mieux, n'est-ce pas?

— Vous l'avez dit.

— Et M. de Belvigne?

— Celui-là, c'est autre chose. C'est un homme du monde . . . de province, honorable . . . jusqu'à un certain point . . .

mais seulement un peu brûlé . . . pour avoir trop rôti le
balai . . .

— Et vous?

Il répondit sans hésiter:

— Moi, je suis ce qu'on appelle un fêtard, un garçon de
bonne famille, qui avait de l'intelligence et qui l'a gâchée à
faire des mots, qui avait de la santé et qui l'a perdue à faire
la noce, qui avait de la valeur, peut-être, et qui l'a semée à
ne rien faire. Il me reste en tout et pour tout de la fortune,
une certaine pratique de la vie, une absence de préjugés
assez complète, un large mépris pour les hommes, y compris
les femmes, un sentiment très profond de l'inutilité de mes
actes et une vaste tolérance pour la canaillerie générale. J'ai
cependant, par moments, encore de la franchise, comme
vous le voyez, et je suis même capable d'affection, comme
vous le pourriez voir. Avec ces défauts et ces qualités, je me
mets à vos ordres, mam'zelle, moralement et physique-
ment, pour que vous disposiez de moi à votre gré, voilà.

Elle ne riait pas; elle écoutait, scrutant les mots et les
intentions.

Elle reprit:

— Quest-ce que vous pensez de la comtesse de Lammy?

Il prononça avec vivacité:

— Vous me permettrez de ne pas donner mon avis sur les
femmes.

— Sur aucune?

— Sur aucune.

— Alors, c'est que vous les jugez fort mal . . . toutes.
Voyons, cherchez, vous ne faites pas une exception?

Il ricana de cet air insolent qu'il gardait presque cons-
tamment; et avec cette audace brutale dont il se faisait une
force, une arme:

— On excepte toujours les personnes présentes.

Elle rougit un peu, mais demanda avec un grand calme:

— Eh bien, qu'est-ce que vous pensez de moi?

— Vous le voulez? soit. Je pense que vous êtes une per-
sonne de grand sens, de grande pratique, ou, si vous aimez
mieux, de grand sens pratique, qui sait fort bien embrouiller

son jeu, s'amuser des gens, cacher ses vues, tendre ses fils, et qui attend, sans se presser . . . l'événement.

Elle demanda:

— C'est tout?

— C'est tout.

Alors elle dit, avec une sérieuse gravité:

— Je vous ferai changer cette opinion-là, Muscade.

Puis elle se rapprocha de sa mère, qui marchait à tout petits pas, la tête baissée, de cette allure alanguie qu'on prend lorsqu'on cause tout bas, en se promenant, de choses très intimes et très douces. Elle dessinait, tout en avançant, des figures sur le sable, des lettres peut-être, avec la pointe de son ombrelle, et elle parlait sans regarder Saval, elle parlait longuement, lentement, appuyée à son bras, serrée contre lui. Yvette, tout à coup, fixa les yeux sur elle, et un soupçon, si vague qu'elle ne le formula pas, plutôt même une sensation qu'un doute, lui passa dans la pensée comme passe sur la terre l'ombre d'un nuage que chasse le vent.

La cloche sonna le déjeuner.

Il fut silencieux et presque morne.

Il y avait, comme on dit, de l'orage dans l'air. De grosses nuées immobiles semblaient embusquées au fond de l'horizon, muettes et lourdes, mais chargées de tempête.

Dès qu'on eut pris le café sur la terrasse, la marquise demanda:

— Eh bien! mignonne, vas-tu faire une promenade aujourd'hui avec ton ami Servigny? C'est un vrai temps pour prendre le frais sous les arbres.

Yvette lui jeta un regard rapide, vite détourné:

— Non, maman, aujourd'hui je ne sors pas.

La marquise parut contrariée, elle insista:

— Va donc faire un tour, mon enfant, c'est excellent pour toi.

Alors, Yvette prononça d'une voix brusque:

— Non, maman, aujourd'hui je reste à la maison, et tu sais bien pourquoi, puisque je te l'ai dit l'autre soir.

Mme Obardi n'y songeait plus, toute préoccupée du désir de demeurer seule avec Saval. Elle rougit, se troubla,

et, inquiète pour elle-même, ne sachant comment elle pourrait se trouver libre une heure ou deux, elle balbutia:

— C'est vrai, je n'y pensais point, tu as raison. Je ne sais où j'avais la tête.

Et Yvette, prenant un ouvrage de broderie qu'elle appelait le «salut public», et dont elle occupait ses mains cinq ou six fois l'an, aux jours de calme plat, s'assit sur une chaise basse auprès de sa mère, tandis que les deux jeunes gens, à cheval sur des pliants, fumaient des cigares.

Les heures passaient dans une causerie paresseuse et sans cesse mourante. La marquise, énervée, jetait à Saval des regards éperdus, cherchait un prétexte, un moyen d'éloigner sa fille. Elle comprit enfin qu'elle ne réussirait pas, et ne sachant de quelle ruse user, elle dit à Servigny:

— Vous savez, mon cher duc, que je vous garde tous deux ce soir. Nous irons déjeuner demain au restaurant Fournaise, à Chatou.

Il comprit, sourit, et s'inclinant:

— Je suis à vos ordres, marquise.

Et la journée s'écoula lentement, péniblement, sous les menaces de l'orage.

L'heure du dîner vint peu à peu. Le ciel pesant s'emplissait de nuages lents et lourds. Aucun frisson d'air ne passait sur le peau.

Le repas du soir aussi fut silencieux. Une gêne, un embarras, une sorte de crainte vague semblaient rendre muets les deux hommes et les deux femmes.

Quand le couvert fut enlevé, ils demeurèrent sur la terrasse, ne parlant qu'à de longs intervalles. La nuit tombait, une nuit étouffante. Tout à coup, l'horizon fut déchiré par un immense crochet de feu, qui illumina d'une flamme éblouissante et blafarde les quatre visages déjà ensevelis dans l'ombre. Puis un bruit lointain, un bruit sourd et faible, pareil au roulement d'une voiture sur un pont, passa sur la terre; et il sembla que la chaleur de l'atmosphère augmentait, que l'air devenait brusquement encore plus accablant, le silence du soir plus profond.

Yvette se leva:

— Je vais me coucher, dit-elle, l'orage me fait mal.

Elle tendit son front à la marquise, offrit sa main aux deux jeunes hommes, et s'en alla.

Comme elle avait sa chambre juste au-dessus de la terrasse, les feuilles d'un grand marronnier planté devant la porte s'éclairèrent bientôt d'une clarté verte, et Servigny restait les yeux fixés sur cette lueur pâle dans le feuillage, où il croyait parfois voir passer une ombre. Mais soudain, la lumière s'éteignit. Mme Obardi poussa un grand soupir:

— Ma fille est couchée, dit-elle.

Servigny se leva:

— Je vais en faire autant, marquise, si vous le permettez.

Il baisa la main qu'elle lui tendait et disparut à son tour.

Et elle demeura seule avec Saval, dans la nuit.

Aussitôt elle fut dans ses bras, l'enlaçant, l'étreignant. Puis, bien qu'il tentât de l'en empêcher, elle s'agenouilla devant lui en murmurant: «Je veux te regarder à la lueur des éclairs.»

Mais Yvette, sa bougie soufflée, était revenue sur son balcon, nu-pieds, glissant comme une ombre, et elle écoutait, rongée par un soupçon douloureux et confus.

Elle ne pouvait voir, se trouvant au-dessus d'eux, sur le toit même de la terrasse.

Elle n'entendait rien qu'un murmure de voix; et son cœur battait si fort qu'il emplissait de bruit ses oreilles. Une fenêtre se ferma sur sa tête. Donc, Servigny, venait de remonter. Sa mère était seule avec l'autre.

Un second éclair, fendant le ciel en deux fit surgir pendant une seconde tout ce paysage qu'elle connaissait, dans une clarté violente et sinistre; et elle aperçut la grande rivière, couleur de plomb fondu, comme on rêve des fleuves en des pays fantastiques. Aussitôt une voix, au-dessous d'elle, prononça : «Je t'aime!»

Et elle n'entendit plus rien. Un étrange frisson lui avait passé sur le corps, et son esprit flottait dans un trouble affreux.

Un silence pesant, infini, qui semblait le silence éternel, planait sur le monde. Elle ne pouvait plus respirer, la poitrine oppressée par quelque chose d'inconnu et d'horrible. Un autre éclair enflamma l'espace, illumina un instant

l'horizon, puis un autre presque aussitôt le suivit, puis d'autres encore.

Et la voix qu'elle avait entendue déjà, s'élevant plus forte, répétait: «Oh! comme je t'aime! comme je t'aime!» Et Yvette la reconnaissait bien, cette voix-là, celle de sa mère.

Une large goutte d'eau tiède lui tomba sur le front, et une petite agitation presque imperceptible courut dans les feuilles, le frémissement de la pluie qui commence.

Puis une rumeur accourut venue de loin, une rumeur confuse, pareille au bruit du vent dans les branches; c'était l'averse lourde s'abattant en nappe sur la terre, sur le fleuve, sur les arbres. En quelques instants, l'eau ruissela autour d'elle, la couvrant, l'éclaboussant, la pénétrant comme un bain. Elle ne remuait point, songeant seulement à ce qu'on faisait sur la terrasse.

Elle les entendit qui se levaient et qui montaient dans leurs chambres. Des portes se fermèrent à l'intérieur de la maison; et la jeune fille, obéissant à un désir de savoir irrésistible, qui l'affolait et la torturait, se jeta dans l'escalier, ouvrit doucement la porte du dehors, et traversant le gazon sous la tombée furieuse de la pluie, courut se cacher dans un massif pour regarder les fenêtres.

Une seule était éclairée, celle de sa mère. Et, tout à coup, deux ombres apparurent dans le carré lumineux, deux ombres côte à côte. Puis, se rapprochant, elles n'en firent plus qu'une; et un nouvel éclair projetant sur la façade un rapide et éblouissant jet de feu, elle les vit qui s'embrassaient, les bras serrés autour du cou.

Alors, éperdue, sans réfléchir, sans savoir ce qu'elle faisait, elle cria de toute sa force, d'une voix suraiguë: «Maman!» comme on crie pour avertir les gens d'un danger de mort.

Son appel désespéré se perdit dans le clapotement de l'ean, mais le couple enlacé se sépara, inquiet. Et une des ombres disparut, tandis que l'autre cherchait à distinguer quelque chose à travers les ténèbres du jardin.

Alors, craignant d'être surprise, de rencontrer sa mère en cet instant, Yvette s'élança vers la maison, remonta précipitamment l'escalier en laissant derrière elle une traînée d'eau

qui coulait de marche en marche, et elle s'enferma dans sa
chambre, résolue à n'ouvrir sa porte à personne.

Et sans ôter sa robe ruisselante et collée à sa chair, elle
tomba sur les genoux en joignant les mains, implorant dans
sa détresse quelque protection surhumaine, le secours mys-
térieux du ciel, l'aide inconnue qu'on réclame aux heures
de larmes et de désespoir.

Les grands éclairs jetaient d'instant en instant leurs reflets
livides dans sa chambre, et elle se voyait brusquement dans
la glace de son armoire, avec ses cheveaux déroulés et
trempés, tellement étrange qu'elle ne se reconnaissait pas.

Elle demeura là longtemps, si longtemps que l'orage
s'éloigna sans qu'elle s'en aperçut. La pluie cessa de tomber,
une lueur envahit le ciel encore obscurci de nuages, et une
fraîcheur tiède, savoureuse, délicieuse, une fraîcheur
d'herbes et de feuilles mouillées entrait par la fenêtre
ouverte.

Yvette se releva, ôta ses vêtements flasques et froids, sans
songer même à ce qu'elle faisait, et se mit au lit. Puis elle
demeura les yeux fixés sur le jour qui naissait. Puis elle
pleura encore, puis elle songea.

Sa mère! un amant! quelle honte! Mais elle avait lu tant
de livres où des femmes, même des mères, s'abandonnaient
ainsi, pour renaître à l'honneur aux pages du dénouement,
qu'elle ne s'étonnait pas outre mesure de se trouver enve-
loppée dans un drame pareil à tous les drames de ses lec-
tures. La violence de son premier chagrin, l'effarement
cruel de la surprise s'atténuaient un peu déjà dans le sou-
venir confus de situations analogues. Sa pensée avait rôdé
en des aventures si tragiques, poétiquement amenées par les
romanciers, que l'horrible découverte lui apparaissait peu
à peu comme la continuation naturelle de quelque feuille-
ton commencé la veille.

Elle se dit:

— Je sauverai ma mère.

Et, presque rassérénée par cette résolution d'héroïne,
elle se sentit forte, grandie, prête tout à coup pour le
dévouement et pour la lutte. Et elle réfléchit aux moyens
qu'il lui faudrait employer. Un seul lui parut bon, qui était

en rapport avec sa nature romanesque. Et elle prépara,
comme un acteur prépare la scène qu'il va jouer, l'entretien
qu'elle aurait avec la marquise.

Le soleil s'était levé. Les serviteurs circulaient dans la
maison. La femme de chambre vint avec le chocolat. Yvette
fit poser le plateau sur la table et prononça:

— Vous direz à ma mère que je suis souffrante, que je
vais rester au lit jusqu'au départ de ces messieurs, que je
n'ai pas pu dormir de la nuit, et que je prie qu'on ne me
dérange pas, parce que je veux essayer de me reposer.

La domestique, surprise, regardait la robe trempée et
tombée comme une loque sur le tapis.

— Mademoiselle est donc sortie? dit-elle.

— Oui, j'ai été me promener sous la pluie pour me
rafraîchir.

Et la bonne ramassa les jupes, les bas, les bottines sales;
puis elle s'en alla portant sur un bras, avec des précautions
dégoûtées, ces vêtements trempés comme des hardes de
noyé.

Et Yvette attendit, sachant bien que sa mère allait venir.

La marquise entra, ayant sauté du lit aux premiers mots
de la femme de chambre, car un doute lui était resté depuis
ce cri: «Maman», entendu dans l'ombre.

— Qu'est-ce que tu as? dit-elle.

Yvette la regarda, bégaya:

— J'ai . . . j'ai . . .

Puis, saisie par une émotion subite et terrible, elle se mit
à suffoquer.

La marquise, étonnée, demanda de nouveau:

— Qu'est-ce que tu as donc?

Alors, oubliant tous ses projets et ses phrases préparées,
la jeune fille cacha sa figure dans ses deux mains en bal-
butiant:

— Oh! maman, oh! maman!

Mme Obardi demeura debout devant le lit, trop émue
pour bien comprendre, mais devinant presque tout, avec
cet instinct subtil d'où venait sa force.

Comme Yvette ne pouvait parler, étranglée par les

larmes, sa mère énervée à la fin et sentant approcher une explication redoutable, demanda brusquement:

— Voyons, me diras-tu ce qui te prend?

Yvette put à peine prononcer:

— Oh! cette nuit . . . j'ai vu . . . ta fenêtre.

La marquise, très pâle, articula:

— Eh bien! quoi?

Sa fille répéta, toujours en sanglotant:

— Oh! maman, oh! maman!

Mme Obardi, dont la crainte et l'embarras se changeaient en colère, haussa les épaules et se retourna pour s'en aller.

— Je crois vraiment que tu es folle. Quand ce sera fini, tu me le feras dire.

Mais la jeune fille, tout à coup, dégagea de ses mains son visage ruisselant de pleurs.

— Non! . . . écoute . . . il faut que je te parle . . . écoute . . . Tu vas me promettre . . . nous allons partir toutes les deux, bien loin, dans une campagne, et nous vivrons comme des paysannes: et personne ne saura ce que nous serons devenues! Dis, veux-tu, maman, je t'en prie, je t'en supplie, veux-tu?

La marquise, interdite, demeurait au milieu de la chambre. Elle avait aux veines du sang de peuple, du sang irascible. Puis une honte, une pudeur de mère se mêlant à un vague sentiment de peur et à une exaspération de femme passionnée dont l'amour est menacé, elle frémissait, prête à demander pardon ou à se jeter dans quelque violence.

— Je ne te comprends pas, dit-elle.

Yvette reprit:

— Je t'ai vue . . . maman, . . . cette nuit . . . Il ne faut plus . . . si tu savais . . . nous allons partir toutes les deux . . . je t'aimerai tant que tu oublieras . . .

Mme Obardi prononça d'une voix tremblante:

— Ecoute, ma fille, il y a des choses que tu ne comprends pas encore. Eh bien . . . n'oublie point . . . n'oublie point . . . que je te défends . . . de me parler jamais . . . de . . . de . . . de ces choses.

Mais la jeune fille, prenant brusquement le rôle de sauveur qu'elle s'était imposé, prononça:

— Non, maman, je ne suis plus une enfant, et j'ai le droit
de savoir. Eh bien, je sais que nous recevons des gens mal
famés, des aventuriers, je sais aussi qu'on ne nous respecte
pas à cause de cela. Je sais autre chose encore. Eh bien, il
ne faut plus, entends-tu? je ne veux pas. Nous allons partir;
tu vendras tes bijoux; nous travaillerons s'il le faut, et nous
vivrons comme des honnêtes femmes, quelque part, bien
loin. Et si je trouve à me marier, tant mieux.

Sa mère la regardait de son œil noir, irrité. Elle répondit:

— Tu es folle. Tu vas me faire le plaisir de te lever et de
venir déjeuner avec tout le monde.

— Non, maman. Il y a quelqu'un ici que je ne reverrai
pas, tu me comprends. Je veux qu'il sorte, ou bien c'est moi
qui sortirai. Tu choisiras entre lui et moi.

Elle s'était assise dans son lit, et elle haussait la voix,
parlant comme on parle sur la scène, entrant enfin dans le
drame qu'elle avait rêvé, oubliant presque son chagrin pour
ne se souvenir que de sa mission.

La marquise, stupéfaite, répéta encore une fois:

— Mais tu es folle . . . , ne trouvant rien autre chose à
dire.

Yvette reprit avec une énergie théâtrale:

— Non, maman, cet homme quittera la maison, ou c'est
moi qui m'en irai, car je ne faiblirai pas.

— Et où iras-tu? . . . Que feras-tu?

— Je ne sais pas, peu m'importe . . . Je veux que nous
soyons des honnêtes femmes.

Ce mot qui revenait «honnêtes femmes» soulevait la
marquise d'une fureur de fille et elle cria:

— Tais-toi! je ne te permets pas de me parler comme ça.
Je vaux autant qu'une autre, entends-tu? Je suis une courti-
sane, c'est vrai, et j'en suis fière; les honnêtes femmes ne
me valent pas.

Yvette, atterrée, la regardait; elle balbutia:

— Oh, maman!

Mais la marquise, s'exaltant, s'excitant:

— Eh bien! oui, je suis une courtisane.
Après? Si je n'étais pas une courtisane, moi, tu serais
aujourd'hui une cuisinière, toi, comme j'étais autrefois, et

tu ferais des journées de trente sous, et tu laverais la vais-
selle, et ta maîtresse t'enverrait à la boucherie, entends-tu,
et elle te ficherait à la porte si tu flânais, tandis que tu flânes
toute la journée parce que je suis une courtisane. Voilà.
Quand on n'est rien qu'une bonne, une pauvre fille avec
cinquante francs d'économies, il faut savoir se tirer d'affaire,
si on ne veut pas crever dans la peau d'une meurt-de-faim;
et il n'y a pas deux moyens pour nous, il n'y en a pas deux,
entends-tu, quand on est servante! Nous ne pouvons pas
faire fortune, nous, avec des places, ni avec des tripotages
de bourse. Nous n'avons rien que notre corps, rien que notre
corps.

Elle se frappait la poitrine, comme un pénitent qui se
confesse, et, rouge, exaltée, avançant vers le lit:

— Tant pis, quand on est belle fille, faut vivre de ça, ou
bien souffrir de misère toute sa vie . . . toute sa vie . . . , pas
de choix.

Puis revenant brusquement à son idée:

— Avec ça qu'elles s'en privent, les honnêtes femmes.
C'est elles qui sont des gueuses, entends-tu, parce que rien
ne les force. Elles ont de l'argent, de quoi vivre et s'amuser,
et elles prennent des hommes par vice. C'est elles qui sont
des gueuses.

Elle était debout près de la couche d'Yvette éperdue, qui
avait envie de crier «au secours», de se sauver, et qui
pleurait tout haut comme les enfants qu'on bat.

La marquise se tut, regarda sa fille, et la voyant affolée
de désespoir, elle se sentit elle-même pénétrée de douleur,
de remords, d'attendrissement, de pitié, et s'abattant sur le
lit en ouvrant les bras, elle se mit aussi à sangloter, et elle
balbutia:

— Ma pauvre petite, ma pauvre petite, si tu savais comme
tu me fais mal.

Et elles pleurèrent toutes deux, très longtemps.

Puis la marquise, chez qui le chagrin ne tenait pas, se
releva doucement. Et elle dit tout bas:

— Allons, mignonne, c'est comme ça, que veux-tu? On
n'y peut rien changer maintenant. Il faut prendre la vie
comme elle vient.

Yvette continuait de pleurer. Le coup avait été trop rude et trop inattendu pour qu'elle pût réfléchir et se remettre.

Sa mère reprit:

— Voyons, lève-toi, et viens déjeuner, pour qu'on ne s'aperçoive de rien.

La jeune fille faisait «non» de la tête, sans pouvoir parler; enfin, elle prononça d'une voix lente, pleine de sanglots:

— Non, maman, tu sais ce que je t'ai dit, je ne changerai pas d'avis. Je ne sortirai pas de ma chambre avant qu'ils soient partis. Je ne veux plus voir personne de ces gens-là, jamais, jamais. S'ils reviennent, je . . . je . . . tu ne me reverras plus.

La marquise avait essuyé ses yeux, et, fatiguée d'émotion, elle murmura:

— Voyons, réfléchis, sois raisonnable.

Puis, après une minute de silence:

— Oui, il vaut mieux que tu te reposes ce matin. Je viendrai te voir dans l'après-midi.

Et ayant embrassé sa fille sur le front, elle sortit pour s'habiller, calmée déjà.

Yvette, dès que sa mère eut disparu, se leva, et courut pousser le verrou pour être seule, bien seule, puis elle se mit à réfléchir.

La femme de chambre frappa vers onze heures et demanda à travers la porte:

— Madame la marquise fait demander si Mademoiselle n'a besoin de rien, et ce qu'elle veut pour son déjeuner?

Yvette répondit:

— Je n'ai pas faim. Je prie seulement qu'on ne me dérange pas.

Et elle demeura au lit comme si elle eût été fort malade. Vers trois heures, on frappa de nouveau. Elle demanda:

— Qui est là?

Ce fut la voix de sa mère.

— C'est moi, mignonne, je viens voir comment tu vas.

Elle hésita. Que ferait-elle? Elle ouvrit, puis se recoucha.

La marquise s'approcha, et parlant à mi-voix comme auprès d'une convalescente:

— Eh bien, te trouves-tu mieux? Tu ne veux pas manger un œuf?

— Non, merci, rien du tout.

M^me Obardi s'était assise près du lit. Elles demeurèrent sans rien dire, puis, enfin, comme sa fille restait immobile, les mains inertes sur les draps.

— Ne vas-tu pas te lever?

Yvette répondit:

— Oui, tout à l'heure.

Puis d'un ton grave et lent:

— J'ai beaucoup réfléchi, maman, et voici . . . voici ma résolution. Le passé est le passé, n'en parlons plus. Mais l'avenir sera différent . . . ou bien . . . ou bien je sais ce qui me resterait à faire. Maintenant, que ce soit fini là-dessus.

La marquise, qui croyait terminée l'explication, sentit un peu d'impatience la gagner. C'était trop maintenant. Cette grande bécasse de fille aurait dû savoir depuis longtemps. Mais elle ne répondit rien et répéta:

— Te lèves-tu?

— Oui, je suis prête.

Alors sa mère lui servit de femme de chambre, lui apportant ses bas, son corset, ses jupes; puis elle l'embrassa.

— Veux-tu faire un tour avant dîner?

— Oui, maman.

Et elles allèrent se promener le long de l'eau, sans guère parler que de choses très banales.

IV

Le lendemain, dès le matin, Yvette s'en alla toute seule s'asseoir à la place où Servigny lui avait lu l'histoire des fourmis. Elle se dit:

— Je ne m'en irai pas de là avant d'avoir pris une résolution.

Devant elle, à ses pieds, l'eau coulait, l'eau rapide du bras vif, pleine de remous, de larges bouillons qui passaient dans une fuite muette avec des tournoiements profonds.

Elle avait déjà envisagé toutes les faces de la situation et tous les moyens d'en sortir.

Que ferait-elle si sa mère ne tenait pas scrupuleusement la condition qu'elle avait posée, ne renonçait pas à sa vie, à son monde, à tout, pour aller se cacher avec elle dans un pays lointain?

Elle pouvait partir seule . . . fuir. Mais où? Comment? De quoi vivrait-elle?

En travaillant? A quoi? A qui s'adresserait-elle pour trouver de l'ouvrage? Et puis l'existence morne et humble des ouvrières, des filles du peuple, lui semblait un peu honteuse, indigne d'elle. Elle songea à se faire institutrice, comme les jeunes personnes des romans, et à être aimée, puis épousée par le fils de la maison. Mais il aurait fallu qu'elle fût de grande race, qu'elle pût, quand le père exaspéré lui reprocherait d'avoir volé l'amour de son fils, dire d'une voix fière:

— Je m'appelle Yvette Obardi.

Elle ne le pouvait pas. Et puis c'eût été même encore là un moyen banal, usé.

Le couvent ne valait guère mieux. Elle ne se sentait d'ailleurs aucune vocation pour la vie religieuse, n'ayant qu'une piété intermittente et fugace. Personne ne pouvait la sauver en l'épousant, étant ce qu'elle était! Aucun secours n'était acceptable d'un homme, aucune issue possible, aucune ressource définitive!

Et puis, elle voulait quelque chose d'énergique, de vraiment grand, de vraiment fort, qui servirait d'exemple; et elle se résolut à la mort.

Elle s'y décida tout d'un coup, tranquillement, comme s'il s'agissait d'un voyage, sans réfléchir, sans voir la mort, sans comprendre que c'est la fin sans recommencement, le départ sans retour, l'adieu éternel à la terre, à la vie.

Elle fut disposée immédiatement à cette détermination extrême, avec la légèreté des âmes exaltées et jeunes.

Et elle songea aux moyens qu'elle emploierait. Mais tous lui apparaissaient d'une exécution pénible et hasardeuse, et demandaient en outre une action violente qui lui répugnait.

Elle renonça bien vite au poignard et au revolver qui

peuvent blesser seulement, estropier ou défigurer, et qui
exigent une main exercée et sûre, — à la corde qui est com-
mune, suicide de pauvre, ridicule et laid, — à l'eau parce
qu'elle savait nager. Restait donc le poison, mais lequel?
Presque tous font souffrir et provoquent des vomissements.
Elle ne voulait ni souffrir, ni vomir. Alors elle songea au
chloroforme, ayant lu dans un fait divers comment avait
fait une jeune femme pour s'asphyxier par ce procédé.

Et elle éprouva aussitôt une sorte de joie de sa résolution,
un orgueil intime, une sensation de fierté. On verrait ce
qu'elle était, ce qu'elle valait.

Elle rentra dans Bougival, et elle se rendit chez le pharma-
cien, à qui elle demanda un peu de chloroforme pour une
dent dont elle souffrait. L'homme, qui la connaissait, lui
donna une toute petite bouteille de narcotique.

Alors, elle partit à pied pour Croissy, où elle se procura
une seconde fiole de poison. Elle en obtint une troisième à
Chatou, une quatrième à Rueil, et elle rentra en retard pour
déjeuner. Comme elle avait grand'faim après cette course,
elle mangea beaucoup, avec ce plaisir des gens que l'exercice
a creusés.

Sa mère, heureuse de la voir affamée ainsi, se sentant
tranquille enfin, lui dit, comme elles se levaient de table:

— Tous nos amis viendront passer la journée de dimanche.
J'ai invité le prince, le chevalier et M. de Belvigne.

Yvette pâlit un peu, mais ne répondit rien.

Elle sortit presque aussitôt, gagna la gare et prit un billet
pour Paris.

Et pendant tout l'après-midi, elle alla de pharmacie en
pharmacie, achetant dans chacune quelques gouttes de
chloroforme.

Elle revint le soir, les poches pleines de petites bouteilles.

Elle recommença le lendemain ce manège, et étant entrée
par hasard chez un droguiste, elle put obtenir, d'un seul
coup, un quart de litre.

Elle ne sortit pas le samedi; c'était un jour couvert et
tiède; elle le passa tout entier sur la terrasse, étendue sur
une chaise longue en osier.

Elle ne pensait presque à rien, très résolue et très tranquille.

Elle mit, le lendemain, une toilette bleue qui lui allait fort bien, voulant être belle.

En se regardant dans sa glace elle se dit tout d'un coup: Demain, je serai morte. — Et un singulier frisson lui passa le long du corps. Morte! Je ne parlerai plus, je ne penserai plus, personne ne me verra plus. Et moi je ne verrai plus rien de tout cela!

Elle contemplait attentivement son visage comme si elle ne l'avait jamais aperçu, examinant surtout ses yeux, découvrant mille choses en elle, un caractère secret de sa physionomie qu'elle ne connaissait pas, s'étonnant de se voir, comme si elle avait en face d'elle une personne étrangère, une nouvelle amie.

Elle se disait:

— C'est moi, c'est moi que voilà dans cette glace. Comme c'est étrange de se regarder soi-même. Sans le miroir cependant, nous ne nous connaîtrions jamais. Tous les autres sauraient comment nous sommes, et nous ne le saurions point, nous.

Elle prit ses grands cheveux tressés en nattes et les ramena sur sa poitrine, suivant de l'œil tous ses gestes, toutes ses poses, tous ses mouvements.

— Comme je suis jolie! pensa-t-elle. Demain, je serai morte, là, sur mon lit.

Elle regarda son lit, et il lui sembla qu'elle se voyait étendue, blanche comme ses draps.

— Morte. Dans huit jours, cette figure, ces yeux, ces joues ne seront plus qu'une pourriture noire, dans une boîte, au fond de la terre.

Une horrible angoisse lui serra le cœur.

Le clair soleil tombait à flots sur la campagne et l'air doux du matin entrait par la fenêtre.

Elle s'assit, pensant à cela: Morte. — C'était comme si le monde allait disparaître pour elle; mais non, puisque rien ne serait changé dans ce monde, pas même sa chambre. Oui, sa chambre resterait toute pareille avec le même lit, les mêmes chaises, la même toilette, mais elle serait partie

pour toujours, elle, et personne ne serait triste, que sa mère peut-être.

On dirait: «Comme elle était jolie! cette petite Yvette», voilà tout. Et comme elle regardait sa main appuyée sur le bras de son fauteuil, elle songea de nouveau à cette pourriture, à cette bouillie noire et puante que ferait sa chair. Et de nouveau un grand frisson d'horreur lui courut dans tout le corps, et elle ne comprenait pas bien comment elle pourrait disparaître sans que la terre tout entière s'anéantît, tant il lui semblait qu'elle faisait partie de tout, de la campagne, de l'air, du soleil, de la vie.

Des rires éclatèrent dans le jardin, un grand bruit de voix, des appels, cette gaieté bruyante des parties de campagne qui commencent, et elle reconnut l'organe sonore de M. de Belvigne qui chantait:

> Je suis sous ta fenêtre,
> Ah! daigne enfin paraître.

Elle se leva sans réfléchir et vint regarder. Tous applaudirent. Ils étaient là tous les cinq, avec deux autres messieurs qu'elle ne connaissait pas.

Elle se recula brusquement, déchirée par la pensée que ces hommes venaient s'amuser chez sa mère, chez une courtisane.

La cloche sonna le déjeuner.

— Je vais leur montrer comment on meurt, se dit-elle.

Et elle descendit d'un pas ferme, avec quelque chose de la résolution des martyres chrétiennes entrant dans le cirque où les lions les attendaient.

Elle serra les mains en souriant d'une manière affable, mais un peu hautaine. Servigny lui demanda:

— Êtes-vous moins grognon, aujourd'hui, mam'zelle?

Elle répondit d'un ton sévère et singulier:

— Aujourd'hui, je veux faire des folies. Je suis dans mon humeur de Paris. Prenez garde.

Puis, se tournant vers M. de Belvigne.

— C'est vous qui serez mon patito, mon petit Malvoisie. Je vous emmène tous, après le déjeuner, à la fête de Marly.

C'était la fête, en effet, à Marly. On lui présenta les deux nouveaux venus, le comte de Tamine et le marquis de Briquetot.

Pendant le repas, elle ne parla guère, tendant sa volonté pour être gaie dans l'après-midi, pour qu'on ne devinât rien, pour qu'on s'étonnât davantage, pour qu'on dît: — Qui l'aurait pensé? Elle semblait si heureuse, si contente! Que se passe-t-il dans ces têtes-là?

Elle s'efforçait de ne point songer au soir, à l'heure choisie, alors qu'ils seraient tous sur la terrasse.

Elle but du vin le plus qu'elle put, pour se monter, et deux petits verres de fine champagne, et elle était rouge en sortant de table, un peu étourdie, ayant chaud dans le corps et chaud dans l'esprit, lui semblait-il, devenue hardie maintenant et résolue à tout.

— En route! cria-t-elle.

Elle prit le bras de M. de Belvigne et régla la marche des autres:

— Allons, vous allez former mon bataillon! Servigny, je vous nomme sergent; vous vous tiendrez en dehors, sur la droite. Puis vous ferez marcher en tête la garde étrangère, les deux Exotiques, le prince et le chevalier, puis, derrière, les deux recrues qui prennent les armes aujourd'hui. Allons!

Ils partirent. Et Servigny se mit à imiter le clairon, tandis que les deux nouveaux venus faisaient semblant de jouer du tambour. M. de Belvigne, un peu confus, disait tout bas:

— Mademoiselle Yvette, voyons, soyez raisonnable, vous allez vous compromettre.

Elle répondit:

— C'est vous que je compromets, Raisiné. Quant à moi, je m'en fiche un peu. Demain, il n'y paraîtra plus. Tant pis pour vous, il ne faut pas sortir avec des filles comme moi.

Ils traversèrent Bougival, à la stupéfaction des promeneurs. Tous se retournaient; les habitants venaient sur leurs portes; les voyageurs du petit chemin de fer qui va de Rueil à Marly les huèrent; les hommes, debout sur les plates-formes, criaient:

— A l'eau!... à l'eau!...

Yvette marchait d'un pas militaire, tenant par le bras

Belvigne comme on mène un prisonnier. Elle ne riait point, gardant sur le visage une gravité pâle, une sorte d'immobilité sinistre. Servigny interrompait son clairon pour hurler des commandements. Le prince et le chevalier s'amusaient beaucoup, trouvaient ça très drôle et de haut goût. Les deux jeunes gens jouaient du tambour d'une façon ininterrompue.

Quand ils arrivèrent sur le lieu de la fête, ils soulevèrent une émotion. Des filles applaudirent; des jeunes gens ricanaient; un gros monsieur, qui donnait le bras à sa femme, déclara, avec une envie dans la voix:

— En voilà qui ne s'embêtent pas.

Elle aperçut des chevaux de bois et força Belvigne à monter à sa droite tandis que son détachement escaladait par derrière les bêtes tournantes. Quand le divertissement fut terminé, elle refusa de descendre, contraignant son escorte à demeurer cinq fois de suite sur le dos de ces montures d'enfants, à la grande joie du public qui criait des plaisanteries. M. de Belvigne, livide, avait mal au cœur en descendant.

Puis elle se mit à vagabonder à travers les baraques. Elle força tous ces hommes à ce faire peser au milieu d'un cercle de spectateurs. Elle leur fit acheter des jouets ridicules qu'ils durent porter dans leurs bras. Le prince et le chevalier commençaient à trouver la plaisanterie trop forte. Seuls, Servigny et les deux tambours ne se décourageaient point.

Ils arrivèrent enfin au bout du pays. Alors elle contempla ses suivants d'une façon singulière, d'un œil sournois et méchant; et une étrange fantaisie lui passant par la tête, elle les fit ranger sur la berge droite qui domine le fleuve.

— Que celui qui m'aime le plus se jette à l'eau, dit-elle.

Personne ne sauta. Un attroupement se forma derrière eux. Des femmes, en tablier blanc, regardaient avec stupeur. Deux troupiers, en culotte rouge, riaient d'un air bête.

Elle répéta:

— Donc, il n'y a pas un de vous capable de se jeter à l'eau sur un désir de moi?

Servigny murmura:

— Ma foi, tant pis. — Et il s'élança, debout, dans la rivière.

Sa chute jeta des éclaboussures jusqu'aux pieds d'Yvette. Un murmure d'étonnement et de gaieté s'éleva dans la foule.

Alors la jeune fille ramassa par terre un petit morceau de bois, et, le lançant dans le courant:

— Apporte! cria-t-elle.

Le jeune homme se mit à nager, et saisissant dans sa bouche, à la façon d'un chien, la planche qui flottait, il la rapporta, puis, remontant la berge, il mit un genou par terre pour la présenter.

Yvette la prit.

— T'es beau, dit-elle.

Et, d'une tape amicale, elle caressa ses cheveux.

Une grosse dame, indignée, déclara:

— Si c'est possible!

Un autre dit:

— Peut-on s'amuser comme ça!

Un homme prononça:

— C'est pas moi qui me serais baigné pour une donzelle!

Elle reprit le bras de Belvigne, en lui jetant dans la figure:

— Vous n'êtes qu'un oison, mon ami; vous ne savez pas ce que vous avez raté.

Ils revinrent. Elle jetait aux passants des regards irrités.

— Comme tous ces gens ont l'air bête, dit-elle.

Puis, levant les yeux vers le visage de son compagnon:

— Vous aussi, d'ailleurs.

M. de Belvigne salua. S'étant retournée, elle vit que le prince et le chevalier avaient disparu. Servigny, morne et ruisselant, ne jouait plus du clairon et marchait, d'un air triste, à côté des deux jeunes gens fatigués, qui ne jouaient plus du tambour.

Elle se mit à rire sèchement:

— Vous en avez assez, paraît-il. Voilà pourtant ce que vous appelez vous amuser, n'est-ce pas? Vous êtes venus pour ça; je vous en ai donné pour votre argent.

Puis elle marcha sans plus rien dire, et, tout d'un coup, Belvigne s'aperçut qu'elle pleurait. Effaré, il demanda:

— Qu'avez-vous?

Elle murmura:

— Laissez-moi, cela ne vous regarde pas.

Mais il insistait, comme un sot:

— Oh! mademoiselle, voyons, qu'est-ce que vous avez? Vous a-t-on fait de la peine?

Elle répéta, avec impatience:

— Taisez-vous donc!

Puis, brusquement, ne résistant plus à la tristesse désespérée qui lui noyait le cœur, elle se mit à sangloter si violemment qu'elle ne pouvait plus avancer.

Elle couvrait sa figure sous ses deux mains et haletait avec des râles dans la gorge, étranglée, étouffée par la violence de son désespoir.

Belvigne demeurait debout, à côté d'elle, tout à fait éperdu, répétant:

— Je n'y comprends rien.

Mais Servigny s'avança brusquement:

— Rentrons, mam'zelle, qu'on ne vous voie pas pleurer dans la rue. Pourquoi faites-vous des folies comme ça, puisque ça vous attriste?

Et, lui prenant le coude, il l'entraîna. Mais, dès qu'ils arrivèrent à la grille de la villa, elle se mit à courir, traversa le jardin, monta l'escalier et s'enferma chez elle.

Elle ne reparut qu'à l'heure du dîner, très pâle, très grave. Tout le monde était gai cependant. Servigny avait acheté chez un marchand du pays des vêtements d'ouvrier, un pantalon de velours, une chemise à fleurs, un tricot, une blouse, et il parlait à la façon des gens du peuple.

Yvette avait hâte qu'on eût fini, sentant son courage défaillir. Dès que le café fut pris, elle remonta chez elle.

Elle entendait sous sa fenêtre les voix joyeuses. Le chevalier faisait des plaisanteries lestes, des jeux de mots d'étranger, grossiers et maladroits.

Elle écoutait, désespérée. Servigny, un peu gris, imitait l'ouvrier pochard, appelait la marquise la patronne. Et, tout d'un coup, il dit à Saval:

— Hé! patron!

Ce fut un rire général.

Alors, Yvette se décida. Elle prit d'abord une feuille de son papier à lettres et écrivit:

> *«Bougival, ce dimanche,*
> *neuf heures du soir.*

«Je meurs pour ne point devenir une fille entretenue.

«YVETTE.»

Puis en post-scriptum:

«Adieu, chère maman, pardon.»

Elle cacheta l'enveloppe, adressée à M^me la marquise Obardi.

Puis elle roula sa chaise longue auprès de la fenêtre, attira une petite table à portée de sa main et plaça dessus la grande bouteille de chloroforme à côté d'une poignée de ouate.

Un immense rosier couvert de fleurs qui, parti de la terrasse, montait jusqu'à sa fenêtre, exhalait dans la nuit un parfum doux et faible passant par souffles légers; et elle demeura quelques instants à le respirer. La lune, à son premier quartier, flottait dans le ciel noir, un peu rongée à gauche, et voilée parfois par de petites brumes.

Yvette pensait: — Je vais mourir! je vais mourir! Et son cœur gonflé de sanglots, crevant de peine, l'étouffait. Elle sentait en elle un besoin de demander grâce à quelqu'un, d'être sauvée, d'être aimée.

La voix de Servigny s'éleva. Il racontait une histoire graveleuse que des éclats de rire interrompaient à tout instant. La marquise elle-même avait des gaietés plus fortes que les autres. Elle répétait sans cesse:

— Il n'a a que lui pour dire de ces choses-là! ah! ah! ah!

Yvette prit la bouteille, la déboucha et versa un peu de liquide sur le coton. Une odeur puissante, sucrée, étrange, se répandit; et comme elle approchait de ses lèvres le morceau de ouate, elle avala brusquement cette saveur forte et irritante qui la fit tousser.

Alors, fermant la bouche, elle se mit à l'aspirer. Elle buvait à longs traits cette vapeur mortelle, fermant les yeux et s'efforçant d'éteindre en elle toute pensée pour ne plus réfléchir, pour ne plus savoir.

Il lui sembla d'abord que sa poitrine s'élargissait, s'agrandissait, et que son âme tout à l'heure pesante, alourdie de chagrin, devenait légère comme si le poids qui l'accablait se fût soulevé, allégé, envolé.

Quelque chose de vif et d'agréable la pénétrait jusqu'au bout des membres, jusqu'au bout des pieds et des mains, entrait dans sa chair, une sorte d'ivresse vague, de fièvre douce.

Elle s'aperçut que le coton était sec, et elle s'étonna de n'être pas encore morte. Ses sens lui semblaient aiguisés, plus subtils, plus alertes.

Elle entendait jusqu'aux moindres paroles prononcées sur la terrasse. Le prince Kravalow racontait comment il avait tué en duel un général autrichien.

Puis, très loin, dans la campagne, elle écoutait les bruits dans la nuit, les aboiements interrompus d'un chien, le cri court des crapauds, le frémissement imperceptible des feuilles.

Elle reprit la bouteille, et imprégna de nouveau le petit morceau de ouate, puis elle se remit à respirer. Pendant quelques instants, elle ne ressentit plus rien; puis ce lent et charmant bien-être qui l'avait envahie déjà, la ressaisit.

Deux fois elle versa du chloroforme dans le coton, avide maintenant de cette sensation physique et de cette sensation morale, de cette torpeur rêvante où s'égarait son âme.

Il lui semblait qu'elle n'avait plus d'os, plus de chair, plus de jambes, plus de bras. On lui avait ôté tout cela, doucement, sans qu'elle s'en aperçût. Le chloroforme avait vidé son corps, ne lui laissant que sa pensée plus éveillée, plus vivante, plus large, plus libre qu'elle ne l'avait jamais sentie.

Elle se rappelait mille choses oubliées, des petits détails de son enfance, des riens qui lui faisaient plaisir. Son esprit, doué tout à coup d'une agilité inconnue, sautait aux idées les plus diverses, parcourait mille aventures, vagabondait

dans le passé, et s'égarait dans les événements espérés de l'avenir. Et sa pensée active et nonchalante avait un charme sensuel, elle éprouvait, à songer ainsi, un plaisir divin.

Elle entendait toujours les voix, mais elle ne distinguait plus les paroles, qui prenaient pour elle d'autres sens. Elle s'enfonçait, elle s'égarait dans une espèce de féerie étrange et variée.

Elle était sur un grand bateau qui passait le long d'un beau pays tout couvert de fleurs. Elle voyait des gens sur la rive, et ces gens parlaient très fort, puis elle se trouvait à terre, sans se demander comment; et Servigny, habillé en prince, venait la chercher pour la conduire à un combat de taureaux.

Les rues étaient pleines de passants qui causaient, et elle écoutait ces conversations qui ne l'étonnaient point, comme si elle eût connu les personnes, car à travers son ivresse rêvante elle entendait toujours rire et causer les amis de sa mère sur la terrasse.

Puis tout devint vague.

Puis elle se réveilla, délicieusement engourdie, et elle eut quelque peine à se souvenir.

Donc, elle n'était pas morte encore.

Mais elle se sentait si reposée, dans un tel bien-être physique, dans une telle douceur d'esprit qu'elle ne se hâtait point d'en finir! elle eût voulu faire durer toujours cet état d'assoupissement exquis.

Elle respirait lentement et regardait la lune, en face d'elle, sur les arbres. Quelque chose était changé dans son esprit. Elle ne pensait plus comme tout à l'heure. Le chloroforme, en amollissant son corps et son âme, avait calmé sa peine, et endormi sa volonté de mourir.

Pourquoi ne vivrait-elle pas? Pourquoi ne serait-elle pas aimée? Pourquoi n'aurait-elle pas une vie heureuse? Tout lui paraissait possible maintenant, et facile et certain. Tout était doux, tout était bon, tout était charmant dans la vie. Mais comme elle voulait songer tourjours, elle versa encore cette eau de rêve sur le coton, et se remit à respirer, en écartant parfois le poison de sa narine, pour n'en pas absorber trop, pour ne pas mourir.

Elle regardait la lune et voyait une figure dedans, une figure de femme. Elle recommençait à battre la campagne dans la griserie imagée de l'opium. Cette figure se balançait au milieu du ciel; puis elle chantait; elle chantait, avec une voix bien connue, l'*Alleluia d'amour*.

C'était la marquise qui venait de rentrer pour se mettre au piano.

Yvette avait des ailes maintenant. Elle volait, la nuit, par une belle nuit claire, au-dessus des bois et des fleuves. Elle volait avec délices, ouvrant les ailes, battant des ailes, portée par le vent comme on serait porté par des caresses. Elle se roulait dans l'air qui lui baisait la peau, et elle filait si vite, si vite qu'elle n'avait le temps de rien voir au-dessous d'elle, et elle se trouvait assise au bord d'un étang, une ligne à la main, elle pêchait.

Quelque chose tirait sur le fil qu'elle sortait de l'eau, en amenant un magnifique collier de perles, dont elle avait eu envie quelque temps auparavant. Elle ne s'étonnait nullement de cette trouvaille, et elle regardait Servigny, venu à côté d'elle sans qu'elle sût comment, pêchant aussi et faisant sortir de la rivière un cheval de bois.

Puis elle eut de nouveau la sensation qu'elle se réveillait et elle entendit qu'on l'appelait en bas.

Sa mère avait dit:

— Eteins donc la bougie.

Puis la voix de Servigny s'éleva claire et comique:

— Eteignez donc vot' bougie, mam'zelle Yvette.

En tous reprirent en chœur:

— Mam'zelle Yvette, éteignez donc votre bougie.

Elle versa de nouveau du chloroforme dans le coton, mais, comme elle ne voulait pas mourir, elle le tint assez loin de son visage pour respirer de l'air frais, tout en répandant en sa chambre l'odeur asphyxiante du narcotique, car elle comprit qu'on allait monter; et, prenant une posture bien abandonnée, une posture de morte, elle attendit:

La marquise disait:

— Je suis un peu inquiète! Cette petite folle s'est endormie en laissant sa lumière sur sa table. Je vais envoyer

Clémence pour l'éteindre et pour fermer la fenêtre de son balcon qui est restée grande ouverte.

Et bientôt la femme de chambre heurta la porte en appelant:

— Mademoiselle, mademoiselle!

Après un silence elle reprit:

— Mademoiselle, Madame la marquise vous prie d'éteindre votre bougie et de fermer votre fenêtre.

Clémence attendit encore un peu, puis frappa plus fort en criant:

— Mademoiselle, mademoiselle!

Comme Yvette ne répondait pas, la domestique s'en alla et dit à la marquise:

— Mademoiselle est endormie sans doute; son verrou est poussé et je ne peux pas la réveiller.

Mme Obardi murmura:

— Elle ne va pourtant pas rester comme ça?

Tous alors, sur le conseil de Servigny, se réunirent sous la fenêtre de la jeune fille, et hurlèrent en chœur: — Hip — hip — hurra — mam'zelle Yvette!

Leur clameur s'éleva dans la nuit calme, s'envola sous la lune dans l'air transparent, s'en alla sur le pays dormant; et ils l'entendirent s'éloigner ainsi que fait le bruit d'un train qui fuit.

Comme Yvette ne répondit pas, la marquise prononça:

— Pourva qu'il ne lui soit rien arrivé; je commence à avoir peur.

Alors, Servigny, cueillant les roses rouges du gros rosier poussé le long du mur et les boutons pas encore éclos, se mit à les lancer dans la chambre par la fenêtre.

Au premier qu'elle reçut, Yvette tressauta, faillit crier. D'autres tombaient sur sa robe, d'autres dans ses cheveux, d'autres, pasant par-dessus sa tête, allaient jusqu'au lit, le couvraient d'une pluie de fleurs.

La marquise cria encore une fois, d'une voix étranglée:

— Voyons, Yvette, réponds-nous.

Alors, Servigny déclara:

— Vraiment, ça n'est pas naturel, je vais grimper par le balcon.

Mais le chevalier s'indigna.

— Permettez, permettez, c'est là une grosse faveur, je réclame, c'est un trop bon moyen . . . et un trop bon moment . . . pour obtenir un rendez-vous!

Tous les autres, qui croyaient à une farce de la jeune fille, s'écriaient:

— Nous protestons. C'est un coup monté. Montera pas, montera pas.

Mais la marquise, émue, répétait:

— Il faut pourtant qu'on aille voir.

Le prince déclara, avec un geste dramatique:

— Elle favorise le duc, nous sommes trahis.

— Jouons à pile ou face qui montera, demanda le chevalier.

Et il tira de sa poche une pièce d'or de cent francs.

Il commença avec le prince:

— Pile, dit-il.

Ce fut face.

Le prince jeta la pièce à son tour, en disant à Saval:

— Prononcez, monsieur.

Saval prononça:

— Face.

Ce fut pile.

Le prince ensuite posa la même question à tous les autres. Tous perdirent.

Servigny, qui restait seul en face de lui, déclara de son air insolent:

— Parbleu, il triche!

Le Russe mit la main sur son cœur et tendit la pièce d'or à son rival, en disant:

— Jouez vous-même, mon cher duc.

Servigny la prit et la lança en criant:

— Face!

Ce fut pile.

Il salua et indiquant de la main le pilier du balcon:

— Montez, mon prince.

Mais le prince regardait autour de lui d'un air inquiet.

— Que cherchez-vous? demanda le chevalier.

— Mais . . . je . . . je voudrais bien . . . une échelle.

Un rire général éclata. Et Saval, s'avançant:

— Nous allons vous aider.

Il l'enleva dans ses bras d'hercule, en recommandant:

— Accrochez-vous au balcon.

Le prince aussitôt s'accrocha, et Saval l'ayant lâché, il demeura suspendu, agitant ses pieds dans le vide. Alors, Servigny saisissant ces jambes affolées qui cherchaient un point d'appui, tira dessus de toute sa force; les mains lâchèrent et le prince tomba comme un bloc sur le ventre de M. de Belvigne qui s'avançait pour le soutenir.

— A qui le tour? demanda Servigny.

Mais personne ne se présenta.

— Voyons, Belvigne, de l'audace.

— Merci, mon cher, je tiens à mes os.

—Voyons, chevalier, vous devez avoir l'habitude des escalades.

— Je vous cède la place, mon cher duc.

— Heu! . . . heu! . . . c'est que je n'y tiens plus tant que ça.

Et Servigny, l'œil en éveil, tournait autour du pilier.

Puis, d'un saut, s'accrochant au balcon, il s'enleva par les poignets, fit un rétablissement comme un gymnaste et franchit la balustrade.

Tous les spectateurs, le nez en l'air, applaudissaient. Mais il reparut aussitôt en criant:

—Venez vite! Venez vite! Yvette est sans connaissance!

La marquise poussa un grand cri et s'élança dans l'escalier.

La jeune fille, les yeux fermés, faisait la morte. Sa mère entra, affolée, et se jeta sur elle.

— Dites, qu'est-ce qu'elle a? qu'est-ce qu'elle a?

Servigny ramassait la bouteille de chloroforme tombée sur le parquet:

— Elle s'est asphyxiée, dit-il.

Et il colla son oreille sur le cœur, puis il ajouta:

— Mais elle n'est pas morte; nous la ranimerons. Ayez-vous ici de l'ammoniaque?

La femme de chambre, éperdue, répétait:

— De quoi . . . de quoi . . . monsieur?

— De l'eau sédative.

— Oui, monsieur.

— Apportez tout de suite, et laissez la porte ouverte pour établir un courant d'air.

La marquise, tombée sur les genoux, sanglotait.

— Yvette! Yvette! ma fille, ma petite fille, ma fille, écoute, réponds-moi, Yvette, mon enfant. Oh! mon Dieu! mon Dieu! qu'est-ce qu'elle a?

Et les hommes effarés remuaient sans rien faire, apportaient de l'eau, des serviettes, des verres, du vinaigre.

Quelqu'un dit: «Il faut la déshabiller!»

Et la marquise, qui perdait la tête, essaya de dévêtir sa fille; mais elle ne savait plus ce qu'elle faisait. Ses mains tremblaient, s'embrouillaient, se perdaient et elle gémissait: «Je . . . je . . . je ne peux pas, je ne peux pas . . .»

Le femme de chambre était rentrée apportant une bouteille de pharmacien que Servigny déboucha et dont il versa la moitié sur un mouchoir. Puis il le colla sous le nez d'Yvette, qui eut une suffocation.

— Bon, elle respire, dit-il. Ça ne sera rien.

Et il lui lava les tempes, les joues, le cou avec le liquide à la rude senteur.

Puis il fit signe à la femme de chambre de délacer la jeune fille, et quand elle n'eut plus qu'une jupe sur sa chemise, il l'enleva dans ses bras, et la porta jusqu'au lit en frémissant, remué par l'odeur de ce corps presque nu, par le contact de cette chair, par la moiteur des seins à peine cachés qu'il faisait fléchir sous sa bouche.

Lorsqu'elle fut couchée, il se releva fort pâle.

— Elle va revenir à elle, dit-il, ce n'est rien.

Car il l'avait entendue respirer d'une façon continue et régulière. Mais, apercevant tous les hommes, les yeux fixés sur Yvette étendue en son lit, une irritation jalouse le fit tressaillir, et s'avançant vers eux:

— Messieurs, nous sommes beaucoup trop dans cette chambre; veuillez nous laisser seuls, M. Saval et moi, avec la marquise.

Il parlait d'un ton sec et plein d'autorité. Les autres s'en allèrent aussitôt.

Mme Obardi avait saisi son amant à pleins bras, et, la tête levée vers lui, elle lui criait:

— Sauvez-la . . . Oh! sauvez-la! . . .

Mais Servigny, s'étant retourné, vit une lettre sur la table. Il la saisit d'un mouvement rapide et lut l'adresse. Il comprit et pensa: «Peut-être ne faut-il pas que la marquise ait connaissance de cela.» Et, déchirant l'enveloppe, il parcourut d'un regard les deux lignes qu'elle contenait:

«Je meurs pour ne point devenir une fille entretenue.

«YVETTE

«Adieu, chère maman, pardon.»

— Diable, pensa-t-il, ça demande réflexion.

Et il cacha la lettre dans sa poche.

Puis il se rapprocha du lit, et aussitôt la pensée lui vint que le jeune fille avait repris connaissance, mais qu'elle n'osait pas le montrer par honte, par humiliation, par crainte des questions.

La marquise était tombée à genoux, maintenant, et elle pleurait, la tête sur le pied du lit. Tout à coup elle prononça:

— Un médecin, il faut un médecin.

Mais Servigny, qui venait de parler bas avec Saval, lui dit:

— Non, c'est fini. Tenez, allez vous-en une minute, rien qu'une minute, et je vous promets qu'elle vous embrassera quand vous reviendrez.

Et le baron, soulevant Mme Obardi par le bras, l'entraîna.

Alors, Servigny, s'asseyant auprès de la couche, prit la main d'Yvette et prononça:

— Mam'zelle, écoutez-moi . . .

Elle ne répondit pas. Elle se sentait si bien, si doucement, si chaudement couchée, qu'elle aurait voulu ne plus jamais remuer, ne plus jamais parler, et vivre comme ça toujours. Un bien-être infini l'avait envahie, un bien-être tel qu'elle n'en avait jamais senti de pareil.

L'air tiède de la nuit entrant par souffles légers, par

souffles de velours, lui passait de temps en temps sur la face d'une façon exquise, imperceptible. C'était une caresse, quelque chose comme un baiser du vent, comme l'haleine lente et rafraîchissante d'un éventail qui aurait été fait de toutes les feuilles des bois et de toutes les ombres de la nuit, de la brume des rivières, et de toutes les fleurs aussi, car les roses jetées d'en bas dans sa chambre et sur son lit, et les roses grimpées au balcon, mêlaient leur senteur languissante à la saveur saine de la brise nocturne.

Elle buvait cet air si bon, les yeux fermés, le cœur reposé dans l'ivresse encore persistante de l'opium, elle n'avait plus du tout le désir de mourir, mais une envie forte, impérieuse, de vivre, d'être heureuse, n'importe comment, d'être aimée, oui, aimée.

Servigny répéta:

— Mam'zelle Yvette, écoutez-moi.

Et elle se décida à ouvrir les yeux. Il reprit, la voyant ranimée:

— Voyons, voyons, qu'est-ce que c'est que des folies pareilles

Elle murmura:

— Mon pauvre Muscade, j'avais tant de chagrin.

Il lui serrait la main paternellement:

— C'est ça qui vous avançait à grand'chose, ah oui! Voyons, vous allez me promettre de ne pas recommencer?

Elle ne répondit pas, mais elle fit un petit mouvement de tête qu'accentuait un sourire plutôt sensible que visible.

Il tira de sa poche la lettre trouvée sur la table:

— Est-ce qu'il faut montrer cela à votre mère?

Elle fit «non» d'un signe du front.

Il ne savait plus que dire, car la situation lui paraissait sans issue. Il murmura:

— Ma chère petite, il faut prendre son parti des choses les plus pénibles. Je comprends bien votre douleur, et je vous promets . . .

Elle balbutia:

— Vous êtes bon . . .

Ils se turent. Il la regardait. Elle avait dans l'œil quelque chose d'attendri, de défaillant; et, tout d'un coup, elle

souleva les deux bras, comme si elle eût voulu l'attirer. Il
se pencha sur elle, sentant qu'elle l'appelait; et leurs lèvres
s'unirent.

Longtemps ils restèrent ainsi, les yeux fermés. Mais lui,
comprenant qu'il allait perdre la tête, se releva. Elle lui
souriait maintenant d'un vrai sourire de tendresse; et, de ses
deux mains accrochées aux épaules, elle le retenait.

— Je vais chercher votre mère, dit-il.

Elle murmura:

— Encore une seconde. Je suis si bien.

Puis, après un silence, elle prononça tout bas, si bas qu'il
entendit à peine:

— Vous m'aimerez bien, dites?

Il s'agenouilla près du lit, et baisant le poignet qu'elle lui
avait laissé:

— Je vous adore.

Mais on marchait près de la porte. Il se releva d'un bond
et cria de sa voix ordinaire qui semblait toujours un peu
ironique:

— Vous pouvez entrer, c'est fait maintenant.

La marquise s'élança sur sa fille, les deux bras ouverts
et l'étreignit frénétiquement, couvrant de larmes son visage,
tandis que Servigny, l'âme radieuse, la chair émue, s'avan-
çait sur le balcon pour respirer le grand air frais de la nuit,
en fredonnant:

> Souvent femme varie
> Bien fol est qui s'y fie.

L'HÉRITAGE

L'HÉRITAGE

A Catulle Mendès.

I

Bien qu'il ne fût pas encore dix heures, les employés arrivaient comme un flot sous la grande porte du Ministère de la Marine, venus en hâte de tous les coins de Paris, car on approchait du jour de l'an, époque de zèle et d'avancements. Un bruit de pas pressés emplissait le vaste bâtiment tortueux comme un labyrinthe et que sillonnaient d'inextricables couloirs percés par d'innombrables portes donnant entrée dans les bureaux.

Chacun pénétrait dans sa case, serrait la main du collègue arrivé déjà, enlevait sa jaquette, passait le vieux vêtement de travail et s'asseyait devant sa table où des papiers entassés l'attendaient. Puis on allait aux nouvelles dans les bureaux voisins. On s'informait d'abord si le chef était là, s'il avait l'air bien luné, si le courrier du jour était volumineux.

Le commis d'ordre du «matériel général», M. César Cachelin, un ancien sous-officier d'infanterie de marine, devenu commis principal par la force du temps, enregistrait sur un grand livre toutes les pièces que venait d'apporter l'huissier du cabinet. En face de lui l'expéditionnaire, le père Savon, un vieil abruti célèbre dans tout le ministère par ses malheurs conjugaux, transcrivait, d'une main lente, une dépêche du chef, et s'appliquait, le corps de côté, l'œil oblique, dans une posture roide de copiste méticuleux.

M. Cachelin, un gros homme dont les cheveux blancs et courts se dressaient en brosse sur le crâne, parlait tout en accomplissant sa besogne quotidienne: «Trente-deux dépêches de Toulon. Ce port-là nous en donne autant que les quatre autres réunis.» Puis il posa au père Savon la question qu'il lui adressait tous les matins: «Eh bien, mon père Savon, comment va madame?»

Le vieux, sans interrompre sa besogne, répondit: «Vous savez bien, monsieur Cachelin, que ce sujet m'est fort pénible.»

Et le commis d'ordre se mit à rire, comme il riait tous les jours en entendant cette même phrase.

La porte s'ouvrit et M. Maze entra. C'était un beau garçon brun, vêtu avec une élégance exagérée, et qui se jugeait déclassé, estimant son physique et ses manières au-dessus de sa position. Il portait de grosses bagues, une grosse chaîne de montre, un monocle, par chic, car il l'enlevait pour travailler, et il avait un fréquent mouvement des poignets pour mettre bien en vue ses manchettes ornées de gros boutons luisants.

Il demanda, dès la porte: «Beaucoup de besogne aujourd'hui?» M. Cachelin répondit: «C'est toujours Toulon qui donne. On voit bien que le jour de l'an approche; ils font du zèle, là-bas.»

Mais un autre employé, farceur et bel esprit, M. Pitolet, apparut à son tour et demanda en riant: «Avec ça que nous n'en faisons pas, du zèle?»

Puis, tirant sa montre, il déclara: «Dix heures moins sept minutes, et tout le monde au poste! Mazette! comment appelez-vous ça? Et je vous parie bien que Sa Dignité M. Lesable était arrivé à neuf heures en même temps que notre illustre chef.»

Le commis d'ordre cessa d'écrire, posa sa plume sur son oreille, et s'accoudant au pupitre: «Oh! celui-là, par exemple, s'il ne réussit pas, ce ne sera point faute de peine!»

Et M. Pitolet, s'asseyant sur le coin de la table et balançant la jambe, répondit: «Mais il réussira, papa Cachelin, il réussira, soyez-en sûr. Je vous parie vingt francs contre un sou qu'il sera chef avant dix ans?»

M. Maze, qui roulait une cigarette en se chauffant les cuisses au feu, prononça: «Zut! Quant à moi, j'aimerais mieux rester toute ma vie à deux mille quatre que de me décarcasser comme lui.»

Pitolet pivota sur ses talons, et, d'un ton goguenard: «Ce qui n'empêche pas, mon cher, que vous êtes ici, aujourd'hui 20 décembre, avant dix heures.»

Mais l'autre haussa les épaules d'un air indifférent:
«Parbleu! je ne veux pas non plus que tout le monde me
passe sur le dos! Puisque vous venez ici voir lever l'aurore,
j'en fais autant, bien que je déplore votre empressement.
De là à appeler le chef «cher maître», comme fait Lesable,
et à partir à six heures et demie, et à emporter de la
besogne à domicile, il y a loin. D'ailleurs, moi, je suis du
monde, et j'ai d'autres obligations qui me prennent du
temps.»

M. Cachelin avait cessé d'enregistrer et il demeurait
songeur, le regard perdu devant lui. Enfin il demanda:
«Croyez-vous qu'il ait encore son avancement cette année?»

Pitolet s'écria: «Je te crois, qu'il l'aura, et plutôt dix
fois qu'une. Il n'est pas roublard pour rien.»

Et on parla de l'éternelle question des avancements et
des gratifications qui, depuis un mois, affolait cette grande
ruche de bureaucrates, du rez-de-chaussée jusqu'au toit.

On supputait les chances, on supposait les chiffres, on
balançait les titres, on s'indignait d'avance des injustices
prévues. On recommençait sans fin des discussions sou-
tenues la veille et qui devaient revenir invariablement le
lendemain avec les mêmes raisons, les mêmes arguments
et les mêmes mots.

Un nouveau commis entra, petit, pâle, l'air malade, M.
Boissel, qui vivait comme dans un roman d'Alexandre
Dumas père. Tout pour lui devenait aventure extraordi-
naire, et il racontait chaque matin à Pitolet, son compagnon,
ses rencontres étranges de la veille au soir, les drames sup-
posés de sa maison, les cris poussés dans la rue qui lui
avaient fait ouvrir sa fenêtre à trois heures vingt de la nuit.
Chaque jour il avait séparé des combattants, arrêté des
chevaux, sauvé des femmes en danger, et bien que d'une
déplorable faiblesse physique, il citait sans cesse, d'un ton
traînard et convaincu, des exploits accomplis par la force
de son bras.

Dès qu'il eut compris qu'on parlait de Lesable, il déclara:
«A quelque jour je lui dirai son fait à ce morveux-là; et,
s'il me passe jamais sur le dos, je le secouerai d'une telle
façon que je lui enlèverai l'envie de recommencer!»

Maze, qui fumait toujours, ricana: «Vous feriez bien, dit-il, de commencer dès aujourd'hui, car je sais de source certaine que vous êtes mis de côté cette année pour céder la place à Lesable.»

Boissel leva la main: «Je vous jure que si . . .»

La porte s'était ouverte encore une fois et un jeune homme de petite taille, portant des favoris d'officier de marine ou d'avocat, un col droit très haut, et qui précipitait ses paroles comme s'il n'eût jamais pu trouver le temps de terminer tout ce qu'il avait à dire, entra vivement d'un air préoccupé. Il distribua des poignées de main en homme qui n'a pas le loisir de flâner, et s'approchant du commis d'ordre: «Mon cher Cachelin, voulez-vous me donner le dossier Chapelou, fil de caret, Toulon, A.T.V. 1875?»

L'employé se leva, atteignit un carton au-dessus de sa tête, prit dedans un paquet de pièces enfermées dans une chemise bleue, et le présentant: «Voici, monsieur Lesable, vous n'ignorez pas que le chef a enlevé hier trois dépêches dans ce dossier?

— Oui. Je les ai, merci.»

Et le jeune homme sortit d'un pas pressé.

A peine fut-il parti, Maze déclara: «Hein! quel chic! On jurerait qu'il est déjà chef.»

Et Pitolet répliqua: «Patience! patience! il le sera avant nous tous.»

M. Cachelin ne s'était pas remis à écrire. On eût dit qu'une pensée fixe l'obsédait. Il demanda encore: «Il a un bel avenir, ce garçon-là!»

Et Maze murmura d'un ton dédaigneux: «Pour ceux qui jugent le ministère une carrière — oui. — Pour les autres — c'est peu . . .»

Pitolet l'interrompit: «Vous avez peut-être l'intention de devenir ambassadeur?»

L'autre fit un geste impatient: «Il ne s'agit pas de moi. Moi, je m'en fiche! Cela n'empêche que la situation de chef de bureau ne sera jamais grand'chose dans le monde.»

Le père Savon, l'expéditionnaire, n'avait point cessé de copier. Mais depuis quelques instants, il trempait coup sur coup sa plume dans l'encrier, puis l'essuyait obstinément

sur l'éponge imbibée d'eau qui entourait le godet, sans parvenir à tracer une lettre. Le liquide noir glissait le long de la pointe de métal et tombait, en pâtés ronds, sur le papier. Le bonhomme, effaré et désolé, regardait son expédition qu'il lui faudrait recommencer, comme tant d'autres depuis quelque temps, et il dit d'une voix basse et triste: «Voici encore de l'encre falsifiée! . . .»

Un éclat de rire violent jaillit de toutes les bouches. Cachelin secouait la table avec son ventre; Maze se courbait en deux comme s'il allait entrer à reculons dans la cheminée; Pitolet tapait du pied, toussait, agitait sa main droite comme si elle eût été mouillée, et Boissel lui-même étouffait, bien qu'il prît généralement les choses plutôt au tragique qu'au comique.

Mais le père Savon, essuyant enfin sa plume au pan de sa redingote, reprit: «Il n'y a pas de quoi rire. Je suis obligé de refaire deux ou trois fois tout mon travail.»

Il tira de son buvard une autre feuille, ajusta dedans son transparent et recommença l'en-tête: «Monsieur le ministre et cher collègue . . .» La plume maintenant gardait l'encre et traçait les lettres nettement. Et le vieux reprit sa pose oblique et continua sa copie.

Les autres n'avaient point cessé de rire. Ils s'étranglaient. C'est que depuis bientôt six mois on continuait la même farce au bonhomme, qui ne s'apercevait de rien. Elle consistait à verser quelques gouttes d'huile sur l'éponge mouillée pour décrasser les plumes. L'acier, se trouvant ainsi enduit de liquide gras, ne prenait plus l'encre; et l'expéditionnaire passait des heures à s'étonner et à se désoler, usait des boîtes de plumes et des bouteilles d'encre, et déclarait enfin que les fournitures de bureau étaient devenues tout à fait défectueuses.

Alors la charge avait tourné à l'obsession et au supplice. On mêlait de la poudre de chasse au tabac du vieux, on versait des drogues dans sa carafe d'eau, dont il buvait un verre de temps en temps, et on lui avait fait croire que, depuis la Commune, la plupart des matières d'un usage courant avaient été falsifiées ainsi par les socialistes, pour faire du tort au gouvernement et amener une révolution.

Il en avait conçu une haine effroyable contre les anar-
chistes, qu'il croyait embusqués partout, cachés partout, et
une peur mystérieuse d'un inconnu voilé et redoutable.

Mais un coup de sonnette brusque tinta dans le corri-
dor. On le connaissait bien, ce coup de sonnette rageur du
chef, M. Torchebeuf; et chacun s'élança vers la porte pour
regagner son compartiment.

Cachelin se remit à enregistrer, puis il posa de nouveau
sa plume et prit sa tête dans ses mains pour réfléchir.

Il mûrissait une idée qui le tracassait depuis quelque-
temps. Ancien sous-officier d'infanterie de marine réformé
après trois blessures reçues, une au Sénégal et deux en
Cochinchine, et entré au ministère par faveur exception-
nelle, il avait eu à endurer bien des misères, des duretés
et des déboires dans sa longue carrière d'infime subor-
donné; aussi considérait-il l'autorité, l'autorité officielle,
comme la plus belle chose du monde. Un chef de bureau
lui semblait un être d'exception, vivant dans une sphère
supérieure; et les employés dont il entendait dire: «C'est
un malin, il arrivera vite», lui apparaissaient comme d'une
autre race, d'une autre nature qui lui.

Il avait donc pour son collègue Lesable une considéra-
tion supérieure qui touchait à la vénération, et il nourris-
sait le désir secret, le désir obstiné de lui faire épouser
sa fille.

Elle serait riche un jour, très riche. Cela était connu du
ministère tout entier, car sa sœur à lui, Mlle Cachelin,
possédait un million, un million net, liquide et solide, ac-
quis par l'amour, disait-on, mais purifié par une dévotion
tardive.

La vieille fille, qui avait été galante, s'était retirée avec
cinq cent mille francs, qu'elle avait plus que doublés en
dix-huit ans, grâce à une économie féroce et à des habi-
tudes de vie plus que modestes. Elle habitait depuis long-
temps chez son frère, demeuré veuf avec une fillette, Cora-
lie; mais elle ne contribuait que d'une façon insignifiante
aux dépenses de la maison, gardant et accumulant son or,
et répétant sans cesse à Cachelin: «Ça ne fait rien, puisque
c'est pour ta fille, mais marie-la vite, car je veux voir mes

petits-neveux. C'est elle qui me donnera cette joie d'embrasser un enfant de notre sang.»

La chose était connue dans l'administration; et les prétendants ne manquaient point. On disait que Maze lui-même, le beau Maze, le lion du bureau, tournait autour du père Cachelin avec une intention visible. Mais l'ancien sergent, un roublard qui avait roulé sous toutes les latitudes, voulait un garçon d'avenir, un garçon qui serait chef et qui reverserait de la considération sur lui, César, le vieux sous-off. Lesable faisait admirablement son affaire, et il cherchait depuis longtemps un moyen de l'attirer chez lui.

Tout d'un coup, il se dressa en se frottant les mains. Il avait trouvé.

Il connaissait bien le faible de chacun. On ne pouvait prendre Lesable que par la vanité, la vanité professionnelle. Il irait lui demander sa protection comme on va chez un sénateur ou chez un député, comme on va chez un haut personnage.

N'ayant point eu d'avancement depuis cinq ans, Cachelin se considérait comme bien certain d'en obtenir un cette année. Il ferait donc semblant de croire qu'il le devait à Lesable et l'inviterait à dîner comme remerciement.

Aussitôt son projet conçu, il en commença l'exécution. Il décrocha dans son armoire son veston de rue, ôta le vieux, et, prenant toutes les pièces enregistrées qui concernaient le service de son collègue, il se rendit au bureau que cet employé occupait tout seul, par faveur spéciale, en raison de son zèle et de l'importance de ses attributions.

Le jeune homme écrivait sur une grande table, au milieu de dossiers ouverts et de papiers épars, numérotés avec de l'encre rouge ou bleue.

Dès qu'il vit entrer le commis d'ordre, il demanda, d'un ton familier où perçait une considération: «Eh bien, mon cher, m'apportez-vous beaucoup d'affaires?»

— Oui, pas mal. Et puis je voudrais vous parler.

— Asseyez-vous, mon ami, je vous écoute.

Cachelin s'assit, toussota, prit un air troublé, et, d'une voix mal assurée: «Voici ce qui m'amène, monsieur Lesable.

Je n'irai pas par quatre chemins. Je serai franc comme un vieux soldat. Je viens vous demander un service.

— Lequel?

— En deux mots. J'ai besoin d'obtenir mon avancement cette année. Je n'ai personne pour me protéger, moi, et j'ai pensé à vous.»

Lesable rougit un peu, étonné, content, plein d'une orgueilleuse confusion. Il répondit cependant:

«Mais je ne suis rien ici, mon ami. Je suis beaucoup moins que vous qui allez être commis principal. Je ne puis rien. Croyez que . . .»

Cachelin lui coupa la parole avec une brusquerie pleine de respect: «Tra la la. Vous avez l'oreille du chef, et si vous lui dites un mot pour moi, je passe. Songez que j'aurai droit à ma retraite dans dix-huit mois, et cela me fera cinq cents francs de moins si je n'obtiens rien au premier janvier. Je sais bien qu'on dit: «Cachelin n'est pas gêné, sa sœur a un million.» Ça, c'est vrai, que ma sœur a un million, mais il fait des petits son million, et elle n'en donne pas. C'est pour ma fille, c'est encore vrai; mais, ma fille et moi, ça fait deux. Je serai bien avancé, moi, quand ma fille et mon gendre rouleront carrosse, si je n'ai rien à me mettre sous la dent. Vous comprenez la situation, n'est-ce pas?»

Lesable opina du front: «C'est juste, très juste, ce que vous dites là. Votre gendre peut n'être pas parfait pour vous. Et on est toujours bien aise d'alleurs de ne rien devoir à personne. Enfin je vous promets de faire mon possible, je parlerai au chef, je lui exposerai le cas, j'insisterai s'il le faut. Comptez sur moi!»

Cachelin se leva, prit les deux mains de son collègue, les serra en les secouant d'une façon militaire; et il bredouilla: «Merci, merci, comptez que si je rencontre jamais l'occasion . . . Si je peux jamais . . .» Il n'acheva pas, ne trouvant point de fin pour sa phrase, et il s'en alla en faisant retentir par le corridor son pas rythmé d'ancien troupier.

Mais il entendit de loin une sonnette irritée qui tintait, et il se mit à courir, car il avait reconnu le timbre. C'était

le chef, M. Torchebeuf, qui demandait son commis d'ordre.

Huit jours plus tard, Cachelin trouva un matin sur son bureau une lettre cachetée qui contenait ceci:

«Mon cher collègue, je suis heureux de vous annoncer «que le ministre, sur la proposition de notre directeur et «de notre chef, a signé hier votre nomination de commis «principal. Vous en recevrez demain la notification officielle. «Jusque-là vous ne savez rien, n'est-ce pas?

«Bien à vous,

«LESABLE.»

César courut aussitôt au bureau de son jeune collègue, le remercia, s'excusa, offrit son dévouement, se confondit en gratitude.

On apprit en effet, le lendemain, que MM. Lesable et Cachelin avaient chacun un avancement. Les autres employés attendaient une année meilleure et toucheraient, comme compensation, une gratification qui variait entre cent cinquante et trois cents francs.

M. Boissel déclara qu'il guetterait Lesable au coin de sa rue, à minuit, un de ces soirs, et qu'il lui administrerait une rossée à le laisser sur place. Les autres employés se turent.

Le lundi suivant, Cachelin, dès son arrivée, se rendit au bureau de son protecteur, entra avec solennité et d'un ton cérémonieux:

«J'espère que vous voudrez bien me faire l'honneur de venir dîner chez nous à l'occasion des Rois. Vous choisirez vous-même le jour.»

Le jeune homme, un peu surpris, leva la tête et planta ses yeux dans les yeux de son collègue; puis il répondit, sans détourner son regard pour bien lire la pensée de l'autre: «Mais, mon cher, c'est que . . . tous mes soirs sont promis d'ici quelque temps.»

Cachelin insista, d'un ton bonhomme: «Voyons, ne nous faites pas le chagrin de nous refuser après le service que vous m'avez rendu. Je vous en prie, au nom de ma famille et au mien.»

Lesable, perplexe, hésitait. Il avait compris, mais il ne savait que répondre, n'ayant pas eu le temps de réfléchir et de peser le pour et le contre. Enfin, il pensa: «Je ne m'engage à rien en allant dîner», et il accepta d'un air satisfait en choisissant le samedi suivant. Il ajouta, souriant: «pour n'avoir pas à me lever trop tôt le lendemain.»

II

M. Cachelin habitait dans le haut de la rue Rochechouart, au cinquième étage, un petit appartement avec terrasse, d'où l'on voyait tout Paris. Il avait trois chambres, une pour sa sœur, une pour sa fille, une pour lui; la salle à manger servait de salon.

Pendant tout la semaine il s'agita en prévision de ce dîner. Le menu fut longuement discuté pour composer en même temps un repas bourgeois et distingué. Il fut arrêté ainsi: un consommé aux œufs, des hors-d'œuvre, crevettes et saucisson, un homard, un beau poulet, des petits pois conservés, un pâté de foie gras, une salade, une glace, et du dessert.

Le foie gras fut acheté chez le charcutier voisin, avec recommandation de le fournir de première qualité. La terrine coûtait d'ailleurs trois francs cinquante. Quant au vin, Cachelin s'adressa au marchand de vin du coin qui lui fournissait au litre le breuvage rouge dont il se désaltérait d'ordinaire. Il ne voulut pas aller dans une grande maison, par suite de ce raisonnement: «Les petits débitants trouvent peu d'occasions de vendre leurs vins fins. De sorte qu'ils les conservent très longtemps en cave et qu'ils les ont excellents.»

Il rentra de meilleure heure le samedi pour s'assurer que tout était prêt. Sa bonne, qui vint lui ouvrir, était plus rouge qu'une tomate, car son fourneau, allumé depuis midi, par crainte de ne pas arriver en temps, lui avait rôti la figure tout le jour; et l'émotion aussi l'agitait.

Il entra dans la salle à manger pour tout vérifier. Au milieu de la petite pièce, la table ronde faisait une grande

tache blanche, sous la lumière vive de la lampe coiffée d'un abat-jour vert.

Les quatre assiettes, couvertes d'une serviette pliée en bonnet d'évêque par M^{lle} Cachelin, la tante, étaient flanquées des couverts de métal blanc et précédées de deux verres, un grand et un petit. César trouva cela insuffisant comme coup d'œil, et il appela: «Charlotte!»

La porte de gauche s'ouvrit et une courte vieille parut. Plus âgée que son frère de dix ans, elle avait une étroite figure qu'encadraient des frisons de cheveux blancs obtenus au moyen de papillotes. Sa voix mince semblait trop faible pour son petit corps courbé, et elle allait d'un pas un peu traînant, avec des gestes endormis.

On disait d'elle, au temps de sa jeunesse: «Quelle mignonne créature!»

Elle était maintenant une maigre vieille, très propre par suite d'habitudes anciennes, volontaire, entêtée, avec un esprit étroit, méticuleux, et facilement irritable. Devenue très dévote, elle semblait avoir totalement oublié les aventures des jours passés.

Elle demanda: «Qu'est-ce que tu veux?»

Il répondit: «Je trouve que deux verres ne font pas grand effet. Si on donnait du champagne . . . Cela ne me coûtera jamais plus de trois ou quatre francs, et on pourrait mettre tout de suite les flûtes. On changerait tout à fait l'aspect de la salle.»

M^{lle} Charlotte reprit: «Je ne vois pas l'utilité de cette dépense. Enfin, c'est toi qui payes, cela ne me regarde pas.»

Il hésitait, cherchant à se convaincre lui-même: «Je t'assure que cela fera mieux. Et puis, pour le gâteau des Rois, ça animera.» Cette raison l'avait décidé. Il prit son chapeau et redescendit l'escalier, puis revint au bout de cinq minutes avec une bouteille qui portait au flanc, sur une large étiquette blanche ornée d'armoiries énormes: «Grand vin mousseux de Champagne du comte de Chatel-Rénovau.»

Et Cachelin déclara: «Il ne me coûte que trois francs, et il paraît qu'il est exquis.»

Il prit lui-même les flûtes dans une armoire et les plaça devant les convives.

La porte de droite s'ouvrit. Sa fille entra Elle était grande, grasse et rose, une belle fille de forte race, avec des cheveux châtains et des yeux bleus. Une robe simple dessinait sa taille ronde et souple; sa voix forte, presque une voix d'homme, avait ces notes graves qui font vibrer les nerfs. Elle s'écria: «Dieu! du champagne! quel bonheur!» en battant des mains d'une manière enfantine.

Son père lui dit: «Surtout, sois aimable pour ce monsieur qui m'a rendu beaucoup de services.»

Elle se mit à rire d'un rire sonore qui disait: «Je sais.»

Le timbre du vestibule tinta, des portes s'ouvrirent et se fermèrent. Lesable parut. Il portait un habit noir, une cravate blanche et des gants blancs. Il fit un effet. Cachelin s'était élancé, confus et ravi: «Mais, mon cher, c'était entre nous; voyez, moi, je suis en veston.»

Le jeune homme répondit: «Je sais, vous me l'aviez dit, mais j'ai l'habitude de ne jamais sortir le soir sans mon habit.» Il saluait, le claque sous le bras, une fleur à la boutonnière. César lui présenta: «Ma sœur, Mlle Charlotte — ma fille, Coralie, que nous appelons familièrement Cora.»

Tout le monde s'inclina. Cachelin reprit: «Nous n'avons pas de salon. C'est un peu gênant, mais on s'y fait.» Lesable répliqua: «C'est charmant!»

Puis on le débarrassa de son chapeau qu'il voulait garder. Et il se mit aussitôt à retirer ses gants.

On s'était assis; on se regardait de loin, à travers la table, et on ne disait plus rien. Cachelin demanda: «Est-ce que le chef est resté tard? Moi je suis parti de bonne heure pour aider ces dames.»

Lesable répondit d'un ton dégagé: «Non. Nous sommes sortis ensemble parce que nous avions à parler de la solution des toiles de prélarts de Brest. C'est une affaire fort compliquée qui nous donnera bien du mal.»

Cachelin crut devoir mettre sa sœur au courant, et se tournant vers elle: «Toutes les questions difficiles au bureau, c'est monsieur Lesable qui les traite. On peut dire qu'il double le chef.»

la vieille fille salua poliment en déclarant: «Oh! je sais que monsieur a beaucoup de capacités.»

La bonne entra, poussant la porte du genou et tenant en l'air, des deux mains, une grande soupière. Alors «le maître» cria: «Allons, à table! Placez-vous là, monsieur Lesable, entre ma sœur et ma fille. Je pense que vous n'avez pas peur des dames.» Et le dîner commença.

Lesable faisait l'aimable, avec un petit air de suffisance, presque de condescendance, et il regardait de coin la jeune fille, s'étonnant de sa fraîcheur, de sa belle santé appétissante. M^{lle} Charlotte se mettait en frais, sachant les intentions de son frère, et elle soutenait la conversation banale accrochée à tous les lieux communs. Cachelin, radieux, parlait haut, plaisantait, versait le vin acheté une heure plus tôt chez le marchand du coin: «Un verre de ce petit Bourgogne, monsieur Lesable. Je ne vous dis pas que ce soit un grand cru, mais il est bon, il a de la cave et il est naturel; quant à ça, j'en réponds. Nous l'avons par des amis qui sont de là-bas.»

La jeune fille ne disait rien, un peu rouge, un peu timide, gênée par le voisinage de cet homme dont elle soupçonnait les pensées.

Quand le homard apparut, César déclara: «Voilà un personnage avec qui je ferai volontiers connaissance.» Lesable, souriant, raconta qu'un écrivain avait appelé le homard «le cardinal des mers», ne sachant pas qu'avant d'être cuit cet animal était noir. Cachelin se mit à rire de toute sa force en répétant: «Ah! ah! ah! elle est bien drôle.» Mais M^{lle} Charlotte, devenue sérieuse, prononça: «Je ne vois pas quel rapport on a pu faire. Ce monsieur-là était déplacé. Moi je comprends toutes les plaisanteries, toutes, mais je m'oppose à ce qu'on ridiculise le clergé devant moi.»

Le jeune homme, qui voulait plaire à la vieille fille, profita de l'occasion pour faire une profession de foi catholique. Il parla des gens de mauvais goût qui traitent avec légèreté les grandes vérités. Et il conclut: «Moi, je respecte et je vénère la religion de mes pères, j'y ai été élevé, j'y resterai jusqu'à ma mort.»

Cachelin ne riait plus. Il roulait des boulettes de pain

en murmurant: «C'est juste, c'est juste.» Puis il changea
la conversation, qui l'ennuyait, et par une pente d'esprit
naturelle à tous ceux qui accomplissent chaque jour la
même besogne, il demanda: «Le beau Maze a-t-il dû
rager de n'avoir pas son avancement, hein?»

Lesable sourit: «Que voulez-vous? à chacun selon ses
actes!» Et on causa du ministère, ce qui passionnait tout
le monde, car les deux femmes connaissaient les employés
presque autant que Cachelin lui-même, à force d'entendre
parler d'eux chaque soir. M^lle Charlotte s'occupait beau-
coup de Boissel, à cause des aventures qu'il racontait et
de son esprit romanesque, et M^lle Cora s'intéressait secrète-
ment au beau Maze. Elles ne les avaient jamais vus,
d'ailleurs.

Lesable parlait d'eux avec un ton de supériorité, comme
aurait pu le faire un ministre jugeant son personnel.

On l'écoutait: «Maze ne manque point d'un certain
mérite; mais quand on veut arriver, il faut travailler plus
que lui. Il aime le monde, les plaisirs. Tout cela apporte
un trouble dans l'esprit. Il n'ira jamais loin, par sa faute.
Il sera sous-chef, peut-être, grâce à ses influences, mais
rien de plus. Quant à Pitolet il rédige bien, il faut le
reconnaître, il a une élégance de forme qu'on ne peut nier,
mais pas de fond. Chez lui tout est en surface. C'est un
garçon qu'on ne pourrait mettre à la tête d'un service im-
portant, mais qui pourrait être utilisé par un chef intelli-
gent en lui mâchant la besogne.»

M^lle Charlotte demanda: «Et M. Boissel?»

Lesable haussa les épaules: «Un pauvre sire, un pauvre
sire. Il ne voit rien dans les proportions exactes. Il se
figure des histoires à dormir debout. Pour nous, c'est une
non-valeur.»

Cachelin se mit à rire et déclara: «Le meilleur, c'est le
père Savon.» Et tout le monde rit.

Puis on parla des théâtres et des pièces de l'année.
Lesable jugea avec la même autorité la littérature dramati-
que, classant les auteurs nettement, déterminant le fort et
le faible de chacun avec l'assurance ordinaire des hommes
qui se sentent infaillibles et universels.

On avait fini le rôti. César maintenant décoiffait la terrine de foie gras avec des précautions délicates qui faisaient bien juger du contenu. Il dit: «Je ne sais pas si celle-là sera réussie. Mais généralement elles sont parfaites. Nous les recevons d'un cousin qui habite Strasbourg.»

Et chacun mangea avec une lenteur respectueuse la charcuterie enfermée dans le pot de terre jaune.

Quand la glace apparut, ce fut un désastre. C'était une sauce, une soupe, un liquide clair, flottant dans un compotier. La petite bonne avait prié le garçon pâtissier, venu dès sept heures, de la sortir du moule lui-même, dans la crainte de ne pas savoir s'y prendre.

Cachelin, désolé, voulait la faire reporter, puis il se calma à la pensée du gâteau des Rois qu'il partagea avec mystère comme s'il eût enfermé un secret de premier ordre. Tout le monde fixait ses regards sur cette galette symbolique et on la fit passer, en recommandant à chacun de fermer les yeux pour prendre son morceau.

Qui aurait la fève? Un sourire niais errait sur les lèvres. M. Lesable poussa un petit «Ah!» d'étonnement et montra entre son pouce et son index un gros haricot blanc encore couvert de pâte. Et Cachelin se mit à applaudir, puis il cria: «Choisissez la reine! choisissez la reine!»

Une courte hésitation eut lieu dans l'esprit du roi. Ne ferait-il pas un acte politique en choisissant M^lle Charlotte? Elle serait flattée, gagnée, acquise! Puis il réfléchit qu'en vérité c'était pour M^lle Cora qu'on l'invitait et qu'il aurait l'air d'un sot en prenant la tante. Il se tourna donc vers sa jeune voisine, et lui présentant le pois souverain: «Mademoiselle, voulez-vous me permettre de vous l'offrir?» Et ils se regardèrent en face pour la première fois. Elle dit: «Merci, monsieur!» et reçut le gage de grandeur.

Il pensait: «Elle est vraiment jolie, cette fille. Elle a des yeux superbes. Et c'est une gaillarde, mâtin!»

Une détonation fit sauter les deux femmes. Cachelin venait de déboucher le champagne, qui s'échappait avec impétuosité de la bouteille et coulait sur la nappe. Puis les verres furent emplis de mousse, et le patron déclara: «Il est de bonne qualité, on le voit.» Mais comme Lesable allait boire

pour empêcher encore son verre de déborder. César s'écria:
«Le roi boit! le roi boit! le roi boit!» Et M^{lle} Charlotte,
émoustillée aussi, glapit de sa voix aiguë: «Le roi boit! le roi
boit!»

Lesable vida son verre avec assurance, et le reposant sur
la table: «Vous voyez que j'ai de l'aplomb!» puis, se tour-
nant vers M^{lle} Cora: «A vous, mademoiselle!»

Elle voulut boire; mais tout le monde ayant crié: «La
reine boit! la reine boit!» elle rougit, se mit à rire et reposa la
flûte devant elle.

La fin du dîner fut pleine de gaieté, le roi se montrait
empressé et galant pour la reine. Puis, quand on eut pris les
liqueurs, Cachelin annonça: «On va desservir pour nous
faire de la place. S'il ne pleut pas, nous pouvons passer une
minute sur la terrasse.» Il tenait à montrer la vue, bien qu'il
fît nuit.

On ouvrit donc la porte vitrée. Un souffle humide entra.
Il faisait tiède dehors, comme au mois d'avril; et tous mon-
tèrent le pas qui séparait la salle à manger du large balcon.
On ne voyait rien qu'une lueur vague planant sur la grande
ville, comme ces couronnes de feu qu'on met au front des
saints. De place en place cette clarté semblait plus vive, et
Cachelin se mit à expliquer: «Tenez, là-bas, c'est l'Eden qui
brille comme ça. Voici la ligne des boulevards. Hein! comme
on les distingue. Dans le jour, c'est splendide, la vue d'ici.
Vous auriez beau voyager, vous ne verriez rien de mieux.»

Lesable s'était accoudé sur la balustrade de fer, à côté de
Cora qui regardait dans le vide, muette, distraite, saisie tout
à coup par une de ces langueurs mélancoliques qui engour-
dissent parfois les âmes. M^{lle} Charlotte rentra dans la salle
par crainte de l'humidité. Cachelin continua à parler, le bras
tendu, indiquant les directions où se trouvaient les Invalides,
le Trocadéro, l'Arc de Triomphe de l'Etoile.

Lesable, à mi-voix, demanda: «Et vous, mademoiselle
Cora, aimez-vous regarder Paris de là-haut?»

Elle eut une petite secousse, comme s'il l'avait réveillée,
et répondit: «Moi? . . . oui, le soir surtout. Je pense à tout ce
qui se passe là, devant nous. Combien il y a de gens heureux

et de gens malheureux dans toutes ces maisons! Si on pouvait tout voir, combien on apprendrait de choses!»

Il s'était rapproché jusqu'à ce que leurs coudes et leurs épaules se touchassent: «Par les clairs de lune, ça doit être féérique?»

Elle murmura: «Je crois bien. On dirait une gravure de Gustave Doré. Quel plaisir on éprouverait à pouvoir se promener longtemps, sur les toits.»

Alors il la questionna sur ses goûts, sur ses rêves, sur ses plaisirs. Et elle répondait sans embarras, en fille réfléchie, sensée, pas plus songeuse qu'il ne faut. Il la trouvait pleine de bon sens, et il se disait qu'il serait vraiment doux de pouvoir passer son bras autour de cette taille ronde et ferme et d'embrasser longuement à petits baisers lents, comme on boit à petits coups de très bonne eau-de-vie, cette joue fraîche, auprès de l'oreille, qu'éclairait un reflet de lampe. Il se sentait attiré, ému par cette sensation de la femme si proche, par cette soif de la chair mûre et vierge, et par cette séduction délicate de la jeune fille. Il lui semblait qu'il serait demeuré là pendant des heures, des nuits, des semaines, toujours, accoudé près d'elle, à la sentir près de lui pénétré par le charme de son contact. Et quelque chose comme un sentiment poétique soulevait son cœur en face du grand Paris étendu devant lui, illuminé, vivant sa vie nocturne, sa vie de plaisir et de débauche. Il lui semblait qu'il dominait la ville énorme, qu'il planait sur elle; et il sentait qu'il serait délicieux de s'accouder chaque soir sur ce balcon auprès d'une femme, et de s'aimer, de se baiser les lèvres, de s'étreindre au-dessus de la vaste cité, au-dessus de toutes les amours qu'elle enfermait, au-dessus de toutes les satisfactions vulgaires, au-dessus de tous les désirs communs, tout près des étoiles.

Il est des soirs où les âmes les moins exaltées se mettent à rêver, comme s'il leur poussait des ailes. Il était peut-être un peu gris.

Cachelin, parti pour chercher sa pipe, revint en l'allumant: «Je sais, dit-il, que vous ne fumez pas, aussi je ne vous offre point de cigarettes. Il n'y a rien de meilleur que d'en griller une ici. Moi, s'il me fallait habiter en bas, je ne

vivrais pas. Nous le pourrions, car la maison appartient à
ma sœur ainsi que les deux voisines, celle de gauche et celle
de droite. Elle a là un joli revenu. Ça ne lui a pas coûté cher
dans le temps, ces maisons-là.» Et, se tournant vers la salle,
il cria: «Combien donc as-tu payé les terrains d'ici, Char-
lotte?»

Alors la voix pointue de la vieille fille se mit à parler.
Lesable n'entendait que des lambeaux de phrase: «. . . En
mil huit cent soixante-trois . . . trente-cinq francs . . . bâti
plus tard . . . les trois maisons . . . un banquier . . . revendu
au moins cinq cent mille francs . . .»

Elle racontait sa fortune avec la complaisance d'un vieux
soldat qui dit ses campagnes. Elle énumérait ses achats, les
propositions qu'on lui avait faites depuis, les plus-values,
etc.

Lesable, tout à fait intéressé, se retourna, appuyant main-
tenant son dos à la balustrade de la terrasse. Mais comme il
ne saisissait encore que des bribes de l'explication, il aban-
donna brusquement sa jeune voisine et rentra pour tout
entendre; et s'asseyant à côté de Mlle Charlotte, il s'entretint
longuement avec elle de l'augmentation probable des loyers
et de ce que peut rapporter l'argent bien placé, en valeurs
ou en biens-fonds.

Il s'en alla vers minuit, en promettant de revenir.

Un mois plus tard, il n'était bruit dans tout le ministère
que du mariage de Jacques-Léopold Lesable avec Mlle
Céleste-Coralie Cachelin.

III

Le jeune ménage s'installa sur le même palier que Cache-
lin et que Mlle Charlotte, dans un logement pareil au leur
et dont on expulsa le locataire.

Une inquiétude, cependant, agitait l'esprit de Lesable:
la tante n'avait voulu assurer son héritage à Cora par aucun
acte définitif. Elle avait cependant consenti à jurer «devant
Dieu» que son testament était fait et déposé chez Me Bel-
homme, notaire. Elle avait promis, en outre, que toute sa

fortune reviendrait à sa nièce, sous réserve d'une condition. Pressée de révéler cette condition, elle refusa de s'expliquer, mais elle avait encore juré avec un petit sourire bienveillant que était facile à remplir.

Devant ces explications et cet entêtement de vieille dévote, Lesable cru devoir passer outre, et comme la jeune fille lui plaisait beaucoup, son désir triomphant de ses incertitudes, il s'était rendu aux efforts obstinés de Cachelin.

Maintenant il était heureux, bien que harcelé toujours par un doute. Et il aimait sa femme qui n'avait en rien trompé ses attentes. Sa vie s'écoulait, tranquille et monotone. Il s'était fait d'ailleurs en quelques semaines à sa nouvelle situation d'homme marié, et il continuait à se montrer l'employé accompli de jadis.

L'année s'écoula. Le jour de l'an revint. Il n'eut pas, à sa grande surprise, l'avancement sur lequel il comptait. Maze et Pitolet passèrent seuls au grade au-dessus; et Boissel déclara confidentiellement à Cachelin qu'il se promettait de flanquer une roulée à ses deux confrères, un soir, en sortant, en face de la grande porte, devant tout le monde. Il n'en fit rien.

Pendant huit jours, Lesable ne dormit point d'angoisse de ne pas avoir été promu, malgré son zèle. Il faisait pourtant une besogne de chien; il remplaçait indéfiniment le sous-chef, M. Rabot, malade neuf mois par an à l'hôpital du Val-de-Grâce; il arrivait tous les matins à huit heures et demie; il partait tous les soirs à six heures et demie. Que voulait-on de plus? Si on ne lui savait pas gré d'un pareil travail et d'un semblable effort, il ferait comme les autres, voilà tout. A chacun suivant sa peine. Comment donc M. Torchebeuf, qui le traitait ainsi qu'un fils, avait-il pu le sacrifier? Il voulait en avoir le cœur net. Il irait trouver le chef et s'expliquerait avec lui.

Donc, un lundi matin, avant la venue de ses confrères, il frappa à la porte de ce potentat.

Une voix aigre cria: «Entrez!» Il entra.

Assis devant une grande table couverte de paperasses, tout petit avec une grosse tête qui semblait posée sur son buvard, M. Torchebeuf écrivait. Il dit, en apercevant son

employé préféré: «Bonjour, Lesable; vous allez bien?»

Le jeune homme répondit: «Bonjour, cher maître, fort bien, et vous-même?»

Le chef cessa d'écrire et fit pivoter son fauteuil. Son corps mince, frêle, maigre, serré dans une redingote noire de forme sérieuse, semblait tout à fait disproportionné avec le grand siège à dossier de cuir. Une rosette d'officier de la Légion d'honneur, énorme, éclatante, mille fois trop large aussi pour la personne qui la portait, brillait comme un charbon rouge sur la poitrine étroite, écrasée sous un crâne considérable, comme si l'individu tout entier se fût développé en dôme, à la façon des champignons.

La mâchoire était pointue, les joues creuses, les yeux saillants, et le front démesuré, couvert de cheveux blancs rejetés en arrière.

M. Torchebeuf prononça: «Asseyez-vous, mon ami, et dites-moi ce qui vous amène.»

Pour tous les autres employés il se montrait d'une rudesse militaire, se considérant comme un capitaine à son bord, car le ministère représentait pour lui un grand navire, le vaisseau amiral de toutes les flottes françaises.

Lesable, un peu ému, un peu pâle, balbutia: «Cher maître, je viens vous demander si j'ai démérité en quelque chose?»

— 'Mais non, mon cher, pourquoi me posez-vous cette question-là!

— «C'est que j'ai été un peu surpris de ne pas recevoir d'avancement cette année comme les années dernières. Permettez-moi de m'expliquer jusqu'au bout, cher maître, en vous demandant pardon de mon audace. Je sais que j'ai obtenu de vous des faveurs exceptionnelles et des avantages inespérés. Je sais que l'avancement ne se donne, en général, que tous les deux ou trois ans; mais permettez-moi encore de vous faire remarquer que je fournis au bureau à peu près quatre fois la somme de travail d'un employé ordinaire et deux fois au moins la somme de temps. Si donc on mettait en balance le résultat de mes efforts comme labeur et le résultat comme rémunération, on trouverait certes celui-ci bien au-dessous de celui-là!»

Il avait préparé avec soin sa phrase qu'il jugeait excellente.

M. Torchebeuf, surpris, cherchait sa réplique. Enfin, il prononça d'un ton un peu froid: «Bien qu'il ne soit pas admissible, en principe, qu'on discute ces choses entre chef et employé, je veux bien pour cette fois vous répondre, eu égard à vos services très méritants.

«Je vous ai proposé pour l'avancement, comme les années précédentes. Mais le directeur a écarté votre nom en se basant sur ce que votre mariage vous assure un bel avenir, plus qu'une aisance, une fortune que n'atteindront jamais vos modestes collègues. N'est-il pas équitable, en somme, de faire un peu la part de la condition de chacun? Vous deviendrez riche, très riche. Trois cents francs de plus par an ne seront rien pour vous, tandis que cette petite augmentation comptera beaucoup dans la poche des autres. Voilà, mon ami, la raison qui vous a fait rester en arrière cette année.»

Lesable, confus et irrité, se retira.

Le soir, au dîner, il fut désagréable pour sa femme. Elle se montrait ordinairement gaie et d'humeur assez égale, mais volontaire; et elle ne cédait jamais quand elle voulait bien une chose. Elle n'avait plus pour lui le charme sensuel des premiers temps, et bien qu'il eût toujours un désir éveillé, car elle était fraîche et jolie, il éprouvait par moments cette désillusion si proche de l'écœurement que donne bientôt la vie en commun de deux êtres. Les mille détails triviaux ou grotesques de l'existence, les toilettes négligées du matin, la robe de chambre en laine commune, vieille, usée, le peignoir fané, car on n'était pas riche, et aussi toutes les besognes nécessaires vues de trop près dans un ménage pauvre, lui dévernissaient le mariage, fanaient cette fleur de poésie qui séduit, de loin, les fiancés.

Tante Charlotte lui rendait aussi son intérieur désagréable, car elle n'en sortait plus; elle se mêlait de tout, voulait gouverner tout, faisait des observations sur tout, et comme on avait une peur horrible de la blesser, on supportait tout avec résignation, mais aussi avec une exaspération grandissante et cachée.

Elle allait à travers l'appartement de son pas traînant de vieille; et sa voix grêle disait sans cesse: «Vous devriez bien faire ceci; vous devriez bien faire cela.»

Quand les deux époux se trouvaient en tête-à-tête, Lesable énervé s'écriait: «Ta tante devient intolérable. Moi je n'en veux plus. Entends-tu? je n'en veux plus.» Et Cora répondait avec tranquillité: «Que veux-tu que j'y fasse, moi?»

Alors il s'emportait: «C'est odieux d'avoir une famille pareille!»

Et elle répliquait, toujours calme: «Oui, la famille est odieuse, mais l'héritage est bon, n'est-ce pas? Ne fais donc pas l'imbécile. Tu as autant d'intérêt que moi à ménager tante Charlotte.»

Et il se taisait, ne sachant que répondre.

La tante maintenant les harcelait sans cesse avec l'idée fixe d'un enfant. Elle poussait Lesable dans les coins et lui soufflait dans la figure: «Mon neveu, j'entends que vous soyez père avant ma mort. Je veux voir mon héritier. Vous ne me ferez pas accroire que Cora ne soit point faite pour être mère. Il suffit de la regarder. Quand on se marie, mon neveu, c'est pour avoir de la famille, pour faire souche. Notre Sainte Mère l'Église défend les mariages stériles. Je sais bien que vous n'êtes pas riches et qu'un enfant cause de la dépense. Mais après moi vous ne manquerez de rien. Je veux un petit Lesable, je le veux, entendez-vous!»

Comme, après quinze mois de mariage, son désir ne s'était point encore réalisé, elle conçut des doutes et devint pressante; et elle donnait tout bas des conseils à Cora, des conseils pratiques, en femme qui a connu bien des choses, autrefois, et qui sait encore s'en souvenir à l'occasion.

Mais un matin elle ne put se lever, se sentant indisposée. Comme elle n'avait jamais été malade, Cachelin, très ému, vint frapper à la porte de son gendre: «Courez vite chez le docteur Barbette, et vous direz au chef, n'est-ce pas, que je n'irai point au bureau aujourd'hui, vu la circonstance.»

Lesable passa une journée d'angoisses, incapable de travailler, de rédiger et d'étudier les affaires. M. Torchebeuf, surpris, lui demanda: «Vous êtes distrait, aujourd'hui, monsieur Lesable?» Et Lesable, nerveux, répondit: «Je suis très

fatigué, cher maître, j'ai passé toute la nuit auprès de notre tante dont l'état est fort grave.»

Mais le chef reprit froidement: «Du moment que M. Cachelin est resté près d'elle, cela devrait suffire. Je ne peux pas laisser mon bureau se désorganiser pour des raisons personnelles à mes employés.»

Lesable avait placé sa montre devant lui sur sa table et il attendait cinq heures avec une impatience fébrile. Dès que la grosse horloge de la grande cour sonna, il s'enfuit, quittant, pour la première fois, le bureau à la minute réglementaire.

Il prit même un fiacre pour rentrer, tant son inquiétude était vive; et il monta l'escalier en courant.

La bonne vint ouvrir; il balbutia: «Comment va-t-elle?

— «Le médecin dit qu'elle est bien bas.»

Il eut un battement de cœur et demeura tout ému: «Ah! vraiment.»

Est-ce que, par hasard, elle allait mourir?

Il n'osait pas entrer maintenant dans la chambre de la malade, et il fit appeler Cachelin qui la gardait.

Son beau-père apparut aussitôt, ouvrant la porte avec précaution. Il avait sa robe de chambre et son bonnet grec comme lorsqu'il passait de bonnes soirées au coin du feu; et il murmura à voix basse: «Ça va mal, très mal. Depuis quatre heures elle est sans connaissance. On l'a même administrée dans l'après-midi.»

Alors Lesable sentit une faiblesse lui descendre dans les jambes, et il s'assit:

— «Où est ma femme?

— «Elle est auprès d'elle.

— «Qu'est-ce que dit au juste le docteur?

— «Il dit que c'est une attaque. Elle en peut revenir, mais elle peut aussi mourir cette nuit.

— «Avez-vous besoin de moi? Si vous n'en avez pas besoin, j'aime mieux ne pas entrer. Cela me serait pénible de la revoir dans cet état.

— «Non. Allez chez vous. S'il y a quelque chose de nouveau, je vous ferai appeler tout de suite.»

Et Lesable retourna chez lui. L'appartement lui parut

changé, plus grand, plus clair. Mais comme il ne pouvait
tenir en place, il passa sur le balcon.

On était alors aux derniers jours de juillet, et le grand
soleil, au moment de disparaître derrière les deux tours du
Trocadéro, versait une pluie de flamme sur l'immense peuple
des toits.

L'espace, d'un rouge éclatant à son pied, prenait plus
haut des teintes d'or pâle, puis des teintes jaunes, puis des
teintes vertes, d'un vert léger frotté de lumière, puis il
devenait bleu, d'un bleu pur et frais sur les têtes.

Les hirondelles passaient comme des flèches, à peine
visibles, dessinant sur le fond vermeil du ciel le profil crochu
et fuyant de leurs ailes. Et sur la foule infinie des maisons,
sur la campagne lointaine, planait une nuée rose, un vapeur
de feu dans laquelle montaient, comme dans une apothéose,
les flèches des clochers, tous les sommets sveltes des monu-
ments. L'Arc de Triomphe de l'Étoile apparaissait énorme et
noir dans l'incendie de l'horizon, et le dôme des Invalides
semblait un autre soleil tombé du firmament sur le dos d'un
édifice.

Lesable tenait à deux mains la rampe de fer, buvant l'air
comme on boit du vin, avec une envie de sauter, de crier,
de faire des gestes violents, tant il se sentait envahi par une
joie profonde et triomphante. La vie lui apparaissait ra-
dieuse, l'avenir plein de bonheur! Qu'allait-il faire? Et il
rêva.

Un bruit, derrière lui, le fit tressaillir. C'était sa femme.
Elle avait les yeux rouges, les joues un peu enflées, l'air
fatigué. Elle tendit son front pour qu'il l'embrassât, puis
elle dit: «On va dîner chez papa pour rester près d'elle. La
bonne ne la quittera pas pendant que nous mangerons.»

Et il la suivit dans l'appartement voisin.

Cachelin était déjà à table, attendant sa fille et son
gendre. Un poulet froid, une salade de pommes de terre et
un compotier de fraises étaient posés sur le dressoir, et la
soupe fumait dans les assiettes.

On s'assit. Cachelin déclara: «Voilà des journées comme
je n'en voudrais pas souvent. Ça n'est pas gai.» Il disait cela
avec un ton d'indifférence dans l'accent et une sorte de

satisfaction sur le visage. Et il se mit à dévorer en homme
de grand appétit, trouvant le poulet excellent et la salade
de pommes de terre tout à fait rafraîchissante.

Mais Lesable se sentait l'estomac serré et l'âme inquiète,
et il mangeait à peine, l'oreille tendue vers la chambre
voisine, qui demeurait silencieuse comme si personne ne s'y
fût trouvé. Cora n'avait pas faim non plus, émue, larmoyante,
s'essuyant un œil de temps en temps avec un coin de sa
serviette.

Cachelin demanda: «Qu'a dit le chef?»

Et Lesable donna des détails, que son beau-père voulait
minutieux, qu'il lui faisait répéter, insistant pour tout savoir
comme s'il eût été absent du ministère pendant un an.

«Ça a dû faire une émotion quand on a su qu'elle était
malade?» Et il songeait à sa rentrée glorieuse quand elle
serait morte, aux têtes de ses collègues; il prononça pourtant,
comme pour répondre à un remords secret: «Ce n'est pas
que je lui désire du mal à la chère femme! Dieu sait que je
voudrais la conserver longtemps, mais ça fera de l'effet tout
de même. Le père Savon en oubliera la Commune.»

On commençait à manger les fraises quand la porte de
la malade s'entr'ouvrit. La commotion fut telle chez les
dîneurs qu'ils se trouvèrent, d'un seul coup, debout tous les
trois, effarés. Et la petite bonne parut, gardant toujours son
air calme et stupide. Elle prononça tranquillement: «Elle
ne souffle plus.»

Et Cachelin, jetant sa serviette sur les plats, se précipita
comme un fou; Cora le suivit, le cœur battant; mais Lesable
demeura debout près de la porte, épiant de loin la tache
pâle du lit à peine éclairé par la fin du jour. Il voyait le
dos de son beau-père penché vers la couche, ne remuant
pas, examinant; et tout d'un coup il entendit sa voix qui lui
parut venir de loin, de très loin, du bout du monde, une
de ces voix qui passent dans les rêves et qui vous disent des
choses surprenantes. Elle prononçait: «C'est fait! on n'en-
tend plus rien.» Il vit sa femme tomber à genoux, le front
sur le drap et sanglotant. Alors il se décida à entrer, et,
comme Cachelin s'était relevé, il aperçut, sur la blancheur
de l'oreiller, la figure de tante Charlotte, les yeux fermés, si

creuse, si rigide, si blême, qu'elle avait l'air d'une bonne femme en cire.

Il demanda avec angoisse: «Est-ce fini?»

Cachelin, qui contemplait aussi sa sœur, se tourna vers lui et ils se regardèrent. Il répondit «Oui», voulant forcer son visage à une expression désolée, mais les deux hommes s'étaient pénétrés d'un coup d'œil, et sans savoir pourquoi, instinctivement, ils se donnèrent une poignée de mains, comme pour se remercier l'un l'autre de ce qu'ils avaient fait l'un pour l'autre.

Alors, sans perdre de temps, ils s'occupèrent avec activité de toutes les besognes que réclame un mort.

Lesable se chargea d'aller chercher le médecin et de faire, le plus vite possible, les courses les plus pressées.

Il prit son chapeau et descendit l'escalier en courant, ayant hâte d'être dans la rue, d'être seul, de respirer, de penser, de jouir solitairement de son bonheur.

Lorsqu'il eut terminé ses commissions, au lieu de rentrer il gagna le boulevard, poussé par le désir de voir du monde, de se mêler au mouvement, à la vie heureuse du soir. Il avait envie de crier aux passants: «J'ai cinquante mille livres de rentes», et il allait, les mains dans ses poches, s'arrêtant devant les étalages, examinant les riches étoffes, les bijoux, les meubles de luxe, avec cette pensée joyeuse: «Je pourrai me payer cela maintenant.»

Tout à coup il passa devant un magasin de deuil et une idée brusque l'effleura: «Si elle n'était point morte? S'ils s'étaient trompés?»

Et il revint vers sa demeure, d'un pas plus pressé, avec ce doute flottant dans l'esprit.

En rentrant il demanda: «Le docteur est-il venu?»

Cachelin répondit: «Oui. Il a constaté le décès, et il s'est chargé de la déclaration.»

Ils rentrèrent dans la chambre de la morte. Cora pleurait toujours, assise dans un fauteuil. Elle pleurait très doucement, sans peine, presque sans chagrin maintenant, avec cette facilité de larmes qu'ont les femmes.

Dès qu'ils se trouvèrent tous trois dans l'appartement, Cachelin prononça à voix basse: «A présent que la bonne

est partie se coucher, nous pouvons regarder s'il n'y a rien de caché dans les meubles.»

Et les deux hommes se mirent à l'œuvre. Ils vidaient les tiroirs, fouillaient dans les poches, dépliaient les moindres papiers. A minuit ils n'avaient rien trouvé d'intéressant. Cora s'était assoupie, et elle ronflait un peu, d'une façon régulière. César demanda: «Est-ce que nous allons rester ici jusqu'au jour?» Lesable, perplexe, jugeait cela plus convenable. Alors le beau-père en prit son parti: «En ce cas, dit-il, apportons des fauteuils»; et ils allèrent chercher les deux autres sièges capitonnés qui meublaient la chambre des jeunes époux.

Une heure plus tard, les trois parents dormaient avec des ronflements inégaux, devant le cadavre glacé dans son éternelle immobilité.

Ils se réveillèrent au jour, comme la petite bonne entrait dans la chambre. Cachelin aussitôt avoua, en se frottant les paupières: «Je me suis un peu assoupi depuis une demi-heure à peu près.»

Mais Lesable, qui avait aussitôt repris possession de lui, déclara: «Je m'en suis bien aperçu. Moi, je n'ai pas perdu connaissance une seconde; j'avais seulement fermé les yeux pour les reposer.»

Cora regagna son appartement.

Alors Lesable demanda avec une apparente indifférence: «Quand voulez-vous que nous allions chez le notaire prendre connaissance du testament?»

— «Mais . . . ce matin, si vous voulez.

— «Est-il nécessaire que Cora nous accompagne?

— «Ça vaut peut-être mieux, puisqu'elle est l'héritière, en somme.

— «En ce cas je vais la prévenir de s'apprêter.»

Et Lesable sortit de son pas vif.

L'étude de Me Belhomme venait d'ouvrir ses portes quand Cachelin, Lesable et sa femme se présentèrent, en grand deuil, avec des visages désolés.

Le notaire les reçut aussitôt, les fit asseoir. Cachelin prit la parole: «Monsieur, vous me connaissez: je suis le frère de Mlle Charlotte Cachelin. Voici ma fille et mon gendre. Ma

pauvre sœur est morte hier; nous l'enterrerons demain. Comme vous êtes dépositaire de son testament, nous venons vous demander si elle n'a pas formulé quelque volonté relative à son inhumation ou si vous n'avez pas quelque communication à nous faire.»

Le notaire ouvrit un tiroir, prit une enveloppe, la déchira, tira un papier, et prononça: «Voici, monsieur, un double de ce testament dont je puis vous donner connaissance immédiatement.

«L'autre expédition, exactement pareille à celle-ci, doit rester entre mes mains. Et il lut:

«Je soussignée, Victorine-Charlotte Cachelin, exprime ici «mes dernières volontés:

«Je laisse toute ma fortune, s'élevant à un million cent «vingt mille francs environ, aux enfants qui naîtront du «mariage de ma nièce Céleste-Coralie Cachelin, avec jouis-«sance des revenus aux parents jusqu'à la majorité de l'aîné «des descendants.

«Les dispositions qui suivent règlent la part afférente à «chaque enfant et la part demeurant aux parents jusqu'à la «fin de leurs jours.

«Dans le cas où ma mort arriverait avant que ma nièce «eût un héritier, toute ma fortune restera entre les mains «de mon notaire, pendant trois ans, pour ma volonté expri-«mée plus haut être accomplie si un enfant naît durant cette «période.

«Mais dans le cas où Coralie n'obtiendrait point du Ciel «un descendant pendant les trois années qui suivront ma «mort, ma fortune sera distribuée, par les soins de mon «notaire, aux pauvres et aux établissements de bienfaisance «dont la liste suit.»

Suivait une série interminable de noms de communautés, de chiffres, d'ordres et de recommandations.

Puis Me Belhomme remit poliment le papier entre les mains de Cachelin, ahuri de saisissement.

Il crut même devoir ajouter quelques explications: «Mlle Cachelin, dit-il, lorsqu'elle me fit l'honneur de me parler pour la première fois de son projet de tester dans ce sens, m'exprima le désir extrême qu'elle avait de voir un héritier

de sa race. Elle répondit à tous mes raisonnements par
l'expression de plus en plus formelle de sa volonté, qui se
basait d'ailleurs sur un sentiment religieux, toute union
stérile, pensait-elle, étant un signe de malédiction céleste.
Je n'ai pu modifier en rien ses intentions. Croyez que je le
regrette bien vivement. Puis il ajouta, en souriant vers
Coralie: «Je ne doute pas que le *desideratum* de la défunte
ne soit bien vite réalisé.»

Et les trois parents s'en allèrent, trop effarés pour penser
à rien.

Ils regagnaient leur domicile, côte à côte, sans parler,
honteux et furieux, comme s'ils s'étaient mutuellement volés.
Toute la douleur même de Cora s'était soudain dissipée,
l'ingratitude de sa tante la dispensant de la pleurer. Lesable,
enfin, dont les lèvres pâles étaient serrées par une contrac-
tion de dépit, dit à son beau-père: «Passez-moi donc cet
acte, que j'en prenne connaissance *de visu*.» Cachelin lui
tendit le papier, et le jeune homme se mit à lire. Il s'était
arrêté sur le trottoir et, tamponné par les passants, il resta
là, fouillant les mots de son œil perçant et pratique. Les
deux autres l'attendaient, deux pas en avant, toujours muets.

Puis il rendit le testament en déclarant: «Il n'y a rien à
faire. Elle nous a joliment floués!»

Cachelin, que la déroute de son espérance irritait, répon-
dit: «C'était à vous d'avoir un enfant, sacrebleu! Vous
saviez bien qu'elle le désirait depuis longtemps.»

Lesable haussa les épaules sans répliquer.

En rentrant, ils trouvèrent une foule de gens qui les
attendaient, ces gens dont le métier s'exerce autour des
morts. Lesable rentra chez lui, ne voulant plus s'occuper de
rien, et César rudoya tout le monde, criant qu'on le laissât
tranquille, demandant à en finir au plus vite avec tout ça,
et trouvant qu'on tardait bien à le débarrasser de ce
cadavre.

Cora, enfermée dans sa chambre, ne faisait aucun bruit.
Mais Cachelin, au bout d'une heure, alla frapper à la porte
de son gendre: «Je viens, dit-il, mon cher Léopold, vous
soumettre quelques réflexions, car, enfin, il faut s'entendre.
Mon avis est de faire tout de même des funérailles con-

venables, afin de ne pas donner l'éveil au ministère. Nous nous arrangerons pour les frais. D'ailleurs, rien n'est perdu. Vous n'êtes pas mariés depuis longtemps, et il faudrait bien du malheur pour que vous n'eussiez pas d'enfants. Vous vous y mettrez, voilà tout. Allons au plus pressé. Vous chargez-vous de passer tantôt au ministère? Je vais écrire les adresses des lettres de faire-part.»

Lesable convint avec aigreur que son beau-père avait raison, et ils s'installèrent face à face aux deux bouts d'une table longue, pour tracer les suscriptions des billets encadrés de noir.

Puis ils déjeunèrent. Cora reparut, indifférente, comme si rien de tout cela ne l'eût concernée, et elle mangea beaucoup, ayant jeûné la veille.

Aussitôt le repas fini, elle retourna dans sa chambre. Lesable sortit pour aller à la Marine et Cachelin s'installa sur son balcon afin de fumer une pipe, à cheval sur une chaise. Le lourd soleil d'un jour d'été tombait d'aplomb sur la multitude des toits, dont quelques-uns garnis de vitres brillaient comme du feu, jetaient des rayons éblouissants que la vue ne pouvait soutenir.

Et Cachelin, en manches de chemise, regardait, de ses yeux clignotants sous ce ruissellement de lumière, les coteaux verts, là-bas, là-bas, derrière la grande ville, derrière la banlieue poudreuse. Il songeait que la Seine, coulait, large, calme et fraîche, au pied de ces collines qui ont des arbres sur leurs pentes, et qu'on serait rudement mieux sous la verdure, le ventre sur l'herbe, tout au bord de la rivière, à cracher dans l'eau, que sur le plomb brûlant de sa terrasse. Et un malaise l'oppressait, la pensée harcelante, la sensation douloureuse de leur désastre, de cette infortune inattendue, d'autant plus amère et brutale que l'espérance avait été plus vive et plus longue; et il prononça tout haut, comme on fait dans les grands troubles d'esprit, dans les obsessions d'idées fixes: «Sale rosse!»

Derrière lui, dans la chambre, il entendait les mouvements des employés des pompes funèbres, et le bruit continu du marteau qui clouait le cercueil. Il n'avait point revu sa sœur depuis sa visite au notaire.

Mais peu à peu, la tiédeur, la gaieté, le charme clair de ce grand jour d'été lui pénétrèrent la chair et l'âme, et il songea que tout n'était pas désespéré. Pourquoi donc sa fille n'aurait-elle pas d'enfant? Elle n'était pas mariée depuis deux ans encore! Son gendre paraissait vigoureux, bien bâti et bien portant, quoique petit. Ils auraient un enfant, nom d'un nom! Et puis, d'ailleurs, il le fallait!

Lesable était entré au ministère furtivement et s'était glissé dans son bureau. Il trouva sur sa table un papier portant ces mots: «Le chef vous demande.» Il eut d'abord un geste d'impatience, une révolte contre ce despotisme qui allait lui retomber sur le dos, puis un désir brusque et violent de parvenir l'aiguillonna. Il serait chef à son tour, et vite; il irait plus haut encore.

Sans ôter sa redingote de ville, il se rendit chez M. Torche-beuf. Il se présenta avec une de ces figures navrées qu'on prend dans les occasions tristes, et même quelque chose de plus, une marque de chagrin réel et profond, cet involontaire abattement qu'impriment aux traits les contrariétés violentes.

La grosse tête du chef, toujours penchée sur le papier, se redressa et il demanda d'un ton brusque: «J'ai eu besoin de vous toute la matinée. Porquoi n'êtes-vous pas venu?» Lesable répondit: «Cher maître, nous avons eu le malheur de perdre ma tante, M^{lle} Cachelin, et je venais même vous demander d'assister à l'inhumation, qui aura lieu demain.»

Le visage de M. Torchebeuf s'était immédiatement ras-séréné. Et il répondit avec une nuance de considération: «En ce cas, mon cher ami, c'est autre chose. Je vous remercie et je vous laisse libre, car vous devez avoir beaucoup à faire.»

Mais Lesable tenait à se montrer zélé: «Merci, cher maître, tout est fini et je compte rester ici jusqu'à l'heure réglementaire.»

Et il retourna dans son cabinet.

La nouvelle s'était répandue, et on venait de tous les bureaux pour lui faire des compliments plutôt de congratulation que de doléance, et aussi pour voir quelle tenue il avait. Il supportait les phrases et les regards avec un masque

résigné d'acteur, et un tact dont on s'étonnait. «Il s'observe fort bien», disaient les uns. Et les autres ajoutaient: «C'est égal, au fond, il doit être rudement content.»

Maze, plus audacieux que tous, lui demanda, avec son air dégagé d'homme du monde: «Savez-vous au juste le chiffre de la fortune?»

Lesable répondit avec un ton parfait de désintéressement: «Non, pas au juste. Le testament dit douze cent mille francs environ. Je sais cela parce que le notaire a dû nous communiquer immédiatement certaines clauses relatives aux funérailles.»

De l'avis général, Lesable ne resterait pas au ministère. Avec soixante mille livres de rentes, on ne demeure pas gratte-papier. On est quelqu'un; on peut devenir quelque chose à son gré. Les uns pensaient qu'il visait le Conseil d'Etat; d'autres croyaient qu'il songeait à la députation. Le chef s'attendait à recevoir sa démission pour la transmettre au Directeur.

Tout le ministère vint aux funérailles, qu'on trouva maigres. Mais un bruit courait: «C'est Mlle Cachelin elle-même qui les a voulues ainsi. C'était dans le testament.»

Dès le lendemain, Cachelin reprit son service, et Lesable, après une semaine d'indisposition, revint à son tour, un peu pâli, mais assidu et zélé comme autrefois. On eût dit que rien n'était survenu dans leur existence. On remarqua seulement qu'ils fumaient avec ostentation de gros cigares, qu'ils parlaient de la rente, des chemins de fer, des grandes valeurs, en hommes qui ont des titres en poche, et on sut, au bout de quelque temps, qu'ils avaient loué une campagne dans les environs de Paris, pour y finir l'été.

On pensa: «Ils sont avares comme la vieille; ça tient de famille; qui se ressemble s'assemble; n'importe, ça n'est pas chic de rester au ministère avec une fortune pareille.»

Au bout de quelque temps, on n'y pensa plus. Ils étaient classés et jugés.

IV

En suivant l'enterrement de la tante Charlotte, Lesable songeait au million, et, rongé par une rage d'autant plus

violente qu'elle devait rester secrète, il en voulait à tout le monde de sa déplorable mésaventure.

Il se demandait aussi: «Pourquoi n'ai je pas eu d'enfant depuis deux ans que je suis marié?» Et la crainte de voir son ménage demeurer stérile lui faisait battre le cœur.

Alors, comme le gamin qui regarde, au sommet du mât de cocagne haut et luisant, la timbale à décrocher, et qui se jure à lui-même d'arriver là, à force d'énergie et de volonté, d'avoir la vigueur et la ténacité qu'il faudrait, Lesable prit la résolution désespérée d'être père. Tant d'autres le sont, pourquoi ne le serait-il pas, lui aussi? Peut-être avait-il été négligent, insoucieux, ignorant de quelque chose, par suite d'un indifférence complète. N'ayant jamais éprouvé le désir violent de laisser un héritier, il n'avait jamais mis tous ses soins à obtenir ce résultat. Il y apporterait désormais des efforts acharnés; il ne négligerait rien, et il réussirait puisqu'il le voulait ainsi.

Mais lorsqu'il fut rentré chez lui, il se sentit mal à son aise, et il dut prendre le lit. La déception avait été trop rude, il en subissait le contre-coup.

Le médecin jugea son état assez sérieux pour prescrire un repos absolu, qui nécessiterait même ensuite des ménagements assez longs. On craignait une fièvre cérébrale.

En huit jours cependant il fut debout, et il reprit son service au ministère.

Mais il n'osait point, se jugeant encore souffrant, approcher de la couche conjugale. Il hésitait et tremblait, comme un général qui va livrer bataille, une bataille dont dépendait son avenir. Et chaque soir il attendait au lendemain, espérant une de ces heures de santé, de bien-être et d'énergie où on se sent capable de tout. Il se tâtait le pouls à chaque instant, et, le trouvant trop faible ou agité, prenait des toniques, mangeait de la viande crue, faisait, avant de rentrer chez lui, de longues courses fortifiantes.

Comme il ne se rétablissait pas à son gré, il eut l'idée d'aller finir la saison chaude aux environs de Paris. Et bientôt la persuasion lui vint que le grand air des champs aurait sur son tempérament une influence souveraine. Dans sa siuation, la campagne produit des effets merveilleux,

décisifs. Il se rassura par cette certitude du succès pro-
chain, et il répétait à son beau-père, avec des sous-entendus
dans la voix: «Quand nous serons à la campagne, je me
porterai mieux, et tout ira bien.»

Ce seul mot de «campagne» lui paraissait comporter une
signification mystérieuse.

Ils louèrent donc dans le village de Bezons une petite
maison et vinrent tous trois y loger. Les deux hommes
partaient à pied, chaque matin, à travers la plaine, pour la
gare de Colombes, et revenaient à pied tous les soirs.

Cora, enchantée de vivre ainsi au bord de la douce rivière,
allait s'asseoir sur les berges, cueillait des fleurs, rapportait
de gros bouquets d'herbes fines, blondes et tremblotantes.

Chaque soir, ils se promenaient tous trois le long de la
rive jusqu'au barrage de la Morue, et ils entraient boire
une bouteille de bière au restaurant des Tilleuls. Le fleuve,
arrêté par la longue file de piquets, s'élançait entre les
joints, sautait, bouillonnait, écumait, sur une largeur de
cent mètres; et le ronflement de la chute faisait frémir le
sol, tandis qu'une fine buée, une vapeur humide flottait
dans l'air, s'élevait de la cascade comme une fumée légère,
jetant aux environs une odeur d'eau battue et une saveur
de vase remuée.

La nuit tombait. Là-bas, en face, une grande lueur in-
diquait Paris, et faisait répéter chaque soir à Cachelin:
«Hein! quelle ville tout de même!» De temps en temps,
un train passant sur le pont de fer qui coupe le bout de
l'île faisait un roulement de tonnerre et disparaissait bien-
tôt, soit vers la gauche, soit vers la droite, vers Paris ou
vers la mer.

Ils revenaient à pas lents, regardant se lever la lune,
s'asseyant sur un fossé pour voir plus longtemps tomber
dans le fleuve tranquille sa molle et jaune lumière qui sem-
blait couler avec l'eau et que les rides du courant remu-
aient comme une moire de feu. Les crapauds poussaient
leur cri métallique et court. Des appels d'oiseaux de nuit
couraient dans l'air. Et parfois une grande ombre muette
glissait sur la rivière, troublant son cours lumineux et calme.
C'était une barque de maraudeurs qui jetaient soudain

l'épervier et ramenaient sans bruit sur leur bateau, dans le vaste et sombre filet, leur pêche de goujons luisants et frémissants, comme un trésor tiré du fond de l'eau, un trésor vivant de poissons d'argent.

Cora, émue, s'appuyait tendrement au bras de son mari dont elle avait deviné les desseins, bien qu'ils n'eussent parlé de rien. C'était pour eux comme un nouveau temps de fiançailles, une seconde attente du baiser d'amour. Parfois il lui jetait une caresse furtive au bord de l'oreille sur la naissance de la nuque, en ce coin charmant de chair tendre où frisent les premiers cheveux. Elle répondait par une pression de main; et ils se désiraient, se refusant encore l'un à l'autre, sollicités et retenus par une volonté plus énergique, par le fantôme du million.

Cachelin, apaisé par l'espoir qu'il sentait autour de lui, vivait heureux, buvait sec et mangeait beaucoup, sentant naître en lui, au crépuscule, des crises de poésie, cet attendrissement niais qui vient aux plus lourds devant certaines visions des champs: une pluie de lumière dans les branches, un coucher de soleil sur les coteaux lointains, avec des reflets de pourpre sur le fleuve. Et il déclarait: «Moi, devant ces choses-là, je crois à Dieu. Ça me pince là» — il montrait le creux de son estomac — «et je me sens tout retourné. Je deviens tout drôle. Il me semble qu'on m'a trempé dans un bain qui me donne envie de pleurer.»

Lesable, cependant, allait mieux, saisi soudain par des ardeurs qu'il ne connaissait plus, des besoins de courir comme un jeune cheval, de se rouler sur l'herbe, de pousser des cris de joie.

Il jugea les temps venus. Ce fut une vraie nuit d'épousailles.

Puis ils eurent une lune de miel, pleine de caresses et d'espérances.

Puis ils s'aperçurent que leurs tentatives demeuraient infructueuses et que leur confiance était vaine.

Ce fut un désespoir, un désastre. Mais Lesable ne perdit pas courage, il s'obstina avec des efforts surhumains. Sa femme, agitée du même désir, et tremblant de la même crainte, plus robuste aussi que lui, se prêtait de bonne

grâce à ses tentatives, appelait ses baisers, réveillait sans cesse son ardeur défaillante.

Ils revinrent à Paris dans les premiers jours d'octobre.

La vie devenait dure pour eux. Ils avaient maintenant aux lèvres des paroles désobligeantes; et Cachelin, qui flairait la situation, les harcelait d'épigrammes de vieux troupier, envenimées et grossières.

Et une pensée incessante les poursuivait, les minait, aiguillonnait leur rancune mutuelle, celle de l'héritage insaisissable. Cora maintenant avait le verbe haut, et rudoyait son mari. Elle le traitait en petit garçon, en moutard, en homme de peu d'importance. Et Cachelin, à chaque dîner, répétait: «Moi, si j'avais été riche, j'aurais eu beaucoup d'enfants . . . Quand on est pauvre, il faut savoir être raisonnable.» Et, se tournant vers sa fille, il ajoutait: «Toi, tu dois être comme moi, mais voilà . . . » Et il jetait à son gendre un regard significatif accompagné d'un mouvement d'épaules plein de mépris.

Lesable ne répliquant rien, en homme supérieur tombé dans une famille de rustres. Au ministère on lui trouvait mauvaise mine. Le chef même, un jour, lui demanda: «N'êtes-vous pas malade? Vous me paraissez un peu changé.»

Il répondit: «Mais non, cher maître. Je suis peut-être fatigué. J'ai beaucoup travaillé depuis quelque temps, comme vous l'avez pu voir.»

Il comptait bien sur son avancement à la fin de l'année, et il avait repris, dans cet espoir, sa vie laborieuse d'employé modèle.

Il n'eut qu'une gratification de rien du tout, plus faible que toutes les autres. Son beau-père Cachelin n'eut rien.

Lesable, frappé au cœur, retourna trouver le chef, et, pour la première fois, il l'appela «monsieur»: — «A quoi me sert donc, monsieur, de travailler comme je le fais si je n'en recueille aucun fruit?»

La grosse tête de M. Torchebeuf parut froissée: «Je vous ai déjà dit, monsieur Lesable, que je n'admettais point de discussions de cette nature entre nous. Je vous répète encore que je trouve inconvenante votre réclamation, étant

donnée votre fortune actuelle comparée à la pauvreté de
vos collègues . . . »

Lesable ne put se contenir: «Mais je n'ai rien, monsieur!
Notre tante a laissé sa fortune au premier enfant qui naîtrait
de mon mariage. Nous vivons, mon beau-père et moi, de
nos traitements.»

Le chef, surpris, répliqua: «Si vous n'avez rien au-
jourd'hui, vous serez riche, dans tous les cas, au premier
jour. Donc, cela revient au même.»

Et Lesable se retira, plus atterré de cet avancement
perdu que de l'héritage imprenable.

Mais comme Cachelin venait d'arriver à son bureau,
quelques jour plus tard, le beau Maze entre avec un sourire
sur les lèvres, puis Pitolet parut, l'œil allumé, puis Boissel
poussa la porte et s'avança d'un air excité, ricanant, et
jetant aux autres des regards de connivence. Le père Savon
copiait toujours, sa pipe de terre au coin de la bouche, assis
sur sa haute chaise, les deux pieds sur le barreau, à la façon
des petits garçons.

Personne ne disait rien. On semblait attendre quelque
chose, et Cachelin enregistrait les pièces, en annonçant
tout haut, suivant sa coutume: «Toulon. Fournitures de
gamelles d'officiers pour le *Richelieu*. — Lorient. Sca-
phandres pour le *Desaix*. — Brest. Essais sur les toiles à
voiles de provenance anglaise!»

Lesable parut. Il venait maintenant chaque matin cher-
cher les affaires qui le concernaient, son beau-père ne
prenant plus la peine de les lui faire porter par le garçon.

Pendant qu'il fouillait dans les papiers étalés sur le bureau
du commis d'ordre, Maze le regardait de coin en se frottant
les mains, et Pitolet, qui roulait une cigarette, avait des
petits plis de joie sur les lèvres, ces signes d'une gaieté qui
ne se peut plus contenir. Il se tourna vers l'expéditionnaire:
«Dites donc, papa Savon, vous avez appris bien des choses
dans votre existence, vous?»

Le vieux, comprenant qu'on allait se moquer de lui et
parler encore de sa femme, ne répondit pas.

Pitolet reprit: «Vous avez toujours bien trouvé le secret
pour faire des enfants, puisque vous en avez eu plusieurs?»

Le bonhomme releva la tête: «Vous savez, monsieur Pitolet, que je n'aime pas les plaisanteries sur ce sujet. J'ai eu le malheur d'épouser une compagne indigne. Lorsque j'ai acquis la preuve de son infidélité, je me suis séparé d'elle.»

Maze demanda d'un ton indifférent, sans rire: «Vous l'avez eue plusieurs fois, la preuve, n'est-ce pas?»

Et le père Savon répondit gravement: «Oui, monsieur.»

Pitolet reprit la parole: «Cela n'empêche que vous êtes père de plusieurs enfants, trois ou quatre, m'a-t-on dit?»

Le bonhomme, devenu fort rouge, bégaya: «Vous cherchez à me blesser, monsieur Pitolet; mais vous n'y parviendrez point. Ma femme a eu, en effet, trois enfants. J'ai lieu de supposer que le premier est de moi, mais je renie les deux autres.»

Pitolet reprit: «Tout le monde dit, en effet, que le premier est de vous. Cela suffit. C'est très beau d'avoir un enfant, très beau et très heureux. Tenez, je parie que Lesable serait enchanté d'en faire un, un seul, comme vous?»

Cachelin avait cessé d'enregistrer. Il ne riait pas, bien que le père Savon fût sa tête de Turc ordinaire et qu'il eût épuisé sur lui la série des plaisanteries inconvenantes au sujet de ses malheurs conjugaux.

Lesable avait ramassé ses papiers; mais, sentant bien qu'on l'attaquait, il voulait demeurer, retenu par l'orgueil, confus et irrité, et cherchant qui donc avait pu leur livrer son secret. Puis le souvenir de ce qu'il avait dit au chef lui revint, et il comprit aussitôt qu'il lui faudrait montrer tout de suite une grande énergie, s'il ne voulait point servir de plastron au ministère tout entier.

Boissel marchait de long en large en ricanant toujours. Il imita la voix enrouée des crieurs des rues et beugla: «Le secret pour faire des enfants, dix centimes, deux sous! Demandez le secret pour faire des enfants révélé par M. Savon, avec beaucoup d'horribles détails!»

Tout le monde se mit à rire, hormis Lesable et son beau-père. Pitolet, se tournant vers le commis d'ordre: «Qu'est-ce que vous avez donc, Cachelin? Je ne reconnais pas votre

gaieté habituelle. On dirait que vous ne trouvez pas ça
drôle que le père Savon ait eu un enfant de sa femme.
Moi je trouve ça très farce, très farce. Tout le monde n'en
peut pas faire autant!»

Lesable s'était remis à remuer des papiers, faisait sem-
blant de lire et de ne rien entendre; mais il était devenu
blême.

Boissel reprit avec la même voix de voyou: «De l'utilité
des héritiers pour recueillir les héritages, dix centimes, deux
sous, demandez!»

Alors Maze, qui jugeait inférieur ce genre d'esprit et qui
en voulait personnellement à Lesable de lui avoir dérobé
l'espoir de fortune qu'il nourrissait dans le fond de son
cœur, lui demanda directement: «Qu'est-ce que vous avez
donc, Lesable, vous êtes fort pâle?»

Lesable releva la tête et regarda bien en face son collègue.
Il hésita quelques secondes, la lèvre frémissante, cherchant
quelque chose de blessant et de spirituel, mais ne trouvant
pas à son gré, il répondit: «Je n'ai rien. Je m'étonne seule-
ment de vous voir déployer tant de finesse.»

Maze, toujours le dos au feu et relevant de ses deux
mains les basques de sa redingote, reprit en riant: «On fait
ce qu'on peut, mon cher. Nous sommes comme vous, nous
ne réussissons pas toujours . . . »

Une explosion de rires lui coupa la parole. Le père
Savon, stupéfait, comprenant vaguement qu'on ne s'adres-
sait plus à lui, qu'on ne se moquait pas de lui, restait bou-
che béante, la plume en l'air. Et Cachelin attendait, prêt
à tomber à coups de poing sur le premier que le hasard
lui désignerait.

Lesable balbutia: «Je ne comprends pas. A quoi n'ai-je
pas réussi?»

Le beau Maze laissa retomber un des côtés de sa re-
dingote pour se friser la moustache et, d'un ton gracieux:
«Je sais que vous réussissez d'ordinaire tout ce que vous
entreprenez. Donc, j'ai eu tort de parler de vous. D'ailleurs,
il s'agissait des enfants de papa Savon et non des vôtres,
puisque vous n'en avez pas. Or, puisque vous réussissez
dans vos entreprises, il est évident que si vous n'avez pas

d'enfants, c'est que vous n'en avez pas voulu.»

Lesable demanda rudement: «De quoi vous mêlez-vous?»

Devant ce ton provocant, Maze, à son tour, haussa la voix: «Dites donc, vous, qu'est-ce qui vous prend? Tâchez d'être poli, ou vous aurez affaire à moi!»

Mais Lesable tremblait de colère, et perdant toute mesure: «Monsieur Maze, je ne suis pas, comme vous, un grand fat, ni un grand beau. Et je vous prie désormais de ne jamais m'adresser la parole. Je ne me soucie ni de vous ni de vos semblables.» Et il jetait un regard de défi vers Pitolet et Boissel.

Maze avait soudain compris que la vraie force est dans le calme et l'ironie; mais, blessé dans toutes ses vanités, il voulut frapper au cœur son ennemi, et reprit d'un ton protecteur, d'un ton de conseiller bienveillant, avec une rage dans les yeux: «Mon cher Lesable, vous passez les bornes. Je comprends d'ailleurs votre dépit; il est fâcheux de perdre une fortune et de la perdre pour si peu, pour une chose si facile, si simple . . . Tenez, si vous voulez, je vous rendrai ce service-là, moi, pour rien, en bon camarade. C'est l'affaire de cinq minutes . . . »

Il parlait encore, il reçut en pleine poitrine l'encrier du père Savon que Lesable lui lançait. Un flot d'encre lui couvrit le visage, le métamorphosant en nègre avec une rapidité surprenante. Il s'élança, roulant des yeux blancs, la main levée pour frapper. Mais Cachelin couvrit son gendre, arrêtant à bras-le-corps le grand Maze, et, le bousculant, le secouant, le bourrant de coups, il le rejeta contre le mur. Maze se dégagea d'un effort violent, ouvrit la porte, cria vers les deux hommes: «Vous allez avoir de mes nouvelles!» et il disparut.

Pitolet et Boissel le suivirent. Boissel expliqua sa modération par la crainte qu'il avait eue de tuer quelqu'un en prenant part à la lutte.

Aussitôt rentré dans son bureau, Maze tenta de se nettoyer, mais il n'y put réussir; il était teint avec une encre à fond violet, dite indélébile et ineffaçable. Il demeurait devant sa glace, furieux et désolé, et se frottant la figure rageusement avec sa serviette roulée en bouchon. Il n'obtint

qu'un noir plus riche, nuancé de rouge, le sang affluant à la peau.

Boissel et Pitolet l'avaient suivi et lui donnaient des conseils. Selon celui-ci, il fallait se laver le visage avec de l'huile d'olive pure; selon celui-là, on réussirait avec de l'ammoniaque. Le garçon de bureau fut envoyé pour demander conseil à un pharmacien. Il rapporta un liquide jaune et une pierre ponce. On n'obtint aucun résultat.

Maze, découragé s'assit et déclara: «Maintenant, il reste à vider la question d'honneur. Voulez-vous me servir de témoins et aller demander à M. Lesable, soit des excuses suffisantes, soit une réparation par les armes?»

Tous deux acceptèrent et on se mit à discuter la marche à suivre. Ils n'avaient aucune idée de ces sortes d'affaires, mais ne voulaient pas l'avouer, et, préoccupés par le désir d'être corrects, ils émettaient des opinions timides et diverses. Il fut décidé qu'on consulterait un capitaine de frégate détaché au ministère pour diriger le service des charbons. Il n'en savait pas plus qu'eux. Après avoir réfléchi, il leur conseilla néanmoins d'aller trouver Lesable et de le prier de les mettre en rapport avec deux amis.

Comme ils se dirigeaient vers le bureau de leur confrère, Boissel s'arrêta soudain: «Ne serait-il pas urgent d'avoir des gants?»

Pitolet hésita une seconde: «Oui, peut-être.» Mais pour se procurer des gants, il fallait sortir, et le chef ne badinait pas. On renvoya donc le garçon de bureau chercher un assortiment chez un marchand. La couleur les arrêta longtemps. Boissel les voulait noirs; Pitolet trouvait cette teinte déplacée dans la circonstance. Ils les prirent violets.

En voyant entrer ces deux hommes gantés et solennels, Lesable leva la tête et demanda brusquement: «Qu'est-ce que vous voulez?»

Pitolet répondit: «Monsieur, nous sommes chargés par notre ami M. Maze de vous demander soit des excuses, soit une réparation par les armes, pour les voies de fait auxquelles vous vous êtes livré sur lui.»

Mais Lesable, encore exaspéré, cria: «Comment! il m'insulte, et il vient encore me provoquer? Dites-lui que

je le méprise, que je méprise ce qu'il peut dire ou faire.»

Boissel, tragique, s'avança: «Vous allez nous forcer, mon-sieur, à publier dans les journaux un procès-verbal qui vous sera fort désagréable.»

Pitolet, malin, ajouta: «Et qui pourra nuire gravement à votre honneur et à votre avancement futur.»

Lesable, atterré, les regardait. Que faire? Il songea à gagner du temps: «Messieurs, vous aurez ma réponse dans dix minutes. Voulez-vous l'attendre dans le bureau de M. Pitolet?»

Dès qu'il fut seul, il regarda autour de lui, comme pour chercher un conseil, une protection.

Un duel! Il allait avoir un duel!

Il restait palpitant, effaré, en homme paisible qui n'a jamais songé à cette possibilité, qui ne s'est point préparé à ces risques, à ces émotions, qui n'a point fortifié son courage dans la prévision de cet événement formidable. Il voulut se lever et retomba assis, le cœur battant, les jambes molles. Sa colère et sa force avaient tout à coup disparu. Mais la pensée de l'opinion du ministère et du bruit que la chose allait faire à travers les bureaux réveilla son orgueil défaillant, et, ne sachant que résoudre, il se rendit chez le chef pour prendre son avis.

M. Torchebeuf fut surpris et demeura perplexe. La nécessité d'une rencontre armée ne lui apparaissait pas; et il songeait que tout cela allait encore désorganiser son service. Il répétait: «Moi, je ne puis rien vous dire. C'est là une question d'honneur qui ne me regarde pas. Voulez-vous que je vous donne un mot pour le commandant Bouc? c'est un homme compétent en la matière et il pourra vous guider.»

Lesable accepta et alla trouver le commandant qui con-sentit même à être son témoin; il prit un sous-chef pour le seconder.

Boissel et Pitolet les attendaient, toujours gantés. Ils avaient emprunté deux chaises dans un bureau voisin afin d'avoir quatre sièges.

On se salua gravement, on s'assit. Pitolet prit la parole et exposa la situation. Le commandant, après l'avoir écouté,

répondit: «La chose est grave, mais ne me paraît pas irréparable; tout dépend des intentions.» C'était un vieux marin sournois qui s'amusait.

Et une longue discussion commença, où furent élaborés successivement quatre projets de lettres, les excuses devant être réciproques. Si M. Maze reconnaissait n'avoir pas eu l'intention d'offenser, dans le principe, M. Lesable, celui-ci s'empresserait d'avouer tous ses torts en lançant l'encrier, et s'excuserait de sa violence inconsidérée.

Et les quatre mandataires retournèrent vers leurs clients.

Maze, assis maintenant devant sa table, agité par l'émotion du duel possible, bien que s'attendant à voir reculer son adversaire, regardait successivement l'une et l'autre de ses joues dans un de ces petits miroirs ronds, en étain, que tous les employés cachent dans leur tiroir pour faire, avant le départ du soir, la toilette de leur barbe, de leurs cheveux et de leur cravate.

Il lut les lettres qu'on lui soumettait et déclara avec une satisfaction visible: «Cela me paraît fort honorable. Je suis prêt à signer.»

Lesable, de son côté, avait accepté sans discussion la rédaction de ses témoins, en déclarant: «Du moment que c'est là votre avis, je ne puis qu'acquiescer.»

Et les quatre plénipotentiaires se réunirent de nouveau. Les lettres furent échangées; on se salua gravement, et, l'incident vidé, on se sépara.

Une émotion extraordinaire régnait dans l'administration. Les employés allaient aux nouvelles, passaient d'une porte à l'autre, s'abordaient dans les couloirs.

Quand on sut l'affaire terminée, ce fut une déception générale. Quelqu'un dit: «Ça ne fait toujours pas un enfant à Lesable.» Et le mot courut. Un employé rima une chanson.

Mais, au moment où tout semblait fini, une difficulté surgit, soulevée par Boissel: «Quelle devait être l'attitude des deux adversaires quand ils se trouveraient face à face? Se salueraient-ils? Feindraient-ils de ne se point connaître?» Il fut décidé qu'ils se rencontreraient, comme par hasard, dans le bureau du chef et qu'ils échangeraient, en présence de M. Torchebeuf, quelques paroles de politesse.

Cette cérémonie fut aussitôt accomplie; et Maze, ayant fait demander un fiacre, rentra chez lui pour essayer de se nettoyer la peau.

Lesable et Cachelin remontèrent ensemble, sans parler, exaspérés l'un contre l'autre, comme si ce qui venait d'arriver eût dépendu de l'un ou de l'autre. Dès quil fut rentré chez lui, Lesable jeta violemment son chapeau sur la commode et cria vers sa femme:

«J'en ai assez, moi. J'ai un duel pour toi, maintenant!»

Elle le regarda, surprise, irritée déjà.

— «Un duel, pourquoi cela?

— «Parce que Maze m'a insulté à ton sujet.»

Elle s'approcha: «A mon sujet? Comment?»

Il s'était assis rageusement dans un fauteuil. Il reprit: «Il m'a insulté . . . Je n'ai pas besoin de t'en dire plus long.»

Mais elle voulait savoir: «J'entends que tu me répètes les propos qu'il a tenus sur moi.»

Lesable rougit, puis balbutia: «Il m'a dit . . . il m'a dit . . . C'est à propos de ta stérilité.»

Elle eut une secousse; puis une fureur la souleva, et la rudesse paternelle transperçant sa nature de femme, elle éclata: «Moi! . . . Je suis stérile, moi? Qu'est-ce qu'il en sait, ce manant-là? Stérile avec toi, oui, parce que tu n'es pas un homme! Mais si j'avais épousé quelqu'un, n'importe qui, entends-tu, j'en aurais eu des enfants. Ah! je te conseille de parler! Cela me coûte cher davoir épousé une chiffe comme toi! . . . Et qu'est-ce que tu as répondu à ce gueux?»

Lesable, effaré devant cet orage, bégaya:

«Je l'ai . . . souffleté.»

Elle le regarda, étonnée: «Et qu'est-ce qu'il a fait, lui?

— «Il m'a envoyé des témoins. Voilà!»

Elle s'intéressait maintenant à cette affaire, attirée, comme toutes les femmes, vers les aventures dramatiques, et elle demanda, adoucie tout à coup, prise soudain d'une certaine estime pour cet homme qui allait risquer sa vie: «Quand est-ce que vous vous battez?»

Il répondit tranquillement: «Nous ne nous battons pas; la chose a été arrangée par les témoins. Maze m'a fait des excuses.»

Elle le dévisagea, outrée de mépris: «Ah! on m'a insultée devant toi, et tu as laissé dire, et tu ne te bats point! Il ne te manquait plus que d'être un poltron!»

Il se révolta: «Je t'ordonne de te taire. Je sais mieux que toi ce qui regarde mon honneur. D'ailleurs, voici la lettre de M. Maze. Tiens, lis, et tu verras.»

Elle prit le papier, le parcourut, devina tout, et ricanant:

« Toi aussi tu as écrit une lettre? Vous avez eu peur l'un de l'autre. Oh! que les hommes sont lâches! Si nous étions à votre place, nous autres . . . Enfin, là dedans, c'est moi qui ai été insultée, moi, ta femme, et tu te contentes de cela! Ça ne m'étonne plus si tu n'es pas capable d'avoir un enfant. Tout se tient. Tu es aussi . . . mollasse devant les femmes que devant les hommes. Ah! j'ai pris là un joli coco!»

Elle avait trouvé soudain la voix et les gestes de Cachelin, des gestes canailles de vieux troupier et des intonations d'homme.

Debout devant lui, les mains sur les hanches, haute, forte, vigoureuse, la poitrine ronde, la face rouge, la voix profonde et vibrante, le sang colorant ses joues fraîches de belle fille, elle regardait, assis devant elle, ce petit homme pâle, un peu chauve, rasé, avec ses courts favoris d'avocat. Elle avait envie de l'étrangler, de l'écraser.

Et elle répéta: «Tu n'es capable de rien, de rien. Tu laisses même tout le monde te passer sur le dos comme employé!»

La porte s'ouvrit; Cachelin parut, attiré par le bruit des voix, et il demanda: «Qu'est-ce qu'il y a?»

Elle se retourna: «Je dis son fait à ce pierrot-là!»

Et Lesable, levant les yeux, s'aperçut de leur ressemblance. Il lui sembla qu'un voile se levait qui les lui montrait tels qu'ils étaient, le père et la fille, du même sang, de la même race commune et grossière. Il se vit perdu, condamné à vivre entre les deux, toujours.

Cachelin déclara: «Si seulement on pouvait divorcer. Ça n'est pas agréable d'avoir épousé un chapon.»

Lesable se dressa d'un bond, tremblant de fureur, éclatant à ce mot. Il marcha vers son beau-père, en bredouillant: «Sortez d'ici! . . . Sortez! . . . Vous êtes chez moi, entendez-vous . . . Je vous chasse . . .» Et il saisit sur la commode une

bouteille pleine d'eau sédative qu'il brandissait comme une massue.

Cachelin, intimidé, sortit à reculons en murmurant: «Qu'est-ce qui lui prend, maintenant?»

Mais la colère de Lesable ne s'apaisa point; c'en était trop. Il se tourna vers sa femme, qui le regardait toujours, un peu étonnée de sa violence, et il cria, après avoir posé sa bouteille sur le meuble: «Quant à toi... quant à toi...» Mais, comme il ne trouvait rien à dire, n'ayant pas de raisons à donner, il demeurait en face d'elle, le visage décomposé, la voix changée.

Elle se mit à rire.

Devant cette gaieté qui l'insultait encore, il devint fou, et s'élançant, il la saisit au cou de le main gauche, tandis qu'il la giflait furieusement de la droite. Elle reculait, éperdue, suffoquant. Elle rencontra le lit et s'abattit dessus à la renverse. Il ne la lâchait point et frappait toujours. Tout à coup il se releva, essouffle, épuisé; et, honteux soudain de sa brutalité, il balbutia: «Voilà... voilà... voilà ce que c'est.»

Mais elle ne remuait point, comme s'il l'eût tuée. Elle restait sur le dos, au bord de la couche, la figure cachée maintenant dans ses deux mains. Il s'approcha, gêné, se demandant ce qui allait arriver et attendant qu'elle découvrît son visage pour voir ce qui se passait en elle. Au bout de quelques minutes, son angoisse grandissant, il murmura: «Cora! dis, Cora!» Elle ne répondit point et ne bougea pas. Qu'avait-elle? Que faisait-elle? Qu'allait-elle faire surtout?

Sa rage passée, tombée aussi brusquement qu'elle s'était éveillée, il se sentit odieux, presque criminel. Il avait battu une femme, sa femme, lui, l'homme sage et froid, l'homme bien élevé et toujours raisonnable. Et dans l'attendrissement de la réaction, il avait envie de demander pardon, de se mettre à genoux, d'embrasser cette joue frappée et rouge. Il toucha, du bout du doigt, doucement, une des mains étendues sur ce visage invisible. Elle sembla ne rien sentir. Il la flatta, la caressant comme on caresse un chien grondé. Elle ne s'en aperçut pas. Il dit encore: «Cora, écoute, Cora,

j'ai eu tort, écoute.» Elle semblait morte. Alors il essaya de
soulever cette main. Elle se détacha facilement, et il vit un
œil ouvert qui le regardait, un œil fixe, inquiétant et
troublant.

Il reprit: «Ecoute, Cora, je me suis laissé emporter par
la colère. C'est ton père qui m'avait poussé à bout. On
n'insulte pas un homme ainsi.»

Elle ne répondit rien, comme si elle n'entendait pas. Il ne
savait que dire, que faire. Il l'embrassa près de l'oreille, et,
en se relevant, il vit une larme au coin de l'œil, une grosse
larme qui se détacha et roula vivement sur la joue; et la
paupière s'agitait, se fermait coup sur coup.

Il fut saisi de chagrin, pénétré d'émotion, et, ouvrant les
bras, il s'étendit sur sa femme; il écarta l'autre main avec ses
lèvres, et lui baisant toute la figure, il la priait: «Ma pauvre
Cora, pardonne-moi, dis, pardonne-moi.»

Elle pleurait toujours; sans bruit, sans sanglots, comme
on pleure des chagrins profonds.

Il la tenait serrée contre lui, la caressant, lui murmurant
dans l'oreille tous les mots tendres qu'il pouvait trouver.
Mais elle demeurait insensible. Cependant, elle cessa de
pleurer. Ils restèrent longtemps ainsi, étendus et enlacés.

La nuit venait, emplissant d'ombre la petite chambre; et
lorsque la pièce fut bien noire, il s'enhardit et sollicita son
pardon de manière à raviver leurs espérances.

Lorsqu'ils se furent relevés, il avait repris sa voix et sa
figure ordinaires, comme si rien ne s'était passé. Elle parais-
sait au contraire attendrie, parlait d'un ton plus doux que
de coutume, regardait son mari avec des yeux soumis,
presque caressants, comme si cette correction inattendue
eût détendu ses nerfs et amolli son cœur. Il prononça tran-
quillement: «Ton père doit s'ennuyer, tout seul chez lui; tu
devrais bien aller le chercher. Il serait temps de dîner, d'ail-
leurs.» Elle sortit.

Il était sept heures, en effet, et la petite bonne annonça
la soupe; puis Cachelin, calme et souriant, reparut avec sa
fille. On se mit à table et on causa, ce soir-là, avec plus de
cordialité qu'on n'avait fait depuis longtemps, comme si
quelque chose d'heureux était arrivé pour tout le monde.

V

Mais leurs espérances toujours entretenues, toujours re-
nouvelées, n'aboutissaient jamais à rien. De mois en mois
leurs attentes déçues, malgré la persistance de Lesable et la
bonne volonté de sa compagne, les enfiévraient d'angoisse.
Chacun sans cesse reprochait à l'autre leur insuccès, et
l'époux désespéré, amaigri, fatigué, avait à souffrir surtout
de la grossièreté de Cachelin qui ne l'appelait plus, dans
leur intimité guerroyante, que «M. Lecoq», en souvenir sans
doute de ce jour où il avait failli recevoir une bouteille par
la figure pour avoir prononcé le mot: chapon.

Sa fille et lui, ligués d'instinct, enragés par la pensée con-
stante de cette grosse fortune si proche et impossible à saisir,
ne savaient qu'inventer pour humilier et torturer cet im-
potent d'où venait leur malheur.

En se mettant à table, Cora, chaque jour, répétait: «Nous
avons peu de chose pour le dîner. Il en serait autrement si
nous étions riches. Ce n'est pas ma faute.»

Quand Lesable partait pour son bureau, elle lui criait du
fond de sa chambre: «Prends ton parapluie pour ne pas me
revenir sale comme une roue d'omnibus. Après tout, ce n'est
pas ma faute si tu es encore obligé de faire ce métier de
gratte-papier.»

Quand elle allait sortir elle-même, elle ne manquait
jamais de s'écrier: «Dire que si j'avais épousé un autre
homme j'aurais une voiture à moi.»

A toute heure, en toute occasion, elle pensait à cela,
piquait son mari d'un reproche, le cinglait d'une injure, le
faisait seul coupable, le rendait seul responsable de la perte
de cet argent qu'elle aurait possédé.

Un soir enfin, perdant encore patience, il s'écria: «Mais
nom d'un chien! te tairas-tu à la fin? D'abord c'est ta faute
à toi seule, entends-tu, si nous n'avons pas d'enfant, parce
que j'en ai un, moi . . .»

Il mentait, préférant tout à cet éternel reproche et à cette
honte de paraître impuissant.

Elle le regarda, étonnée d'abord, cherchant la vérité dans

ses yeux, puis ayant compris, et pleine de dédain: «Tu as un enfant, toi?»

Il répondit effrontément: «Oui, un enfant naturel que je fais élever à Asnières.»

Elle reprit avec tranquillité: «Nous irons le voir demain pour que je me rende compte comment il est fait.»

Mais il rougit jusqu'aux oreilles en balbutiant: «Comme tu voudras.»

Elle se leva, le lendemain, dès sept heures, et comme il s'étonnait: «Mais n'allons-nous pas voir ton enfant? Tu me l'as promis hier soir. Est-ce que tu n'en aurais plus aujourd'hui, par hasard?»

Il sortit de son lit brusquement: «Ce n'est pas mon enfant que nous allons voir, mais un médecin; et il te dira ton fait.»

Elle répondit, en femme sûre d'elle: «Je ne demande pas mieux.»

Cachelin se chargea d'annoncer au ministère que son gendre était malade; et le ménage Lesable, renseigné par une pharmacien voisin, sonnait à une heure précise à la porte du docteur Lefilleul, auteur de plusieurs ouvrages sur l'hygiène de la génération.

Ils entrèrent dans un salon blanc à filets d'or, mal meublé, qui semblait nu et inhabité malgré le nombre des sièges. Ils s'assirent. Lesable se sentait ému, tremblant, honteux aussi. Leur tour vint et ils pénétrèrent dans une sorte de bureau où les reçut un gros homme de petite taille, cérémonieux et froid.

Il attendit qu'ils s'expliquassent; mais Lesable ne s'y hasardait point, rouge jusqu'aux oreilles. Sa femme alors se décida, et, d'une voix tranquille, en personne résolue à tout pour arriver à son but: «Monsieur, nous venons vous trouver parce que nous n'avons pas d'enfants. Une grosse fortune en dépend pour nous.»

La consultation fut longue, minutieuse et pénible. Seule Cora ne semblait point gênée, se prêtait à l'examen attentif du médecin en femme qu'anime et que soutient un intérêt plus haut.

Après avoir étudié pendant près d'une heure les deux époux, le practicien ne se prononça pas.

«Je ne constate rien, dit-il, rien d'anormal, ni rien de spécial. Le cas, d'ailleurs, se présente assez fréquemment. Il en est des corps comme des caractères. Lorsque nous voyons tant de ménages disjoints pour incompatibilité d'humeur, il n'est pas étonnant d'en voir d'autres stériles pour incompatibilité physique. Madame me paraît particulièrement bien constituée et apte à la génération. Monsieur, de son côté, bien que ne présentant aucun caractère de conformation en dehors de la règle, me semble affaibli, peut-être même par suite de son excessif désir de devenir père. Voulez-vous me permettre de vous ausculter?»

Lesable, inquiet, ôta son gilet et le docteur colla long-temps son oreille sur le thorax et dans le dos de l'employé, puis il le tapota obstinément depuis l'estomac jusqu'au cou et depuis les reins jusqu'à la nuque.

Il constata un léger trouble au premier temps du cœur, et même une menace du côté de la poitrine.

«Il faut vous soigner, monsieur, vous soigner attentive-ment. C'est de l'anémie, de l'épuisement, pas autre chose. Ces accidents, encore insignifiants, pourraient, en peu de temps, devenir incurables.»

Lesable, blême d'angoisse, demanda une ordonnance. On lui prescrivit un régime compliqué. Du fer, des viandes rouges, du bouillon dans le jour, de l'exercice, du repos et un séjour à la campagne pendant l'été. Puis le docteur leur donna des conseils pour le moment où il irait mieux. Il leur indiqua des pratiques usitées dans leur cas et qui avaient souvent réussi.

La consultation coûta quarante francs.

Lorsqu'ils furent dans la rue, Cora prononça, pleine de colère sourde et prévoyant l'avenir: «Me voilé bien lotie, moi!»

Il ne répondit pas. Il marchait dévoré de craintes, re-cherchant et pesant chaque parole du docteur. Ne l'avait-il pas trompé? Ne l'avait-il pas jugé perdu? Il ne pensait guère à l'héritage, maintenant, et à l'enfant! Il s'agissait de sa vie!

Il lui semblait entendre un sifflement dans ses poumons et sentir son cœur battre à coups précipités. En traversant les Tuileries il eut une faiblesse et désira s'asseoir. Sa femme,

exaspérée, resta debout près de lui pour l'humilier, le regardant de haut en bas avec une pitié méprisante. Il respirait péniblement, exagérant l'essoufflement qui provenait de son émotion; et les doigts de la main gauche sur le pouls du poignet droit, il comptait les pulsations de l'artère.

Cora, qui piétinait d'impatience, demanda: «Est-ce fini, ces manières-là? Quand tu seras prêt?» Il se leva, comme se lèvent les victimes, et se remit en route sans prononcer une parole.

Quand Cachelin apprit le résultat de la consultation, il ne modéra point sa fureur. Il gueulait: «Nous voilà propres, ah bien! nous voilà propres.» Et il regardait son gendre avec des yeux féroces, comme s'il eût voulu le dévorer.

Lesable n'écoutait pas, n'entendait pas, ne pensant plus qu'à sa santé, à son existence menacée. Ils pouvaient crier, le père et la fille, ils n'étaient pas dans sa peau, à lui, et, sa peau, il la voulait garder.

Il eut des bouteilles de pharmacien sur sa table, et il dosait, à chaque repas, les médicaments, sous les sourires de sa femme et les rires bruyants de son beau-père. Il se regardait dans la glace à tout instant, posait à tout moment la main sur son cœur pour en étudier les secousses, et il se fit faire un lit dans une pièce obscure qui servait de garde-robe, ne voulant plus se trouver en contact charnel avec Cora.

Il éprouvait pour elle, maintenant, une haine apeurée, mêlée de mépris et de dégoût. Toutes les femmes, d'ailleurs, lui apparaissaient à présent comme des monstres, des bêtes dangereuses, ayant pour mission de tuer les hommes; et il ne pensait plus au testament de tante Charlotte que comme on pense à un accident passé dont on a failli mourir.

Des mois encore s'écoulèrent. Il ne restait plus qu'un an avant le terme fatal.

Cachelin avait accroché dans la salle à manger un énorme calendrier dont il effaçait un jour chaque matin, et l'exaspération de son impuissance, le désespoir de sentir de semaine en semaine lui échapper cette fortune, la rage de penser qu'il lui faudrait trimer encore au bureau, et vivre ensuite avec une retraite de deux mille francs, jusqu'à sa mort, le

poussaient à des violences de paroles qui, pour moins que rien, seraient devenues des voies de fait.

Il ne pouvait regarder Lesable sans frémir d'un besoin furieux de le battre, de l'écraser, de le piétiner. Il le haïssait d'une haine désordonnée. Chaque fois qu'il le voyait ouvrir la porte, entrer, il lui semblait qu'un voleur pénétrait chez lui, qui l'avait dépouillé d'un bien sacré, d'un héritage de famille. Il le haïssait plus qu'on ne hait un ennemi mortel, et il le méprisait en même temps pour sa faiblesse, et surtout pour sa lâcheté, depuis qu'il avait renoncé à poursuivre l'espoir commun par crainte pour sa santé.

Lesable, en effet, vivait plus séparé de sa femme que si aucun lien ne les eût unis. Il ne l'approchait plus, ne la touchait plus, évitait même son regard, autant par honte que par peur.

Cachelin, chaque jour, demandait à sa fille: «Eh bien, ton mari s'est-il décidé?»

Elle répondait: «Non, papa.»

Chaque soir, à table, avaient lieu des scènes pénibles. Cachelin sans cesse répétait: «Quand un homme n'est pas un homme, il ferait mieux de crever pour céder la place à un autre.»

Et Cora ajoutait: «Le fait est qu'il a des gens bien inutiles et bien gênants. Je ne sais pas trop ce qu'ils font sur la terre si ce n'est d'être à charge à tout le monde.»

Lesable buvait ses drogues et ne répondait pas. Un jour enfin, son beau-père lui cria: «Vous savez, vous, si vous ne changez pas d'allures, maintenant que vous allez mieux, je sais bien ce que fera ma fille! . . .»

Le gendre leva les yeux, pressentant un nouvel outrage, interrogeant du regard. Cachelin reprit: «Elle en prendra un autre que vous, parbleu! Et vous avez une rude chance que ce ne soit pas déjà fait. Quand on a épousé un paltoquet de votre espèce, tout est permis.»

Lesable, livide, répondit: «Ce n'est pas moi qui l'empêche de suivre vos bons conseils.»

Cora avait baissé les yeux. Et Cachelin, sentant vaguement qu'il venait de dire une chose trop forte, demeura un peu confus.

VI

Au ministère, les deux hommes semblaient vivre en assez bonne intelligence. Une sorte de pacte tacite s'était fait entre eux pour cacher à leurs collègues les batailles de leur intérieur. Ils s'appelaient: «mon cher Cachelin» — «mon cher Lesable», et feignaient même de rire ensemble, d'être heureux et contents, satisfaits de leur vie commune.

Lesable et Maze, de leur côté, se comportaient l'un vis-à-vis de l'autre avec la politesse cérémonieuse d'adversaires qui ont failli se battre. Le duel raté dont ils avaient eu le frisson mettait entre eux une politesse exagérée, une considération plus marquée, et peut-être un désir secret de rapprochement, venu de la crainte confuse d'une complication nouvelle. On observait et on approuvait leur attitude d'hommes du monde qui ont eu une affaire d'honneur.

Ils se saluaient de fort loin, avec une gravité sévère, d'un fort coup de chapeau tout à fait digne.

Ils ne se parlaient pas, aucun des deux ne voulant ou n'osant prendre sur lui de commencer.

Mais un jour, Lesable, que le chef demandait immédiatement, se mit à courir pour marquer son zèle et, au détour du couloir, il alla donner de tout son élan dans le ventre d'un employé qui arrivait en sens inverse. C'était Maze. Ils reculèrent tous les deux, et Lesable demanda avec un empressement confus et poli: «Je ne vous ai point fait de mal, monsieur?»

L'autre répondit: «Nullement, monsieur.»

Depuis ce moment, ils jugèrent convenable d'échanger quelques paroles en se rencontrant. Puis, entrant en lutte de courtoisie, ils eurent des prévenances l'un pour l'autre, d'où naquit bientôt une certaine familiarité, puis une intimité que tempérait une réserve, l'intimité de gens qui s'étaient méconnus, mais dont une certaine hésitation craintive retient encore l'élan; puis, à force de politesses et de visites de pièce à pièce, une camaraderie s'établit.

Souvent ils bavardaient maintenant, en venant aux nouvelles dans le bureau du commis d'ordre. Lesable avait perdu de sa morgue d'employé sûr d'arriver. Maze mettait

de côté sa tenue d'homme du monde; et Cachelin se mêlait
à la conversation, semblait voir avec intérêt leur amitié.
Quelquefois, après le départ du beau commis, qui s'en allait
la taille droite, effleurant du front le haut de la porte, il
murmurait en regardant son gendre: «En voilà un gaillard,
au moins!»

Un matin, comme ils étaient là tous les quatre, car le père
Savon ne quittait jamais sa copie, la chaise de l'expédition-
naire, sciée sans doute par quelque farceur, s'écroula sous
lui, et le bonhomme roula sur le parquet en poussant un cri
d'effroi.

Les trois autres se précipitèrent. Le commis d'ordre
attribua cette machination aux communards et Maze vou-
lait à toute force voir l'endroit blessé. Cachelin et lui es-
sayèrent même de déshabiller le vieux pour le panser,
disaient-ils. Mais il résistait désespérément, criant qu'il
n'avait rien.

Quand la gaieté fut apaisée, Cachelin, tout à coup,
s'écria: «Dites donc, monsieur Maze, vous ne savez pas,
maintenant que nous sommes bien ensemble, vous devriez
venir dîner dimanche à la maison. Ça nous ferait plaisir à
tous, à mon gendre, à moi, et à ma fille qui vous connaît
bien de nom, car on parle souvent du bureau. C'est dit,
hein?»

Lesable joignit ses instances, mais plus froidement, à
celles de son beau-père: «Venez donc, vous nous ferez grand
plaisir.»

Maze hésitait, embarrassé, souriant au souvenir de tous
les bruits qui couraient.

Cachelin le pressait: «Allons, c'est entendu?»

— «Eh bien! oui, j'accepte.»

Quand son père lui dit, en rentrant: «Tu ne sais pas,
M. Maze vient dîner ici dimanche prochain», Cora, surprise
d'abord, balbutia: «Monsieur Maze? — Tiens!»

Et elle rougit jusqu'aux cheveux, sans savoir pourquoi.
Elle avait si souvent entendu parler de lui, de ses manières,
de ses succès, car il passait dans le ministère pour entrepre-
nant avec les femmes et irrésistible, qu'un désir de le con-
naître s'était éveillé en elle depuis longtemps.

Cachelin reprit en se frottant les mains: «Tu verras, c'est un rude gars, et un beau garçon. Il est haut comme un carabinier, il ne resemble pas à ton mari, celui-là!»

Elle ne répondit rien, confuse comme si on eût pu deviner qu'elle avait rêvé de lui.

On prépara ce dîner avec autant de sollicitude que celui de Lesable autrefois. Cachelin discutait les plats, voulait que ce fût bien, et comme si une confiance inavouée, encore indécise, eût surgi dans son cœur, il semblait plus gai, tranquillisé par quelque prévision secrète et sûre.

Toute la journée du dimanche, il surveilla les préparatifs avec agitation, tandis que Lesable traitait une affaire urgente apportée la veille du bureau. On était dans la première semaine de novembre et le jour de l'an approchait.

A sept heures, Maze arriva, plein de bonne humeur. Il entra comme chez lui et offrit, avec un compliment, un gros bouquet de roses à Cora. Il ajouta, de ce ton familier des gens habitués au monde: «Il me semble, madame, que je vous connais un peu, et que je vous ai connue toute petite fille, car voici bien des années que votre père me parle de vous.»

Cachelin, en apercevant les fleurs, s'écria:

«Ça au moins, c'est distingué.» Et sa fille se rappela que Lesable n'en avait point apporté le jour de sa présentation. Le beau commis semblait enchanté, riait en bon enfant, qui vient pour la première fois chez de vieux amis, et lançait à Cora des galanteries discrètes qui lui empourpraient les joues.

Il la trouva fort désirable. Elle le jugea fort séduisant. Quand il fut parti, Cachelin demanda: «Hein! quel bon zig, et quel sacripan ça doit faire! Il paraît qu'il enjôle toutes les femmes.»

Cora, moins expansive, avoua cependant qu'elle le trouvait «aimable et pas si poseur qu'elle aurait cru».

Lesable, qui semblait moins las et moins triste que de coutume, convint qu'il l'avait «méconnu» dans les premiers temps.

Maze revint avec réserve d'abord, puis plus souvent. Il plaisait à tout le monde. On l'attirait, on le soignait. Cora

lui faisait les plats qu'il aimait. Et l'intimité des trois hommes fut bientôt si vive qu'ils ne se quittaient plus guère. Le nouvel ami emmenait la famille au théâtre, en des loges obtenues par les journaux.

On retournait à pied, la nuit, le long des rues pleines de monde, jusqu'à la porte du ménage Lesable. Maze et Cora marchaient devant, d'un pas égal, hanche à hanche, balancés d'un même mouvement, d'un même rythme, comme deux êtres créés pour aller côte à côte dans la vie. Ils parlaient à mi-voix, car ils s'entendaient à merveille, en riant d'un rire étouffé; et parfois la jeune femme se retournait pour jeter derrière elle un coup d'œil sur son père et son mari.

Cachelin les couvrait d'un regard bienveillant, et souvent, sans songer qu'il parlait à son gendre, il déclarait: «Ils ont bonne tournure tout de même, ça fait plaisir de les voir ensemble.» Lesable répondait tranquillement: «Ils sont presque de la même taille», et heureux de sentir que son cœur battait moins fort, qu'il soufflait moins en marchant vite et qu'il était en tout plus gaillard, il laissait s'évanouir peu à peu sa rancune contre son beau-père dont les quolibets méchants avaient d'ailleurs cessé depuis quelque temps.

Au jour de l'an il fut nommé commis principal. Il en éprouva une joie si véhémente, qu'il embrassa sa femme en rentrant, pour la première fois depuis six mois. Elle en parut tout interdite, gênée comme s'il eût fait une chose inconvenante; et elle regarda Maze qui était venu pour lui présenter, à l'occasion du premier janvier, ses hommages et ses souhaits. Il eut l'air lui-même embarrassé et il se tourna vers la fenêtre, en homme qui ne veut pas voir.

Mais Cachelin bientôt redevint irritable et mauvais, et il recommença à harceler son gendre de plaisanteries. Parfois même il attaquait Maze, comme s'il lui en eût voulu aussi de la catastrophe suspendue sur eux et dont la date inévitable se rapprochait à chaque minute.

Seule, Cora paraissait tout à fait tranquille, tout à fait heureuse, tout à fait radieuse. Elle avait oublié, semblait-il, le terme menaçant, et si proche.

On atteignit mars. Tout espoir semblait perdu, car il y aurait trois ans, au vingt juillet, que tante Charlotte était morte.

Un printemps précoce faisait germer la terre; et Maze proposa à ses amis de faire une promenade au bord de la Seine, un dimanche, pour cueillir des violettes dans les buissons.

Ils partirent par un train matinal, et descendirent à Maisons-Laffitte. Un frisson d'hiver courait encore dans les branches nues, mais l'herbe reverdie, luisante, était déjà tachée de fleurs blanches et bleues; et les arbres fruitiers sur les coteaux semblaient enguirlandés de roses, avec leurs bras maigres couverts de bourgeons épanouis.

La Seine, lourde, coulait, triste et boueuse des pluies dernières, entre ses berges rongées par les crues de l'hiver; et toute la campagne trempée d'eau, semblant sortir d'un bain, exhalait une saveur d'humidité douce sous la tiédeur des premiers jours de soleil.

On s'égara dans le parc. Cachelin, morne, tapait de sa canne des mottes de terre, plus accablé que de coutume, songeant plus amèrement, ce jour-là, à leur infortune bientôt complète. Lesable, morose aussi, craignait de se mouiller les pieds dans l'herbe, tandis que sa femme et Maze cherchaient à faire un bouquet. Cora, depuis quelques jours, semblait souffrante, lasse et pâlie.

Elle fut tout de suite fatiguée et voulut rentrer pour déjeuner. On gagna un petit restaurant contre un vieux moulin croulant; et le déjeuner traditionnel des Parisiens en sortie fut bientôt servi sous la tonnelle, sur la table de bois vêtue de deux serviettes, et tout près de la rivière.

On avait croqué des goujons frits, mâché le bœuf entouré de pommes de terre, et on passait le saladier plein de feuilles vertes, quand Cora se leva brusquement, et se mit à courir vers la berge, en tenant à deux mains sa serviette sur sa bouche.

Lesable, inquiet, demanda: «Qu'est-ce qu'elle a donc?» Maze, troublé, rougit, balbutia: «Mais . . . je ne sais pas . . . elle allait bien tout à l'heure!» et Cachelin demeurait effaré, la fourchette en l'air avec une feuille de salade au bout.

Il se leva, cherchant à voir sa fille, En se penchant, il l'aperçut la tête contre un arbre, malade. Un soupçon rapide lui coupa les jarrets et il s'abattit sur sa chaise, jetant des regards effarés sur les deux hommes qui semblaient maintenant aussi confus l'un que l'autre. Il les fouillait de son œil anxieux, n'osant plus parler, fou d'angoisse et d'espérance.

Un quart d'heure s'écoula dans un silence profond. Et Cora reparut, un peu pâle, marchant avec peine. Personne ne l'interrogea d'une façon précise; chacun paraissait deviner un événement heureux, pénible à dire, brûler de le savoir et craindre de l'apprendre. Seul Cachelin lui demanda: «Ça va mieux?» Elle répondit: «Oui, merci, ce n'était rien. Mais nous rentrerons de bonne heure, j'ai un peu de migraine.»

Et pour repartir, elle prit le bras de son mari comme pour signifier quelque chose de mystérieux qu'elle n'osait avouer encore.

On se sépara dans la gare Saint-Lazare. Maze, prétextant une affaire dont le souvenir lui revenait, s'en alla après avoir salué et serré les mains.

Dès que Cachelin fut seul avec sa fille et son gendre il demanda: «Qu'est-ce que tu as eu pendant le déjeuner?»

Mais Cora ne répondit point d'abord; puis, après avoir hésité quelque temps: «Ce n'était rien. Un petit mal de cœur.»

Elle marchait d'un pas alangui, avec un sourire sur les lèvres. Lesable, mal à l'aise, l'esprit troublé, hanté d'idées confuses, contradictoires, plein d'appétits de luxe, de colère sourde, de honte inavouable, de lâcheté jalouse, faisait comme ces dormeurs qui ferment les yeux au matin pour ne point voir le rayon de lumière glissant entre les rideaux et qui coupe leur lit d'un trait brillant.

Dès qu'il fut rentré, il parla d'un travail à finir et s'enferma.

Alors Cachelin posant les deux mains sur les épaules de sa fille: «Tu es enceinte, hein?»

Elle balbutia: «Oui, je le crois. Depuis deux mois.»

Elle n'avait point fini de parler qu'il bondissait d'allé-

gresse; puis il se mit à danser autour d'elle un cancan de bal
public, vieux ressouvenir de ses jours de garnison. Il levait
la jambe, sautait malgré son ventre secouait l'appartement
tout entier. Les meubles se balançaient, les verres se heur-
taient dans le buffet, la suspension oscillait et vibrait comme
la lampe d'un navire.

Puis il prit dans ses bras sa fille chérie et l'embrassa fré-
nétiquement; puis, lui jetant d'une façon familière une
petite tape sur le ventre: «Ah! ça y est, enfin! L'as-tu dit à
ton mari?»

Elle murmura, intimidée tout à coup: «Non . . . pas
encore . . . je . . . j'attendais.»

Mais Cachelin s'écria: «Bon, c'est bon. Ça te gêne.
Attends, je vais le lui dire, moi!»

Et il se précipita dans l'appartement de son gendre. En
le voyant entrer. Lesable, qui ne faisait rien, se dressa. Mais
l'autre ne lui laissa pas le temps de se reconnaître: «Vous
savez que votre femme est grosse?»

L'époux, interdit, perdait contenance, et ses pommettes
devinrent rouges.

«Quoi? Comment? Cora? Vous dites?

— «Je dis qu'elle est grosse, entendez-vous? En voilà une
chance!»

Et dans sa joie, il lui prit les mains, les serra, les secoua,
comme pour le féliciter, le remercier; il répétait: «Ah! enfin,
ça y est. C'est bien! c'est bien! Songez donc, la fortune est
à nous.» Et, n'y tenant plus, il le serra dans ses bras.

Il criait: «Plus d'un million, songez, plus d'un million!»
Il se remit à danser, puis soudain: «Mais venez donc, elle
vous attend: venez l'embrasser, au moins!» et le prenant à
plein corps, il le poussa devant lui et le lança comme une
balle dans la salle où Cora était restée, debout, inquiète,
écoutant.

Dès qu'elle aperçut son mari, elle recula, étranglée par
une brusque émotion. Il restait devant elle, pâle et torturé.
Il avait l'air d'un juge et elle d'une coupable.

Enfin, il dit: «Il paraît que tu es enceinte?»

Elle balbutia d'une voix tremblante: «Ça en a l'air.»

Mais Cachelin les saisit tous les deux par le cou et il

les colla l'un à l'autre, nez à nez, en criant: «Embrassez-vous donc, nom d'un chien! Ça en vaut bien la peine.»

Et, quant il les eut lâchés, il déclara, débordant d'une joie folle: «Enfin, c'est partie gagnée! Dites donc, Léopold, nous allons tout de suite acheter une propriété à la campagne. Là, au moins, vous pourrez remettre votre santé.»

A cette idée, Lesable tressaillit. Son beau-père reprit: «Nous y inviterons M. Torchebeuf avec sa dame, et comme le sous-chef est au bout de son rouleau, vous pourrez prendre sa succession. C'est un acheminement.»

Lesable voyait les choses, à mesure que parlait Cachelin; il se voyait lui-même, recevant le chef, devant une jolie propriété blanche, au bord de la rivière. Il avait une veste de coutil, et un panama sur la tête.

Quelque chose de doux lui entrait dans le cœur à cette espérance, quelque chose de tiède et de bon qui semblait se mêler à lui, le rendre léger et déjà mieux portant.

Il sourit, sans répondre encore.

Cachelin, grisé d'espoirs, emporté dans les rêves, continuait: «Qui sait? nous pourrons prendre de l'influence dans le pays. Vous serez peut-être député. Dans tous les cas, nous pourrons voir la société de l'endroit, et nous payer des douceurs. Vous aurez un petit cheval et un panier pour aller chaque jour à la gare.»

Des images de luxe, d'élégance et de bien-être s'éveillaient dans l'esprit de Lesable. La pensée qu'il conduirait lui-même une mignonne voiture, comme ces gens riches dont il avait si souvent envié le sort, détermina sa satisfaction. Il ne put s'empêcher de dire: «Ah! ça, oui, c'est charmant, par exemple.»

Cora, le voyant gagné, souriait aussi, attendrie et reconnaissante; et Cachelin, qui ne distinguait plus d'obstacles, déclara:

— Nous allons dîner au restaurant. Sacristi! il faut nous payer une petite noce.

Ils étaient un peu gris en rentrant tous les trois, et Lesable, qui voyait double et dont toutes les idées dansaient, ne put regagner son cabinet noir. Il se coucha, peut-être par mégarde, peut-être par oubli, dans le lit encore vide

où allait entrer sa femme. Et toute la nuit il lui sembla que sa couche oscillait comme un bateau, tanguait, roulait et chavirait. Il eut même un peu le mal de mer.

Il fut bien surpris, en s'éveillant, de trouver Cora dans ses bras.

Elle ouvrit les yeux, sourit, et l'embrassa avec un élan subit, plein de gratitude et d'affection. Puis elle lui dit, de cette voix douce qu'ont les femmes dans leurs câlineries: «Si tu veux être bien gentil, tu n'iras pas aujourd'hui au ministère. Tu n'as plus besoin d'être si exact, puisque nous allons être très riches. Et nous partirions encore à la campagne, tous les deux tout seuls.»

Il se sentait reposé, plein de ce bien-être las qui suit les courbatures des fêtes, et engourdi dans la chaleur de la couche. Il éprouvait une envie lourde de rester là long-temps, de ne plus rien faire que de vivre tranquille dans la mollesse. Un besoin de paresse inconnu et puissant paralysait son âme, envahissait son corps. Et une pensée vague, continue, heureuse, flottait en lui: «Il allait être riche, indépendant.»

Mais tout à coup une peur le saisit, et il demanda tout bas, comme s'il eût craint que ses paroles fussent entendues par les murs: «Es-tu bien sûre d'être enceinte, au moins?»

Elle le rassura tout de suite: «Oh! oui, va. Je ne me suis pas trompée.»

Et lui, un peu inquiet encore, se mit à la tâter douce-ment. Il parcourait de la main son ventre enflé. Il déclara: «Oui, c'est vrai — mais tu ne seras pas accouchée avant la date. On contestera peut-être notre droit.»

A cette supposition une colère la prit. — Ah! mais non, par exemple, on n'allait pas la chicaner maintenant, après tant de misères, de peines et d'efforts, ah, mais non! — Elle s'était assise, bouleversée par l'indignation.

«Allons de suite chez le notaire», dit-elle.

Mais il fut d'avis de se procurer d'abord un certificat de médecin. Ils retournèrent donc chez le docteur Lefilleul.

Il les reconnut aussitôt et demanda: «Eh bien, avez-vous réussi?»

Ils rougirent tous deux jusqu'aux oreilles, et Cora, perdant

un peu contenance, balbutia: «Je crois que oui, monsieur.»

Le médecin se frottait les mains: «Je m'y attendais, je m'y attendais. Le moyen que je vous ai indiqué ne manque jamais, à moins d'incapacité radicale d'un des conjoints.»

Quand il eut examiné la jeune femme il déclara: «Ça y est, bravo!»

Et il écrivit sur une feuille de papier: «Je soussigné, docteur en médecine de la Faculté de Paris, certifie que Madame Léopold Lesable, née Cachelin, présente tous les symptômes d'une grossesse datant de trois mois environ.»

Puis, se tournant vers Lesable: «Et vous? Cette poitrine, et ce cœur?» Il l'ausculta et le trouva tout à fait guéri.

Ils repartirent, heureux et joyeux, bras à bras, d'un pied léger. Mais en route, Léopold eut une idée: «Tu ferais peut-être bien, avant d'aller chez le notaire, de passer une ou deux serviettes dans la ceinture, ça tirera l'œil et ça vaudra mieux. Il ne croira pas que nous voulons gagner du temps.»

Ils rentrèrent donc, et il déshabilla lui-même sa femme pour lui ajuster un flanc trompeur. Dix fois de suite il changea les serviettes de place, et il s'éloignait de quelques pas afin de constater l'effet, cherchant à obtenir une vraisemblance absolue.

Lorsqu'il fut content du résultat, ils repartirent, et dans la rue il semblait fier de promener ce ventre en bosse qui attestait sa virilité.

Le notaire les reçut avec bienveillance. Puis il écouta leur explication, parcourut de l'œil le certificat, et comme Lesable insistait: «Du reste, monsieur, il suffit de la voir une seconde», il jeta une regard convaincu sur la taille épaisse et pointue de la jeune femme.

Ils attendaient, anxieux; l'homme de loi déclara: «Parfaitement. Que l'enfant soit né ou à naître, il existe, et il vit. Donc, nous surseoirons à l'exécution du testament jusqu'à l'accouchement de madame.»

En sortant de l'étude, ils s'embrassèrent dans l'escalier, tant leur joie était véhémente.

Depuis cette heureuse découverte, les trois parents vivaient dans une union parfaite. Ils étaient d'humeur gaie, égale et douce. Cachelin avait retrouvé toute son ancienne jovialité, et Cora accablait de soins son mari. Lesable aussi semblait un autre homme, toujours content, et bon enfant comme jamais il ne l'avait été.

Maze venait moins souvent et semblait, à présent, mal à son aise dans la famille; on le recevait toujours bien, avec plus de froideur cependant, car le bonheur est égoïste et se passe des étrangers.

Cachelin lui-même paraissait éprouver une certaine hostilité secrète contre le beau commis qu'il avait, quelques mois plus tôt, introduit avec empressement dans le ménage. Ce fut lui qui annonça à cet ami la grossesse de Coralie. Il la lui dit brusquement: «Vous savez, ma fille est enceinte!»

Maze, jouant la surprise, répliqua: «Ah bah! vous devez être bien heureux.»

Cachelin répondit: «Parbleu!» et remarqua que son collègue, au contraire, ne paraissait point enchanté. Les hommes n'aiment guère voir en cet état, que ce soit ou non par leur faute, les femmes dont ils sont les fidèles.

Tous les dimanches, cependant, Maze continuait à dîner dans la maison. Mais les soirées devenaient pénibles à passer ensemble, bien qu'aucun désaccord grave n'eût surgi; et cet étrange embarras grandissait de semaine en semaine. Un soir même, comme il venait de sortir, Cachelin déclara d'un air furieux: «En voilà un qui commence à m'embêter!»

Et Lesable répondit: «Le fait est qu'il ne gagne pas à être beaucoup connu.» Cora avait baissé les yeux. Elle ne donna pas son avis. Elle semblait toujours gênée en face du grand Maze qui, de son côté, paraissait presque honteux près d'elle, ne la regardait plus en souriant comme jadis, n'offrait plus de soirées au théâtre, et semblait porter, ainsi qu'un fardeau nécessaire, cette intimité naguère si cordiale.

Mais un jeudi, à l'heure du dîner, quand son mari rentra du bureau, Cora lui baisa les favoris avec plus de câlinerie que de coutume, et elle lui murmura dans l'oreille:

— «Tu vas peut-être me gronder?

— «Pourquoi ça?

— «C'est que . . . M. Maze est venu pour me voir tantôt. Et moi, comme je ne veux pas qu'on jase sur mon compte, je l'ai prié de ne jamais se présenter quand tu ne serais pas là. Il a paru un peu froissé!»

Lesable, surpris, demanda:

— «Eh bien! qu'est-ce qu'il a dit?

— «Oh! il n'a pas dit grand'chose, seulement cela ne m'a pas plu tout de même, et je l'ai prié alors de cesser complètement ses visites. Tu sais bien que c'est papa et toi qui l'aviez amené ici, moi je n'y suis pour rien. Aussi, je craignais de te mécontenter en lui fermant la porte.»

Une joie reconnaissante entrait dans le cœur de son mari: «Tu as bien fait, très bien fait. Et même je t'en remercie.»

Elle reprit, pour bien établir la situation des deux hommes, qu'elle avait réglée d'avance: «Au bureau, tu feras semblant de ne rien savoir, et tu lui parleras comme par le passé: seulement il ne viendra plus ici.»

Et Lesable, prenant avec tendresse sa femme dans ses bras, la bécota longtemps sur les yeux et sur les joues. Il répétait: «Tu es un ange! . . . tu es un ange!» Et il sentait contre son ventre la bosse de l'enfant déjà fort.

VIII

Rien de nouveau ne survint jusqu'au terme de la grossesse.

Cora accoucha d'une fille dans les derniers jours de septembre. Elle fut appelée Désirée; mais, comme on voulait faire un baptême solennel, on décida qu'il n'aurait lieu que l'été suivant, dans la propriété qu'ils allaient acheter.

Ils la choisirent à Asnières, sur le coteau qui domine la Seine.

De grands événements s'étaient accomplis pendant l'hiver. Aussitôt l'héritage acquis, Cachelin avait réclamé sa retraite, qui fut aussitôt liquidée, et il avait quitté le bureau. Il occupait ses loisirs à découper, au moyen d'une fine scie mécanique, des couvercles de boîtes à cigares. Il en faisait

des horloges, des coffrets, des jardinières, toutes sortes de petits meubles étranges. Il se passionnait pour cette besogne, dont le goût lui était venu en apercevant un marchand ambulant travailler ainsi ces plaques de bois, sur l'avenue de l'Opéra. Et il fallait que tout le monde admirât chaque jour ses dessins nouveaux, d'une complication savante et puérile.

Lui-même, émerveillé devant son œuvre, répétait sans cesse: «C'est étonnant ce qu'on arrive à faire!»

Le sous-chef, M. Rabot, étant mort enfin, Lesable remplissait les fonctions de sa charge, bien qu'il n'en reçût pas le titre, car il n'avait point le temps de grade nécessaire depuis sa dernière nomination.

Cora était devenue tout de suite une femme différente, plus réservée, plus élégante, ayant compris, deviné, flairé toutes les transformations qu'impose la fortune.

Elle fit, à l'occasion du jour de l'an, une visite à l'épouse du chef, grosse personne restée provinciale après trente-cinq ans de séjour à Paris, et elle mit tant de grâce et de séduction à la prier d'être la marraine de son enfant, que M^{me} Torchebeuf accepta. Le grand-père Cachelin fut parrain.

La cérémonie eut lieu un dimanche éclatant de juin. Tout le bureau était convié, sauf le beau Maze, qu'on ne voyait plus.

A neuf heures, Lesable attendait devant la gare le train de Paris, tandis qu'un groom en livrée à gros boutons dorés tenait par la bride un poney dodu devant un panier tout neuf.

La machine au loin siffla, puis apparut, traînant son chapelet de voitures d'où s'échappa un flot de voyageurs.

M. Torchebeuf sortit d'un wagon de première classe, avec sa femme en toilette éclatante, tandis que d'un wagon de deuxième, Pitolet et Boissel descendaient. On n'avait point osé inviter le père Savon, mais il était entendu qu'on le rencontrerait par hasard, dans l'après-midi, et qu'on l'amènerait dîner avec l'assentiment du chef.

Lesable s'élança au-devant de son supérieur, qui s'avançait tout petit dans sa redingote fleurie par sa grande décoration pareille à une rose rouge épanouie. Son crâne énorme,

surmonté d'un chapeau à larges ailes, écrasait son corps
chétif, lui donnait un aspect de phénomène; et sa femme,
en se haussant un rien sur la pointe des pieds, pouvait
regarder sans peine par-dessus sa tête.

Léopold, radieux, s'inclinait, remerciait. Il les fit monter
dans le panier, puis courant vers ses deux collègues qui s'en
venaient modestement derrière, il leur serra les mains en
s'excusant de ne les pouvoir porter aussi dans sa voiture trop
petite: «Suivez le quai, vous arriverez devant ma porte:
Villa Désirée, la quatrième après le tournant. Dépêchez-
vous.»

Et, montant dans sa voiture, il saisit les guides et partit,
tandis que le groom sautait lestement sur le petit siège de
derrière.

La cérémonie eut lieu dans les meilleures conditions. Puis
on rentra pour déjeuner. Chacun, sous sa serviette, trouva
un cadeau proportionné à l'importance de l'invité. La mar-
raine eut un bracelet d'or massif, son mari une épingle de
cravate en rubis, Boissel un portefeuille en cuir de Russie,
et Pitolet une superbe pipe d'écume. C'était Désirée, disait-
on, qui offrait ces présents à ses nouveaux amis.

Mme Torchebeuf, rouge de confusion et de plaisir, mit à
son gros bras le cercle brillant, et comme le chef avait une
mince cravate noire qui ne pouvait porter l'épingle, il piqua
le bijou sur le revers de sa redingote, au-dessous de la Légion
d'honneur, comme autre croix d'ordre inférieur.

Par la fenêtre, on découvrait un grand ruban de rivière,
montant vers Suresnes, le long des berges plantées d'arbres.
Le soleil tombait en pluie sur l'eau, en faisait un fleuve de
feu. Le commencement du repas fut grave, rendu sérieux
par la présence de M. et Mme Torchebeuf. Puis on s'égaya.
Cachelin lâchait des plaisanteries de poids, qu'il se sentait
permises, étant riche; et on riait.

De Pitolet ou de Boissel, elles auraient certainement
choqué.

Au dessert, il fallut apporter l'enfant, que chaque con-
vive embrassa. Noyé dans une neige de dentelles, il regardait
ces gens de ses yeux bleus, troubles et sans pensée, et il

tournait un peu sa tête bouffie où semblait s'éveiller un commencement d'attention.

Pitolet, au milieu du bruit des voix, glissa dans l'oreille de son voisin Boissel: «Elle a l'air d'une petite Mazette.»

Le mot courut au ministère, le lendemain.

Cependant, deux heures venaient de sonner; on avait bu les liqueurs, et Cachelin proposa de visiter la propriété, puis d'aller faire un tour au bord de la Seine.

Les convives, en procession, circulèrent de pièce en pièce, depuis la cave jusqu'au grenier, puis ils parcoururent le jardin, d'arbre en arbre, de plante en plante, puis on se divisa en deux bandes pour la promenade.

Cachelin, un peu gêné près des dames, entraîna Boissel et Pitolet dans les cafés de la rive, tandis que M^{mes} Torchebeuf et Lesable, avec leurs maris, remonteraient sur l'autre berge, des femmes honnêtes ne pouvant se mêler au monde débraillé du dimanche.

Elles allaient avec lenteur, sur le chemin de halage, suivies des deux hommes qui causaient gravement du bureau.

Sur le fleuve, des yoles passaient, enlevées à longs coups d'aviron par des gaillards aux bras nus dont les muscles roulaient sous la chair brûlée. Les canotières, allongées sur des peaux de bêtes noires ou blanches, gouvernaient la barre, engourdies sous le soleil, tenant ouvertes sur leur tête, comme des fleurs énormes flottant sur l'eau, des ombrelles de soie rouge, jaune ou bleue. Des cris volaient d'une barque à l'autre, des appels et des engueulades; et un bruit lointain de voix humaines, confus et continu, indiquait, là-bas, la foule grouillante des jours de fête.

Des files de pêcheurs à la ligne restaient immobiles, tout le long de la rivière; tandis que des nageurs presque nus, debout dans de lourdes embarcations de pêcheurs, piquaient des têtes, remontaient sur leurs bateaux et ressautaient dans le courant.

M^{me} Torchebeuf, surprise, regardait. Cora lui dit: «C'est ainsi tous les dimanches. Cela me gâte ce charmant pays.»

Un canot venait doucement. Deux femmes, ramant, traînaient deux gaillards couchés au fond. Une d'elles cria

vers la berge: «Ohé! ohé! les femmes honnêtes! J'ai un homme à vendre, pas cher, voulez-vous?»

Cora, se détournant avec mépris, passa son bras sous celui de son invitée: «On ne peut même rester ici, allons-nous-en. Comme ces créatures sont infâmes!»

Et elles repartirent. M. Torchebeuf disait à Lesable: «C'est entendu pour le 1er janvier. Le directeur me l'a formellement promis.»

Et Lesable répondait: «Je ne sais comment vous remercier, mon cher maître.»

En rentrant, ils trouvèrent Cachelin, Pitolet et Boissel riant aux larmes et portant presque le père Savon, trouvé sur la berge avec une cocotte, affirmaient-ils par plaisanterie.

Le vieux, effaré, répétait: «Ça n'est pas vrai; non, ça n'est pas vrai. Ça n'est pas bien, de dire ça, monsieur Cachelin, ça n'est pas bien.»

Et Cachelin, suffoquant, criait: «Ah! vieux farceur! Tu l'appelais: «Ma petite plume d'oie chérie.» Ah! nous le tenons, le polisson!»

Ces dames elles-mêmes se mirent à rire, tant le bonhomme semblait éperdu.

Cachelin reprit: «Si monsieur Torchebeuf le permet, nous allons le garder prisonnier pour sa peine, et il dînera avec nous?»

Le chef consentit avec bienveillance. Et on continua à rire sur la dame abandonnée par le vieux qui protestait toujours, désolé de cette mauvaise farce.

Ce fut là, jusqu'au soir, un sujet à mots d'esprit inépuisable, qui prêta même à des grivoiseries.

Cora et Mme Torchebeuf, assises sous la tente sur le perron, regardaient les reflets du couchant. Le soleil jetait dans les feuilles une poussière de pourpre. Aucun souffle ne remuait les branches; une paix sereine, infinie, tombait du ciel flamboyant et calme.

Quelques bateaux passaient encore, plus lents, rentrant au garage.

Cora demanda: «Il paraît que ce pauvre M. Savon a épousé une gueuse?»

Mme Torchebeuf, au courant de toutes les choses du bureau, répondit: «Oui, une orpheline beaucoup trop jeune, qui l'a trompé avec un mauvais sujet et qui a fini par s'enfuir avec lui.» Puis la grosse dame ajouta: «Je dis que c'était un mauvais sujet, je n'en sais rien. On prétend qu'ils s'aimaient beaucoup. Dans tous les cas, le père Savon n'est point séduisant.»

Mme Lesable reprit gravement: «Cela n'excuse rien. Le pauvre homme est bien à plaindre. Notre voisin d'à côté, M. Barbou, est dans le même cas. Sa femme s'est éprise d'une sorte de peintre qui passait les étés ici et elle est partie avec lui à l'étranger. Je ne comprends pas qu'une femme tombe jusque-là. A mon avis, il devrait y avoir un châtiment spécial pour de pareilles misérables qui apportent la honte dans une famille.»

Au bout de l'allée, la nourrice apparut, portant Désirée dans ses dentelles. L'enfant venait vers les deux dames, toute rose dans la nuée d'or rouge du soir. Elle regardait le ciel de feu de ce même œil pâle, étonné et vague qu'elle promenait sur les visages.

Tous les hommes, qui causaient plus loin, se rapprochèrent; et Cachelin, saisissant sa petite-fille, l'éleva au bout de ses bras comme s'il eût voulu la porter dans le firmament. Elle se profilait sur le fond brillant de l'horizon avec sa longue robe blanche qui tombait jusqu'à terre.

Et le grand-père s'écria: «Voilà ce qu'il y a de meilleur au monde, n'est-ce pas, père Savon?»

Et le vieux ne répondit pas, n'ayant rien à dire, ou, peut-être, pensant trop de choses.

Un domestique ouvrit la porte du perron, en annonçant: «Madame est servie.»

TOINE

TOINE.

I

On le connaissait à dix lieues aux environs le père Toine, le gros Toine, Toine-ma-Fine, Antoine Mâcheblé, dit Brûlot, le cabaretier de Tournevent.

Il avait rendu célèbre le hameau enfoncé dans un pli du vallon qui descendait vers la mer, pauvre hameau paysan composé de dix maisons normandes entourées de fossés et d'arbres.

Elles étaient là, ces maisons, blotties dans ce ravin couvert d'herbe et d'ajonc, derrière la courbe qui avait fait nommer ce lieu Tournevent. Elles semblaient avoir cherché un abri dans ce trou comme les oiseaux qui se cachent dans les sillons les jours d'ouragan, un abri contre le grand vent de mer, le vent du large, le vent dur et salé, qui ronge et brûle comme le feu, dessèche et détruit comme les gelées d'hiver.

Mais le hameau tout entier semblait être la propriété d'Antoine Mâcheblé, dit Brûlot, qu'on appelait d'ailleurs aussi souvent Toine et Toine-ma-Fine, par suite d'une locution dont il se servait sans cesse:

— Ma Fine est la première de France.

Sa Fine, c'était son cognac, bien entendu.

Depuis vingt ans il abreuvait le pays de sa Fine et de ses Brûlots, car chaque fois qu'on lui demandait:

— Qu'est-ce que j'allons bé, pé Toine?

Il répondait invariablement:

— Un brûlot, mon gendre, ça chauffe la tripe et ça nettoie la tête; y a rien de meilleur pour le corps.

Il avait aussi cette coutume d'appeler tout le monde «mon gendre», bien qu'il n'eût jamais eu de fille mariée ou à marier.

Ah! oui, on le connaissait Toine Brûlot, le plus gros homme du canton, et même de l'arrondissement. Sa petite maison

semblait dérisoirement trop étroite et trop basse pour le
contenir, et quand on le voyait debout sur sa porte où il
passait des journées entières, on se demandait comment il
pourrait entrer dans sa demeure. Il y entrait chaque fois
que se présentait un consommateur, car Toine-ma-Fine était
invité de droit à prélever son petit verre sur tout ce qu'on
buvait chez lui.

Son café avait pour enseigne: «Au Rendez-vous des
Amis», et il était bien, le pé Toine, l'ami de toute la contrée.
On venait de Fécamp et de Montivilliers pour le voir et pour
rigoler en l'écoutant, car il aurait fait rire une pierre de
tombe, ce gros homme. Il avait une manière de blaguer les
gens sans les fâcher, de cligner de l'œil pour exprimer ce
qu'il ne disait pas, de se taper sur la cuisse dans ses accès
de gaieté qui vous tirait le rire du ventre malgré vous, à
tous les coups. Et puis c'était une curiosité rien que de le
regarder boire. Il buvait tant qu'on lui en offrait, et de tout,
avec une joie dans son œil malin, une joie qui venait de son
double plaisir, plaisir de se régaler d'abord et d'amasser des
gros sous, ensuite, pour sa régalade.

Les farceurs du pays lui demandaient:

— Pourquoi que tu ne bé point la mé, pé Toine?

Il répondait:

— Y a deux choses qui m'opposent, primo qu'a l'est salée,
et deusio qu'i faudrait la mettre en bouteille, vu que mon
abdomin n'est point pliable pour bé à c'te tasse-là!

Et puis il fallait l'entendre se quereller avec sa femme!
C'était une telle comédie qu'on aurait payé sa place de bon
cœur. Depuis trente ans qu'ils étaient mariés, ils se chamail-
laient tous les jours. Seulement Toine rigolait tandis que sa
bourgeoise se fâchait. C'était une grande paysanne, mar-
chant à longs pas d'échassier, et portant sur un corps maigre
et plat une tête de chat-huant en colère. Elle passait son
temps à élever des poules dans une petite cour, derrière le
cabaret, et elle était renommée pour la façon dont elle savait
engraisser les volailles.

Quand on donnait un repas à Fécamp chez les gens de
la haute, il fallait, pour que le dîner fût goûté, qu'on y
mangeât une pensionnaire de la mé Toine.

Mais elle était née de mauvaise humeur et elle avait continué à être mécontente de tout. Fâchée contre le monde entier, elle en voulait principalement à son mari. Elle lui en voulait de sa gaieté, de sa renommée, de sa santé et de son embonpoint. Elle le traitait de propre à rien, parce qu'il gagnait de l'argent sans rien faire, de sapas, parce qu'il mangeait et buvait comme dix hommes ordinaires, et il ne se passait point de jour sans qu'elle déclarât d'un air exaspéré:

— Ça serait-il point mieux dans l'étable à cochons nu quétou comme ça? C'est que d'la graisse que ça en fait mal au cœur.

Et elle lui criait dans la figure:

— Espère, espère un brin; j'verrons c'qu'arrivera, j'verrons ben! Ça crèvera comme un sac à grain, ce gros bouffi!

Toine riait de tout son cœur en se tapant sur le ventre et répondait:

—Eh! la mé Poule, ma planche, tâche d'engraisser comme ça d'la volaille. Tâche pour voir.

Et relevant sa manche sur son bras énorme:

— En v'là un aileron, la mé, en v'là un.

Et les consommateurs tapaient du poing sur les tables en se tordant de joie, tapaient du pied sur la terre du sol, et crachaient par terre dans un délire de gaieté.

La vieille furieuse reprenait:

— Espère un brin . . . espère un brin . . . j'verrons c'qu'arrivera . . . ça crèvera comme un sac à grain . . .

Et elle s'en allait furieuse, sous les rires des buveurs.

Toine, en effet, était surprenant à voir, tant il était devenu épais et gros, rouge et soufflant. C'était un de ces êtres énormes sur qui la mort semble s'amuser, avec des ruses, des gaietés et des perfidies bouffonnes, rendant irrésistiblement comique son travail lent de destruction. Au lieu de se montrer comme elle fait chez les autres, la gueuse, de se montrer dans les cheveux blancs, dans la maigreur, dans les rides, dans l'affaissement croissant qui fait dire avec un frisson: «Bigre! comme il a changé!» elle prenait plaisir à l'engraisser, celui-là, à le faire monstrueux et drôle, à l'enluminer de rouge et de bleu, à le souffler, à lui donner l'ap-

parence d'une santé surhumaine; et les déformations qu'elle
inflige à tous les êtres devenaient chez lui risibles, cocasses,
divertissantes, au lieu d'être sinistres et pitoyables.

— Espère un brin, espère un brin, répétait la mère Toine,
j'verrons c'qu'arrivera.

II

Il arriva que Toine eut une attaque et tomba paralysé.
On coucha ce colosse dans la petite chambre derrière la
cloison du café, afin qu'il pût entendre ce qu'on disait à
côté, et causer avec les amis, car sa tête était demeurée
libre, tandis que son corps, un corps énorme, impossible à
remuer, à soulever, restait frappé d'immobilité. On espérait,
dans les premiers temps, que ses grosses jambes repren-
draient quelque énergie, mais cet espoir disparut bientôt,
et Toine-ma-Fine passa ses jours et ses nuits dans son lit
qu'on ne retapait qu'une fois par semaine, avec le secours
de quatre voisins qui enlevaient le cabaretier par les quatre
membres pendant qu'on retournait sa paillasse.

Il demeurait gai pourtant, mais d'une gaieté différente,
plus timide, plus humble, avec des craintes de petit enfant
devant sa femme qui piaillait toute la journée:

— Le v'là, le gros sapas, le v'là, le propre à rien, le
faigniant, ce gros soulot! C'est du propre, c'est du propre!

Il ne répondait plus. Il clignait seulement de l'œil der-
rière le dos de la vieille et il se retournait sur sa couche, seul
mouvement qui lui demeurât possible. Il appelait cet exer-
cice faire un «va-t-au nord», ou un «va-t-au sud».

Sa grande distraction maintenant c'était d'écouter les
conversations du café, et de dialoguer à travers le mur
quand il reconnaissait les voix des amis; il criait:

— Hé, mon gendre, c'est té Célestin?

Et Célestin Maloisel répondait:

— C'est mé, pé Toine. C'est-il que tu regalopes, gros
lapin?

Toine-ma-Fine prononçait:

— Pour galoper, point encore. Mais je n'ai point maigri,
l'coffre est bon.

Bientôt il fit venir les plus intimes dans sa chambre et on lui tenait compagnie, bien qu'il se désolât de voir qu'on buvait sans lui. Il répétait:

— C'est ça qui me fait deuil, mon gendre, de n'pus goûter d'ma Fine, nom d'un nom. L'reste, j'men gargarise, mais de ne point bé mé ça fait deuil.

Et la tête de chat-huant de la mère Toine apparaissait dans la fenêtre. Elle criait:

— Guêtez-le, guêtez-le, à c't'heure ce gros faignant, qu'i faut nourrir, qu'i faut laver, qu'i faut nettoyer comme un porc.

Et quand la vieille avait disparu, un coq aux plumes rouges sautait parfois sur la fenêtre, regardait d'un œil rond et curieux dans la chambre, puis poussait son cri sonore. Et parfois aussi, une ou deux poules volaient jusqu'au pied du lit, cherchant des miettes sur le sol.

Les amis de Toine-ma-Fine désertèrent bientôt la salle du café, pour venir, chaque après-midi, faire la causette autour du lit du gros homme. Tout couché qu'il était, ce farceur de Toine, il les amusait encore. Il aurait fait rire le diable, ce malin-là. Ils étaient trois qui reparaissaient tous les jours: Célestin Maloisel, un grand maigre, un peu tordu comme un tronc de pommier, Prosper Horslaville, un petit sec avec un nez de furet, malicieux, futé comme un renard, et Césaire Paumelle, qui ne parlait jamais, mais qui s'amusait tout de même.

On apportait une planche de la cour, on la posait au bord du lit et on jouait aux dominos pardi, et on faisait de rudes parties, depuis deux heures jusqu'à six.

Mais la mère Toine devint bientôt insupportable. Elle ne pouvait point tolérer que son gros faignant d'homme continuât à se distraire, en jouant aux dominos dans son lit; et chaque fois qu'elle voyait une partie commencée, elle s'élançait avec fureur, culbutait la planche, saisissait le jeu, le rapportait dans le café et déclarait que c'était assez de nourrir ce gros suiffeux à ne rien faire sans le voir encore se divertir comme pour narguer le pauvre monde qui travaillait toute la journée.

Célestin Maloisel et Césaire Paumelle courbaient la tête,

mais Prosper Horslaville excitait la vieille, s'amusait de ses
colères.

La voyant un jour plus exaspérée que de coutume, il lui
dit:

— Hél la mé, savez-vous c'que j'f'rais, mé, si j'étais de
vous?

Elle attendit qu'il s'expliquât, fixant sur lui son œil de
chouette.

Il reprit:

— Il est chaud comme un four, vot' homme, qui n'sort
point d'son lit. Eh ben, mé, j'li f'rais couver des œufs.

Elle demeura stupéfaite, pensant qu'on se moquait d'elle,
considérant la figure mince et rusée du paysan qui continua:

— J'y en mettrais cinq sous un bras, cinq sous l'autre,
l'même jour que je donnerais la couvée à une poule. Ça
naîtrait d'même. Quand ils seraient éclos j'porterais à vot'
poule les poussins de vot' homme pour qu'a les élève. Ça
vous en f'rait d'la volaille, la mé!

La vieille interdite demanda:

— Ça se peut-il?

L'homme reprit:

— Si ça s'peut? Pourqué que ça n'se pourrait point?
Pisqu'on fait ben couver d's œufs dans une boîte chaude,
on peut ben en mett' couver dans un lit.

Elle fut frappée par ce raisonnement et s'en alla, songeuse
et calmée.

Huit jours plus tard elle entra dans la chambre de Toine
avec son tablier plein d'œufs. Et elle dit:

— J'viens d'mett' la jaune au nid avec dix œufs. En v'là
dix pour té. Tâche de n'point les casser.

Toine éperdu, demanda:

— Qué que tu veux?

Elle répondit:

— J'veux qu'tu les couves, propre à rien.

Il rit d'abord; puis, comme elle insistait, il se fâcha, il
résista, il refusa résolument de laisser mettre sous ses gros
bras cette graine de volaille que sa chaleur ferait éclore.

Mais la vieille, furieuse, déclara:

— Tu n'auras point d'fricot tant que tu n'les prendras point. J'verrons ben c'qu'arrivera.

Toine, inquiet, ne répondit rien.

Quand il entendit sonner midi, il appela:

— Hé! la mé, la soupe est-il cuite?

La vieille cria de sa cuisine:

— Y a point de soupe pour té, gros faignant.

Il crut qu'elle plaisantait et attendit, puis il pria, supplia, jura, fit des «va-t-au nord» et des «va-t-au sud» désespérés, tapa la muraille à coups de poing, mais il dut se résigner à laisser introduire dans sa couche cinq œufs contre son flanc gauche. Après quoi il eut sa soupe. Quand ses amis arrivèrent, ils le crurent tout à fait mal, tant il paraissait drôle et gêné.

Puis on fit la partie de tous les jours. Mais Toine semblait n'y prendre aucun plaisir et n'avançait la main qu'avec des lenteurs et des précautions infinies.

— T'as donc l'bras noué, demandait Horslaville.

Toine répondit:

— J'ai quasiment t'une lourdeur dans l'épaule.

Soudain, on entendit entrer dans le café. Les joueurs se turent.

C'était le maire avec l'adjoint. Ils demandèrent deux verres de Fine et se mirent à causer des affaires du pays. Comme ils parlaient à voix basse, Toine Brûlot voulut coller son oreille contre le mur, et, oubliant ses œufs, il fit un brusque «va-t-au nord» qui le coucha sur une omelette.

Au juron qu'il poussa, la mère Toine accourut, et devinant le désastre, le découvrit d'une secousse. Elle demeura d'abord immobile, indignée, trop suffoquée pour parler devant le cataplasme jaune collé sur le flanc de son homme.

Puis, frémissant de fureur, elle se rua sur le paralytique et se mit à lui taper de grands coups sur le ventre, comme lorsqu'elle lavait son linge au bord de la mare. Ses mains tombaient l'une après l'autre avec un bruit sourd, rapides comme les pattes d'un lapin qui bat du tambour.

Les trois amis de Toine riaient à suffoquer, toussant, éternuant, poussant des cris, et le gros homme effaré parait

les attaques de sa femme avec prudence, pour ne point casser encore les cinq œufs qu'il avait de l'autre côté.

III

Toine fut vaincu. Il dut couver, il dut renoncer aux parties de domino, renoncer à tout mouvement, car la vieille le privait de nourriture avec férocité chaque fois qu'il cassait un œuf.

Il demeurait sur le dos, l'œil au plafond, immobile, les bras soulevés comme des ailes, échauffant contre lui les germes de volailles enfermés dans les coques blanches.

Il ne parlait plus qu'à voix basse comme s'il eût craint le bruit autant que le mouvement, et il s'inquiétait de la couveuse jaune qui accomplissait dans le poulailler la même besogne que lui.

Il demandait à sa femme:

— La jaune a-t-elle mangé anuit?

Et la vieille allait de ses poules à son homme et de son homme à ses poules, obsédée, possédée par la préoccupation des petits poulets qui mûrissaient dans le lit et dans le nid.

Les gens du pays qui savaient l'histoire s'en venaient, curieux et sérieux, prendre des nouvelles de Toine. Ils entraient à pas légers comme on entre chez les malades et demandaient avec intérêt:

— Eh bien! ça va-t-il?

Toine répondait:

— Pour aller, ça va, mais j'ai maujeure tant que ça m'échauffe. J'ai des fremis qui me galopent sur la peau.

Or, un matin, sa femme entra très émue et déclara:

— La jaune en a sept. Y avait trois œufs de mauvais.

Toine sentit battre son cœur. — Combien en aurait-il, lui?

Il demanda:

— Ce sera tantôt? — avec une angoisse de femme qui va devenir mère.

La vieille répondit d'un air furieux, torturée par la crainte d'un insuccès:

— Faut croire!

Ils attendirent. Les amis prévenus que les temps étaient proches arrivèrent bientôt inquiets eux-mêmes.

On ne jasait dans les maisons. On allait s'informer aux portes voisines.

Vers trois heures, Toine s'assoupit. Il dormait maintenant la moitié des jours. Il fut réveillé soudain par un chatouillement inusité sous le bras droit. Il y porta aussitôt la main gauche et saisit une bête couverte de duvet jaune, qui remuait dans ses doigts.

Son émotion fut telle, qu'il se mit à pousser des cris, et il lâcha le poussin qui courut sur sa poitrine. Le café était plein de monde. Les buveurs se précipitèrent, envahirent la chambre, firent cercle comme autour d'un saltimbanque, et la vieille étant arrivée cueillit avec précaution la bestiole blottie sous la barbe de son mari.

Personne ne parlait plus. C'était par un jour chaud d'avril. On entendait par la fenêtre ouverte glousser la poule jaune appelant ses nouveau-nés.

Toine, qui suait d'émotion, d'angoisse, d'inquiétude, murmura:

— J'en ai encore un sous le bras gauche, à c't'heure.

Sa femme plongea dans le lit sa grande main maigre, et ramena un second poussin, avec des mouvements soigneux de sage-femme.

Les voisins voulurent le voir. On se le repassa, en le considérant attentivement comme s'il eût été un phénomène.

Pendant vingt minutes, il n'en naquit pas, puis quatre sortirent en même temps de leurs coquilles.

Ce fut une grande rumeur parmi les assistants. Et Toine sourit, content de son succès, commençant à s'enorgueillir de cette paternité singulière. On n'en avait pas souvent vu comme lui, tout de même! C'était un drôle d'homme vraiment!

Il déclara:

— Ça fait six. Nom de nom qué baptême.

Et un grand rire s'éleva dans le public. D'autres personnes emplissaient le café. D'autres encore attendaient devant la porte.

On se demandait:

— Combien qu'i en a?

— Y en a six.

La mère Toine portait à la poule cette famille nouvelle, et la poule gloussait éperdument, hérissait ses plumes, ouvrait les ailes toutes grandes pour abriter la troupe grossissante de ses petits.

— En v'là encore un! cria Toine.

Il s'était trompé, il y en avait trois! Ce fut un triomphe. Le dernier creva son enveloppe à sept heures du soir. Tous les œufs étaient bons! Et Toine, affolé de joie, délivré, glorieux, baisa sur le dos le frêle animal, faillit l'étouffer avec ses lèvres. Il voulut le garder dans son lit, celui-là, jusqu'au lendemain, saisi par une tendresse de mère pour cet être si petiot qu'il avait donné à la vie; mais la vieille l'emporta comme les autres sans écouter les supplications de son homme.

Les assistants, ravis, s'en allèrent en devisant de l'événement, et Horslaville, resté le dernier, demanda:

— Dis donc, pé Toine, tu m'invites à fricasser l'premier, pas vrai?

A cette idée de fricassée, le visage de Toine s'illumina, et le gros homme répondit:

— Pour sûr que je t'invite, mon gendre.

LE DIABLE

LE DIABLE.

Le paysan restait debout en face du médecin, devant le lit de la mourante. La vieille, calme, résignée, lucide, regardait les deux hommes et les écoutait causer. Elle allait mourir; elle ne se révoltait pas, son temps était fini, elle avait quatre-vingt-douze ans.

Par la fenêtre et la porte ouvertes, le soleil de juillet entrait à flots, jetait sa flamme chaude sur le sol de terre brune, onduleux et battu par les sabots de quatre générations de rustres. Les odeurs des champs venaient aussi, poussées par la brise cuisante, odeurs des herbes, des blés, des feuilles, brûlés sous la chaleur de midi. Les sauterelles s'égosillaient, emplissaient la campagne d'un crépitement clair, pareil au bruit des criquets de bois qu'on vend aux enfants dans les foires.

Le médecin, élevant la voix, disait:

— Honoré, vous ne pouvez pas laisser votre mère toute seule dans cet état-là. Elle passera d'un moment à l'autre!

Et le paysan, désolé, répétait:

— Faut pourtant que j'rentre mon blé; v'là trop longtemps qu'il est à terre. L'temps est bon, justement. Qué qu' t'en dis, ma mé?

Et la vieille mourante, tenaillée encore par l'avarice normande, faisait «oui» de l'œil et du front, engageait son fils à rentrer son blé et à la laisser mourir toute seule.

Mais le médecin se fâcha et, tapant du pied:

— Vous n'êtes qu'une brute, entendez-vous, et je ne vous permettrai pas de faire ça, entendez-vous! Et, si vous êtes forcé de rentrer votre blé aujourd'hui même, allez chercher la Rapet, parbleu! et faites-lui garder votre mère. Je le veux, entendez-vous! Et si vous ne m'obéissez pas, je vous laisserai crever comme un chien, quand vous serez malade à votre tour, entendez-vous?

Le paysan, un grand maigre, aux gestes lents, torturé par

l'indécision, par la peur du médecin et par l'amour féroce
de l'épargne, hésitait, calculait, balbutiait:

— Comben qu'é prend, la Rapet, pour une garde?

Le médecin criait:

— Est-ce que je sais, moi? Ça dépend du temps que vous
lui demanderez. Arrangez-vous avec elle; morbleu! Mais je
veux qu'elle soit ici dans une heure, entendez-vous?

L'homme se décida:

— J'y vas, j'y vas; vous fâchez point, m'sieu l'médecin.

Et le docteur s'en alla, en appelant:

— Vous savez, vous savez, prenez garde, car je ne badine
pas quand je me fâche, moi!

Dès qu'il fut seul, le paysan se tourna vers sa mère, et,
d'une voix résignée:

— J'vas quéri la Rapet, pisqu'il veut, c't homme. T'éluge
point tant qu' je r'vienne.

Et il sortit à son tour.

La Rapet, une vieille repasseuse, gardait les morts et les
mourants de la commune et des environs. Puis, dès qu'elle
avait cousu ses clients dans le drap dont ils ne devaient
plus sortir, elle revenait prendre son fer dont elle frottait
le linge des vivants. Ridée comme une pomme de l'autre
année, méchante, jalouse, avare d'une avarice tenant du
phénomène, courbée en deux comme si elle eût été cassée
aux reins par l'éternel mouvement du fer promené sur les
toiles, on eût dit qu'elle avait pour l'agonie une sorte d'amour
monstrueux et cynique. Elle ne parlait jamais que des gens
qu'elle avait vus mourir, de toutes les variétés de trépas
auxquelles elle avait assisté; et elle les racontait avec une
grande minutie de détails toujours pareils, comme un chas-
seur raconte ses coups de fusil.

Quand Honoré Bontemps entra chez elle, il la trouva
préparant de l'eau bleue pour les collerettes des villageoises.

Il dit:

— Allons, bonsoir; ça va-t-il comme vous voulez, la mé
Rapet?

Elle tourna vers lui la tête:

— Tout d'même, tout d'même. Et d' vot' part?

— Oh! d' ma part, ça va-t-à volonté, mais c'est ma mé qui n'va point.

— Vot' mé?

— Oui, ma mé!

— Qué qu'alle a votre mé?

— All' a qu'a va tourner d' l'œil!

La vieille femme retira ses mains de l'eau, dont les gouttes, bleuâtres et transparentes, lui glissaient jusqu'au bout des doigts, pour retomber dans le baquet.

Elle demanda, avec une sympathie subite:

— All' est si bas qu' ça?

— L' médecin dit qu'all' n'passera point la r'levée.

— Pour sûr qu'alle est bas alors!

Honoré hésita. Il lui fallait quelques préambules pour la proposition qu'il préparait. Mais, comme il ne trouvait rien, il se décida tout d'un coup:

— Comben qu'vous m'prendrez pour la garder jusqu'au bout? Vô savez que j'sommes point riche. J'peux seulement point m'payer eune servante. C'est ben ça qui l'a mise là, ma pauv' mé, trop d'élugement, trop d'fatigue! A travaillait comme dix, nonobstant ses quatre-vingt-douze. On n'en fait pu de c'te graine-là! . . .

La Rapet répliqua gravement:

— Y a deux prix: quarante sous l'jour, et trois francs la nuit pour les riches. Vingt sous l'jour et quarante la nuit pour l'zautres. Vô m'donnerez vingt et quarante.

Mais le paysan réfléchissait. Il la connaissait bien, sa mère. Il savait comme elle était tenace, vigoureuse, résistante. Ça pouvait durer huit jours, malgré l'avis du médecin.

Il dit résolument:

— Non. J'aime ben qu'vô me fassiez un prix, là, un prix pour jusqu'au bout. J'courrons la chance d'part et d'autre. L'médecin dit qu'alle passera tantôt. Si ça s'fait tant mieux pour vous, tant pis pour mé. Ma si all' tient jusqu'à demain ou pu longtemps tant mieux pour mé, tant pis pour vous!

La garde, surprise, regardait l'homme. Elle n'avait jamais traité un trépas à forfait. Elle hésitait, tentée par l'idée d'une chance à courir. Puis elle soupçonna qu'on voulait la jouer.

— J'peux rien dire tant qu' j'aurai point vu vot' mé, répondit-elle.

— V'nez-y, la vé.

Elle essuya ses mains et le suivit aussitôt.

En route, ils ne parlèrent point. Elle allait d'un pied pressé, tandis qu'il allongeait ses grandes jambes comme s'il devait, à chaque pas, traverser un ruisseau.

Les vaches couchées dans les champs, accablées par la chaleur, levaient lourdement la tête et poussaient un faible meuglement vers ces deux gens qui passaient, pour leur demander de l'herbe fraîche.

En approchant de sa maison, Honoré Bontemps murmura:

— Si c'était fini, tout d'même?

Et le désir inconscient qu'il en avait se manifesta dans le son de sa voix.

Mais la vieille n'était point morte. Elle demeurait sur le dos, en son grabat, les mains sur la couverture d'indienne violette, des mains affreusement maigres, nouées, pareilles à des bêtes étranges, à des crabes, et fermées par les rhumatismes, les fatigues, les besognes presque séculaires qu'elles avaient accomplies.

La Rapet s'approcha du lit et considéra la mourante. Elle lui tâta le pouls, lui palpa la poitrine, l'écouta respirer, la questionna pour l'entendre parler; puis l'ayant encore longtemps contemplée, elle sortit suivie d'Honoré. Son opinion était assise. La vieille n'irait pas à la nuit. Il demanda:

— Hé ben.

La garde répondit:

— Hé ben, ça durera deux jours, p'têt' trois. Vous me donnerez six francs, tout compris.

Il s'écria:

— Six francs! six francs! Avez-vous perdu le sens? Mé, je vous dis qu'elle en a pour cinq ou six heures, pas plus!

Et ils discutèrent longtemps, acharnés tous deux. Comme la garde allait se retirer, comme le temps passait, comme son blé ne se rentrerait pas tout seul, à la fin, il consentit:

— Eh ben, c'est dit, six francs, tout compris, jusqu'à la l'vée du corps.

— C'est dit, six francs.

Et il s'en alla, à longs pas, vers son blé couché sur le sol, sous le lourd soleil qui mûrit les moissons.

La garde rentra dans la maison.

Elle avait apporté de l'ouvrage, car auprès des mourants et des morts elle travaillait sans relâche, tantôt pour elle, tantôt pour la famille qui l'employait à cette double besogne moyennant un supplément de salaire.

Tout à coup, elle demanda:

— Vous a-t-on administrée au moins, la mé Bontemps?

La paysanne fit «non» de la tête; et la Rapet, qui était dévote, se leva avec vivacité.

— Seigneur Dieu, c'est-il possible? J'vas quérir m'sieur l'curé.

Et elle se précipita vers le presbytère, si vite, que les gamins, sur la place, la voyant trotter ainsi, crurent un malheur arrivé.

Le prêtre s'en vint aussitôt, en surplis, précédé de l'enfant de chœur qui sonnait une clochette pour annoncer le passage de Dieu dans la campagne brûlante et calme. Des hommes, qui travaillaient au loin, ôtaient leurs grands chapeaux et demeuraient immobiles en attendant que le blanc vêtement eût disparu derrière une ferme; les femmes qui ramassaient les gerbes se redressaient pour faire le signe de la croix, des poules noires, effrayées, fuyaient le long des fossés en se balançant sur leurs pattes jusqu'au trou, bien connu d'elles, où elles disparaissaient brusquement; un poulain, attaché dans un pré, prit peur à la vue du surplis et se mit à tourner en rond, au bout de sa corde, en lançant des ruades. L'enfant de chœur, en jupe rouge, allait vite; et le prêtre, la tête inclinée sur une épaule et coiffé de sa barrette carrée, le suivait en murmurant des prières; et la Rapet venait derrière, toute penchée, pliée en deux, comme pour se prosterner en marchant, et les mains jointes, comme à l'église.

Honoré, de loin, les vit passer. Il demanda:

— Ousqu'i va, not' curé?

Son valet, plus subtil, répondit:

— I porte l'bon Dieu à ta mé, pardi!

Le paysan ne s'étonna pas:

— Ça s'peut ben, tout d'même!

Et il se remit au travail.

La mère Bontemps se confessa, reçut l'absolution, communia; et le prêtre s'en revint, laissant seules les deux femmes dans la chaumière étouffante.

Alors la Rapet commença à considérer la mourante, en se demandant si cela durerait longtemps.

Le jour baissait; l'air plus frais entrait par souffles plus vifs, faisait voltiger contre le mur une image d'Epinal tenue par deux épingles; les petits rideaux de la fenêtre, jadis blancs, jaunes maintenant et couverts de taches de mouche, avaient l'air de s'envoler, de se débattre, de vouloir partir, comme l'âme de la vieille.

Elle, immobile, les yeux ouverts, semblait attendre avec indifférence la mort si proche qui tardait à venir. Son haleine, courte, sifflait un peu dans sa gorge serrée. Elle s'arrêterait tout à l'heure, et il y aurait sur la terre une femme de moins, que personne ne regretterait.

A la nuit tombante, Honoré rentra. S'étant approché du lit, il vit que se mère vivait encore, et il demanda:

— Ça va-t-il?

Comme il faisait autrefois quand elle était indisposée.

Puis il renvoya la Rapet en lui recommandant:

— D'main, cinq heures, sans faute.

Elle répondit:

— D'main, cinq heures.

Elle arriva, en effet, au jour levant.

Honoré, avant de se rendre aux terres, mangeait sa soupe, qu'il avait faite lui-même.

La garde demanda:

— Eh ben, vot'mé a-t-all' passé?

Il répondit, avec un pli malin au coin des yeux.

— All'va plutôt mieux.

Et il s'en alla.

La Rapet, saisie d'inquiétude, s'approcha de l'agonisante, qui demeurait dans le même état, oppressée et impassible, l'œil ouvert et les mains crispées sur sa couverture.

Et la garde comprit que cela pouvait durer deux jours,

quatre jours, huit jours ainsi; et une épouvante étreignit son cœur d'avare, tandis qu'une colère furieuse la soulevait contre ce finaud qui l'avait jouée et contre cette femme qui ne mourait pas.

Elle se mit au travail néanmoins et attendit, le regard fixé sur la face ridée de la mère Bontemps.

Honoré revint pour déjeuner; il semblait content, presque goguenard; puis il repartit. Il rentrait son blé, décidément, dans des conditions excellentes.

La Rapet s'exaspérait; chaque minute écoulée lui semblait, maintenant, du temps volé, de l'argent volé. Elle avait envie, une envie folle de prendre par le cou cette vieille bourrique, cette vieille têtue, cette vieille obstinée, et d'arrêter, en serrant un peu, ce petit souffle rapide qui lui volait son temps et son argent.

Puis elle réfléchit au danger; et, d'autres idées lui passant par la tête, elle se rapprocha du lit.

Elle demanda:

—Vos avez-t-il déjà vu le diable?

La mère Bontemps murmura:

— Non.

Alors la garde se mit à causer, à lui conter des histoires pour terroriser son âme débile de mourante.

Quelques minutes avant qu'on expirât, le Diable apparaissait, disait-elle, à tous les agonisants. Il avait un balai à la main, une marmite sur la tête, et il poussait de grands cris. Quand on l'avait vu, c'était fini, on n'en avait plus que pour peu d'instants. Et elle énumérait tous ceux à qui le Diable était apparu devant elle, cette année-là: Joséphin Loisel, Eulalie Ratier, Sophie Padagnau, Séraphine Grospied.

La mère Bontemps, émue enfin, s'agitait, remuait les mains, essayait de tourner la tête pour regarder au fond de la chambre.

Soudain la Rapet disparut au pied du lit. Dans l'armoire, elle prit un drap et s'enveloppa dedans; elle se coiffa de la marmite, dont les trois pieds courts et courbés se dressaient ainsi que trois cornes; elle saisit un balai de sa main droite, et, de la main gauche, un seau de fer-blanc, qu'elle jeta

brusquement en l'air pour qu'il retombât avec bruit.

Il fit, en heurtant le sol, un fracas épouvantable; alors, grimpée sur une chaise, la garde souleva le rideau qui pendait au bout du lit, et elle apparut, gesticulant, poussant des clameurs aiguës au fond du pot de fer qui lui cachait la face, et menaçant de son balai, comme un diable de guignol, la vieille paysanne à bout de vie.

Eperdue, le regard fou, la mourante fit un effort sur-humain pour se soulever et s'enfuir; elle sortit même de sa couche ses épaules et sa poitrine; puis elle retomba avec un grand soupir. C'était fini.

Et la Rapet, tranquillement, remit en place tous les objets, le balai au coin de l'armoire, le drap dedans, la marmite sur le foyer, le seau sur la planche et la chaise contre le mur. Puis, avec les gestes professionnels, elle ferma les yeux énormes de la morte, posa sur le lit une assiette, versa dedans l'eau du bénitier, y trempa le buis cloué sur la commode et, s'agenouillant, se mit à réciter avec ferveur les prières des trépassés qu'elle savait par cœur, par métier.

Et quand Honoré rentra, le soir venu, il la trouva priant, et il calcula tout de suite qu'elle gagnait encore vingt sous sur lui, car elle n'avait passé que trois jours et une nuit, ce qui faisait en tout cinq francs, au lieu de six qu'il lui devait.

MOUCHE

MOUCHE.

SOUVENIR D'UN CANOTIER.

Il nous dit:

En ai-je vu, de drôles de choses et de drôles de filles aux jours passés où je canotais. Que de fois j'ai eu envie d'écrire un petit livre, titré «Sur la Seine», pour raconter cette vie de force et d'insouciance, de gaieté et de pauvreté de fête robuste et tapageuse que j'ai menée de vingt à trente ans.

J'étais un employé sans le sou; maintenant je suis un homme arrivé qui peut jeter des grosses sommes pour un caprice d'une seconde. J'avais au cœur mille désirs modestes et irréalisables qui me doraient l'existence de toutes les attentes imaginaires. Aujourd'hui, je ne sais pas vraiment quelle fantaisie me pourrait faire lever du fauteuil où je sommole. Comme c'était simple, et bon, et difficile de vivre ainsi, entre le bureau à Paris et la rivière à Argenteuil. Ma grande, ma seule, mon absorbante passion, pendant dix ans, ce fut la Seine. Ah! la belle, calme, variée, et puante rivière pleine de mirages et d'immondices. Je l'ai tant aimée, je crois, parce qu'elle m'a donné, me semble-t-il, le sens de la vie. Ah! les promenades le long des berges fleuries, mes amies les grenouilles qui rêvaient, le ventre au frais, sur une feuille de nénuphar et les lis d'eau coquets et frêles, au milieu des grandes herbes fines qui m'ouvraient soudain derrière un saule, un feuillet d'album japonais quand le martin-pêcheur fuyait devant moi comme une flamme bleue! Ai-je aimé tout cela, d'un amour instinctif des yeux qui se répandait dans tout mon corps en une joie naturelle et profonde!

Comme d'autres ont des souvenirs de nuits tendres; j'ai des souvenirs de levers de soleil dans les brumes matinales, flottantes, errantes vapeurs, blanches comme des mortes avant l'aurore, puis, au premier rayon glissant sur les prairies, illuminées de rose à ravir le cœur; et j'ai des sou-

venirs de lune argentant l'eau frémissante et courante, d'une
lueur qui faisait fleurir tous les rêves.

Et tout cela, symbole de l'éternelle illusion, naissait pour
moi sur de l'eau croupie qui charriait vers la mer toutes les
ordures de Paris.

Puis quelle vie gaie avec les camarades. Nous étions cinq,
une bande, aujourd'hui des hommes graves; et comme nous
étions tous pauvres, nous avions fondé, dans une affreuse
gargote d'Argenteuil, une colonie inexprimable qui ne pos-
sédait qu'une chambre-dortoir où j'ai passé les plus folles
soirées, certes, de mon existence. Nous n'avions souci de
rien, que de nous amuser et de ramer, car l'aviron pour nous,
sauf pour un, était un culte. Je me rappelle de si singulières
aventures, de si invraisemblables farces, inventées par ces
cinq chenapans, que personne aujourd'hui ne les pourrait
croire. On ne vit plus ainsi, même sur la Seine, car la fan-
taisie enragée qui nous tenait en haleine est morte dans les
âmes actuelles.

A nous cinq nous possédions un seul bateau, acheté à
grand'peine et sur lequel nous avons ri comme nous ne
rirons plus jamais. C'était une large yole un peu lourde, mais
solide, spacieuse et confortable. Je ne vous ferai point le
portrait de mes camarades. Il y en avait un petit, très malin,
surnommé «Petit-Bleu»; un grand, à l'air sauvage, avec
des yeux gris et des cheveux noirs, surnommé «Tomahawk»;
un autre, spirituel et paresseux, surnommé «La Tôque», le
seul qui ne touchât jamais une rame sous prétexte qu'il
ferait chavirer le bateau; un mince, élégant, très soigné,
surnommé «N'a-qu'un-Œil» en souvenir d'un roman alors
récent de Cladel, et parce qu'il portait un monocle; enfin
moi qu'on avait baptisé «Joseph Prunier». Nous vivions en
parfaite intelligence avec le seul regret de n'avoir pas une
barreuse. Une femme, c'est indispensable dans un canot.
Indispensable parce que ça tient l'esprit et le cœur en
éveil, parce que ça anime, ça amuse, ça distrait, ça pimente
et ça fait décor avec une ombrelle rouge glissant sur les
berges vertes. Mais il ne nous fallait pas une barreuse
ordinaire, à nous cinq qui ne ressemblions guère à tout le
monde. Il nous fallait quelque chose d'imprévu, de drôle,

de prêt à tout, de presque introuvable, enfin. Nous en
avions essayé beaucoup sans succès, des filles de barre, pas
des barreuses, canotières imbéciles qui préféraient toujours
le petit vin qui grise, à l'eau qui coule et qui porte les
yoles. On les gardait un dimanche, puis on les congédiait
avec dégoût.

Or, voilà qu'un samedi soir, N'a-qu'un-Œil nous amena
une petite créature fluette, vive, sautillante, blagueuse et
pleine de drôlerie, de cette drôlerie qui tient lieu d'esprit
aux titis mâles et femelles éclos sur le pavé de Paris. Elle
était gentille, pas jolie, une ébauche de femme où il y avait
de tout, une de ces silhouettes que les dessinateurs crayon-
nent en trois traits sur une nappe de café après dîner entre
un verre d'eau-de-vie et une cigarette. La nature en fait
quelquefois comme ça.

Le premier soir, elle nous étonna, nous amusa, et nous
laissa sans opinion tant elle était inattendue. Tombée dans
ce nid d'hommes prêts à toutes les folies, elle fut bien vite
maîtresse de la situation, et dès le lendemain elle nous avait
conquis.

Elle était d'ailleurs tout à fait toquée, née avec un verre
d'absinthe dans le ventre, que sa mère avait dû boire au
moment d'accoucher, et elle ne s'était jamais dégrisée depuis,
car sa nourrice, disait-elle, se refaisait le sang à coups de
tafia; et elle-même n'appelait jamais autrement que «ma
sainte famille» toutes les bouteilles alignées derrière le
comptoir des marchands de vin.

Je ne sais lequel de nous la baptisa «Mouche» ni pour-
quoi ce nom lui fut donné, mais il lui allait bien, et lui
resta. Et notre yole, qui s'appelait *Feuille-à-l'Envers*, fit
flotter chaque semaine, sur la Seine, entre Asnières et
Maisons-Laffitte, cinq gars, joyeux et robustes, gouvernés,
sous un parasol de papier peint, par une vive et écervelée
personne qui nous traitait comme des esclaves chargés de
la promener sur l'eau, et que nous aimions beaucoup.

Nous l'aimions tous beaucoup, pour mille raisons d'abord,
pour une seule ensuite. Elle était, à l'arrière de notre em-
barcation, une espèce de petit moulin à paroles, jacassant
au vent qui filait sur l'eau. Elle bavardait sans fin, avec le

léger bruit continu de ces mécaniques ailées qui tournent dans la brise; et elle disait étourdiment les choses les plus inattendues, les plus cocasses, les plus stupéfiantes. Il y avait dans cet esprit, dont toutes les parties semblaient disparates à la façon de loques de toute nature et de toute couleur, non pas cousues ensemble, mais seulement faufilées, de la fantaisie comme dans un conte de fées, de la gauloiserie, de l'impudeur, de l'impudence, de l'imprévu, du comique, et de l'air, de l'air et du paysage comme dans un voyage en ballon.

On lui posait des questions pour provoquer des réponses trouvées on ne sait où. Celle dont on la harcelait le plus souvent était celle-ci:

— Pourquoi t'appelle-t-on Mouche?

Elle découvrait des raisons tellement invraisemblables que nous cessions de nager pour en rire.

Elle nous plaisait aussi, comme femme; et La Tôque, qui ne ramait jamais et qui demeurait tout le long des jours assis à côté d'elle au fauteuil de barre, répondit une fois à la demande ordinaire:

— Pourquoi t'appelle-t-on Mouche?

— Parce que c'est une petite cantharide!

Oui, une petite cantharide bourdonnante et enfiévrante, non pas la classique cantharide empoisonneuse, brillante et mantelée, mais une petite cantharide aux ailes rousses qui commençait à troubler étrangement l'équipage entier de la *Feuille-à-l'Envers*.

Que de plaisanteries stupides, encore, sur cette feuille où s'était arrêtéee cette Mouche.

N'a-qu'un-Œil, depuis l'arrivée de Mouche dans le bateau, avait pris au milieu de nous un rôle prépondérant, supérieur, le rôle d'un monsieur qui a une femme à côté de quatre autres qui n'en ont pas. Il abusait de ce privilège au point de nous exaspérer parfois en embrassant Mouche devant nous, en l'asseyant sur ses genoux à la fin des repas et par beaucoup d'autres prérogatives humiliantes autant qu'irritantes.

On les avait isolés dans le dortoir par un rideau.

Mais je m'aperçus bientôt que mes compagnons et moi

devions faire au fond de nos cerveaux de solitaires le même
raisonnement: «Pourquoi, en vertu de quelle loi d'excep-
tion, de quel principe inacceptable, Mouche, qui ne parais-
sait gênée par aucun préjugé, serait-elle fidèle à son amant,
alors que les femmes du meilleur monde ne le sont pas à
leurs maris.»

Notre réflexion était juste. Nous en fûmes bientôt con-
vaincus. Nous aurions dû seulement la faire plus tôt pour
n'avoir pas à regretter le temps perdu. Mouche trompa
N'a-qu'un-Œil avec tous les autres matelots de la *Feuille-
à-l'Envers*.

Elle le trompa sans difficulté, sans résistance, à la pre-
mière prière de chacun de nous.

Mon Dieu, les gens pudiques vont s'indigner beaucoup?
Pourquoi? Quelle est la courtisane en vogue qui n'a pas une
douzaine d'amants, et quel est celui de ces amants assez
bête pour l'ignorer? La mode n'est-elle pas d'avoir un soir
chez une femme célèbre et cotée, comme on a un soir à
l'Opéra, au Français ou à l'Odéon, depuis qu'on y joue les
demi-classiques. On se met à dix pour entretenir une cocotte
qui fait de son temps une distribution difficile, comme on
se met à dix pour posséder un cheval de course que monte
seulement un jockey, véritable image de l'amant de cœur.

On laissait par délicatesse Mouche à N'a-qu'un-Œil, du
samedi soir au lundi matin. Les jours de navigation étaient
à lui. Nous ne le trompions qu'en semaine, à Paris, loin de
la Seine, ce qui, pour des canotiers comme nous, n'était
presque plus tromper.

La situation avait ceci de particulier, que les quatre
maraudeurs des faveurs de Mouche n'ignoraient point ce
partage, qu'ils en parlaient entre eux, et même avec elle,
par allusions voilées qui la faisaient beaucoup rire. Seul,
N'a-qu'un-Œil semblait tout ignorer, et cette position spé-
ciale faisait naître une gêne entre lui et nous, paraissait le
mettre à l'écart, l'isoler, élever une barrière à travers notre
ancienne confiance et notre ancienne intimité. Cela lui don-
nait pour nous un rôle difficile, un peu ridicule, un rôle
d'amant trompé, presque de mari.

Comme il était fort intelligent, doué d'un esprit spécial

de pince-sans-rire, nous nous demandions quelquefois, avec
une certaine inquiétude, s'il ne se doutait de rien.

Il eut soin de nous renseigner, d'une façon pénible pour
nous. On allait déjeuner à Bougival, et nous ramions avec
vigueur, quand La Tôque qui avait, ce matin-là, une allure
triomphante d'homme satisfait et qui, assis côte à côte avec
la barreuse, semblait se serrer contre elle un peu trop libre-
ment à notre avis, arrêta la nage en criant: «Stop!»

Les huit avirons sortirent de l'eau.

Alors, se tournant vers sa voisine, il demanda:

— Pourquoi t'appelle-t-on Mouche?

Avant qu'elle eût pu répondre, la voix de N'a-qu'un-Œil,
assis à l'avant, articula d'un ton sec:

— Parce qu'elle se pose sur toutes les charognes.

Il y eut d'abord un grand silence, une gêne, que suivit
une envie de rire. Mouche elle-même demeurait interdite.

Alors, La Tôque commanda:

— Avant partout.

Le bateau se remit en route.

L'incident était clos, la lumière faite.

Cette petite aventure ne changea rien à nos habitudes.
Elle rétablit seulement la cordialité entre N'a-qu'un-Œil
et nous. Il redevint le propriétaire honoré de Mouche, du
samedi soir au lundi matin, sa supériorité sur nous tous
ayant été bien établie par cette définition, qui clôtura
d'ailleurs l'ère des questions sur le mot «Mouche». Nous
nous contentâmes à l'avenir du rôle secondaire d'amis re-
connaissants et attentionnés qui profitaient discrètement des
jours de la semaine sans contestation d'aucune sorte entre
nous.

Cela marcha très bien pendant trois mois environ. Mais
voilà que tout à coup Mouche prit, vis-à-vis de nous tous,
des attitudes bizarres. Elle était moins gaie, nerveuse, in-
quiète, presque irritable. On lui demandait sans cesse:

—Qu'est-ce que tu as?

Elle répondait:

—Rien. Laisse-moi tranquille.

La révélation nous fut faite par N'a-qu'un-Œil, un samedi
soir. Nous venions de nous mettre à table dans la petite

salle à manger que notre gargotier Barbichon nous réservait dans sa guinguette, et, le potage fini, on attendait la friture quand notre ami, qui paraissait aussi soucieux, prit d'abord la main de Mouche et ensuite parla:

— Mes chers camarades, dit-il, j'ai une communication des plus graves à vous faire et qui va peut-être amener de longues discussions. Nous aurons le temps d'ailleurs de raisonner entre les plats.

Cette pauvre Mouche m'a annoncé une désastreuse nouvelle dont elle m'a chargé en même temps de vous faire part.

Elle est enceinte.

Je n'ajoute que deux mots:

Ce n'est pas le moment de l'abandonner et la recherche de la paternité est interdite.

Il y eut d'abord de la stupeur, la sensation d'un désastre, et nous nous regardions les uns les autres avec l'envie d'accuser quelqu'un. Mais lequel? Ah! lequel? Jamais je n'avais senti comme en ce moment la perfidie de cette cruelle farce de la nature qui ne permet jamais à un homme de savoir d'une façon certaine s'il est le père de son enfant.

Puis peu à peu une espèce de consolation nous vint et nous réconforta, née au contraire d'un sentiment confus de solidarité.

Tomahawk, qui ne parlait guère, formula ce début de rassérénement par ces mots:

— Ma foi, tant pis, l'union fait la force.

Les goujons entraient apportés par un marmiton. On ne se jetait pas dessus, comme toujours, car on avait tout de même l'esprit troublé.

N'a-qu'un-Œil reprit:

— Elle a eu, en cette circonstance, la délicatesse de me faire des aveux complets. Mes amis, nous sommes tous également coupables. Donnons-nous la main et adoptons l'enfant.

La décision fut prise à l'unanimité. On leva les bras vers le plat de poissons frits et on jura.

— Nous l'adoptons.

Alors, sauvée tout d'un coup, délivrée du poids horrible d'inquiétude qui torturait depuis un mois cette gentille et détraquée pauvresse de l'amour, Mouche s'écria:

— Oh! mes amis! mes amis! Vous êtes de braves cœurs . . . de braves cœurs . . . de braves cœurs . . . Merci tous! Et elle pleura, pour la première fois, devant nous.

Désormais on parla de l'enfant dans le bateau comme s'il était né déjà, et chacun de nous s'intéressait, avec une sollicitude de participation exagérée, au développement lent et régulier de la taille de notre barreuse.

On cessait de ramer pour demander:

— Mouche?

Elle répondait:

— Présente.

— Garçon ou fille?

— Garçon.

Que deviendra-t-il?

Alors elle donnait essor à son imagination de la façon la plus fantastique. C'étaient des récits interminables, des inventions stupéfiantes, depuis le jour de la naissance jusqu'au triomphe définitif. Il fut tout, cet enfant, dans le rêve naïf, passionné et attendrissant de cette extraordinaire petite créature, qui vivait maintenant, chaste entre nous cinq, qu'elle appelait ses «cinq papas». Elle le vit et le raconta marin, découvrant un nouveau monde plus grand que l'Amérique, général rendant à la France l'Alsace et la Lorraine, puis empereur et fondant une dynastie de souverains généreux et sages qui donnaient à notre patrie le bonheur définitif, puis savant dévoilant d'abord le secret de la fabrication de l'or, ensuite celui de la vie éternelle, puis aéronaute inventant le moyen d'aller visiter les astres et faisant du ciel infini une immense promenade pour les hommes, réalisation de tous les songes les plus imprévus, et les plus magnifiques.

Dieu, fut-elle gentille et amusante, la pauvre petite, jusqu'à la fin de l'été!

Ce fut le vingt septembre que creva son rêve. Nous revenions de déjeuner à Maisons-Laffitte et nous passions devant Saint-Germain, quand elle eut soif et nous demanda de nous arrêter au Pecq.

Depuis quelque temps elle devenait lourde, et cela l'ennuyait beaucoup. Elle ne pouvait plus gambader comme

autrefois, ni bondir du bateau sur la berge, ainsi qu'elle avait coutume de le faire. Elle essayait encore, malgré nos cris et nos efforts, et vingt fois, sans nos bras tendus pour la saisir, elle serait tombée.

Ce jour-là, elle eut l'imprudence de vouloir débarquer avant que le bateau fut arrêté, par une de ces bravades où se tuent parfois les athlètes malades ou fatigués.

Juste au moment où allions accoster, sans qu'on pût prévoir ou prévenir son mouvement, elle se dressa, prit son élan et essaya de sauter sur le quai.

Trop faible, elle ne toucha que du bout du pied le bord de la pierre, glissa, heurta de tout son ventre l'angle aigu, poussa un grand cri et disparut dans l'eau.

Nous plongeâmes tous les cinq en même temps pour ramener un pauvre être défaillant, pâle comme une morte et qui souffrait déjà d'atroces douleurs.

Il fallut la porter bien vite dans l'auberge la plus voisine, où un médecin fut appelé.

Pendant dix heures que dura la fausse couche elle supporta avec un courage d'héroïne d'abominables tortures. Nous nous désolions autour d'elle, enfiévrés d'angoisse et de peur.

Puis on la délivra d'un enfant mort, et pendant quelques jours encore nous eûmes pour sa vie les plus grandes craintes.

Le docteur, enfin, nous dit un matin: «Je crois qu'elle est sauvée. Elle est en acier, cette fille.» Et nous entrâmes ensemble dans sa chambre, le cœur radieux.

N'a-qu'un-Œil, parlant pour tous, lui dit:

— Plus de danger, petite Mouche, nous sommes bien contents.

Alors, pour la seconde fois, elle pleura devant nous, et, les yeux sous une glace de larmes, elle balbutia:

— Oh! si vous saviez, si vous saviez . . . quel chagrin . . . quel chagrin . . . je ne me consolerai jamais.

— De quoi donc, petite Mouche?

— De l'avoir tué, car je l'ai tué! oh! sans le vouloir! quel chagrin! . . .

Elle sanglotait. Nous l'entourions, émus, ne sachant quoi lui dire.

Elle reprit:

—Vous l'avez vu, vous?

Nous répondîmes, d'une seule voix:

— Oui.

— C'était un garçon, n'est-ce pas?

 Oui.

— Beau, n'est-ce pas?

On hésita beaucoup. Petit-Bleu, le moins scrupuleux, se décida à affirmer:

— Très beau.

Il eut tort, car elle se mit à gémir, presque à hurler de désespoir.

Alors, N'a-qu'un-Œil, qui l'aimait peut-être le plus, eut pour la calmer une invention géniale, et baisant ses yeux ternis par les pleurs.

— Console-toi, petite Mouche, console-toi, nous t'en ferons un autre.

Le sens comique qu'elle avait dans les moelles se réveilla tout à coup, et à moitié convaincue, à moitié gouailleuse, toute larmoyante encore et le cœur crispé de peine, elle demanda, en nous regardant tous:

— Bien vrai?

Et nous répondîmes ensemble:

— Bien vrai.

L'INUTILE BEAUTÉ

L'INUTILE BEAUTÉ.

I

La victoria fort élégante, attelée de deux superbes chevaux noirs, attendait devant le perron de l'hôtel. C'était à la fin de juin, vers cinq heures et demie, et, entre les toits qui enfermaient la cour d'honneur, le ciel apparaissait plein de clarté, de chaleur, de gaieté.

La comtesse de Mascaret se montra sur le perron juste au moment où son mari, qui rentrait, arrivait sous la porte cochère. Il s'arrêta quelques secondes pour regarder sa femme, et il pâlit un peu. Elle était fort belle, svelte, distinguée avec sa longue figure ovale, son teint d'ivoire doré, ses grands yeux gris et ses cheveux noirs; et elle monta dans sa voiture sans le regarder, sans paraître même l'avoir aperçu, avec une allure si particulièrement racée, que l'infâme jalousie dont il était depuis si longtemps dévoré le mordit au cœur de nouveau. Il s'approcha, et la saluant:

— Vous allez vous promener? dit-il.

Elle laissa passer quatre mots entre ses lèvres dédaigneuses.

— Vous le voyez bien!

— Au bois?

— C'est probable.

— Me serait-il permis de vous accompagner?

— La voiture est à vous.

Sans s'étonner du ton dont elle lui répondait, il monta et s'assit à côté de sa femme, puis il ordonna:

— Au bois.

Le valet de pied sauta sur le siège auprès du cocher; et les chevaux, selon leur habitude, piaffèrent en saluant de la tête jusqu'à ce qu'ils eussent tourné dans la rue.

Les deux époux demeuraient côte à côte sans se parler. Il cherchait comment entamer l'entretien, mais elle gardait un visage si obstinément dur qu'il n'osait pas.

A la fin, il glissa sournoisement sa main vers la main gantée
de la comtesse et la toucha comme par hasard, mais le geste
qu'elle fit en retirant son bras fut si vif et si plein de dégoût
qu'il demeura anxieux, malgré ses habitudes d'autorité et de
despotisme.

Alors il murmura:

— Gabrielle!

Elle demanda, sans tourner la tête:

— Que voulez-vous?

— Je vous trouve adorable.

Elle ne répondit rien, et demeurait étendue dans sa voiture
avec un air de reine irritée.

Ils montaient maintenant les Champs-Élysées, vers l'Arc
de Triomphe de l'Étoile. L'immense monument, au bout de
la longue avenue, ouvrait dans un ciel rouge son arche colos-
sale. Le soleil semblait descendre sur lui en semant par
l'horizon une poussière de feu.

Et le fleuve des voitures, éclaboussées de reflets sur les
cuivres, sur les argentures et les cristaux des harnais et des
lanternes, laissait couler un double courant vers le bois et
vers la ville.

Le comte de Mascaret reprit:

— Ma chère Gabrielle.

Alors, n'y tenant plus, elle répliqua d'une voix exaspérée:

— Oh! laissez-moi tranquille, je vous prie. Je n'ai même
plus la liberté d'être seule dans ma voiture, à présent.

Il simula n'avoir point écouté et continua:

— Vous n'avez jamais été aussi jolie qu'aujourd'hui.

Elle était certainement à bout de patience et elle répliqua
avec une colère qui ne se contenait point:

— Vous avez tort de vous en apercevoir, car je vous jure
bien que je ne serai plus jamais à vous.

Certes, il fut stupéfait et bouleversé, et, ses habitudes de
violence reprenant le dessus, il jeta un — «Qu'est-ce à dire?»
qui révélait plus le maître brutal que l'homme amoureux.

Elle répéta, à voix basse, bien que leurs gens ne pussent
rien entendre dans l'assourdissant ronflement des roues:

— Ah! qu'est-ce à dire? qu'est-ce à dire? Je vous retrouve
donc! Vous voulez que je vous le dise?

— Oui.

— Que je vous dise tout?

— Oui.

— Tout ce que j'ai sur le cœur depuis que je suis la victime de votre féroce égoïsme.

Il était devenu rouge d'étonnement et d'irritation. Il grogna, les dents serrées:

— Oui, dites!

C'était un homme de haute taille, à larges épaules, à grande barbe rousse, un bel homme, un gentilhomme, un homme du monde qui passait pour un mari parfait et pour un père excellent.

Pour la première fois depuis leur sortie de l'hôtel elle se retourna vers lui et le regarda bien en face:

— Ah! vous allez entendre des choses désagréables, mais sachez que je suis prête à tout, que je braverai tout, que je ne crains rien, et vous aujourd'hui moins que personne.

Il la regardait aussi dans les yeux, et une rage déjà le secouait. Il murmura:

— Vous êtes folle!

— Non, mais je ne veux plus être la victime de l'odieux supplice de maternité que vous m'imposez depuis onze ans! je veux vivre enfin en femme du monde, comme j'en ai le droit, comme toutes les femmes en ont le droit.

Redevenant pâle tout à coup, il balbutia:

— Je ne comprends pas.

— Si, vous comprenez. Il y a maintenant trois mois que j'ai accouché de mon dernier enfant, et comme je suis encore très belle, et, malgré vos efforts, presque indéformable, ainsi que vous venez de le reconnaître en m'apercevant sur votre perron, vous trouvez qu'il est temps que je redevienne enceinte.

— Mais vous déraisonnez!

— Non. J'ai trente ans et sept enfants, et nous sommes mariés depuis onze ans, et vous espérez que cela continuera encore dix ans, après quoi vous cesserez d'être jaloux.

Il lui saisit le bras et l'étreignant:

— Je ne vous permettrai pas de me parler plus longtemps ainsi.

— Et moi, je vous parlerai jusqu'au bout, jusqu'à ce que

j'aie fini tout ce que j'ai à vous dire, et si vous essayez de m'en empêcher, j'élèverai la voix de façon à être entendue par les deux domestiques qui sont sur le siège. Je ne vous ai laissé monter ici que pour cela, car j'ai ces témoins qui vous forceront à m'écouter et à vous contenir. Ecoutez-moi. Vous m'avez toujours été antipathique et je vous l'ai toujours laissé voir, car je n'ai jamais menti, monsieur. Vous m'avez épousée malgré moi, vous avez forcé mes parents qui étaient gênés à me donner à vous, parce que vous êtes très riche. Ils m'y ont contrainte, en me faisant pleurer.

Vous m'avez donc achetée, et dès que j'ai été en votre pouvoir, dès que j'ai commencé à devenir pour vous une compagne prête à s'attacher, à oublier vos procédés d'intimidation et de coercition pour me souvenir seulement que je devais être une femme dévouée et vous aimer autant qu'il m'était possible de le faire, vous êtes devenu jaloux, vous, comme aucun homme ne l'a jamais été, d'une jalousie d'espion, basse, ignoble, dégradante pour vous, insultante pour moi. Je n'étais pas mariée depuis huit mois que vous m'avez soupçonnée de toutes les perfidies. Vous me l'avez même laissé entendre. Quelle honte! Et comme vous ne pouviez pas m'empêcher d'être belle et de plaire, d'être appelée dans les salons et aussi dans les journaux une des plus jolies femmes de Paris, vous avez cherché ce que vous pourriez imaginer pour écarter de moi les galanteries, et vous avez eu cette idée abominable de me faire passer ma vie dans une perpétuelle grossesse, jusqu'au moment où je dégoûterais tous les hommes. Oh! ne niez pas! Je n'ai point compris pendant longtemps, puis j'ai deviné. Vous vous en êtes vanté même à votre sœur, qui me l'a dit, car elle m'aime et elle a été révoltée de votre grossièreté de rustre.

Ah! rappelez-vous nos luttes, les portes brisées, les serrures forcées! A quelle existence vous m'avez condamnée depuis onze ans, une existence de jument poulinière enfermée dans un haras. Puis, dès que j'étais grosse, vous vous dégoûtiez aussi de moi, vous, et je ne vous voyais plus durant des mois. On m'envoyait à la campagne, dans le château de la famille, au vert, au pré, faire mon petit. Et quand je reparaissais, fraîche et belle, indestructible, toujours séduisante et toujours entourée d'hommages, espérant enfin

que j'allais vivre un peu comme une jeune femme riche qui appartient au monde, la jalousie vous reprenait, et vous recommenciez à me poursuivre de l'infâme et haineux désir dont vous souffrez en ce moment, à mon côté. Et ce n'est pas le désir de me posséder — je ne me serais jamais refusée à vous — c'est le désir de me déformer.

Il s'est de plus passé cette chose abominable et si mystérieuse que j'ai été longtemps à la pénétrer (mais je suis devenue fine à vous voir agir et penser): vous vous êtes attaché à vos enfants de toute la sécurité qu'ils vous ont donnée pendant que je les portais dans ma taille. Vous avez fait de l'affection pour eux avec toute l'aversion que vous aviez pour moi, avec toutes vos craintes ignobles momentanément calmées et avec la joie de me voir grossir.

Ah! cette joie, combien de fois je l'ai sentie en vous, je l'ai rencontrée dans vos yeux, je l'ai devinée. Vos enfants, vous les aimez comme des victoires et non comme votre sang. Ce sont des victoires sur moi, sur ma jeunesse, sur ma beauté, sur mon charme, sur les compliments qu'on m'adressait, et sur ceux qu'on chuchotait autour de moi, sans me les dire. Et vous en êtes fier; vous paradez avec eux, vous les promenez en break au bois de Boulogne, sur des ânes à Montmorency. Vous les conduisez aux matinées théâtrales pour qu'on vous voie au milieu d'eux, qu'on dise «quel bon père» et qu'on le répète . . .

Il lui avait pris le poignet avec une brutalité sauvage, et il le serrait si violemment qu'elle se tut, une plainte lui déchirant la gorge.

Et il lui dit tout bas:

— J'aime mes enfants, entendez-vous! Ce que vous venez de m'avouer est honteux de la part d'une mère. Mais vous êtes à moi. Je suis le maître . . . votre maître . . . je puis exiger de vous ce que je voudrai, quand je voudrai . . . et j'ai la loi . . . pour moi!

Il cherchait à lui écraser les doigts dans la pression de tenaille de son gros poignet musculeux. Elle, livide de douleur, s'efforçait en vain d'ôter sa main de cet étau qui la broyait; et la souffrance la faisant haleter, des larmes lui vinrent aux yeux.

— Vous voyez bien que je suis le maître, dit-il, et le plus fort.

Il avait un peu desserré son étreinte. Elle reprit:

— Me croyez-vous pieuse?

Il balbutia, surpris.

— Mais oui.

— Pensez-vous que je croie à Dieu?

— Mais oui.

— Que je pourrais mentir en vous faisant un serment devant un autel où est enfermé le corps du Christ.

— Non.

— Voulez-vous m'accompagner dans une église?

— Pourquoi faire?

— Vous le verrez bien. Voulez-vous?

— Si vous y tenez, oui.

Elle éleva la voix, en appelant:

— Philippe.

Le cocher, inclinant un peu le cou, sans quitter ses chevaux des yeux, sembla tourner son oreille seule vers sa maîtresse, qui reprit:

— Allez à l'église Saint-Philippe-du-Roule.

Et la victoria qui arrivait à la porte du bois de Boulogne, retourna vers Paris.

La femme et le mari n'échangèrent plus une parole pendant ce nouveau trajet. Puis, lorsque la voiture fut arrêtée devant l'entrée du temple, Mme de Mascaret, sautant à terre, y pénétra, suivie à quelques pas, par le comte.

Elle alla, sans s'arrêter, jusqu'à la grille du chœur, et tombant à genoux contre une chaise, cacha sa figure dans ses mains et pria. Elle pria longtemps, et lui, debout derrière elle, s'aperçut enfin qu'elle pleurait. Elle pleurait sans bruit, comme pleurent les femmes dans les grands chagrins poignants. C'était, dans tout son corps, une sorte d'ondulation qui finissait par un petit sanglot, caché, étouffé sous ses doigts.

Mais le comte de Mascaret jugea que la situation se prolongeait trop, et il la toucha sur l'épaule.

Ce contact la réveilla comme une brûlure. Se dressant, elle le regarda les yeux dans les yeux.

— Ce que j'ai à vous dire, le voici. Je n'ai peur de rien, vous ferez ce que vous voudrez. Vous me tuerez si cela vous plaît. Un de vos enfants n'est pas à vous, un seul. Je vous le jure devant le Dieu qui m'entend ici. C'était l'unique vengeance que j'eusse contre vous, contre votre abominable tyrannie de mâle, contre ces travaux forcés de l'engendrement auxquels vous m'avez condamnée. Qui fut mon amant? Vous ne le saurez jamais! Vous soupçonnerez tout le monde. Vous ne le découvrirez point. Je me suis donnée à lui sans amour et sans plaisir, uniquement pour vous tromper. Et il m'a rendue mère aussi, lui. Qui est son enfant? Vous ne le saurez jamais. J'en ai sept, cherchez! Cela, je comptais vous le dire plus tard, bien plus tard, car on ne s'est vengé d'un homme, en le trompant, que lorsqu'il le sait. Vous m'avez forcée à vous le confesser aujourd'hui, j'ai fini.

Et elle s'enfuit à travers l'église, vers la porte ouverte sur la rue, s'attendant à entendre derrière elle le pas rapide de l'époux bravé, et à s'affaisser sur le pavé sous le coup d'assommoir de son poing.

Mais elle n'entendit rien, et gagna sa voiture. Elle y monta d'un saut, crispée d'angoisse, haletante de peur, et cria au cocher: «A l'hôtel!»

Les chevaux partirent au grand trot.

II

La comtesse de Mascaret, enfermée en sa chambre, attendait l'heure du dîner comme un condamné à mort attend l'heure du supplice. Qu'allait-il faire? Était-il rentré? Despote, emporté, prêt à toutes les violences, qu'avait-il médité, qu'avait-il préparé, qu'avait-il résolu? Aucun bruit dans l'hôtel, et elle regardait à tout instant les aiguilles de sa pendule. La femme de chambre était venue pour la toilette crépusculaire; puis elle était partie.

Huit heures sonnèrent, et, presque tout de suite, deux coups furent frappés à la porte.

— Entrez.

Le maître d'hôtel parut et dit:

— Madame la comtesse est servie.

— Le comte est rentré?

— Oui, madame la comtesse. M. le comte est dans la salle à manger.

Elle eut, pendant quelques secondes, la pensée de s'armer d'un petit revolver qu'elle avait acheté quelque temps auparavant, en prévision du drame qui se préparait dans son cœur. Mais elle songea que tous les enfants seraient là, et elle ne prit rien, qu'un flacon de sels.

Lorsqu'elle entra dans la salle, son mari, debout près de son siège, attendait. Ils échangèrent un léger salut et s'assirent. Alors, les enfants, à leur tour, prirent place. Les trois fils, avec leur précepteur, l'abbé Marin, étaient à la droite de la mère; les trois filles, avec la gouvernante anglaise, Mlle Smith, étaient à gauche. Le dernier enfant, âgé de trois mois, restait seul à la chambre avec sa nourrice.

Les trois filles, toutes blondes, dont l'aînée avait dix ans, vêtues de toilettes bleues ornées de petites dentelles blanches, ressemblaient à d'exquises poupées. La plus jeune n'avait pas trois ans. Toutes, polies déjà, promettaient de devenir belles comme leur mère.

Les trois fils, deux châtains, et l'aîné, âgé de neuf ans, déjà brun, semblaient annoncer des hommes vigoureux, de grande taille, aux larges épaules. La famille entière semblait bien du même sang fort et vivace.

L'abbé prononça le bénédicité selon l'usage, lorsque personne n'était invité, car en présence des étrangers, les enfants ne venaient point à table. Puis on se mit à dîner.

La comtesse, étreinte d'une émotion qu'elle n'avait point prévue, demeurait les yeux baissés, tandis que le comte examinait tantôt les trois garçons et tantôt les trois filles, avec des yeux incertains qui allaient d'une tête à l'autre, troublés d'angoisses. Tout à coup, en reposant devant lui son verre à pied, il le cassa, et l'eau rougie se répandit sur la nappe. Au léger bruit que fit ce léger accident la comtesse eut un soubresaut qui la souleva sur sa chaise. Pour la première fois ils se regardèrent. Alors, de moment en moment, malgré eux, malgré la crispation de leur chair et de leur cœur, dont les bouleversait chaque rencontre de leurs prunelles, ils ne cessaient plus de les croiser comme des canons de pistolet.

L'abbé, sentant qu'une gêne existait dont il ne devinait pas la cause, essaya de semer une conversation. Il égrenait des sujets sans que ses inutiles tentatives fissent éclore une idée, fissent naître une parole.

La comtesse, par tact féminin, obéissant à ses instincts de femme du monde, essaya deux ou trois fois de lui répondre: mais en vain. Elle ne trouvait point ses mots dans la déroute de son esprit, et sa voix lui faisait presque peur dans le silence de la grande pièce où sonnaient seulement les petits heurts de l'argenterie et des assiettes.

Soudain son mari, se penchant en avant, lui dit:

— En ce lieu, au milieu de vos enfants, me jurez-vous la sincérité de ce que vous m'avez affirmé tantôt.

La haine fermentée dans ses veines la souleva soudain, et répondant à cette demande avec la même énergie qu'elle répondait à son regard, elle leva ses deux mains, la droite vers les fronts de ses fils, la gauche vers les fronts de ses filles, et d'un accent ferme, résolu, sans défaillance:

— Sur la tête de mes enfants, je jure que je vous ai dit la vérité.

Il se leva, et, avec un geste exaspéré ayant lancé sa serviette sur la table, il se retourna en jetant sa chaise contre le mur, puis sortit sans ajouter un mot.

Mais elle, alors, poussant un grand soupir, comme après une première victoire, reprit d'une voix calmée:

— Ne faites pas attention, mes chéris, votre papa a éprouvé un gros chagrin tantôt. Et il a encore beaucoup de peine. Dans quelques jours il n'y paraîtra plus.

Alors elle causa avec l'abbé; elle causa avec M^{lle} Smith; elle eut pour tous ses enfants des paroles tendres, des gentillesses, de ces douces gâteries de mère qui dilatent les petits cœurs.

Quand le dîner fut fini, elle passa au salon avec toute sa maisonnée. Elle fit bavarder les aînés, conta des histoires aux derniers, et, lorsque fut venue l'heure du coucher général, elle les baisa très longuement, puis, les ayant envoyés dormir, elle rentra seule dans sa chambre.

Elle attendit, car elle ne doutait pas qu'il viendrait. Alors, ses enfants étant loin d'elle, elle se décida à défendre sa peau d'être humain comme elle avait défendu sa vie de

femme du monde, et elle cacha, dans la poche de sa robe, le petit revolver chargé qu'elle avait acheté quelques jours plus tôt.

Les heures passaient, les heures sonnaient. Tous les bruits de l'hôtel s'éteignirent. Seuls les fiacres continuèrent dans les rues leur roulement vague, doux et lointain, à travers les tentures des murs.

Elle attendait, énergique et nerveuse, sans peur de lui maintenant, prête à tout et presque triomphante, car elle avait trouvé pour lui un supplice de tous les instants et de toute la vie.

Mais les premières lueurs du jour glissèrent entre les franges du bas de ses rideaux, sans qu'il fût entré chez elle. Alors elle comprit, stupéfaite, qu'il ne viendrait pas. Ayant fermé sa porte à clef et poussé le verrou de sûreté qu'elle y avait fait appliquer, elle se mit au lit enfin et y demeura, les yeux ouverts, méditant, ne comprenant plus, ne devinant pas ce qu'il allait faire.

Sa femme de chambre, en lui apportant le thé, lui remit une lettre de son mari. Il lui annonçait qu'il entreprendrait un voyage assez long, et la prévenait, en *post-scriptum,* que son notaire lui fournirait les sommes nécessaires à toutes ses dépenses.

III

C'était à l'Opéra, pendant un entr'acte de *Robert le Diable.* Dans l'orchestre, les hommes debout, le chapeau sur la tête, le gilet largement ouvert sur la chemise blanche où brillaient l'or et les pierres des boutons, regardaient les loges pleines de femmes décolletées, diamantées, emperlées, épanouies dans cette serre illuminée où la beauté des visages et l'éclat des épaules semblent fleurir pour les regards au milieu de la musique et des voix humaines.

Deux amis, le dos tourné à l'orchestre, lorgnaient, en causant, toute cette galerie d'élégance, toute cette exposition de grâce vraie ou fausse, de bijoux, de luxe et de prétention qui s'étalait en cercle autour du grand théâtre.

Un d'eux, Roger de Salins, dit à son compagnon Bernard Grandin:

— Regarde donc la comtesse de Mascaret comme elle est toujours belle.

L'autre, à son tour, lorgna, dans une loge de face, une grande femme qui paraissait encore très jeune, et dont l'éclatante beauté semblait appeler les yeux de tous les coins de la salle. Son teint pâle, aux reflets d'ivoire, lui donnait un air de statue, tandis qu'en ses cheveux noirs comme une nuit, un mince diadème en arc-en-ciel, poudré de diamants, brillait ainsi qu'une voie lactée.

Quand il l'eut regardée quelque temps, Barnard Grandin répondit avec un accent badin de conviction sincère.

— Je te crois qu'elle est belle!

— Quel âge peut-elle avoir maintenant?

— Attends. Je vais te dire ça exactement. Je la connais depuis son enfance. Je l'ai vue débuter dans le monde comme jeune fille. Elle a. elle a. trente. trente. trente-six ans.

— Ce n'est pas possible?

— J'en suis sûr.

— Elle en porte vingt-cinq,

— Et elle a eu sept enfants.

— C'est incroyable.

— Ils vivent même tous les sept, et c'est une fort bonne mère. Je vais un peu dans la maison qui est agréable, très calme, très saine. Elle réalise le phénomène de la famille dans le monde.

— Est-ce bizarre? Et on n'a jamais rien dit d'elle?

— Jamais.

— Mais, son mari? Il est singulier, n'est-ce pas?

— Oui et non. Il y a peut-être eu entre eux un petit drame, un de ces petits drames qu'on soupçonne, qu'on ne connaît jamais bien, mais qu'on devine à peu près.

— Quoi

— Je n'en sais rien, moi. Mascaret est grand viveur aujourd'hui, après avoir été un parfait époux. Tant qu'il est resté bon mari, il a eu un affreux caractère, ombrageux et grincheux. Depuis qu'il fait la fête, il est devenu très indifférent, mais on dirait qu'il a un souci, un chagrin, un

ver rongeur quelconque, il vieillit beaucoup, lui.

Alors, les deux amis philosophèrent quelques minutes sur
les peines secrètes, inconnaissables, que des dissemblances
de caractères, ou peut-être des antipathies physiques,
inaperçues d'abord, peuvent faire naître dans une famille.

Roger de Salins, qui continuait à lorgner Mme de Mas-
caret, reprit:

— Il est incompréhensible que cette femme-là ait eu sept
enfants.

— Oui, en onze ans. Après quoi elle a clôturé, à trente
ans, sa période de production pour entrer dans la brillante
période de représentation, qui ne semble pas près de finir.

— Les pauvres femmes?

— Pourquoi les plains-tu?

— Pourquoi? Ah! mon cher, songe donc! Onze ans de
grossesses pour une femme comme ça! quel enfer! C'est
toute la jeunesse, toute la beauté, toute l'espérance de
succès, tout l'idéal poétique de vie brillante, qu'on sacrifie
à cette abominable loi de la reproduction qui fait de la
femme normale une simple machine à pondre des êtres.

— Que veux-tu? c'est la nature!

— Oui, mais je dis que la nature est notre ennemie, qu'il
faut toujours lutter contre la nature, car elle nous ramène
sans cesse à l'animal. Ce qu'il y a de propre, de joli, d'élé-
gant, d'idéal sur la terre, ce n'est pas Dieu qui l'y a mis,
c'est l'homme, c'est le cerveau humain. C'est nous qui avons
introduit dans la création, en la chantant, en l'interprétant,
en l'admirant en poètes, en l'idéalisant en artistes, en l'ex-
pliquant en savants qui se trompent, mais qui trouvent
aux phénomènes des raisons ingénieuses, en peu de grâce,
de beauté, de charme inconnu et de mystère. Dieu n'a créé
que des êtres grossiers, pleins de germes des maladies, qui,
après quelques années d'épanouissement bestial, vieillis-
sent dans les infirmités, avec toutes les laideurs et toutes
les impuissances de la décrépitude humaine. Il ne les a
faits, semble-t-il, que pour se reproduire, salement et pour
mourir ensuite, ainsi que les insectes éphémères des soirs
d'été. J'ai dit «pour se reproduire salement»; j'insiste. Qu'y
a-t-il, en effet, de plus ignoble, de plus répugnant que cet
acte ordurier et ridicule de la reproduction des êtres, contre

lequel toutes les âmes délicates sont et seront éternelle-
ment révoltées? Puisque tous les organes inventés par ce
créateur économe et malveillant servent à deux fins, pour-
quoi n'en a-t-il pas choisi d'autres qui ne fussent point
malpropres et souillés, pour leur confier cette mission
sacrée, la plus noble et la plus exaltante des fonctions
humaines. La bouche, qui nourrit le corps avec des ali-
ments matériels, répand aussi la parole et la pensée. La
chair se restaure par elle, et c'est par elle, en même temps,
que se communique l'idée. L'odorat, qui donne aux pou-
mons l'air vital, donne au cerveau tous les parfums du
monde: l'odeur des fleurs, des bois, des arbres, de la mer.
L'oreille, qui nous fait communiquer avec nos semblables,
nous a permis encore d'inventer la musique, de créer du
rêve, du bonheur, de l'infini et même du plaisir physique
avec de sons! Mais on dirait que le Créateur, sournois et
cynique, a voulu interdire à l'homme de jamais anoblir,
embellir et idéaliser sa rencontre avec la femme. L'homme,
cependant, a trouvé l'amour, ce qui n'est pas mal comme
réplique au Dieu narquois, et il l'a si bien paré de poésie
littéraire que la femme souvent oublie à quels contacts
elle est forcée. Ceux, parmi nous, qui sont impuissants à
se tromper en s'exaltant, ont inventé le vice et raffiné les
débauches, ce qui est encore une manière de berner Dieu
et de rendre hommage, un hommage impudique, à la
beauté.

Mais l'être normal fait des enfants ainsi qu'une bête
accouplée par la loi.

Regarde cette femme! n'est-ce pas abominable de pen-
ser que ce bijou, que cette perle née pour être belle, ad-
mirée, fêtée et adorée, a passé onze ans de sa vie à donner
des héritiers au comte de Mascaret?

Bernard Grandin dit en riant:

— Il y a beaucoup de vrai dans tout cela; mais peu de
gens te comprendraient.

Salins s'animait.

— Sais-tu comment je conçois Dieu, dit-il: comme un
monstrueux organe créateur inconnu de nous, qui sème
par l'espace des milliards de mondes, ainsi qu'un poisson
unique pondrait des œufs dans la mer. Il crée parce que

c'est sa fonction de Dieu; mais il est ignorant de ce qu'il fait, stupidement prolifique, inconscient des combinaisons de toutes sortes produites par ses germes éparpillés. La pensée humaine est un heureux petit accident des hasards de ses fécondations, un accident local, passager, imprévu, condamné à disparaître avec la terre, et à recommencer peut-être ici ou ailleurs, pareil ou différent, avec les nouvelles combinaisons des éternels recommencements. Nous lui devons, à ce petit accident de l'intelligence, d'être très mal en ce monde qui n'est pas fait pour nous, qui n'avait pas été préparé pour recevoir, loger, nourrir et contenter des êtres pensants, et nous lui devons aussi d'avoir à lutter sans cesse, quand nous sommes vraiment des raffinés et des civilisés, contre ce qu'on appelle encore les desseins de la Providence.

Grandin, qui l'écoutait avec attention, connaissant de longue date les surprises éclatantes de sa fantaisie, lui demanda:

— Alors, tu crois que la pensée humaine est un produit spontané de l'aveugle parturition divine?

— Parbleu! une fonction fortuite des centres nerveux de notre cerveau, pareille aux actions chimiques imprévues dues à des mélanges nouveaux, pareille aussi à une production d'électricité, créée par des frottements ou des voisinages inattendus, à tous les phénomènes enfin engendrés par les fermentations infines et fécondes de la matière qui vit.

Mais, mon cher, la preuve en éclate pour quiconque regarde autour de soi. Si la pensée humaine, voulue par un créateur conscient, avait dû être ce qu'elle est devenue, si différente de la pensée et de la résignation animales, exigeante, chercheuse, agitée, tourmentée, est-ce que le monde créé pour recevoir l'être que nous sommes aujourd'hui aurait été cet inconfortable petit parc à bestioles, ce champ à salades, ce potager sylvestre, rocheux et sphérique où votre Providence imprévoyante nous avait destinés à vivre nus, dans les grottes ou sous les arbres, nourris de la chair massacrée des animaux, nos frères, ou des légumes crus poussés sous le soleil et les pluies?

Mais il suffit de réfléchir une seconde pour comprendre

que ce monde n'est pas fait pour des créatures comme nous. La pensée éclose et développée par un miracle nerveux des cellules de notre tête, toute impuissante, ignorante et confuse qu'elle est et qu'elle demeurera toujours, fait de nous tous, les intellectuels, d'éternels, et misérables exilés sur cette terre.

Contemple-la, cette terre, telle que Dieu l'a donnée à ceux qui l'habitent. N'est-elle pas visiblement et uniquement disposée, plantée et boisée pour des animaux? Qu'y a-t-il pour nous? Rien. Et pour eux, tout: les cavernes, les arbres, les feuillages, les sources, le gîte, la nourriture et la boisson. Aussi les gens difficiles comme moi n'arrivent-ils jamais à s'y trouver bien. Ceux-là seuls qui se rapprochent de la brute sont contents et satisfaits. Mais les autres, les poètes, les délicats, les rêveurs, les chercheurs, les inquiets. Ah! les pauvres gens!

Je mange des choux et des carottes, sacrebleu, des oignons, des navets et des radis, parce que nous avons été contraints de nous y accoutumer, même d'y prendre goût, et parce qu'il ne pousse pas autre chose, mais c'est là une nourriture de lapins et de chèvres, comme l'herbe et le trèfle sont des nourritures de cheval et de vache. Quand je regarde les épis d'un champ de blé mûr, je ne doute pas que cela n'ait germé dans le sol pour des becs de moineaux ou d'alouettes, mais non point pour ma bouche. En mastiquant du pain, je vole donc les oiseaux, comme je vole la belette et le renard en mangeant des poules. La caille, le pigeon et la perdrix ne sont-ils pas les proies naturelles de l'épervier; le mouton, le chevreuil et le bœuf, celle des grands carnassiers, plutôt que des viandes engraissées pour nous être servies rôties avec des truffes qui auraient été déterrées spécialement pour nous, par les cochons.

Mais, mon cher, les animaux n'ont rien à faire pour vivre ici-bas. Ils sont chez eux, logés et nourris, ils n'ont qu'à brouter ou à chasser et à s'entre-manger, selon leurs instincts, car Dieu n'a jamais prévu la douceur et les mœurs pacifiques; il n'a prévu que la mort des êtres acharnés à se détruire et à se dévorer.

Quant à nous! Ah! ah! il nous en a fallu du travail, de l'effort, de la patience, de l'invention, de l'imagination, de

l'industrie, du talent et du génie pour rendre à peu près
logeable ce sol de racines et de pierres. Mais songe à ce que
nous avons fait, malgré la nature, contre la nature, pour
nous installer d'une façon médiocre, à peine propre, à peine
confortable, à peine élégante, pas digne de nous.

Et plus nous sommes civilisés, intelligents, raffinés, plus
nous devons vaincre et dompter l'instinct animal qui repré-
sente en nous la volonté de Dieu.

Songe qu'il nous a fallu inventer la civilisation, toute la
civilisation, qui comprend tant de choses, tant, tant, de
toutes sortes, depuis les chaussettes jusqu'au téléphone.
Songe à tout ce que tu vois tous les jours, à tout ce qui nous
sert de toutes les façons.

Pour adoucir notre sort de brutes, nous avons découvert
et fabriqué de tout, à commencer par des maisons, puis des
nourritures exquises, des sauces, des bonbons, des pâtis-
series, des boissons, des liqueurs, des étoffes, des vêtements,
des parures, des lits, des sommiers, des voitures, des chemins
de fer, des machines innombrables; nous avons, de plus,
trouvé les sciences et les arts, l'écriture et les vers. Oui, nous
avons créé les arts, la poésie, la musique, la peinture. Tout
l'idéal vient de nous, et aussi toute la coquetterie de la vie,
la toilette des femmes et le talent des hommes qui ont fini
par un peu parer à nos yeux, par rendre moins nue, moins
monotone et moins dure l'existence de simples reproducteurs
pour laquelle la divine Providence nous avait uniquement
animés.

Regarde ce théâtre. N'y a-t-il pas là dedans un monde
humain créé par nous, imprévu par les Destins éternels,
ignoré d'Eux, compréhensible seulement par nos esprits, une
distraction coquette, sensuelle, intelligente, inventée unique-
ment pour et par la petite bête mécontente et agitée que
nous sommes?

Regarde cette femme, Mme de Mascaret, Dieu l'avait faite
pour vivre dans une grotte, nue, ou enveloppée de peaux
de bêtes. N'est-elle pas mieux ainsi? Mais, à ce propos,
sait-on pourquoi et comment sa brute de mari, ayant près
de lui une compagne pareille et, surtout après avoir été
assez rustre pour la rendre sept fois mère, l'a lâchée tout à
coup pour courir les gueuses.

Grandin répondit:

— Eh! mon cher, c'est probablement là l'unique raison. Il a fini par trouver que cela lui coûtait trop cher, de coucher toujours chez lui. Il est arrivé, par économie domestique, aux mêmes principes que tu poses en philosophe.

On frappait les trois coups pour le dernier acte. Les deux amis se retournèrent, ôtèrent leur chapeau et s'assirent.

IV

Dans le coupé les ramenait chez eux après la représentation de l'Opéra, le comte et la comtesse de Mascaret, assis côte à côte, se taisaient. Mais voilà que le mari, tout à coup, dit à sa femme:

— Gabrielle!

— Que me voulez-vous?

— Ne trouvez-vous pas que ça a assez duré!

— Quoi donc?

— L'abominable supplice auquel, depuis six ans, vous me condamnez.

— Que voulez-vous, je n'y puis rien.

— Dites-moi lequel, enfin?

— Jamais.

— Songez que je ne puis plus voir mes enfants, les sentir autour de moi, sans avoir le cœur broyé par ce doute. Dites-moi lequel, et je vous jure que je pardonnerai, que je le traiterai comme les autres.

— Je n'en ai pas le droit.

— Vous ne voyez donc pas que je ne peux plus supporter cette vie, cette pensée qui me ronge, et cette question que je me pose sans cesse, cette question qui me torture chaque fois que je les regarde. J'en deviens fou.

Elle demanda:

— Vous avez donc beaucoup souffert?

— Affreusement. Est-ce que j'aurais accepté, sans cela, l'horreur de vivre à votre côté, et l'horreur, plus grande encore, de sentir, de savoir parmi eux qu'il y en a un, que je ne puis connaître, et qui m'empêche d'aimer les autres.

Elle répéta:

— Alors, vous avez vraiment souffert beaucoup?

Il répondit d'une voix contenue et douloureuse:

— Mais, puisque je vous répète tous les jours que c'est pour moi un intolérable supplice. Sans cela, serais-je revenue? serais-je demeuré dans cette maison, près de vous et près d'eux, si je ne les aimais pas, eux. Ah! vous vous êtes conduite avec moi d'une façon abominable. J'ai pour mes enfants la seule tendresse de mon cœur; vous le savez bien. Je suis pour eux un père des anciens temps, comme j'ai été pour vous le mari des anciennes familles, car je reste, moi, un homme d'instinct, un homme de la nature, un homme d'autrefois. Oui, je l'avoue, vous m'avez rendu jaloux atrocement, parce que vous êtes une femme d'une autre race, d'une autre âme, avec d'autres besoins. Ah! les choses que vous m'avez dites, je ne les oublierai jamais. A partir de ce jour, d'ailleurs, je ne me suis plus soucié de vous. Je ne vous ai pas tuée parce que je n'aurais plus gardé un moyen sur la terre de découvrir jamais lequel de nos . . . de vos enfants n'est pas à moi. J'ai attendu, mais j'ai souffert plus que vous ne sauriez croire, car je n'ose plus les aimer, sauf les deux aînés peut-être; je n'ose plus les regarder, les appeler, les embrasser; je ne peux plus en prendre un sur mes genoux sans me demander: «N'est-ce pas celui-là?» J'ai été avec vous correct et même doux et complaisant depuis six ans. Dites-moi la vérité et je vous jure que je ne ferai rien de mal.

Dans l'ombre de la voiture, il crut deviner qu'elle était émue, et sentant qu'elle allait enfin parler.

— Je vous prie, dit-il, je vous en supplie . . .

Elle murmura:

— J'ai été peut-être plus coupable que vous ne croyez. Mais je ne pouvais pas, je ne pouvais plus continuer cette vie odieuse de grossesses. Je n'avais qu'un moyen de vous chasser de mon lit. J'ai menti devant Dieu, et j'ai menti, la main levée sur la tête de mes enfants, car je ne vous ai jamais trompé.

Il lui saisit le bras dans l'ombre, et le serrant comme il avait fait au jour terrible de leur promenade au bois, il balbutia:

— Est-ce vrai?

— C'est vrai.

Mais lui, soulevé d'angoisse, gémit:

— Ah! je vais retomber en de nouveaux doutes qui ne finiront plus! Quel jour avez-vous menti, autrefois ou aujourd'hui? Comment vous croire à présent? Comment croire une femme après cela? Je ne saurai plus jamais ce que je dois penser. J'aimerais mieux que vous m'eussiez dit: «C'est Jacques, ou c'est Jeanne.»

La voiture pénétrait dans la cour de l'hôtel. Quand elle se fut arrêtée devant le perron, le comte descendit le premier et offrit, comme toujours, le bras à sa femme pour gravir les marches.

Puis, dès qu'ils atteignirent le premier étage:

— Puis-je vous parler encore quelques instants, dit-il?

Elle répondit:

— Je veux bien.

Ils entrèrent dans un petit salon, dont un valet de pied, un peu surpris, alluma les bougies.

Puis, quand ils furent seuls, il reprit:

— Comment savoir la vérité? Je vous ai suppliée mille fois de parler, vous êtes restée muette, impénétrable, inflexible, inexorable, et voilà qu'aujourd'hui vous venez me dire que vous avez menti. Pendant six ans vous avez pu me laisser croire une chose pareille! Non, c'est aujourd'hui que vous mentez, je ne sais pourquoi, par pitié pour moi, peut-être?

Elle répondit avec un air sincère et convaincu:

— Mais sans cela j'aurais eu encore quatre enfants pendant les six dernières années.

Il s'écria:

— C'est une mère qui parle ainsi?

— Ah! dit-elle, je ne me sens pas du tout la mère des enfants qui ne sont pas nés, il me suffit d'être la mère de ceux que j'ai et de les aimer de tout mon cœur. Je suis, nous sommes des femmes du monde civilisé, monsieur. Nous ne sommes plus et nous refusons d'être de simples femelles qui repeuplent la terre.

Elle se leva; mais il lui saisit les mains.

— Un mot, un mot seulement, Gabrielle. Dites-moi la vérité?

— Je viens de vous la dire. Je ne vous ai jamais trompé.

Il la regardait bien en face, si belle, avec ses yeux gris comme des ciels froids. Dans sa sombre coiffure, dans cette nuit opaque des cheveux noirs luisait le diadème poudré de diamants, pareil à une voie lactée. Alors, il sentit soudain, il sentit par une sorte d'intuition que cet être-là n'était plus seulement une femme destinée à perpétuer sa race, mais le produit bizarre et mystérieux de tous nos désirs compliqués, amassés en nous par les siècles, détournés de leur but primitif et divin, errant vers une beauté mystique, entrevue et insaisissable. Elles sont ainsi quelques-unes qui fleurissent uniquement pour nos rêves, parées de tout ce que la civilisasion a mis de poésie, de luxe idéal, de coquetterie et de charme esthétique autour de la femme, cette statue de chair qui avive, autant que les fièvres sensuelles, d'immatériels appétits.

L'époux demeurait debout devant elle, stupéfait de cette tardive et obscure découverte, touchant confusément la cause de sa jalousie ancienne, et comprenant mal tout cela.

Il dit enfin:

— Je vous crois. Je sens qu'en ce moment vous ne mentez pas; et, autrefois en effet, il m'avait toujours semblé que vous mentiez.

Elle lui tendit la main.

— Alors, nous sommes amis?

Il prit cette main et la baisa, en répondant:

— Nous sommes amis. Merci, Gabrielle.

Puis il sortit, en la regardant toujours, émerveillé qu'elle fût encore si belle, et sentant naître en lui une émotion étrange, plus redoutable peut-être que l'antique et simple amour.

LE CHAMP D'OLIVIERS

LE CHAMP D'OLIVIERS

I

Quand les hommes du port, du petit port provençal de Garandou, au fond de la baie Pisca, entre Marseille et Toulon, aperçurent la barque de l'abbé Vilbois qui revenait de la pêche, ils descendirent sur la plage pour aider à tirer le bateau.

L'abbé était seul dedans, et il ramait comme un vrai marin, avec une énergie rare malgré ses cinquante-huit ans. Les manches retroussées sur des bras musculeux, la soutane relevée en bas et serrée entre les genoux, un peu déboutonnée sur la poitrine, son tricorne sur le banc à son côté, et la tête coiffée d'un chapeau cloche en liège recouvert de toile blanche, il avait l'air d'un solide et bizarre ecclésiastique des pays chauds, fait pour les aventures plus que pour dire la messe.

De temps en temps, il regardait derrière lui pour bien reconnaître le point d'abordage, puis il recommençait à tirer, d'une façon rythmée, méthodique et forte, pour montrer, une fois de plus, à ces mauvais matelots du Midi, comment nagent les hommes du Nord.

La barque lancée toucha le sable et glissa dessus comme si elle allait gravir toute la plage en y enfonçant sa quille; puis elle s'arrêta net, et les cinq hommes qui regardaient venir le curé s'approchèrent, affables, contents, sympathiques au prêtre.

— Eh ben! dit l'un avec son fort accent de Provence, bonne pêche, monsieur le curé?

L'abbé Vilbois rentra ses avirons, retira son chapeau cloche pour se couvrir de son tricorne, abaissa ses manches sur ses bras, reboutonna sa soutane, puis ayant repris sa tenue et sa prestance de desservant du village, il répondit avec fierté:

— Oui, oui, très bonne, trois loups, deux murènes et quelques girelles.

Les cinq pêcheurs s'étaient approchés de la barque, et penchés au-dessus du bordage, ils examinaient, avec un air de connaisseurs, les bêtes mortes, les loups gras, les murènes à tête plate, hideux serpents de mer, et les girelles violettes striées en zigzag de bandes dorées de la couleur des peaux d'oranges.

Un d'eux dit:

— Je vais vous porter ça dans votre bastide, monsieur le curé.

—Merci, mon brave.

Ayant serré les mains, le prêtre se mit en route, suivi d'un homme et laissant les autres occupés à prendre soin de son embarcation.

Il marchait à grands pas lents, avec un air de force et de dignité. Comme il avait encore chaud d'avoir ramé avec tant de vigueur, il se découvrait par moments en passant sous l'ombre légère des oliviers, pour livrer à l'air du soir, toujours tiède, mais un peu calmé par une vague brise du large, son front carré, couvert de cheveux blancs, droits et ras, un front d'officier bien plus qu'un front de prêtre. Le village apparaissait sur une butte, au milieu d'une large vallée descendant en plaine vers la mer.

C'était par un soir de juillet. Le soleil éblouissant, tout prêt d'atteindre la crête dentelée de collines lointaines, allongeait en biais sur la route blanche, ensevelie sous un suaire de poussière, l'ombre interminable de l'ecclésiastique dont le tricorne démesuré promenait dans le champ voisin une large tache sombre qui semblait jouer à grimper vivement sur tous les troncs d'oliviers rencontrés, pour retomber aussitôt par terre, où elle rampait entre les arbres.

Sous les pieds de l'abbé Vilbois, un nuage de poudre fine, de cette farine impalpable dont sont couverts, en été, les chemins provençaux, s'élevait, fumant autour de sa soutane qu'elle voilait et couvrait, en bas, d'une teinte grise de plus en plus claire. Il allait, rafraîchi maintenant et les mains dans ses poches, avec l'allure lente et puissante d'un montagnard faisant une ascension. Ses yeux calmes regardaient le village, son village où il était curé depuis vingt ans, village choisi par lui, obtenu par grande faveur, où il comptait mourir. L'église, son église, couronnait le large cône des

maisons entassées autour d'elle, de ses deux tours de pierre brune, inégales et carrées, qui dressaient dans ce beau vallon méridional leurs silhouettes anciennes plus pareilles à des défenses de château fort, qu'à des clochers de monument sacré.

L'abbé était content, car il avait pris trois loups, deux murènes et quelques girelles.

Il aurait ce nouveau petit triomphe auprès de ses paroissiens, lui, qu'on respectait surtout, parce qu'il était peut-être, malgré son âge, l'homme le mieux musclé du pays. Ces légères vanités innocentes étaient son plus grand plaisir. Il tirait au pistolet de façon à couper des tiges de fleurs, faisait quelquefois des armes avec le marchand de tabac, son voisin, ancien prévôt de régiment, et il nageait mieux que personne sur la côte.

C'était d'ailleurs un ancien homme du monde, fort connu jadis, fort élégant, le baron de Vilbois, qui s'était fait prêtre, à trente-deux ans, à la suite d'un chagrin d'amour.

Issu d'une vieille famille picarde, royaliste et religieuse, qui depuis plusieurs siècles donnait ses fils à l'armée, à la magistrature ou au clergé, il songea d'abord à entrer dans les ordres sur le conseil de sa mère, puis sur les instances de son père il se décida à venir simplement à Paris, faire son droit, et chercher ensuite quelque grave fonction au Palais.

Mais pendant qu'il achevait ses études, son père succomba à une pneumonie à la suite de chasses au marais, et sa mère, saisie par le chagrin, mourut peu de temps après. Donc, ayant hérité soudain d'une grosse fortune, il renonça à des projets de carrière quelconque pour se contenter de vivre en homme riche.

Beau garçon, intelligent bien que d'un esprit limité par des croyances, des traditions et des principes, héréditaires comme ses muscles de hobereau picard, il plut, il eut du succès dans le monde sérieux, et goûta la vie en homme jeune, rigide, opulent et considéré.

Mais voilà qu'à la suite de quelques rencontres chez un ami il devint amoureux d'une jeune actrice, d'une toute jeune élève du Conservatoire qui débutait avec éclat à l'Odéon.

Il en devint amoureux avec toute la violence, avec tout

l'emportement d'un homme né pour croire à des idées abso-
lues. Il en devint amoureux en la voyant à travers le rôle
romanesque où elle avait obtenu, le jour même où elle se
montra pour la première fois au public, un grand succès.

Elle était jolie, nativement perverse, avec un air d'enfant
naïf qu'il appelait son air d'ange. Elle sut le conquérir
complètement, faire de lui un de ces délirants forcenés, un
de ces déments en extase qu'un regard ou qu'une jupe de
femme brûle sur le bûcher des Passions Mortelles. Il la prit
donc pour maîtresse, lui fit quitter le théâtre, et l'aima,
pendant quatre ans, avec une ardeur toujours grandissante.
Certes, malgré son nom et les traditions d'honneur de sa
famille, il aurait fini par l'épouser, s'il n'avait découvert, un
jour, qu'elle le trompait depuis longtemps avec l'ami qui
la lui avait fait connaître.

Le drame fut d'autant plus terrible qu'elle était enceinte,
et qu'il attendait la naissance de l'enfant pour se décider
au mariage.

Quand il tint entre ses mains les preuves, des lettres,
surprises dans un tiroir, il lui reprocha son infidélité, sa
perfidie, son ignominie, avec toute la brutalité du demi-
sauvage qu'il était.

Mais elle, enfant des trottoirs de Paris, impudente autant
qu'impudique, sûre de l'autre homme comme de celui-là,
hardie d'ailleurs comme ces filles du peuple qui montent aux
barricades par simple crânerie, le brava et l'insulta; et
comme il levait la main, elle lui montra son ventre.

Il s'arrêta, pâlissant, songea qu'un descendant de lui
était là, dans cette chair souillée, dans ce corps vil, dans
cette créature immonde, un enfant de lui! Alors il se rua
sur elle pour les écraser tous les deux, anéantir cette double
honte. Elle eut peur, se sentant perdue, et comme elle
roulait sous son poing, comme elle voyait son pied prêt à
frapper par terre le flanc gonflé où vivait déjà un embryon
d'homme, elle lui cria, les mains tendues pour arrêter les
coups:

— Ne me tue point. Ce n'est pas à toi, c'est à lui.

Il fit un bond en arrière, tellement stupéfait, tellement
bouleversé que sa fureur resta suspendue comme son talon,
et il balbutia:

— Tu . . . tu dis?

Elle, folle de peur tout à coup devant la mort entrevue dans les yeux et dans le geste terrifiants de cet homme, répéta:

— Ce n'est pas à toi, c'est à lui:

Il murmura, les dents serrées, anéanti:

— L'enfant?

— Oui.

— Tu mens.

Et, de nouveau, il commença le geste du pied qui va écraser quelqu'un, tandis que sa maîtresse, redressée à genoux, essayant de reculer, balbutiait toujours:

— Puisque je te dis que c'est à lui. S'il était à toi, est-ce que je ne l'aurais pas eu depuis longtemps?

Cet argument le frappa comme la vérité même. Dans un de ces éclairs de pensée où tous les raisonnements apparaissent en même temps avec une illuminante clarté, précis, irréfutables, concluants, irrésistibles, il fut convaincu, il fut sûr qu'il n'était point le père du misérable enfant de gueuse qu'elle portait en elle; et, soulagé, délivré, presque apaisé soudain, il renonça à détruire cette infâme créature.

Alors il lui dit d'une voix plus calme:

— Lève-toi, va-t'en, et que je ne te revoie jamais.

Elle obéit, vaincue, et s'en alla.

Il ne la revit jamais.

Il partit de son côté. Il descendit vers le Midi, vers le soleil, et s'arrêta dans un village, debout au milieu d'un vallon, au bord de la Méditerranée. Une auberge lui plut qui regardait la mer; il y prit une chambre et y resta. Il y demeura dix-huit mois, dans le chagrin, dans le désespoir, dans un isolement complet. Il y vécut avec le souvenir dévorant de la femme traîtresse, de son charme, de son enveloppement, de son ensorcellement inavouable, et avec le regret de sa présence et de ses caresses.

Il errait par les vallons provençaux, promenant au soleil tamisé par les grisâtres feuillettes des oliviers, sa pauvre tête malade où vivait une obsession.

Mais ses anciennes idées pieuses, l'ardeur un peu calmée de sa foi première lui revinrent au cœur tout doucement dans cette solitude douloureuse. La religion qui lui était

apparue autrefois comme un refuge contre la vie inconnue, lui apparaissait maintenant comme un refuge contre la vie trompeuse et torturante. Il avait conservé des habitudes de prière. Il s'y attacha dans son chagrin, et il allait souvent, au crépuscule, s'agenouiller dans l'église assombrie où brillait seul, au fond du chœur, le point de feu de la lampe, gardienne sacrée du sanctuaire, symbole de la présence divine.

Il confia sa peine à ce Dieu, à son Dieu, et lui dit toute sa misère. Il lui demandait conseil, pitié, secours, protection, consolation, et dans son oraison répétée chaque jour plus fervente, il mettait chaque fois une émotion plus forte.

Son cœur meurtri, rongé par l'amour d'une femme, restait ouvert et palpitant, avide toujours de tendresse; et peu à peu, à force de prier, de vivre en ermite avec des habitudes de piété grandissantes, de s'abandonner à cette communication secrète des âmes dévotes avec le Sauveur qui console et attire les misérables, l'amour mystique de Dieu entra en lui et vainquit l'autre.

Alors il reprit ses premiers projets, et se décida à offrir à l'Église une vie brisée qu'il avait failli lui donner vierge.

Il se fit donc prêtre. Par sa famille, par ses relations il obtint d'être nommé desservant de ce village provençal où le hasard l'avait jeté, et, ayant consacré à des œuvres bienfaisantes une grande partie de sa fortune, n'ayant gardé que ce qui lui permettrait de demeurer jusqu'à sa mort utile et secourable aux pauvres, il se réfugia dans une existence calme de pratiques pieuses et de dévouement à ses semblables.

Il fut un prêtre à vues étroites, mais bon, une sorte de guide religieux à tempérament de soldat, un guide de l'Église qui conduisait par force dans le droit chemin l'humanité errante, aveugle, perdue en cette forêt de la vie où tous nos instincts, nos goûts, nos désirs sont des sentiers qui égarent. Mais beaucoup de l'homme d'autrefois restait toujours vivant en lui. Il ne cessa pas d'aimer les exercices violents, les nobles sports, les armes, et il détestait les femmes, toutes, avec une peur d'enfant devant un mystérieux danger.

II

Le matelot qui suivait le prêtre se sentait sur la langue une envie toute méridionale de causer. Il n'osait pas, car l'abbé exerçait sur ses ouailles un grand prestige. A la fin il s'y hasarda:

— Alors, dit-il, vous vous trouvez bien dans votre bastide, monsieur le curé.

Cette bastide était une de ces maisons microscopiques où les provençaux des villes et des villages vont se nicher, en été, pour prendre l'air. L'abbé avait loué cette case dans un champ, à cinq minutes de son presbytère, trop petit et emprisonné au centre de la paroisse, contre l'église.

Il n'habitait pas régulièrement, même en été, cette campagne; il y allait seulement passer quelques jours de temps en temps, pour vivre en pleine verdure et tirer au pistolet.

— Oui, mon ami, dit le prêtre, je m'y trouve très bien.

La demeure basse apparaissait bâtie au milieu des arbres, peinte en rose, zébrée, hachée, coupée en petits morceaux par les branches et les feuilles des oliviers dont était planté le champ sans clôture où elle semblait poussée comme un champignon de Provence.

On apercevait aussi une grande femme qui circulait devant la porte en préparant une petite table à dîner où elle posait à chaque retour, avec une lenteur méthodique, un seul couvert, une assiette, une serviette, un morceau de pain, un verre à boire. Elle était coiffée du petit bonnet des Arlésiennes, cône pointu de soie ou de velours noir sur qui fleurit un champignon blanc.

Quand l'abbé fut à portée de la voix, il lui cria:

— Eh! Marguerite?

Elle s'arrêta pour regarder, et reconnaissant son maître:

— Tè c'est vous, monsieur le curé?

— Oui. Je vous apporte une belle pêche, vous allez tout de suite me faire griller un loup, un loup au beurre, rien qu'au beurre, vous entendez?

La servante, venue au-devant des hommes, examinait d'un œil connaisseur les poissons portés par le matelot.

— C'est que nous avons déjà une poule au riz, dit-elle.

— Tant pis, le poisson du lendemain ne vaut pas le pois-

son sortant de l'eau. Je vais faire une petite fête de
gourmand, ça ne m'arrive pas trop souvent; et puis, le péché
n'est pas gros.

La femme choisissait le loup, et comme elle s'en allait en
l'emportant, elle se retourna:

— Ah! il est venu un homme vous chercher trois fois,
monsieur le curé.

Il demanda avec indifférence.

— Un homme! Quel genre d'homme?

— Mais un homme qui ne se recommande pas de lui-
même.

— Quoi! un mendiant?

— Peut-être, oui, je ne dis pas. Je croirais plutôt un
maoufatan.

L'abbé Vilbois se mit à rire de ce mot provençal qui
signifie malfaiteur, rôdeur de routes, car il connaissait l'âme
timorée de Marguerite qui ne pouvait séjourner à la bastide
sans s'imaginer tout le long des jours et surtout des nuits
qu'ils allaient être assassinés.

Il donna quelques sous au marin qui s'en alla, et, comme
il disait, ayant conservé toutes ses habitudes de soins et de
tenue d'ancien mondain: — «Je vas me passer un peu d'eau
sur le nez et sur les mains», — Marguerite lui cria de sa
cuisine où elle grattait à rebours, avec un couteau, le dos
du loup dont les écailles un peu tachées de sang, se déta-
chaient comme d'infimes piécettes d'argent.

— Tenez le voilà!

L'abbé vira vers la route et aperçut en effet un homme,
qui lui parut, de loin, fort mal vêtu, et qui s'en venait à
petits pas vers la maison. Il l'attendit, souriant encore de
la terreur de sa domestique, et pensant: «Ma foi, je crois
qu'elle a raison, il a bien l'air d'un maoufatan.»

L'inconnu approchait, les mains dans ses poches, les
yeux sur le prêtre, sans se hâter. Il était jeune, portait toute
la barbe blonde et frisée, et des mèches de cheveux se
roulaient en boucles au sortir d'un chapeau de feutre mou,
tellement sale et défoncé que personne n'en aurait pu
deviner la couleur et la forme premières. Il avait un long
pardessus marron, une culotte dentelée autour des chevilles,
et il était chaussé d'espadrilles, ce qui lui donnait une dé-

marche molle, muette, inquiétante, un pas imperceptible
de rôdeur.

Quand il fut à quelques enjambées de l'ecclésiastique, il
ôta la loque qui lui abritait le front, en se découvrant avec
un air un peu théâtral, et montrant une tête flétrie, crapu-
leuse et jolie, chauve sur le sommet du crâne, marque de
fatigue ou de débauche précoce, car cet homme assurément
n'avait pas plus de vingt-cinq ans.

Le prêtre, aussitôt, se découvrit aussi, devinant et sentant
que ce n'était pas là le vagabond ordinaire, l'ouvrier sans
travail ou le repris de justice errant entre deux prisons et
qui ne sait plus guère parler que le langage mystérieux des
bagnes.

— Bonjour, monsieur le curé, dit l'homme. Le prêtre ré-
pondit simplement: «Je vous salue», ne voulant pas appeler
«Monsieur» ce passant suspect et haillonneux. Ils se con-
templaient fixement et l'abbé Vilbois, devant le regard de
ce rôdeur, se sentait troublé, ému comme en face d'un
ennemi inconnu, envahi par une de ces inquiétudes étranges
qui se glissent en frissons dans la chair et dans le sang.

A la fin, le vagabond reprit:

— Eh bien! me reconnaissez-vous?

Le prêtre, très étonné, répondit:

— Moi, pas du tout, je ne vous connais point.

— Ah! vous ne me connaissez point. Regardez-moi
davantage.

— J'ai beau vous regarder, je ne vous ai jamais vu.

— Ça c'est vrai, reprit l'autre, ironique, mais je vais vous
montrer quelqu'un que vous connaissez mieux.

Il se recoiffa et déboutonna son pardessus. Sa poitrine
était nue dedans. Une ceinture rouge, roulée autour de son
ventre maigre, retenait sa culotte au-dessus de ses hanches.

Il prit dans sa poche une enveloppe, une de ces in-
vraisemblables enveloppes que toutes les taches possibles
ont marbrées, une de ces enveloppes qui gardent, dans les
doublures des gueux errants, les papiers quelconques, vrais
ou faux, volés ou légitimes, précieux défenseurs de la
liberté contre le gendarme rencontré. Il en tira une photo-
graphie, une de ces cartes grandes comme une lettre, qu'on
faisait souvent autrefois, jaunie, fatiguée, traînée longtemps

partout, chauffée contre la chair de cet homme et ternie par sa chaleur.

Alors, l'élevant à côté de sa figure, il demanda:

— Et celui-là, le connaissez-vous?

L'abbé fit deux pas pour mieux voir et demeura pâlissant, bouleversé, car c'était son propre portrait, fait pour Elle, à l'époque lointaine de son amour.

Il ne répondait rien, ne comprenant pas.

Le vagabond répéta:

— Le reconnaissez-vous, celui-là?

Et le prêtre balbutia:

— Mais oui.

— Qui est-ce?

— C'est moi.

— C'est bien vous?

— Mais oui.

— Eh bien! regardez-nous tous les deux, maintenant, votre portrait et moi?

Il avait vu déjà, le misérable homme, il avait vu que ces deux êtres, celui de la carte et celui qui riait à côté, se ressemblaient comme deux frères, mais il ne comprenait pas encore, et il bégaya:

— Que me voulez-vous, enfin?

Alors, le gueux, d'une voix méchante:

— Ce que je veux, mais je veux que vous me reconnaissiez d'abord.

— Qui êtes-vous donc?

— Ce que je suis? Demandez-le à n'importe qui sur la route, demandez-le à votre bonne, allons le demander au maire du pays si vous voulez, en lui montrant ça; et il rira bien, c'est moi qui vous le dis. Ah! vous ne voulez pas reconnaître que je suis votre fils, papa curé?

Alors le vieillard, levant ses bras en un geste biblique et désespéré, gémit:

— Ça n'est pas vrai.

Le jeune homme s'approcha tout contre lui, face à face.

— Ah! ça n'est pas vrai. Ah! l'abbé, il faut cesser de mentir, entendez-vous?

Il avait une figure menaçante et les poings fermés, et il parlait avec une conviction si violente, que le prêtre, recu-

lant toujours, se demandait lequel des deux se trompait en
ce moment.

Encore une fois, cependant, il affirma:

— Je n'ai jamais eu d'enfant.

L'autre ripostant:

— Et pas de maîtresse, peut-être?

Le vieillard prononça résolument un seul mot, un fier
aveu:

— Si.

— Et cette maîtresse n'était pas grosse quand vous l'avez
chassée?

Soudain, la colère ancienne, étouffée vingt-cinq ans plus
tôt, non pas étouffée, mais murée au fond du cœur de
l'amant, brisa les voûtes de foi, de dévotion résignée, de
renoncement à tout, qu'il avait construites sur elle, et, hors
de lui, il cria:

— Je l'ai chassée parce qu'elle m'avait trompé et qu'elle
portait en elle l'enfant d'un autre, sans quoi, je l'aurais tuée,
monsieur, et vous avec elle.

Le jeune homme hésita, surpris à son tour par l'emporte-
ment sincère du curé, puis il répliqua plus doucement:

— Qui vous a dit ça que c'était l'enfant d'un autre?

— Mais elle, elle-même, en me bravant.

Alors, le vagabond, sans contester cette affirmation, con-
clut avec un ton indifférent de voyou qui juge une cause:

— Eh ben! c'est maman qui s'est trompée en vous
narguant, v'là tout.

Redevenant aussi plus maître de lui, après ce mouvement
de fureur, l'abbé, à son tour, interrogea:

— Et qui vous a dit, à vous, que vous étiez mon fils?

— Elle, en mourant, m'sieu l'curé . . . Et puis ça!

Et il tendait, sous les yeux du prêtre, la petite photo-
graphie.

Le vieillard la prit, et lentement, longuement, le cœur
soulevé d'angoisse, il compara ce passant inconnu avec son
ancienne image, et il ne douta plus, c'était bien son fils.

Une détresse emporta son âme, une émotion inexprimable,
affreusement pénible, comme le remords d'un crime ancien.
Il comprenait un peu, il devinait le reste, il revoyait la scène
brutale de la séparation. C'était pour sauver sa vie, menacée

GUY DE MAUPASSANT

par l'homme outragé, que la femme, la trompeuse et per-
fide femelle lui avait jeté ce mensonge. Et le mensonge avait
réussi. Et un fils de lui était né, avait grandi, était devenu
ce sordide coureur de routes, qui sentait le vice comme un
bouc sent la bête.

Il murmura:

— Voulez-vous faire quelques pas avec moi, pour nous
expliquer davantage?

L'autre se mit à ricaner.

— Mais, parbleu! C'est bien pour cela que je suis venu.

Ils s'en allèrent ensemble, côte à côte, par le champ
d'oliviers. Le soleil avait disparu. La grande fraîcheur des
crépuscules du Midi étendait sur la campagne un invisible
manteau froid. L'abbé frissonnait et levant soudain les yeux,
dans un mouvement habituel d'officiant, il aperçut partout
autour de lui, tremblotant sur le ciel, le petit feuillage
grisâtre de l'arbe sacré qui avait abrité sous son ombre
frêle la plus grande douleur, la seule défaillance du Christ.

Une prière jaillit de lui, courte et désespérée, faite avec
cette voix intérieure qui ne passe point par la bouche et
dont les croyants implorent le Sauveur: «Mon Dieu,
secourez-moi.»

Puis se tournant vers son fils:

— Alors, votre mère est morte?

Un nouveau chagrin s'éveillait en lui, en prononçant ces
paroles: «Votre mère est morte» et crispait son cœur, une
étrange misère de la chair de l'homme qui n'a jamais fini
d'oublier, et un cruel écho de la torture qu'il avait subie,
mais plus encore peut-être, puisqu'elle était morte, un tres-
saillement de ce délirant et court bonheur de jeunesse dont
rien maintenant ne restait plus que la plaie de son souvenir.

Le jeune homme répondit:

— Oui, monsieur le curé, ma mère est morte.

— Y a-t-il longtemps?

— Oui, trois ans déjà.

Un doute nouveau envahit le prêtre.

—Et comment n'êtes-vous pas venu me trouver plus tôt?

L'autre hésita.

— Je n'ai pas pu. J'ai eu des empêchements . . . Mais,
pardonnez-moi d'interrompre ces confidences que je vous

ferai plus tard, aussi détaillées qu'il vous plaira, pour vous
dire que je n'ai rien mangé depuis hier matin.

Une secousse de pitié ébranla tout le vieillard, et, tendant
brusquement les deux mains.

— Oh! mon pauvre enfant, dit-il.

Le jeune homme reçut ces grandes mains tendues, qui
enveloppèrent ses doigts, plus minces, tièdes et fiévreux.

Puis il répondit avec cet air de blague qui ne quittait
guère ses lèvres.

— Eh ben! vrai, je commence à croire que nous nous
entendrons tout de même.

Le curé se mit à marcher.

— Allons dîner, dit-il.

Il songeait soudain, avec une petite joie instinctive, con-
fuse et bizarre, au beau poisson pêché par lui, qui joint à
la poule au riz, ferait, ce jour-là, un bon repas pour ce
misérable enfant.

L'Arlésienne, inquiète et déjà grondeuse, attendait
devant la porte.

— Marguerite, cria l'abbé, enlevez la table et portez-la
dans la salle, bien vite, bien vite, et mettez deux couverts,
mais bien vite.

La bonne restait effarée, à la pensée que son maître allait
dîner avec ce malfaiteur.

Alors, l'abbé Vilbois, se mit lui-même à desservir et à
transporter, dans l'unique pièce du rez-de-chaussée, le
couvert préparé pour lui.

Cinq minutes plus tard, il était assis, en face du vaga-
bond, devant une soupière pleine de soupe aux choux, qui
faisait monter entre leurs visages, un petit nuage de vapeur
bouillante.

III

Quand les assiettes furent pleines, le rôdeur se mit à
avaler sa soupe avidement par cuillerées rapides. L'abbé
n'avait plus faim, et il humait seulement avec lenteur le
savoureux bouillon des choux, laissant le pain au fond de
son assiette.

Tout à coup il demanda:

— Comment vous appelez-vous?

L'homme rit, satisfait d'apaiser sa faim.

— Père inconnu, dit-il, pas d'autre nom de famille que celui de ma mère que vous n'aurez probablement pas encore oublié. J'ai, par contre, deux prénoms, qui ne me vont guère entre parenthèses, «Philippe-Auguste».

L'abbé pâlit et demanda, la gorge serrée:

— Pourquoi vous a-t-on donné ces prénoms?

Le vagabond haussa les épaules.

— Vous devez bien le deviner. Après vous avoir quitté, maman a voulu faire croire à votre rival que j'étais à lui, et il l'a cru à peu près jusqu'à mon âge de quinze ans. Mais, à ce moment-là, j'ai commencé à vous ressembler trop. Et il m'a renié, la canaille. On m'avait donc donné ses deux prénoms, Philippe-Auguste; et si j'avais eu la chance de ne ressembler à personne ou d'être simplement le fils d'un troisième larron qui ne se serait pas montré, je m'appellerais aujourd'hui le vicomte Philippe-Auguste de Pravallon, fils tardivement reconnu du comte du même nom, sénateur. Moi, je me suis baptisé «Pas de veine».

— Comment savez-vous tout cela?

— Parce qu'il y a eu des explications devant moi, parbleu, et de rudes explications, allez. Ah! c'est ça qui vous apprend la vie!

Quelque chose de plus pénible et de plus tenaillant que tout ce qu'il avait ressenti et souffert depuis une demi-heure oppressait le prêtre. C'était en lui une sorte d'étouffement qui commençait, qui allait grandir et finirait par le tuer, et cela lui venait, non pas tant des choses qu'il entendait, que de la façon dont elles étaient dites et de la figure de crapule du voyou qui les soulignait. Entre cet homme et lui, entre son fils et lui, il commençait à sentir à présent ce cloaque des saletés morales qui sont, pour certaines âmes, de mortels poisons. C'était son fils cela? Il ne pouvait encore le croire. Il voulait toutes les preuves, toutes; tout apprendre, tout entendre, tout écouter, tout souffrir. Il pensa de nouveau aux oliviers qui entouraient sa petite bastide, et il murmura pour la seconde fois: «Oh! mon Dieu, secourez-moi.»

Philippe-Auguste avait fini sa soupe. Il demanda:

— On ne mange donc plus, l'abbé?

Comme la cuisine se trouvait en dehors de la maison, dans un bâtiment annexé, et que Marguerite ne pouvait entendre la voix de son curé, il la prévenait de ses besoins par quelques coups donnés sur un gong chinois suspendu près du mur, derrière lui.

Il prit donc le marteau de cuir et heurta plusieurs fois la plaque ronde de métal. Un son, faible d'abord, s'en échappa, puis grandit, s'accentua, vibrant, aigu, suraigu, déchirant, horrible plainte du cuivre frappé.

La bonne apparut. Elle avait une figure crispée et elle jetait des regards furieux sur le «maoufatan» comme si elle eut pressenti, avec son instinct de chien fidèle, le drame abattu sur son maître. En ses mains elle tenait le loup grillé d'où s'envolait une savoureuse odeur de beurre fondu. L'abbé, avec une cuiller, fendit le poisson d'un bout à l'autre, et offrant le filet du dos à l'enfant de sa jeunesse:

— C'est moi qui l'ai pris tantôt, dit-il, avec un reste de fierté qui surnageait dans sa détresse.

Marguerite ne s'en allait pas.

Le prêtre reprit:

— Apportez du vin, du bon, du vin blanc du cap Corse.

Elle eut presque un geste de révolte, et il dut répéter, en prenant un air sévère: «Allez, deux bouteilles.» Car, lorsqu'il offrait du vin à quelqu'un, plaisir rare, il s'en offrait toujours une bouteille à lui-même.

Philippe-Auguste, radieux, murmura:

— Chouette. Une bonne idée. Il y a longtemps que je n'ai mangé comme ça.

La servante revint au bout de deux minutes. L'abbé les jugea longues comme deux éternités, car un besoin de savoir lui brûlait à présent le sang, dévorant ainsi qu'un feu d'enfer.

Les bouteilles étaient débouchées, mais la bonne restait là, les yeux fixés sur l'homme.

— Laissez-nous — dit le curé.

Elle fit semblant de ne pas entendre.

Il reprit presque durement:

— Je vous ai ordonné de nous laisser seuls.

Alors elle s'en alla.

Philippe-Auguste mangeait le poisson avec une précipitation vorace; et son père le regardait, de plus en plus surpris

et désolé de tout ce qu'il découvrait de bas sur cette figure qui lui ressemblait tant. Les petits morceaux que l'abbé Vilbois portait à ses lèvres, lui demeuraient dans la bouche, sa gorge serrée refusant de les laisser passer; et il les mâchait longtemps, cherchant, parmi toutes les questions qui lui venaient à l'esprit, celle dont il désirait le plus vite la réponse.

Il finit par murmurer:

— De quoi est-elle morte?

— De la poitrine.

— A-t-elle été longtemps malade?

— Dix-huit mois, à peu près.

— D'où cela lui était-il venu?

— On ne sait pas.

Ils se turent. L'abbé songeait. Tant de choses l'oppressaient qu'il aurait voulu déjà connaître, car depuis le jour de la rupture, depuis le jour où il avait failli la tuer, il n'avait rien su d'elle. Certes, il n'avait pas non plus désiré savoir, car il l'avait jetée avec résolution dans une fosse d'oubli, elle, et ses jours de bonheur; mais voilà qu'il sentait naître en lui tout à coup, maintenant qu'elle était morte, un ardent désir d'apprendre, un désir jaloux, presque un désir d'amant.

Il reprit:

— Elle n'était pas seule, n'est-ce pas?

— Non, elle vivait toujours avec lui.

Le vieillard tressaillit.

— Avec lui! Avec Pravallon?

— Mais oui.

Et l'homme jadis trahi calcula que cette même femme qui l'avait trompé était demeurée plus de trente ans avec son rival.

Ce fut presque malgré lui qu'il balbutia:

— Furent-ils heureux ensemble?

En ricanant, le jeune homme répondit:

— Mais oui, avec des hauts et des bas! Ça aurait été très bien sans moi. J'ai toujours tout gâté, moi.

— Comment, et pourquoi? dit le prêtre.

— Je vous l'ai déjà raconté. Parce qu'il a cru que j'étais son fils jusqu'à mon âge de quinze ans environ. Mais il n'était pas bête, le vieux, il a bien découvert tout seul la ressem-

blance, et alors il y a eu des scènes. Moi, j'écoutais aux
portes. Il accusait maman de l'avoir mis dedans. Maman
ripostait: «Est-ce ma faute? Tu savais très bien, quand tu
m'as prise, que j'étais la maîtresse de l'autre.» L'autre c'était
vous.

— Ah! ils parlaient donc de moi quelquefois?

— Oui, mais ils ne vous ont jamais nommé devant moi,
sauf à la fin, tout à la fin, aux derniers jours, quand maman
s'est sentie perdue. Ils avaient tout de même de la méfiance.

— Et vous . . . vous avez appris de bonne heure que
votre mère était dans une situation irrégulière?

— Parbleu! Je ne suis pas naïf, moi, allez, et je ne l'ai
jamais été. Ça se devine tout de suite ces choses-là, dès
qu'on commence à connaître le monde.

Philippe-Auguste se versait à boire coup sur coup. Ses
yeux s'allumaient, son long jeûne lui donnant une griserie
rapide.

Le prêtre s'en aperçut; il faillit l'arrêter, puis la pensée
l'effleura que l'ivresse rendait imprudent et bavard, et, pre-
nant la bouteille, il emplit de nouveau le verre du jeune
homme.

Marguerite apportait la poule au riz. L'ayant posée sur
la table, elle fixa de nouveau ses yeux sur le rôdeur, puis
elle dit à son maître avec un air indigné:

— Mais regardez qu'il est saoul, monsieur le curé.

— Laisse-nous donc tranquilles, reprit le prêtre, et va-t'en.
Elle sortit en tapant la porte.

Il demanda:

— Qu'est-ce qu'elle disait de moi, votre mère?

— Mais ce qu'on dit d'ordinaire d'un homme qu'on a
lâché; que vous n'étiez pas commode, embêtant pour une
femme, et qui lui auriez rendu la vie très difficile avec vos
idées.

— Souvent elle a dit cela?

— Oui, quelquefois, avec des subterfuges, pour que je
ne comprenne point, mais je devinais tout.

— Et vous, comment vous traitait-on dans cette maison?

— Moi? très bien d'abord, et puis très mal ensuite. Quand
maman a vu que je gâtais son affaire, elle m'a flanqué à l'eau.

— Comment ça?

— Comment ça! c'est bien simple. J'ai fait quelques fre-
daines vers seize ans; alors ces gouapes-là m'ont mis dans
une maison de correction, pour se débarasser de moi.

Il posa ses coudes sur la table, appuya ses deux joues sur
ses deux mains et, tout à fait ivre, l'esprit chaviré dans le
vin, il fut saisi tout à coup par une de ces irrésistibles envies
de parler de soi qui font divaguer les pochards en de fan-
tastiques vantardises.

Et il souriait gentiment, avec une grâce féminine sur les
lèvres, une grâce perverse que le prêtre reconnut. Non
seulement il la reconnut, mais il la sentit, haïe et caressante,
cette grâce qui l'avait conquis et perdu jadis. C'était à sa
mère que l'enfant, à présent, ressemblait le plus, non par les
traits du visage, mais par le regard captivant et faux et sur-
tout par la séduction du sourire menteur qui semblait ouvrir
la porte de la bouche à toutes les infamies du dedans.

Philippe-Auguste raconta:

— Ah! ah! ah! J'en ai eu une vie, moi, depuis la maison
de correction, une drôle de vie qu'un grand romancier
payerait cher. Vrai, le père Dumas, avec son *Monte-Cristo*,
n'en a pas trouvé de plus cocasses que celles qui me sont
arrivées.

Il se tut, avec une gravité philosophique, d'homme gris
qui réfléchit, puis, lentement:

— Quand on veut qu'un garçon tourne bien, on ne devrait
jamais l'envoyer dans une maison de correction, à cause
des connaissances de là dedans, quoi qu'il ait fait. J'en avais
fait une bonne, moi, mais elle a mal tourné. Comme je me
baladais avec trois camarades, un peu éméchés tous les
quatre, un soir, vers neuf heures, sur la grand'route, auprès
du gué de Folac, voilà que je rencontre une voiture où tout
le monde dormait, le conducteur et sa famille; c'étaient des
gens de Martinon qui revenaient de dîner à la ville. Je
prends le cheval par la bride, je le fais monter dans le bac
du passeur et je pousse le bac au milieu de la rivière. Ça
fait du bruit, le bourgeois qui conduisait se réveille, il ne
voit rien, il fouette. Le cheval part et saute dans le bouillon
avec la voiture. Tous noyés! Les camarades m'ont dénoncé.
Ils avaient bien ri d'abord en me voyant faire ma farce.
Vrai, nous n'avions pas pensé que ça tournerait si mal. Nous

espérions seulement un bain, histoire de rire.

Depuis ça, j'en ai fait de plus raides pour me venger de la première, qui ne méritait pas la correction, sur ma parole. Mais ce n'est pas la peine de les raconter. Je vais vous dire seulement la dernière, parce que celle-là elle vous plaira, j'en suis sûr. Je vous ai vengé, papa.

L'abbé regardait son fils avec des yeux terrifiés, et il ne mangeait plus rien.

Philippe-Auguste allait se remettre à parler.

— Non, dit le prêtre, pas à présent, tout à l'heure.

Se retournant, il battit et fit crier la stridente cymbale chinoise.

Marguerite entra aussitôt.

Et son maître commanda, avec une voix si rude qu'elle baissa la tête, effrayée et docile:

— Apporte-nous la lampe et tout ce que tu as encore à mettre sur la table, puis tu ne paraîtras plus tant que je n'aurai pas frappé le gong.

Elle sortit, revint et posa sur la nappe une lampe de porcelaine blanche, coiffée d'un abat-jour vert, un gros morceau de fromage, des fruits, puis s'en alla.

Et l'abbé dit résolument.

— Maintenant, je vous écoute.

Philippe-Auguste emplit avec tranquillité son assiette de dessert et son verre de vin. La seconde bouteille était presque vide, bien que le curé n'y eût point touché.

Le jeune homme reprit, bégayant, la bouche empâtée de nourriture et de saoulerie.

— La dernière, la voilà. C'en est une rude: J'étais revenu à la maison . . . et j'y restais malgré eux parce qu'ils avaient peur de moi . . . peur de moi . . . Ah! faut pas qu'on m'embête, moi . . . je suis capable de tout quand on m'embête . . . Vous savez . . . ils vivaient ensemble et pas ensemble. Il avait deux domiciles, lui, un domicile de sénateur et un domicile d'amant. Mais il vivait chez maman plus souvent que chez lui, car il ne pouvait plus se passer d'elle. Ah! . . . en voilà une fine, et une forte . . . maman . . . elle savait vous tenir un homme, celle-là! Elle l'avait pris corps et âme, et elle l'a gardé jusqu'à la fin. C'est-il bête, les hommes! Donc, j'étais revenu et je les maîtrisais par la peur. Je suis

débrouillard, moi, quand il faut, et pour la malice, pour la
ficelle, pour la poigne aussi, je ne crains personne. Voilà
que maman tombe malade et il l'installe dans une belle
propriété près de Meulan, au milieu d'un parc grand comme
une forêt. Ça dure dix-huit mois environ . . . comme je vous
ai dit. Puis nous sentons approcher la fin. Il venait tous les
jours de Paris, et il avait du chagrin, mais là, du vrai.

Donc, un matin, ils avaient jacassé ensemble près d'une
heure, et je me demandais de quoi ils pouvaient jaboter si
longtemps quand on m'appelle. Et maman me dit:

— Je suis près de mourir et il y a quelque chose que je
veux te révéler, malgré l'avis du comte. — Elle l'appelait
toujours «le comte» en parlant de lui. — C'est le nom de
ton père, qui vit encore.

Je le lui avais demandé plus de cent fois . . . plus de cent
fois . . . le nom de mon père . . . plus de cent fois . . . et elle
avait toujours refusé de le dire . . . Je crois même qu'un
jour j'y ai flanqué des gifles pour la faire jaser, mais ça n'a
servi de rien. Et puis, pour se débarrasser de moi, elle m'a
annoncé que vous étiez mort sans le sou, que vous étiez
un pas grand'chose, une erreur de sa jeunesse, une gaffe
de vierge, quoi. Elle me l'a si bien raconté que j'y ai coupé,
mais en plein, dans votre mort.

Donc elle me dit:

— C'est le nom de ton père.

L'autre, qui était assis dans un fauteuil, réplique comme
ça, trois fois:

— Vous avez tort, vous avez tort, vous avez tort, Rosette.

Maman s'assied dans son lit. Je la vois encore avec ses
pommettes rouges et ses yeux brillants, car elle m'aimait
bien tout de même; et elle lui dit:

— Alors faites quelque chose pour lui, Philippe!

En lui parlant, elle le nommait «Philippe» et moi
«Auguste».

Il se mit à crier comme un forcené:

— Pour cette crapule-là, jamais, pour ce vaurien, ce
repris de justice, ce . . . ce . . . ce . . .

Et il en trouva des noms pour moi, comme s'il n'avait
cherché que ça toute sa vie.

J'allais me fâcher, maman me fait taire, et elle lui dit:

— Vous voulez donc qu'il meure de faim, puisque je n'ai rien, moi.

Il répliqua, sans se troubler:

— Rosette, je vous ai donné trente-cinq mille francs par an, depuis trente ans, cela fait plus d'un million. Vous avez vécu par moi en femme riche, en femme aimée, j'ose dire, en femme heureuse. Je ne dois rien à ce gueux qui a gâté nos dernières années et il n'aura rien de moi. Il est inutile d'insister. Nommez-lui l'autre si vous voulez. Je le regrette, mais je m'en lave les mains.

Alors, maman se tourne vers moi. Je me disais: «Bon . . . v'là que je retrouve mon vrai père . . . ; s'il a de la galette, je suis un homme sauvé . . .»

Elle continua:

— Ton père, le baron de Vilbois, s'appelle aujourd'hui l'abbé Vilbois, curé de Garandou, près de Toulon. Il était mon amant quand je l'ai quitté pour celui-ci.

Et voilà qu'elle me conte tout, sauf qu'elle vous a mis dedans aussi au sujet de sa grossesse. Mais les femmes, voyez-vous, ça ne dit jamais la vérité.

Il ricanait, inconscient, laissant sortir librement toute sa fange. Il but encore, et la face toujours hilare, continua:

— Maman mourut deux jours . . . deux jours plus tard. Nous avons suivi son cercueil au cimetière, lui et moi . . . est-ce drôle, . . . dites . . . lui et moi . . . et trois domestiques . . . c'est tout. Il pleurait comme une vache . . . nous étions côte à côte . . . on eût dit papa et le fils à papa.

Puis nous voilà revenus à la maison. Rien que nous deux. Moi je me disais: «Faut filer, sans un sou.» J'avais juste cinquante francs. Qu'est-ce que je pourrais bien trouver pour me venger.

Il me touche le bras, et me dit:

— J'ai à vous parler.

Je le suivis dans son cabinet. Il s'assit devant sa table, puis, en barbotant dans ses larmes, il me raconte qu'il ne veut pas être pour moi aussi méchant qu'il le disait à maman; il me prie de ne pas vous embêter . . . — Ça . . . ça nous regarde, vous et moi . . . — Il m'offre un billet de mille . . . mille . . . mille . . . qu'est-ce que je pouvais faire avec mille francs . . . moi . . . un homme comme moi. Je

vis qu'il y en avait d'autres dans le tiroir, un vrai tas. La
vue de c' papier-là, ça me donne une envie de chouriner.
Je tends la main pour prendre celui qu'il m'offrait, mais
au lieu de recevoir son aumône, je saute dessus, je le jette
par terre, et je lui serre la gorge jusqu'à lui faire tourner de
l'œil; puis, quand je vis qu'il allait passer, je le bâillonne,
je le ligote, je le déshabille, je le retourne et puis . . . ah!
ah! ah! . . . je vous ai drôlement vengé! . . .

Philippe-Auguste toussait, étranglé de joie, et toujours
sur sa lèvre relevée d'un pli féroce et gai, l'abbé Vilbois
retrouvait l'ancien sourire de la femme qui lui avait fait
perdre la tête.

— Après? dit-il.

— Après . . . Ah! ah! ah! . . . Il y avait grand feu dans
la cheminée . . . c'était en décembre . . . par le froid . . .
qu'elle est morte . . . maman . . . grand feu de charbon . . .
Je prends le tisonnier . . . je le fais rougir . . . et voilà . . .
que je lui fais des croix dans le dos, huit, dix, je ne sais pas
combien, puis je le retourne et je lui en fais autant sur le
ventre. Est-ce drôle, hein! papa. C'est ainsi qu'on marquait
les forçats autrefois. Il se tortillait comme une anguille . . .
mais je l'avais bien bâillonné, il ne pouvait pas crier. Puis,
je pris les billets — douze — avec le mien ça faisait treize . . .
ça ne m'a pas porté chance. Et je me suis sauvé en disant
aux domestiques de ne pas déranger M. le comte jusqu'à
l'heure du dîner parce qu'il dormait.

Je pensais bien qu'il ne dirait rien, par peur du scandale,
vu qu'il est sénateur. Je me suis trompé. Quatre jours après
j'étais pincé dans un restaurant de Paris. J'ai eu trois ans
de prison. C'est pour ça que je n'ai pas pu venir vous trouver
plus tôt.

Il but encore, et bredouillant de façon à prononcer à
peine les mots:

— Maintenant . . . papa . . . papa curé! . . . Est-ce drôle
d'avoir un curé pour papa! . . . Ah! ah! faut être gentil, bien
gentil avec bibi, parce que bibi n'est pas ordinaire . . . et
qu'il en a fait une bonne . . . pas vrai . . . une bonne . . .
au vieux . . .

La même colère qui avait affolé jadis l'abbé Vilbois,

devant la maîtresse trahissante, le soulevait à présent devant cet abominable homme.

Lui qui avait tant pardonné, au nom de Dieu, les secrets infâmes chuchotés dans le mystère des confessionnaux, il se sentait sans pitié, sans clémence en son propre nom, et il n'appelait plus maintenant à son aide ce Dieu secourable et miséricordieux, car il comprenait qu'aucune protection céleste ou terrestre ne peut sauver ici-bas ceux sur qui tombent de tels malheurs.

Toute l'ardeur de son cœur passionné et de son sang violent, éteinte par l'apostolat, se réveillait dans une révolte irrésistible contre ce misérable qui était son fils, contre cette ressemblance avec lui, et aussi avec la mère, la mère indigne qui l'avait conçu pareil à elle, et contre la fatalité qui rivait ce gueux à son pied paternel ainsi qu'un boulet de galérien.

Il voyait, il prévoyait tout avec une lucidité subite, réveillé par ce choc de ses vingt-cinq ans de pieux sommeil et de tranquillité.

Convaincu soudain qu'il fallait parler fort pour être craint de ce malfaiteur et le terrifier du premier coup, il lui dit, les dents serrées par la fureur, et ne songeant plus à son ivresse:

— Maintenant que vous m'avez tout raconté, écoutez-moi. Vous partirez demain matin. Vous habiterez un pays que je vous indiquerai et que vous ne quitterez jamais sans mon ordre. Je vous y payerai une pension qui vous suffira pour vivre, mais petite, car je n'ai pas d'argent. Si vous désobéissez une seule fois, ce sera fini et vous aurez affaire à moi . . .

Bien qu'abruti par le vin, Philippe-Auguste comprit la menace, et le criminel qui était en lui surgit tout à coup. Il cracha ces mots, avec des hoquets:

— Ah! papa, faut pas me la faire . . . T'es curé . . . je te tiens . . . et tu fileras doux, comme les autres!

L'abbé sursauta; et ce fut, dans ses muscles de vieil hercule, un invincible besoin de saisir ce monstre, de le plier comme une baguette et de lui montrer qu'il faudrait céder.

Il lui cria, en secouant la table et en la lui jetant dans la poitrine.

— Ah! prenez garde, prenez garde, . . . je n'ai peur de personne, moi . . .

L'ivrogne, perdant l'équilibre, oscillait sur sa chaise. Sentant qu'il allait tomber et qu'il était au pouvoir du prêtre, il allongea sa main, avec un regard d'assassin, vers un des couteaux qui traînaient sur la nappe. L'abbé Vilbois vit le geste, et il donna à la table une telle poussée que son fils culbuta sur le dos et s'étendit par terre. La lampe roula et s'éteignit.

Pendant quelques secondes une fine sonnerie de verres heurtés chanta dans l'ombre; puis ce fut une sorte de rampement de corps mou sur le pavé, puis plus rien.

Avec la lampe brisée la nuit subite s'était répandue sur eux si prompte, inattendue et profonde, qu'ils en furent stupéfaits comme d'un événement effrayant. L'ivrogne, blotti contre le mur, ne remuait plus; et le prêtre restait sur sa chaise, plongé dans ces ténèbres, qui noyaient sa colère. Ce voile sombre jeté sur lui arrêtant son emportement, immobilisa aussi l'élan furieux de son âme; et d'autres idées lui vinrent, noires et tristes comme l'obscurité.

Le silence se fit, un silence épais de tombe fermée, où rien ne semblait plus vivre et respirer. Rien non plus ne venait du dehors, pas un roulement de voiture au loin, pas un aboiement de chien, pas même un glissement dans les branches ou sur les murs, d'un léger souffle de vent.

Cela dura longtemps, très longtemps, peut-être une heure. Puis, soudain, le gong tinta! Il tinta frappé d'un seul coup dur, sec et fort, que suivit un grand bruit bizarre de chute et de chaise renversée.

Marguerite, aux aguets, accourut; mais dès qu'elle eut ouvert la porte, elle recula épouvantée devant l'ombre impénétrable. Puis tremblante, le cœur précipité, la voix haletante et basse, elle appela:

— M'sieu l' curé, m'sieu l' curé.

Personne ne répondit, rien ne bougea.

«Mon Dieu, mon Dieu, pensa-t-elle, qu'est-ce qu'ils ont fait, qu'est-ce qu'est arrivé.»

Elle n'osait pas avancer, elle n'osait pas retourner prendre une lumière; et une envie folle de se sauver, de fuir et de

hurler la saisit, bien qu'elle se sentît les jambes brisées à tomber sur place. Elle répétait:

— M'sieur le curé, m'sieur le curé, c'est moi, Marguerite.

Mais soudain, malgré sa peur, un désir instinctif de secourir son maître, et une de ces bravoures de femmes qui les rendent par moments héroïques emplirent son âme d'audace terrifiée, et, courant à sa cuisine, elle rapporta son quinquet.

Sur la porte de la salle, elle s'arrêta. Elle vit d'abord le vagabond, étendu contre le mur, et qui dormait ou semblait dormir, puis la lampe cassée, puis, sous la table, les deux pieds noirs et les jambes aux bas noirs de l'abbé Vilbois, qui avait dû s'abattre sur le dos en heurtant le gong de sa tête.

Palpitante d'effroi, les mains tremblantes, elle répétait:

— Mon Dieu, mon Dieu, qu'est-ce que c'est?

Et comme elle avançait à petits pas, avec lenteur, elle glissa dans quelque chose de gras et faillit tomber.

Alors, s'étant penchée, elle s'aperçut que, sur le pavé rouge, un liquide rouge aussi coulait, s'étendant autour de ses pieds et courant vite vers la porte. Elle devina que c'était du sang.

Folle, elle s'enfuit, jetant sa lumière pour ne plus rien voir, et elle se précipita dans la campagne, vers le village. Elle allait, heurtant les arbres, les yeux fixés vers les feux lointains et hurlant.

Sa voie aiguë s'envolait par la nuit comme un sinistre cri de chouette et clamait sans discontinuer: «Le maoufatan . . . le maoufatan . . . le maoufatan . . .»

Lorsqu'elle atteignit les premières maisons, des hommes effarés sortirent et l'entourèrent; mais elle se débattait sans répondre, car elle avait perdu la tête.

On finit par comprendre qu'un malheur venait d'arriver dans la campagne du curé, et une troupe s'arma pour courir à son aide.

Au milieu du champ d'oliviers la petite bastide peinte en rose était devenue invisible et noire dans la nuit profonde et muette. Depuis que la lueur unique de sa fenêtre éclairée s'était éteinte comme un œil fermé, elle demeurait

noyée dans l'ombre, perdue dans les ténèbres, introuvable pour quiconque n'était pas enfant du pays.

Bientôt des feux coururent au ras de terre, à travers les arbres, venant vers elle. Ils promenaient sur l'herbe brûlée de longues clartés jaunes, et sous leurs éclats errants les troncs tourmentés des oliviers ressemblaient parfois à des monstres, à des serpents d'enfer enlacés et tordus. Les reflets projetés au loin firent soudain surgir dans l'obscurité quelque chose de blanchâtre et de vague, puis, bientôt le mur bas et carré de la petite demeure redevint rose devant les lanternes. Quelques paysans les portaient, escortant deux gendarmes, revolver au poing, le garde champêtre, le maire et Marguerite que des hommes soutenaient, car elle défaillait.

Devant la porte demeurée ouverte, effrayante, il y eut un moment d'hésitation. Mais le brigadier saisissant un falot, entra suivi par les autres.

La servante n'avait pas menti. Le sang, figé maintenant, couvrait le pavé comme un tapis. Il avait coulé jusqu'au vagabond, baignant une de ses jambes et une de ses mains.

Le père et le fils dormaient, l'un, la gorge coupée, du sommeil éternel, l'autre du sommeil des ivrognes. Les deux gendarmes se jetèrent sur celui-ci, et avant qu'il fût réveillé il avait des chaînes aux poignets. Il frotta ses yeux, stupéfait, abruti de vin; et lorsqu'il vit le cadavre du prêtre, il eut l'air terrifié, et de ne rien comprendre.

— Comment ne s'est-il pas sauvé, dit le maire?

— Il était trop saoul, répliqua le brigadier.

Et tout le monde fut de son avis, car l'idée ne serait venue à personne que l'abbé Vilbois, peut-être, avait pu se donner la mort.

TABLE CHRONOLOGIQUE

GUY DE MAUPASSANT	LITTÉRATURE FRANÇAISE	HISTOIRE FRANÇAISE
1850 Naissance de Maupassant		
		1852 Napoléon III—Le Second Empire
	1857 Flaubert: *Madame Bovary* Baudelaire: *Les Fleurs du Mal*	
1870 Maupassant s'engage dans la guerre Franco-Prussienne		1870 Guerre Franco-Prussienne
	1871–93 Zola: *Les Rougon-Macquart*	1871 La Commune
1873 Maupassant rencontre et fréquente Flaubert	1873 Rimbaud: *Une Saison en Enfer* 1877 Flaubert: *Trois Contes*	
1880 *Boule de Suif* 1881 *La Maison Tellier,* recueil de contes 1882 *Mademoiselle Fifi,* recueil de contes 1883 *Une Vie,* roman— *Contes de la Bécasse* 1884 *La Parure*	1882 Huysmans: *A Vau-l'Eau* 1884 Daudet: *Sapho*	1883–93 Impérialisme et colonisation française

Guy de Maupassant	Littérature Française	Histoire Française
1885 *Contes du Jour et de la Nuit*—*Bel-Ami*, roman	1885 Zola: *Germinal*	
1887 *Mont-Oriol*, roman—*Le Horla*		
1888 *Pierre et Jean*, roman—*Sur l'Eau*—*Un Portrait*		
1889 *Fort comme la Mort*, roman	1889 Bourget: *Le Disciple*	1889 L'Affaire Boulanger
	1890 Claudel: *Tête d'Or*	
1890 *L'Inutile Beauté*, recueil de contes—*Notre Cœur*, roman		
1893 Mort de Maupassant		1894 L'Affaire Dreyfus
	1896 Valéry: *La Soirée avec Monsieur Teste*	